多泥沙河流水体污染调查技术指南

张曙光　董保华　周艳丽
李淑贞　王丽伟　吴　青　编著

黄河水利出版社

内 容 提 要

在概要性地介绍了我国河流概况及多泥沙河流特点的基础上,详尽介绍了多泥沙河流污染调查的工作程序、水质、底质、悬移质和水生生物,以及流域自然、社会和污染源等环境要素的调查内容和分析、评价方法。同时,还介绍了数据的整汇编方法、统计分析、处理以及调查和分析过程中的质量控制方法。书中以规范多泥沙河流水污染调查的方式和方法为目的,使调查结果更能满足环境管理工作的需要,有助于多泥沙河流水环境保护目标、水资源保护规划和水污染监控方案的制定,更好地服务于水资源保护工作。

该书是开展多泥沙河流水污染调查的技术工具书,可供有关从事水资源、环境保护工作的科技工作者、管理人员和大专院校相关专业师生使用。

图书在版编目(CIP)数据

多泥沙河流水体污染调查技术指南/张曙光等编著.
郑州:黄河水利出版社,2004.7
ISBN 7－80621－634－0

Ⅰ.多⋯ Ⅱ.张⋯ Ⅲ.多泥沙河流－河流污染－污染调查－指南 Ⅳ.X522－62

中国版本图书馆 CIP 数据核字(2004)第 053142 号

出 版 社:黄河水利出版社
            地址:河南省郑州市金水路 11 号   邮政编码:450003
发行单位:黄河水利出版社
            发行部电话及传真:0371－6022620
            E-mail:yrcp@public.zz.ha.cn
承印单位:黄河水利委员会印刷厂
开本:787mm×1 092mm   1/16
印张:21
字数:485 千字   印数:1—1 000
版次:2004 年 7 月第 1 版   印次:2004 年 7 月第 1 次印刷

书号:ISBN 7－80621－634－0/X·7   定价:48.00 元

前　言

　　水是基础性的自然资源,战略性的经济资源。随着社会经济的快速发展和城市化进程的不断加快,各类用水不断增加,使水资源的供需矛盾日趋突出。合理开发和有效保护水资源,加强水资源的统一管理,促进水资源工作的优化配置、节约、保护和管理是今后水资源工作的中心内容。

　　在水资源的质与量的管理中,河流水体污染调查是管好、用好水资源的重要基础性工作。为加强和规范水质监测管理,我国出台了一系列环境监测标准方法和行业水环境监测规范。但由于我国幅员辽阔,自然地域性特征鲜明,制定出适用于全国统一的水质调查标准是相当困难的。特别对于多泥沙和悬浮物含量较高的河流,存在的监测技术问题更为突出。

　　《多泥沙河流水体污染调查技术指南》是在总结黄河流域以及其他多泥沙河流开展水体污染调查评价的实践和理论探索的基础上编写的。书中就如何提供科学有效的水质监测数据、如何真实地评价多泥沙河流水体污染的实际水平、如何使基础调查工作满足水污染监督、控制和管理的需要,提出了多泥沙河流水污染调查过程中需要考虑的重要环境要素及调查方式和方法,对在水污染调查过程中因泥沙和悬浮物等颗粒物带来的干扰问题,也提出了处理的方法和需要注意的事项。本书的重点在于突出解决多泥沙河流水污染调查中的技术问题,在编写过程中,力图做到既能反映当前国内外水污染调查、水环境监测与评价的水平,便于进行国际交流和合作,又着重考虑国内现有的工作基础和条件,选取了使用合理、操作简便和便于推广的方法,以便为广大环境工作者普遍使用和掌握。

　　本书共分十章,其中,前言由吴青、张曙光执笔,第一章、第二章由董保华、张曙光执笔,第三章由周艳丽、吴青执笔,第四章、第五章由董保华、李淑贞执笔,第六章由李淑贞执笔,第七章由周艳丽执笔,第八章由张曙光执笔,第九章、第十章由王丽伟执笔。全书由张曙光主编,董保华、吴青主审,在编写过程中,得到有关部门和同行的大力支持,在此表示衷心感谢。

　　谨以此书献给从事水环境污染监测和水资源保护的同行,若能对大家的工作有些益助,衷心自是十分宽慰愉悦。

编　者

2003 年 6 月

目　录

第一章　中国主要江河概况

第一节　自然概况

一、我国地理位置和面积

我国位于亚洲东部,太平洋西岸。领土最北端在漠河以北黑龙江主航道中心线,最南端在南沙群岛的曾母暗沙岛,最东端在黑龙江和乌苏里江主航道汇合处,最西端在帕米尔高原上。陆上疆界长 2 万多 km,同朝鲜、俄罗斯、蒙古、阿富汗、巴基斯坦、印度、尼泊尔、锡金、不丹、缅甸、老挝、越南等国家相邻。大陆海岸线长达 1.8 万多 km,东、南部隔黄海、东海、南海与日本、菲律宾、马来西亚、印度尼西亚等国相望。

全国总面积 960 多万 km²,是亚州面积最大的国家,在世界上居第三位。其中,可耕地、林地、草原面积,占 63%;城乡居民、工矿、道路占用面积,占 2%;河渠、湖泊、水库面积,占 3%;冰川、沼泽面积,占 1%;裸地、石山、沙漠、戈壁面积,占 27%;其他面积占 4%。

二、河流自然概况

中国地大物博、江河众多,流域面积 100km² 以上的河流有 5 万多条,流域面积在 1 000km² 以上的河流也有 1 500 多条。因受地形、气候的影响,绝大多数河流分布在气候湿润多雨的东南部;西北内陆气候干燥少雨,河流稀少,并有范围较大的无流区。

河流可分为流入海洋的外流河和不与海洋沟通的内陆河两大类。中国外流河的外流区域基本上是季风区,面积约占全国总面积的 2/3;内陆河的内流区域基本上是非季风区,面积约占全国总面积的 1/3。

中国外流河大多数顺势向东或东南流入太平洋,主要有长江、黄河、黑龙江、珠江、辽河、海河、淮河、钱塘江、澜沧江等。怒江、雅鲁藏布江因受弧形山系的影响,向南出国境后流入印度洋。新疆西北部的额尔齐斯河经哈萨克斯坦、俄罗斯流入北冰洋。南、北各地区外流河的水文、气候等自然条件有显著差异。淮河大致处于 1 月 0℃ 等温线的位置,属于中国半湿润到半干旱的过渡地带,流域内降雨由南至北显著递减。秦岭、淮河以南的河流,集水面积主要处于湿润地区,季风雨季长,植被良好,水量丰沛,季节变化不大,含沙量较小,冬季不结冰,有利于灌溉、航运、发电和水产事业的发展。秦岭、淮河以北的河流,除黑龙江、鸭绿江外,集水面积主要处于半湿润和半干旱地区,季风雨季短,植被稀少,水土流失比较严重,河流水量季节变化大,含沙量较大,而且冬季结冰,影响蓄水、发电和航运。其中黄河是多泥沙河流的典型代表。

中国的内陆河由于地理位置、地形、水源补给条件的不同,在水系发育、分布方面存在着很大的差异,大致可划分为内蒙古、河西、准噶尔、中亚西亚、塔里木、青海、羌塘等 7 个区域。河西、准噶尔、中亚西亚、塔里木等内陆河区,地形起伏较大,在祁连山、天山、昆仑山等高山冰雪融水和雨水的补给下,发育了一些比较长的内陆河,如塔里木河、伊犁河、黑河等。青海柴达木盆地为高寒气候,在盆地周围分布着许多向中部汇集的小河流,盆地中广泛分布盐湖和沼泽。羌塘内陆河的特色是湖泊星罗棋布,小河以湖泊为汇集中心。内陆河水量虽不大,但对当地的农业灌溉、人畜引水具有重要意义。

中国主要河流的长度和流域面积,见表1-1。

表 1-1　　　　　　　　　　　　中国主要江河简汇

河流名称	长度(km)	流域面积(km²)
长　江	6 300	1 808 500
黄　河	5 464	752 443
黑龙江	3 420	1 620 170
松花江	2 308	557 180
珠　江	2 214	453 690
雅鲁藏布江	2 057	240 480
塔里木河	2 046	194 210
澜沧江	1 826	167 486
怒　江	1 659	137 818
辽　河	1 390	228 960
海　河	1 090	263 631
淮　河	1 000	269 283
滦　河	877	44 100
鸭绿江	790	61 889
额尔齐斯河	633	57 290
伊犁河	601	61 640
元　江	565	39 768
闽　江	541	60 992
图们江	520	33 168
钱塘江	428	42 156
韩　江	325	34 314

注:(1)国际界河或入境河流的河长和流域面积包括国外部分,出境河算至国境线;

　　(2)黄河流域面积不包括鄂尔多斯高原闭流区面积。

第二节　我国主要江河泥沙含量及理化特征

一、我国主要江河含沙量

受自然条件的限制和长期以来人类活动的影响,中国森林覆盖率很低,水土流失严重。据统计,目前全国森林面积和水土流失面积各为 120 万 km² 左右,森林覆盖率只有

12.5%，居世界第 12 位。根据近几年的泥沙观测资料分析，全国年输沙模数大于 1 000 t/km² 的面积达 60 万 km²，其中黄河流域为 29 万 km²，长江流域为 13 km²，辽河流域为 6.3 km²，海滦河为 5 万 km²。黄河中游的黄土高原地带是中国水土流失最严重的地区，年输沙模数大于 5 000t/ km² 的面积就有 15.6 万 km²，局部地区年输沙模数高达 22 002 t/km²。

　　水土流失造成许多河流含沙量高，泥沙淤积严重，尤以北方河流更为突出。全国平均每年进入河流的悬移质泥沙约 35 亿 t，其中约有 20 亿 t 淤积在外流区的水库、湖泊、中下游河道和灌区内。在我国众多的水系中，黄河是中国含沙量最大的河流，也是世界上罕见的多沙河流，年平均含沙量和年输沙总量均居世界大河的首位，多年平均含沙量已达 37.6kg/m³，年输沙量 16.8 亿 t，年平均输沙模数 2 232.9t/km；其次是辽河流域上游的西辽河、柳河、大小凌河，海河流域的永定河、滹沱河、浊漳河和滦河上游部分地区，年平均含沙量在 10～100kg/m³ 之间。长江（宜昌站）年平均含沙量 1.14kg/m³，已经超过了密西西比、红河等世界上著名的几条大河（见表 1-2）。虽然长江流域侵蚀模数大于 5 000 t/(km²·a) 的面积约 10.8 万 km²，比黄土高原约少 5 万 km²，但是长江流域的降水量却比黄土高原多 3～4 倍。据 1952～1986 年多年的统计资料，长江嘉陵江最大含沙量达到 9.41kg/m³；汉江最大含沙量达 10.6kg/m³。近几年，长江中上游沿岸滑坡，水土流失造成的河道阻塞，含沙量剧增的情况时有报道。因此，如果不采取行之有效的措施，控制水土流失，长江大有成为第二条黄河的可能。淮河鲁子台、蚌埠站的多年统计资料中，年最大含沙量也达 5.45kg/m³ 和 5.64kg/m³；松花江、珠江多年平均含沙量在 0.13～0.33 kg/m³ 之间。值得注意的是，我国南方的广东、福建以及东北等地的水土流失也十分严重，有些地区土壤侵蚀量虽然不及黄土高原，但从土壤侵蚀对土地资源损害所产生的后果来看，其危害程度有过之而无不及。广东省的南雄盆地的紫红色砂岩分布区，是我国南方

表 1-2　　　　　　　　　　　　　国内外主要河流含沙量比较

河流名称	流域面积 （10^4 km²）	年输沙量 （10^8 t）	年径流量 （10^8 m³）	平均含沙量 （kg/m³）	年均输沙模数 （t/km²）
黄　河	75.24	16.8	580	37.60	2 232.9
长　江	180.55	5.14	9 282	1.14	284.7
金沙江	48.51	2.40	1 450	1.67	494.7
嘉陵江	15.61	1.57	672	2.34	1 005.8
恒　河	95.50	14.51	3 710.0	3.92	1 519.4
布拉马普特拉河	66.60	7.26	3 840.0	1.89	1 090.1
密西西比河	323.00	3.12	5 645.0	0.55	96.6
印度河	96.90	4.35	1 750.0	2.49	448.9
伊洛瓦底江	43.00	2.99	4 270.0	0.07	695.3
密苏里河	137.00	2.18	6 160.0	3.54	159.1
科罗拉多河	63.70	1.35	490.0	27.50	211.9
红　河	11.90	1.30	1 230.0	1.06	1 092.4
尼罗河	297.80	1.11	892.0	1.25	37.3

该类岩系分布区侵蚀最严重的地区之一,有"红色沙漠"之称,其降水量比黄土高原大得多,年平均侵蚀量为1 500t/km²;广东德庆县崩岗侵蚀区的年侵蚀量达3 510～3 533t/km²;江西兴国是我国南方又一土壤侵蚀最严重的地区,年侵蚀量为7 000t/km²左右,在崩岗群分布区的年侵蚀量最大可达13 500t/km²以上(赣江上游);广西花岗岩分布区年侵蚀量为4 095t/km²;四川省遂宁县是该省土壤侵蚀最严重的地区,年侵蚀量约8 000t/km²;福建河田长丁花岗岩分布区年侵蚀量达10 000～15 000t/km²。克山县是黑龙江省土壤侵蚀最严重的地区,侵蚀土(黑土)在黄土状母岩上发育而成,根据残留的黑土层厚度推算,其土壤侵蚀量一般为5～8mm/a。以上大量资料虽未直接表明各河流的含沙量,但从土壤侵蚀、水土流失这一侧面可反映河流的含沙量状况。表1-3为国内外水沙情况较典型河流的水量和含沙量统计值。我国河流含沙量水平总体上大于国外。

表1-3　　　　　　　　　　　国内外部分河流水、沙特征统计

编号	国名	河流名称	流域面积 (10⁴km²)	站名	水量 年平均流量 (m³/s)	水量 平均年水量 (10⁸m³)	沙量 年平均含沙量 (kg/m³)	沙量 年平均输沙量 (10⁸t)	沙量 年平均输沙模数 (t/km²)
1	孟加拉国	布拉马普特拉河	66.6	河口	12 190	3 840	1.89	7.26	1 090
2	孟加拉国	恒河	95.5	哈丁桥	1 750	3 710	3.92	14.5	1 519
3	巴基斯坦	印度河	96.9	柯特里	5 500	1 750	2.49	4.35	449
4	缅甸	伊洛瓦底河	43.0	普朗姆	13 550	4 270	0.7	2.99	695
5	美国	密西西比河	323.0	河口	17 820	5 645	0.55	3.12	97
6	美国	科罗拉多河	63.7	大峡谷	155	490	27.5	1.35	212
7	巴西	亚马孙河	577.0	河口	181 000	57 100	0.06	3.63	63
8	埃及	尼罗河	297.8	格弗拉	2 830	892	1.25	1.11	37
9	中国	长江	180.1	大通	29 200	9 282	1.14	5.14	284.6
10	中国	黄河	75.2	陕县	1 470	580	37.6	16.8	2 233
11	中国	窟野河	0.9	温家川	24.7	7.8	169	1.32	15 300
12	中国	泾河	4.3	张家山	49.2	15.5	172	2.67	6 180
13	中国	珠江	45.4	梧州	7 210	2 270	0.34	0.718	218
14	中国	永定河	4.9	三家店	45	14.2	44.2	0.82	1 673
15	中国	洮河	2.6	红旗	168	52.8	5.53	0.292	1 144
16	中国	湟水	3.3		157	49.4	5.08	0.251	764
17	中国	清水河	1.4	泉眼山	6.85	2.16	229	0.495	3 419
18	中国	无定河	3.0	白家川	14.9	4.7	372	1.75	5 783
19	中国	汾河	3.9	河津	76	24.1	15.1	0.365	925
20	中国	渭河	13.5	华县	291	91.9	58.2	5.35	3 970
21	中国	北洛河	2.7	洑头	28	8.7	115	0.998	3 700
22	中国	洛河	1.9	黑石关	107	33.8	5.41	0.183	969
23	中国	沁河	4	武陟	55	17.4	4.12	0.072 3	534
24	中国	大汶河	0.9	戴村坝	57.7	18.2	1.02	0.018 6	204

二、我国主要江河泥沙特性

随着河流经济和社会发展,排入江河湖库的污染物有明显的增加趋势。河流泥沙对进入水体的污染物有较强的吸附能力。泥沙对污染物的吸附效应和吸附强度,取决于河流泥沙含量和泥沙的物理化学性质。在江河水质调查、监测、评价、预测和污染防治工作中,必须充分考虑河流泥沙的特点和泥沙对水质的影响。

(一)我国主要江河泥沙理化特征

1.粒度组成

根据对我国主要江河泥沙理化特征的调查研究,在长江、黄河、黑龙江、松花江、珠江等江河20多条干支流的悬浮泥沙中,粒径小于0.002mm的黏粒含量为21%~58%(表1-4),其中,东北地区河流泥沙黏粒含量普遍偏高,大部分河流黏粒含量大于50%;其次是南方诸河,一般为45%~50%;华北、华中地区河流,黏粒含量列居第三,一般低于45%。黄河黏粒含量最低,仅为21%左右;黄河黏粒含量偏低的原因主要与河流泥沙来源于以粉沙含量为主的黄土高原有关。

表1-4　　　　　　　　　我国主要江河悬浮泥沙颗粒组成　　　　　　　　　　%

河流	样点名称	<0.05mm	<0.03mm	<0.01mm	<0.005mm	<0.002mm
黑龙江	漠河	100	89.1	74.1	68.5	58.2
黑龙江	同江	100	90.1	78.9	71.2	53.6
嫩江	齐齐哈尔	100	88.9	71.2	59.8	46.5
汤旺河	浩良河	100	89.2	73.6	64.5	58.3
穆棱河	虎林	100	88.3	79.6	66.7	56.2
松花江	同江	100	81.9	72.1	61.6	56.3
松花江	哈尔滨(上)	100	84.5	69.8	53.2	49.1
乌苏里江	饶河	100	79.6	68.2	51.3	44.5
第二松花江	吉林(上)	100	81.7	66.3	57.1	52.3
图们江	图们	100	82.3	63.2	54.1	47.8
鸭绿江	玉江岛	100	76.9	64.8	56.2	48.5
辽河	通辽	100	81.8	66.8	51.3	42.3
滦河	下板城	100	82.9	61.9	49.4	39.5
黄河	郑州	100	76.9	51.3	31.9	21.5
汉江	沔阳	100	81.3	56.8	41.9	40.1
长江	南京(上)	100	86.3	57.8	48.5	39.6
黄浦江	上海(上)	100	79.8	69.8	61.2	48.5
钱塘江	杭州	100	78.6	64.5	54.3	47.2
赣江	南昌	100	81.6	68.5	56.1	45.6
闽江	福州	100	76.6	69.8	57.2	49.2
西江	肇庆(上)	100	81.2	70.1	57.3	51.2
东江	新塘	100	78.9	68.3	53.5	49.5

2. 黏土矿物组成

经对我国主要江河的 22 条干支流泥沙矿物组成进行分析(表1-5),主要成分为蒙脱石(M)、伊利石(I)、高岭石(K)、绿泥石、石英、长石等,其矿物组成分布具有明显的地域差异。

表 1-5　　　　　　　　　我国主要江河悬浮泥沙矿物成分含量　　　　　　　　　　　%

河流	M	I	K	M/K	CaCO₃	Fe(OH)₂
黑龙江	52.0	32.00	16.00	3.25	0.55	3.39
黑龙江						3.85
嫩江	54.00	31.00	15.00	8.60	1.49	4.11
汤旺河	52.00	32.00	16.00	3.25	0.36	4.17
穆棱河						3.96
松花江	58.00	27.00	15.00	3.87		3.85
松花江	52.50	33.50	14.00	3.75	0.74	4.46
乌苏里江					1.61	4.14
第二松花江						4.27
图们江	52.00	26.00	22.00	2.36	2.05	4.28
鸭绿江	47.00	30.00	23.00	2.04	3.87	4.37
辽河	58.00	31.00	11.00	5.37	0.42	4.37
滦河	59.00	29.00	12.00	4.92	1.80	4.72
黄河	42.00	28.00	30.00	1.40	13.12	4.66
汉江					8.09	4.72
长江	16.00	41.00	43.00	0.37	6.28	4.72
黄浦江	17.00	39.00	44.00	0.39	1.71	5.36
钱塘江	17.00	35.00	48.00	0.35		4.77
赣江					6.78	5.13
闽江	18.00	28.00	54.00	0.33	7.49	4.93
西江	14.00	33.00	53.00	0.26	3.41	5.24
东江	15.00	27.00	58.00	0.26	2.53	5.42

(1)蒙脱石的相对含量,总体上从北向南随着纬度的变化,逐渐减少,高岭石的相对含量逐渐增加,两者比值 M/K 显著下降。

(2)从北向南,黏土矿物组成组合由 2∶1 型矿物组成为主向 1∶1 型矿物为主逐渐演变。这种地带性分异规律,是生物气候条件下河流悬浮泥沙来源区成土过程演化发展的自然结果。这种结果,与我国东部季风区土壤中黏土矿物演化规律相吻合。

3. 碳酸盐和氢氧化铁

碳酸盐、铁锰氧化物,是河流悬浮泥沙中一种重要的矿物组分,含量虽然比较低,但在吸附和束缚重金属等污染物方面作用很大。表1-5列出了我国 22 条河流悬浮泥沙中碳酸盐、铁锰氧化物的含量。从总体上看,从北向南,随着纬度的降低,氢氧化铁的含量明显增加。这与我国东部不同地理地带土壤中,由北向南,沉积物脱硅富铁铝化作用增强的趋势是完全一致的。

黄河悬浮泥沙的主要矿物组分是 $CaCO_3$，其含量在表1-5中列出的我国22条河流中最高，其次是汉江、长江等河流，东北的河流以及其他南方河流的含量明显偏低。

4.有机质组分特征

在我国东部的22条河流悬浮泥沙中，有机质含量及组成，表现出明显的地域特征(表1-6)。

表1-6　　　　　　　　　　我国主要江河悬浮泥沙中有机质组成　　　　　　　　　%

河流	样点	Org	H+F	H		F		h		H/F
				A	B	A	B	A	B	
黑龙江	漠河	5.88	1.54	0.82	14.52	0.72	12.20	4.33	73.77	1.15
黑龙江	同江	5.23	1.58	0.76	14.46	0.82	15.69	3.66	70.15	0.92
嫩江	齐齐哈尔	4.37	0.64	0.33	7.44	0.32	7.21	3.72	85.35	1.03
汤旺河	浩良河	6.84	2.84	1.44	21.07	1.40	20.45	3.99	59.48	1.03
穆棱河	虎林	4.89	0.73	0.32	6.45	0.41	8.39	4.17	85.36	0.77
松花江	同江	2.78	0.35	0.13	4.68	0.22	7.87	2.43	87.45	0.59
松花江	哈尔滨(上)	3.93	0.99	0.40	10.22	0.53	13.38	3.01	76.40	0.76
乌苏里江	饶河	3.50	0.74	0.33	9.47	0.41	11.26	2.76	78.92	0.82
第二松花江	吉林(上)	4.03	1.25	0.45	11.19	0.80	19.82	2.78	69.00	0.56
图们江	图们	2.06	0.62	0.23	11.23	0.39	18.81	1.43	70.10	0.60
鸭绿江	玉江岛	2.63	0.54	0.21	11.36	0.32	17.65	1.23	70.99	0.67
辽河	通辽	2.67	0.53	0.24	9.25	0.29	11.01	2.09	79.74	0.84
滦河	下板城	3.47	0.73	0.30	8.82	0.43	12.68	2.68	78.50	0.70
黄河	郑州	0.61	0.13	0.02	3.44	0.11	17.45	0.48	79.11	0.20
汉江	沔阳	1.18	0.24	0.06	6.54	0.16	13.91	0.94	79.55	0.47
长江	南京(上)	1.16	0.24	0.07	5.95	0.17	14.41	0.92	76.91	0.41
黄浦江	上海(上)	3.78	0.23	0.07	1.76	0.33	4.25	3.55	93.96	0.41
钱塘江	杭州	3.02	0.36	0.10	3.44	0.16	8.40	2.66	88.12	0.41
赣江	南昌	5.90	0.44	0.11	1.91	0.33	5.57	5.46	92.52	0.35
闽江	福州	6.21	1.03	0.26	4.19	0.78	12.50	5.81	83.35	0.33
西江	肇庆(上)	2.61	0.37	0.11	3.65	0.25	9.36	2.26	87.01	0.44
东江	新塘	3.02	0.33	0.09	3.14	0.24	8.02	2.67	88.66	0.38

注:Org—有机质总量;H+F—腐殖质;H—胡敏酸;F—富里酸;h—胡敏素;A—悬浮沉积物中的相对含量;B—有机质中相对含量。

(1)有机质总量。在东北地区及南方部分河流悬浮泥沙中的含量，明显高于中部地区的黄河、长江水系，随纬度的变化呈"V"字形分布。有机质总量的大小，除了受水热条件制约外，还有赖于流域内的植被分布、土壤有机质含量等条件的影响。黄河悬浮泥沙中有机质含量最低，显然与流域植被覆盖率低、土壤松散、水土流失严重有关。南方河流有机质含量高，与植被覆盖率高、土壤腐殖质含量高有关。

（2）河流悬浮泥沙中的腐殖酸［包括富里酸（FA）和胡敏酸（HA）］与有机质总量变化的趋势不同,呈现北高南低的趋势,表明水热条件对腐殖酸的形成和积累具有重要作用。

（3）胡敏酸和富里酸二者的比值（H/F）,南方明显高于北方,显示出在南方多雨高温条件下,河流悬浮泥沙中腐殖化程度相对比较低的特点。

（二）黄河泥沙特征及变化趋势分析

在我国大江大河中,黄河流域面积仅次于长江,居第二位,但黄河流域大部分地区处于干旱和半干旱地带,水资源极为贫乏。据统计,黄河陕县站多年平均径流量为464亿 m^3,沙量为15.6亿 t,平均含沙量为33.6kg/ m^3。黄河水量不及长江的1/20,沙量却是长江的3倍。从世界范围看,美国的科罗拉多河大峡谷站年平均含沙量为27.59kg/ m^3,而年输沙量仅1.35亿 t;孟加拉国的恒河年输沙量达到14.5亿 t,但水量大,哈丁桥站年平均含沙量只有3.9kg/ m^3。因此,黄河是我国乃至世界上含沙量最高的河流,是多泥沙河流的典型代表。与世界各国的河流开发和治理相比,黄河具有更大的挑战性,所以,分析和研究黄河,对水资源开发、治理和保护具有深远的意义。

1.黄河天然沙量

黄河是一条受人类活动影响极大的河流,尤其是近20多年来,流域水利水保措施、干流大型骨干工程、上中游灌区引水引沙等都起到了减沙作用。20世纪60年代以前,人类活动影响小、减沙作用较小,可视为天然沙量,龙门、华县、河津、洑头4站1919～1969年年均实测沙量约16.4亿 t,其中50、60年代来沙较多,年均沙量超过17亿 t;70年代以后,刘家峡、青铜峡等干流骨干工程投入运用,黄土高原大规模水利水保措施逐步发挥作用,人类活动影响加剧,减沙作用明显增大。其中,黄土高原水利水保措施年均减少入黄泥沙3亿 t左右,上游刘家峡、龙羊峡水库调节径流拦截泥沙,同时考虑宁蒙河道调整恢复,减少河口镇输沙量约0.5亿 t,致使实测沙量较天然沙量偏少（表1-7）。还原计算结果表明,70年代龙门、华县、河津、洑头4站天然来沙较多,年均17.5亿 t,80、90年代由于降雨偏少,尤其是暴雨较少,天然来沙较少,年均分别为12.2亿 t和12.8亿 t。从长时期（1919～1996年）泥沙输入量看,黄河流域天然年均沙量仍约为16亿 t。

表1-7　　　　　　　　黄河长期天然径流量（龙门、华县、河津、洑头4站）　　　　　　　　　　　亿 t

时段 （年）	1919～ 1949	1950～ 1960	1961～ 1969	1970～ 1979	1980～ 1989	1990～ 1996	1919～ 1969	1919～ 1996
实测沙量	15.8	17.8	17.1	13.5	8.0	8.9	16.4	14.3
天然沙量	15.8	17.8	17.1	17.5	12.2	12.8	16.4	15.7

2.黄河泥沙特征

黄河泥沙独具特点,现以人类活动影响很小的1919～1969年资料为基础,分析黄河泥沙特征。

（1）沙量的年际变化。黄河泥沙的年际变化是丰枯交替出现的,但又存在连续的丰枯沙系列,如1922～1931年的枯沙系列和1932～1934年的丰沙系列。黄河流域具有水沙异源的特点,水沙并不完全同步,由于降雨落区的不同,丰水年并不一定丰沙。

黄河沙量的年际变幅很大,泥沙往往集中在几个大沙年份,沙量可达到平均沙量的2

倍多。在 1919～1969 年的系列中,最大年沙量为 39.2 亿 t (1933 年),是最小年沙量 4.8 亿 t (1928 年)的 8 倍多。支流变幅更大,窟野河温家川站最大年沙量为 3.03 亿 t (1959 年),是最小年沙量 0.052 4 亿 t (1965 年)的 58 倍。

(2)沙量的年内分配。黄河流域泥沙的年内分配极不均匀,主要集中在汛期 7～10 月。汛期沙量占全年的 90%,其中 7、8 月两个月来沙更为集中,占到全年的 71%,而且沙量多来自汛期的一两场大洪水或高含沙量洪水,干、支流 5～10 天的沙量可占到全年的 50%～98%。相反,非汛期输沙量很小,尤其是冬季的 12 月至次年的 2 月,来沙量仅占全年的 0.7%。

(3)泥沙来源区分布。黄河泥沙的来源地区比较集中,并有水沙异源的特点。上游河口镇以上流域面积为 38.6 万 km²,占全流域的 51.3%,来沙量仅占全河的 9%,而来水量却占全河的 53.9%,是黄河水量的主要来源区。泥沙主要来自河口镇至潼关的黄河中游地区,占全河沙量的 90% 以上。其中,河口镇至龙门区间流域面积为 11.2 万 km²,占全河的 14.9%,水量占 12.5%,但沙量却占全河的 56%。全流域水土流失最严重的地区约有 10 万 km²,主要分布在该区间。这一地区地形支离破碎,每年平均地面冲刷深度为 0.2～2cm,年侵蚀模数在 2 000t/km² 以上,年输沙量达 9 亿多 t。龙门至潼关区间,流域面积为 18.5 万 km²,占全河的 24.6%,来沙量占全河的 34%,来水量占全河的 19.6%。龙门以下主要是龙门—潼关区间泾、渭、北洛、汾河等较大支流来沙,4 条河输沙量占全河的 34%,其中渭河来沙最多,占 26%。三门峡以下的洛河、沁河来沙量仅占全河的 2% 左右,来水量约占 10.2%。

3.黄河泥沙的理化特征

(1)泥沙粒径的分布特征。黄河干流泥沙粒径变化,与粗泥沙来源地区有密切的关系(表 1-8)。上游泥沙较细,头道拐 d_{50} 为 0.015mm。头道拐—吴堡区间支流大量粗泥沙的汇入造成吴堡泥沙变粗,达到 0.028mm,吴堡—龙门区间为峡谷河段,河道输沙能力较大,泥沙组成变化不大,龙门泥沙也较粗。龙门以下小北干流河段河道宽浅,又有渭、汾河较细泥沙加入,经河道冲淤调整后潼关泥沙粒径变细,d_{50} 沿程减小,到花园口站为 0.018mm。

表 1-8　　　　　　　　黄河干流主要站多年平均泥沙中值粒径　　　　　　　　mm

站名	兰州	头道拐	吴堡	龙门	潼关	三门峡	花园口
d_{50}	0.045	0.015	0.028	0.028	0.022	0.022	0.018

(2)黄河泥沙的颗粒级配。一般说来,泥沙中的化学成分与泥沙颗粒大小密切相关。颗粒越大,赋存的微量元素越少;反之,颗粒越细,赋存的微量元素越多。因此,根据泥沙的颗粒大小及分布,在一定程度上可以预测其微量元素的多少。黄河中下游断面泥沙颗粒级配,见表 1-9。

(3)黄河泥沙的矿物成分。黄河水体中的泥沙主要来源于黄土高原的第四纪沉积物,因此其矿物成分类似中游的黄土。粒径不同,矿物成分有较大差异。研究表明,影响水质的主要成分是细颗粒的伊利石和绿泥石。黄河泥沙主要由铝硅酸盐组成,除硅铝外,其他

组分大致有如下规律:

$$CaO > Fe_2O_3 > MgO > TiO_2 > MnO$$

表 1-9   黄河中下游断面泥沙颗粒级配(1988 年 8 月)   %

粒径 (mm)	<0.005	<0.010	<0.025	<0.05	<0.10	<0.015	<0.05	平均 (mm)	中值粒径 (mm)
三门峡	16.1	22.9	46.2	78.8	98.5	99.9	100	0.032	0.027
花园口	21.1	30.4	57.5	81.9	98.8	100		0.028	0.020
泺 口	14.7	24.6	52.1	79.7	98.9	99.9	100	0.031	0.023

微量元素的含量规律为

$$Zn > Cr > Ni > Cu > Pb > Co > Bi \approx Cd$$

(4)黄河泥沙的其他理化参数。泥沙对水环境的影响因素,除上述情况外,还有很重要的几项理化参数,如比表面积、电荷量及阳离子交换容量等。从表 1-10 列出的黄河泥沙的其他几项理化参数结果可以看出,比表面积越大,负电荷量越大,其阳离子交换容量也越大。比表面积和电荷量大小在不同月份也各有差异,比表面积和电荷量大小分布的总体规律是:

$$5 月 < 10 月 < 8 月$$

以上规律主要受泥沙粒径的制约,直接影响其电化学特性。

表 1-10   黄河泥沙几项理化参数

断面	采样时间 (年·月)	比表面积 (m²/g)	阴离子交换容量 (ml/100g)	电荷量(mol/kg)		
				负电荷	正电荷	净电荷
三门峡	1998.8	64.34	11.43	4.76	-0.48	-5.24
	1988.8	79.18	16.22	5.6	-0.49	-6.09
花园口	1989.5	31.73		2.81	-0.28	-3.09
	1989.8	101.83		6.77	-0.11	-6.88
	1989.10	54.67		4.59	0.13	-4.46
泺 口	1988.8	64.34	12.22	4.98	0.25	-4.73

4.黄河泥沙的电化学特性

(1)泥沙的吸附作用。泥沙分散在水体中,形成粗细不等的颗粒,在 pH 值>7 的黄河水环境条件下,其细颗粒比表面积大,负电荷量大,吸附作用强,特别是对正离子的吸附作用较强。这对水环境的改善也是极有利的,在很大程度上提高了水环境容量。

(2)泥沙的离子交换性能。伴随泥沙颗粒表面的吸附和解吸过程,泥沙的离子交换性能发生变化。交换性能的大小由介质中离子的价态和离子的相对浓度差决定,顺序大致如下:

$$Fe^{3+} > Al^{3+} > H^+ > Ca^{2+} > Hg^{2+} > K^+ > NH_4^+ > Na^+$$

(3)泥沙的其他电化学特性。泥沙对污染物吸附与解吸,除受以上论述的吸附及离子交换性能影响外,当水体中的氧化还原条件发生变化,天然的或合成的络合物排入,光化学作用以及水温等变化时,也能使泥沙和污染物的吸附和解吸平衡遭到破坏。氧化作用使水质得到改善,还原作用使污染物增加;水温升高可使污染物降解,但又使溶解氧降低。因此,关于高含沙河流水环境的研究,需要考虑多因素、利用多学科进行。

5.黄河泥沙发展趋势分析

在流域气候条件未发生大的趋势性变化的条件下,影响流域来沙的主要因素,是人类活动,主要有干支流水库拦沙、灌溉引沙、水土保持减沙等。黄河流域来沙的发展趋势分析,暂不考虑今后将建设的碛口、古贤等干流水库的影响。

(1)水利水保减沙作用预测。根据流域水土保持建设规划,到2010年,基本控制人为因素产生新的水土流失,黄土高原新增水土流失治理措施面积14.52万 km²,水利水保措施年均减少入黄泥沙4亿~5亿 t;到2030年,新增治理措施面积24.2万 km²,年均减少入黄泥沙6亿 t左右;到2050年,黄河流域适宜治理的水土流失地区基本得到治理,水利水保措施年均减少入黄泥沙8亿 t左右,生态环境走上良性循环的轨道。

(2)来沙变化趋势分析。黄河流域天然来沙长时期不会发生大的变化,仍将维持在年均16亿 t左右。一般年份水利水保措施作用将使实测沙量明显减少。但不同降雨条件、不同降雨落区,减沙量作用也不尽相同。中游暴雨强度大的年份产沙量大,减沙作用较小,流域来沙量仍将较大,相应泥沙粒径也较粗。

第三节 水问题概况

我国幅员辽阔,江河纵横,其中黄河、长江、淮河、海河、松花江、辽河和珠江等7大江河,总流域面积就达430多万 km²,占全国国土面积的45.6%。另有众多的湖泊、水库,源远流长、星罗交错,构成我国庞大的地表水系。由于我国地理位置的特殊性、地质地貌的复杂性、气候条件的季风性、生态系统的多样性,加之人口众多、经济增长快和城乡工农业用水的不断迅速增长,更加剧了我国水资源数量和质量在时间与空间上的巨大变异性和极端不均匀性的矛盾。与世界许多国家相比,我国水资源问题十分严重,特别是改革开放以来国民经济快速发展对水资源的需求不断增加,在自然和社会两方面的压力下,出现水问题的地区越来越多,而且问题的性质各有所异,情况复杂。尽管问题众多,但大致可归纳为三个方面:洪涝灾害威胁、水资源短缺和水生态环境恶化。

一、洪涝灾害

从大禹治水开始,我国水利建设已有4 000多年的历史。两千多年前兴修的都江堰等水利工程,至今还在农业灌溉上发挥着重要的作用。但是,由于我国特定的自然条件,历史上洪灾和旱灾十分频繁。据不完全统计,从公元前206年至公元1949年的2155年间,我国发生水灾1 092次,旱灾1 056次,平均两年各发生一次水灾和旱灾。中华人民共和国成立后,特别是改革开放以来,我国的水利建设进入了历史发展的新阶段,取得了举世瞩目的伟大成就。随着《中华人民共和国水法》的颁布,治水管水的各项工作开始进入法制化的轨道。但是,目前水利建设还与整个国民经济和社会发展不相适应,解决水旱灾害的问题,将是我国一项长期的历史任务。

二、水资源短缺

中国多年平均水资源总量为28 124亿 m^3,居世界第 6 位。但中国有 12 亿人口,故人均占有的水资源量只有2 300 m^3,仅为世界人均水平的 1/4,是全球的贫水国家之一。预计到 21 世纪中叶,中国的人口将达到 16 亿,届时人均占有的水资源量将下降到 1 750 m^3。加之天然降水的时空分布严重不均,河川径流的年际年内变化很大,年雨量不足 400mm 的地区占国土总面积的 45%,与我国人口、耕地、矿产的分布以及生产力布局也很不匹配,故干旱缺水一直是我国尤其是北方地区的主要自然灾害。统计资料表明,自 1949 年以来,全国平均每年受旱面积达2 000多万 hm^2,其中成灾的约为 800 万 hm^2。

我国政府十分重视解决水资源的短缺问题。新中国建立以来,不但先后战胜了 10 次严重旱灾,而且近期一直以供水的低增长维持了国民经济的高速发展。在最近的 50 多年中,全国共兴建了 460 万座蓄、引、提各类供水工程,使水资源开发利用率达到 20%;各类水利设施的年供水能力由 1949 年前的1 000亿 m^3 增加至5 800亿 m^3,累计解决了 2.1 亿人的饮水困难,建成了 6 000处万亩(667 hm^2)以上的灌区,农田灌溉面积从 1949 年的 1 600万 hm^2 发展到目前的5 300多万 hm^2,其中有3 300万 hm^2 为旱涝保收的高产稳产田。目前,中国在占世界不到 10% 的耕地上,养活了占世界 22% 的人口,解决了 13 亿人口的温饱问题,水利工程发挥了极为重要的作用。从 1983 年开始的城市节约用水工作,已初见成效,工业用水重复利用率由原来的 20% 提高到了 40%~60%,平均每年节水超过 20 亿 t。尽管如此,水资源短缺的问题,仍是制约我国国民经济和社会发展的重要因素之一,而且随着人口的增加和城市化水平及群众生活质量的提高,解决水资源短缺的问题已显得愈加紧迫。闻名于世的黄河自 1978 年出现断流以来,1985 年后年年断流,1997 年累计断流时间长达 226 天,直至 1999 年黄河实行干流水量统一调度以来,这种现象才得以缓解。目前,在全国 670 座建制市中,有 400 座城市不同程度地缺水,严重缺水的城市达 108 座。据初步统计,全国城市年缺水量达 180 多亿 t,今后城市用水对水量和水质还将有更高的要求。全国的灌区在过去的 10 年中,平均每年缺水 300 多亿 m^3,减产粮食3 000多万 t。在农村还有3 000多万人和数千万头牲畜常年的饮水条件亟待改善。今后要保证农业的稳定发展,农业用水的缺口还将越来越大。如仍按目前 1 m^3 水生产 0.85kg 粮食的水平测算,到 21 世纪中叶,因粮食增产而需新增的农业用水,就将超过1 000亿 m^3。按目前的发展趋势,水资源短缺的问题,将在 21 世纪还会继续下去且有增无减。

三、水生态环境恶化

中国的水生态环境问题,主要表现在水土流失和水体污染两个方面。它们的出现,既有自然因素的作用,也有人类活动的影响,相互之间还有着紧密的联系。中国是世界上水土流失最严重的国家之一。根据 1990 年遥感普查的结果,全国水土流失的面积达 367 万 km^2,占国土面积的 38%。其中水力侵蚀面积为 179 万 km^2,风力侵蚀面积为 188 万 km^2,每年流失地表土壤 50 亿 t。长江上游和黄河中游,是全国水土流失最严重和最集中的地区,水土流失面积分别为 56.2 万 km^2 和 45.0 万 km^2,每年土壤侵蚀总量分别为

24 亿 t 和 22 亿 t。由于人口的增长和社会经济的发展,人类活动不断加剧,水土流失不仅发生在高原和山区,而且有向平原地区扩展的趋势。水土流失的严重后果,首先是导致草原退化,土地沙化,生态恶化;其次是导致江河湖库淤积,加剧洪涝灾害。

由于水土流失,平均每年进入河流的悬移质泥沙超过 35 亿 t,其中约有 60%(21 亿 t)淤积于河流的中下游河道、水库及沿岸湖泊和灌区内。洪水期,大量泥沙淤积于泛滥的洪泛区或被引入分、滞洪区和灌溉区内。世界上泥沙含量最多的黄河平均每年约有 7 亿 t 泥沙淤积在干流河道、水库和灌区内,其中有 4.4 亿 t 泥沙淤积在河道内,致使下游河道逐年淤高,成为"地上悬河";长江每年约有 2.6 亿 t 泥沙淤积于宜昌以下的干流河道内和沿江湖泊内,荆江段河床不断淤高,沙市已出现河流水位高于城市的状况。多泥沙河流发生的河道淤积变化,使生态、环境亦随之改变。大量的泥沙输入河流,不仅对河流形态、行洪、水利工程效益等产生影响,同时,泥沙又是河流中污染物的载体,附着在泥沙上的污染物,滞留和堆积在水体内,降低河流的自净能力,并会成为新的污染物。

水污染是我国最严重的河流水环境问题。自 20 世纪 80 年代开始,每年向江河湖泊排放的污水总量,呈明显增加趋势。全国污水排放量,1980 年为 310 多亿 t,1997 年即达到 584 亿 t。对水质进行监测和评价的结果表明,受污染的河长逐年增加,在开展水资源质量评价的 98 614km 的河长中,受污染的河长占 46.5%,其中 10 472km 河长内的水质超Ⅴ类,占评价河长的 10.6%,属严重污染,水体已丧失使用功能。在全部评价河长中,有 2.5 万 km 的河段水质不符合渔业水质标准,其中海河流域水质不符合渔业水质标准的河长所占比例高达 62.3%。全国 90% 以上的城市水域均受到不同程度的污染。江河的中上游地区,由于森林特别是水源林被滥砍乱伐,造成水土流失加剧,水源涵养能力降低,导致江河湖库或者由于淤积而萎缩,或者由于引水过度而使生态用水锐减,水体的自净能力明显减弱。一些地区由于地下水严重超采,引发了地面下沉或海水入侵。

随着人口增长、经济发展和人民群众生活水平的提高,如何防治水体污染和遏制水环境恶化,也已引起我国政府的高度重视和全社会的广泛关注。为了控制和防治水体污染,中国政府颁布了《地面水环境质量标准》、《污水综合排放标准》等一系列水环境保护标准,并于 1994 年开始对"三河三湖"(淮河、辽河、海河,太湖、巢湖、滇池)陆续进行重点治理,先后强制关闭了资源消耗高而又污染严重的 15 类数万个小型企业。目前,淮河、太湖两个流域的重点工业污染源已经基本做到达标排放,主要污染物的排放量削减了 40%。黄河从 1999 年开始实行全流域干流水量统一调度管理,尽管困难很大,但断流问题暂时得到了解决。这不仅有效地缓解了黄河下游水资源供需紧张的矛盾,而且生态用水有所回升,河口地区的生态环境也开始好转。随着各地进一步加强依法治污的力度,严格实行环境质量地方政府负责制;结合产业调整,加强对工业污染源的治理;完善重点污染物总量控制办法,在达标排放的基础上实施排污许可证制度;改进水环境监测手段,加强水环境的科学研究。经过努力,到 2000 年底,淮河干流和太湖水体达到国家规定标准,辽河、海河、滇池、巢湖水质都有明显改善。

水问题是 21 世纪全球性的热点问题,也是世界各国政府十分关心的问题。水问题同社会、经济和生态问题密切相关。在中国,水问题得到了广大人民群众和各级政府的高度重视,水资源的配置、开发和保护将是我国 21 世纪重要的水问题战略内容。

第二章　多泥沙河流水污染调查程序与方法

第一节　水污染调查的主要技术问题

多泥沙河流是一种复杂多变的河流体系，除具有一般河流的水文水力学特征之外，由于泥沙的大量存在，导致了河床淤积与抬高，极大地增加了水资源开发、利用的难度。不仅如此，泥沙中含有大量的黏土矿物和有机、无机胶体，对水中污染物有较强的吸附能力，当水体呈偏酸性时，又表现出一定条件下的解吸能力。研究成果表明，水中重金属类污染物(砷、铜、铅、镉、汞)以及化学需氧量、高锰酸盐指数等，在酸性条件下的测定值与含沙量呈密切正相关关系，相关指数高达 0.95 以上。中国水域的 pH 值基本呈中性，南方略偏酸性，北方略偏碱性，在天然条件下，泥沙吸附的污染物不易被解吸，但在排污口及与其相似条件的水体，泥沙吸附的污染物会发生解吸反应，有可能造成水体的二次污染。根据我国规定的水质样品保存和前处理方法，当需要对水样进行现场加酸保存(pH 值<2)和加强酸消解，以测定水中重金属类等参数的总量时，泥沙吸附的污染物、泥沙所含本底元素和化合物就会解吸出来，导致水质参数的测定值与水中泥沙含量呈密切正相关关系。另外，河流泥沙的特殊运动方式与沉积过程，一方面在某种程度上可以缓冲水中污染物的污染程度，另一方面又控制了污染物迁移和归宿的趋势和强度。因此，多泥沙河流水沙的多变性和多沙水体环境问题的复杂性，给水污染调查和评价、污染控制和管理，带来了更多的问题与难度。

泥沙在水环境中的两面性，特别是某些水质参数与泥沙含量的关系，使多泥沙河流水质参数测定、水环境质量评价与管理更为复杂。例如，在分析评价水质污染状况时，如何对各类水质参数进行鉴别，正确区分是自然因素所致还是人类活动所造成的污染，是客观反映水体污染现状的关键；在判断水体使用功能时，须根据各部门的客观情况提供相应的水质数据；在水环境管理中，要利用泥沙净化水环境的功能来探索防治和减轻污染的可能性等。围绕如何正确监测和评价多泥沙河流水污染现状和水环境管理方面，有关科研部门也作了大量的研究工作，取得了不少研究成果，但要提出一整套适合多泥沙河流特点的水污染调查、监测、评价方法和管理方法，还需要做大量的分析、研究工作。

第二节　水污染调查的目的

水污染调查的目的，是为了了解和查清多泥沙河流水污染现状，对水体质量做出科学的评价和预测，从而为制定出符合多泥沙河流的水污染防治对策和管理提供科学依据。它是水资源保护和管理的最基础性工作。

多泥沙河流是一个复杂多变的体系，多泥沙水体污染调查是一项多学科的综合性系统工程,它涉及环境生态学、环境工程学、水化学、水文学、环境地学、水利学及社会经济学等广泛领域。同时,各学科相互影响、相互作用和制约,形成了一个渗透和交叉性很强的环境系统工程。因此,多沙水体污染调查应以系统工程的思想作指导,综合多泥沙水体的水文特征、水化学特征和污染物迁移转化规律等各种因素,按不同层次、不同集合,有序地进行分析和调查,以达到查明水体污染起因、表现、危害和揭示污染变化规律的目的。为此,要确定统一的调查程序和方法,建立污染调查数据库,并使其数据可靠、可比。

第三节 调查内容和程序

一、调查内容

为了解和掌握多泥沙河流环境现状和发展趋势,水污染调查应基本包括三个方面的内容,即河流流域特征、水体环境特征、各类污染调查。河流流域特征包括流域自然特征、社会经济特征及发展趋势;水体环境特征应包括河流基本特征、水文泥沙特征、水生态特征、水质现状、水资源开发利用等;污染源调查应包括各类点源污染源、各类非点源污染源以及污染物和重大污染事故等。

(一)流域基本特征调查

河流水环境与周围环境不断地进行着物质、能量的信息传输和交换。河流可向流域地区提供水源、调节气候、调蓄水量。同时,河流也接纳来自流域的地表水、地下水、降水以及来自山川、农田、城市的径流泥沙(颗粒物)、各种有机、无机化合物和生物体。另外,河流水环境的变化不仅受流域自然环境的影响,而且在很大程度上受到流域社会经济发展的影响。因此,一条河流的历史,实际上就是河流与周围环境相互作用的历史。通过对河流发展、变化及其历史的调查和研究,可为掌握河流水环境变化、发展过程和变化趋势,河流水资源开发利用和保护提供科学依据。

流域基本特征调查的内容,主要包括流域的自然环境和社会经济状况。对自然环境,应调查自然地质、土壤、气候、水资源等自然属性的基本情况;对社会经济状况,应调查人口、土地利用、资源、能源、流域(区域)经济和交通等内容(表2-1)。

表2-1　　　　　　　　　　　　流域基本特征调查内容

分类	调查项目	调查指标	调查主要内容
流域基本特征调查	流域自然环境调查	自然地理	区域位置、自然地理、地貌、土壤植被、气候
		地球化学	流域(区域)土壤背景值、土壤元素、地球化学特征、地质发育历史演变
		水资源	地表水、地下水、水资源利用
	流域社会经济状况调查	人文社会	人口分布特征、教育、卫生、交通、自然保护
		社会经济	工农业经济、主导经济、国民生产总值、资源开发利用

(二)水环境特征调查

水环境特征调查,是河流水污染调查的主要内容,包括河流基本情况调查、河流水文特征调查、水质调查、河流水生生态调查等,见表2-2。

表2-2 河流水环境基本特征调查内容

分类	调查项目	调查指标	调查主要内容
河流水环境基本特征调查	河流基本情况调查	河道情况	河道、河床形态、河宽、河深、区间支流、防洪工程
		水文情况	径流量、流量统计、泥沙含量、输沙量统计,水利学特征、水利工程及其运用方式
	水环境质量调查	物理指标	气温、水温、浊度、透明度
		水质、悬浮物、底泥指标	按照国家《地面水环境质量标准》(GB3838—2002),根据调查目的、调查河段水功能区划选择水质监测指标
		河流水生生态调查	浮游植物、浮游动物、固着生物和底栖生物群落结构、种群数量、鱼类种群、捕获量、残留毒物分析
		河流水库湖泊水生生态调查	除河流水生生态调查项目之外,增加叶绿素、初级生产力、藻类增长潜力(AGP)实验项目

(三)污染源调查

河流水环境质量与流域污染源分布、排放的污染物、排放量有密切关系,污染源调查是河流水污染评价、管理的基本工作之一。污染源调查内容见表2-3。

表2-3 污染源调查指标和内容

分类	调查项目	调查指标	调查主要内容
污染源调查	点源	工业废水	工业类型、废水排放量、排放形式、污水处理情况、水重复利用率、主要污染物污染物含量、年排放量
		城镇生活污水	人均污水排放量、水重复利用率、城市污水处理率、主要污染物、污染物含量、年排放量
	非点源	降雨、降尘径流污染,径流挟带泥沙等颗粒物污染,农田径流污染,林地、矿山地表径流污染,水面娱乐活动污染	根据径流形式、流量、时间测定非点源污染物性质、种类、数量、排放规律、污染物与载体的结合形式等
	内源	表层底质中污染物调查、底质柱状样品污染物分布调查	测定项目:pH值、NH_4^+-N、TN、TP、重金属、有毒有机物、间隙水中重金属

二、调查程序

(一)调查程序

水污染调查程序的确定与调查目的和目标密切相关,调查目标位居调查工作程序的首位。不同目标和目的,其工作程序不尽相同。通常情况下,在确定目标之后,确定初步调查方案,然后进行预调查,即进行比较粗略或关键项目的粗略调查,并用调查结果修正调查方案。根据调查方案进行准备、现场采样、样品分析和分析结果的计算,最终完成调查报告。图 2-1 所提供的调查程序供参考。

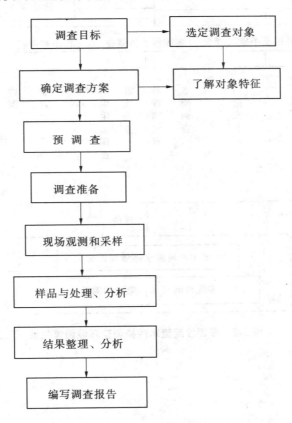

图 2-1　污染调查程序

(二)调查项目之间的相互关系

　　对多泥沙河流水体污染的调查,涉及多方面的环境因素,各因素之间既相互交叉又相互渗透。因此,有必要了解各环境因素之间的内在联系,以保证各调查的准确性、完整性和系统性。

　　多泥沙河流水体质量评价,主要依据水质、底质、悬浮物和水生生态质量指标来反映。但要查明污染发生的原因时,必须考虑污染物的输入源(点源、非点源和内源),以及有关流域的自然特征和社会经济特征。污染物进入水体之后进行的一系列分解转化、累积和迁移转化,同样对河流水污染发展的进程和深度具有深刻的影响。因此,要正确地调查和评价多沙河流的水体质量,应掌握多泥沙河流中的各项环境因素间的相互关系,了解调查的核心环节和主要内容,才能获得正确的调查资料,得出科学的调查结论。图 2-2 概示了各调查因素之间的相互关系。

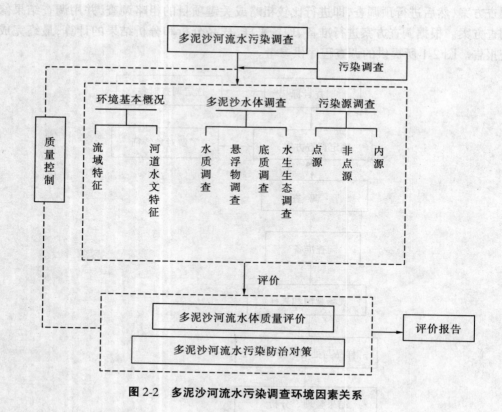

图 2-2　多泥沙河流水污染调查环境因素关系

第三章 分析测试数据的质量保证

第一节 质量保证的目的、方法和体系运行图

一、质量保证的目的

质量保证是为了提供足够的和可信任的表明实体能够满足质量要求,且在质量体系中实施,并根据需要进行证实的全部有计划和有系统的活动。也就是说,质量保证并非只是保证质量,而是要通过一系列有计划、有组织的活动,使需方对供方能够提供的符合自己要求的产品或服务树立足够的信心。一般地说,供方应根据需方的质量保证要求提供充分的证据。为此,供方既要对那些影响设计或将使用的规范(即标准)的适应性的要素进行连续评价,并对生产、检验等工作进行验证和审核,又要依据需方的质量保证要求提供需方所需的有关证据。

环境监测的质量保证是整个环境监测过程的全面质量管理,包含了保证监测数据准确可靠的全部活动和措施,其目的就在于保证监测系统具备法律上的辩护能力,以避免由错误的监测数据导致环境保护对策的失误。

二、质量保证的特点

质量保证有以下 3 个特点:

(1)质量保证有内部和外部两种目的。①内部质量保证。在组织内部,质量保证向管理者提供信任。②外部质量保证。在合同或其他情况下,质量保证向顾客或他方提供信任。

(2)质量控制是指为达到质量要求所采取的作业技术和活动。质量控制和质量保证的某些活动是相关联的。

(3)只有质量要求全面反映了用户的要求,质量保证才能提供足够的信任。

三、质量保证的主要内容

质量保证的主要内容包括:

(1)制定合理的监测计划;

(2)根据需要和可能、经济成本和效益,确定对监测数据的质量要求;

(3)规定相应的监测分析系统,如采样方法,样品处理和保存,实验室供应,仪器设备的认证、选择和校准,试剂和标准物质的认证、选择和使用,分析测量方法,质量控制程序,数据的记录、报告和整理,技术培训和技术考核,实验室的清洁和安全等;

(4)编写有关的文件、标准、规范、指南、手册等。

质量控制是指监测过程中相关环节的实施控制方法，是质量保证的重要组成部分。通常包括采样(样品的采集、处理、保存和运输)的质量控制和实验室质量控制(包括实验室内部和外部的质量控制)。

四、质量保证的方法

环境监测计划及其实施的目的，是获得高质量的可靠的环境监测数据。为了保证不同单位在不同地区协作进行的调查研究得到的大量数据准确可比，必须采取切实有效的质量保证措施，以保证得到的数据具有代表性、准确性、精密性、完整性和可比性，从而保证整个调查研究工作高质量、高水平的完成。

质量保证，贯穿在整个调查研究工作的全过程。它包括采样点的布设、采样方法、采样时间及频率、样品的贮存运输、样品的实验室分析测试、数据处理、总结评价等一系列的调查研究过程，即进行全过程的质量控制。

质量保证主要包括以下内容。

(一)数据的代表性

代表性是指在有代表性的时间、地点，并根据确定的目的获得的典型环境数据的特性。

数据的代表性，取决于采样样品的代表性。样品的代表性由以下环节来保证：

(1)采样布点设计的合理性。从工作任务的要求出发，根据河流的自然特征，不同河段特定功能区的水质标准，以及经费和容许的工作量大小，确定合理的采样布点原则、采集样品的数量和具体布点设计方案。

(2)由于采样点的水质可能随时间不同而改变，因而必须确定合理的采样时间和频率，以保证在采样点采集到有代表性的样品。

(3)确定统一的采样器和制定合理的采样方法，以保证采集到的样品具有代表性。

(4)加入的保存剂不应对监测项目测定产生干扰。保存剂应每月更换一次。如发现被污染，应立即更换。地表水样品的保存剂，例如酸应使用优级纯试剂，碱和其他试剂可使用优级纯或分析纯试剂，最好用优级纯。保存剂如果含杂质太多，达不到要求，则必须提纯。

(5)为了使样品在运输贮存过程中不变质，不被玷污，保持"原样"，为此作了详细的专门技术规定(见本章第四节样品的运输和保存)。

(6)有的测定项目和组分极不稳定，容易转化或损失，对于这些也要采取相应的措施。如有的分析项目必须在现场测定，有的在现场取样的同时，就进行必要的处理，使被测组分"固定"下来等。

(二)保证数据的精密性和准确性

精密性是指测量结果具有良好的平行性、重复性和再现性；准确性的实质是指测量的结果与客观环境的接近程度。

首先，为了保证分析方法准确可比，须采取如下措施：尽量选择国际、国内公认的准确方法作为各实验室统一采用的方法，并对其中的主要方法进行专门的验证实验；其次，统一对各实验室进行考核，筛选合格实验室；制定统一的比对试剂、蒸馏水、仪器的技术要求和实验室内、实验室间质量控制措施;对主要分析项目,使用统一的质量控制样品;规定严格的数据处理方法等(详见本章下面各节)。

(三)保证数据的完整性

完整性是指按预期的计划取得有系统的、周期性的或连续的(包括时间和空间两者)环境数据的特性。

为了保证采集的样品能全面反映河流的水质状况,凡是在采样布点设计方案中采样点上的样品,必须按质按量采集完全,不能缺漏,以保证数据的完整性,以避免因样品不完整而得出片面的结论。

(四)保证数据的可比性

数据可比性是指除采样、监测等全过程都可比外,还应包括通过标准物质和标准方法的准确度传递和追溯系统,来实现不同时间和不同地点(如国标间、行业间、实验室间)数据的可比性和一致性。

数据的可比性是上述数据特征的综合体现。必须保证一个河流内不同地区之间的数据可比,还必须保证与其他河流之间数据可比,以及在更大范围内也是可比的。

五、质量保证体系运行图

质量保证体系运行图,见附图。

第二节　环境监测中的误差

在多泥沙河流水污染调查中,分析测试所得到的数据,是环境调查研究工作的基础资料,也是进行综合评价的依据。分析测试数据的可靠性如何,直接影响到调查研究工作的质量和综合评价成果的可靠程度。环境分析测试的特点是:

(1)样品中被测组分常为痕迹量,含量常常在 mg/L 级或 μg/L 级水平;

(2)样品的定性组成复杂,分析测试时干扰严重;

(3)样品的定性、定量组成的变化幅度大。

后两点在污染源分析中最为突出,在排放高峰比排放低潮时含量往往高出几十倍甚至数百倍。

由于以上特点及多泥沙河流多沙特性,造成环境分析测试的难度加大。在监测过程中,往往出现异常现象,其一是在某一特定环境下,不同单位和不同人员取样分析时,往往会得到完全不同的分析结果,从而导致不同的判断和评价,以致建议采取不同的对策;其二是在大规模的区域性环境调查研究中,各协作单位测得的数据之间,也往往因缺乏可比性而难以进行统一的归纳和总结。

一、误差的来源

产生影响监测数据质量的误差,主要来源于以下 6 个方面:

(1)分析人员;

(2)监测分析方法和监测分析仪器;

（3）试样，如试样的稳定性、均匀与否；

（4）试剂，包括有关的实验用水和用气；

（5）标准，如砝码、基准试剂、标准物质；

（6）环境，如空气的洁净度、环境温度、容器的洁净度等。

二、误差的分类

按其性质和产生的原因，误差可以分为系统误差、随机误差和过失误差。

（1）系统误差又称偏倚，指测量值的总体均值与其真值之间的差别，是由测量系统中某些恒定因素造成的。在一定的测量条件下，系统误差会重复地表现出来，即误差的大小和方向在多次重复测量中几乎不变。因此，增加测量次数不能减小系统误差。

（2）随机误差又称偶然误差，是由测量过程中多种无法控制因素——随机因素的共同作用产生的。随机误差的特点是具有随机性，即误差忽大忽小、忽正忽负，且具对称性，足够多次测量时，绝对值相等的正负误差出现的次数大体相同。因而随机误差具有抵偿性，即增加测量次数可以减少随机误差。随机误差遵从正态分布。

系统误差和随机误差是两种性质不同的误差。然而，两者之间又没有不可逾越的鸿沟，在一定条件下，这两种误差是可以相互转化的。或者为了研究的方便，也可以把某一类误差当作另一类误差来处理。例如，当试样中待测组分浓度较高时，容器对组分的吸附往往表现为随机误差，而当浓度低到一定限度以下时，这种吸附对测定结果表现为系统误差。误差的表现形式不同，减小误差所采取的办法也不同。

（3）过失误差又称粗大误差。这类误差明显地歪曲测量结果，明显超出统计规律预期值，具有异常值。其出现通常由测量设备的故障、测量条件的失常及测量工作人员在测量过程中犯了不应有的错误而引起。带有粗大误差的数据是不可靠的，在可能的情况下，应重复测量核对这些数据。在数据处理时，带有粗大误差的数据应该删除。过失误差无规律可循，在实验中一旦发现了过失误差，就必须舍弃或更正由此得到的数据。

三、发现误差和减少误差的办法

在监测过程或测量系统中，如果发现了误差的来源和类型，判断了误差的方向并且估计了误差的大小，总是可以减少测量系统的误差的。因此，发现误差是减少误差的前提。

如何发现误差的存在，确定其性质和来源，进而制定减少误差的措施，是质量保证工作中研究的重点，这些办法包括测量技术手段和数理统计手段，以及这两者的结合。

第三节　环境监测质量控制

环境监测中的质量控制，是指采取措施把实验室分析过程中的分析误差控制在一定范围内的控制方法。监测质量控制，是对分析过程进行控制的方法，是质量保证的重要组成部分，是保证监测机构质量体系正常有效运行的关键。质量控制的目的在于把监测分析的误差控制在一定的可以接受的限度（允许差）以内，保证监测过程和监测数据的准确性和精密度。

监测质量控制,包括了对采样、分析和数据处理等过程中为消除影响质量的诸因素而制定和采用的一系列文件化的程序和措施。根据工作范围不同,它可分为内部质量控制(即实验室内质量控制)和外部质量控制(即实验室间质量控制)两种类型。内部质量控制,是指从样品采集到数据报告的全过程中,按有关规定或制度进行的自我控制措施,诸如对监测仪器设备的校核,标准溶液的标定,校准曲线的制备,空白试验、平行样、加标样、控制样的分析和要求,记录、计算和数据的审核等。外部质量控制,是指由独立的或上级部门有经验的技术管理人员,对监测数据质量和实验室间的水平进行独立的评价等。

第四节　样品的代表性

环境监测过程,由布点、采样、样品保存、分析测试、数据处理和综合评价等若干程序组成。环境监测方法是实施监测工作的手段,完善和统一监测方法,是监测质量保证的关键和环境监测管理的重要内容。因此,熟悉方法类型,了解方法原理,科学运用方法是监测人员的基本技能之一。

在多泥沙河流水污染调查研究工作中,检测工作是一项系统性的工作。质量控制包含从样品采集、处理、运输、保存、质控、检测、数据处理、报告发出到质量信息反馈的全过程及各个环节的管理和控制,以保证样品的代表性,并达到数据的准确性、精密性、完整性和可比性。其中,样品的代表性是保证数据科学性的重要环节,也是调查研究工作质量保证的主要内容之一。因此,必须拟定具体的技术措施和统一的方法予以保证。

监测采样质量控制的主要内容包括:

(1)采样点位设置和采样时机选择的合理性、代表性审查;

(2)采样器具的校准、运转情况审查;

(3)吸收剂(或保存剂)的有效性和加入数量合乎要求的审核;

(4)采样器安放位置合乎采样要求的控制;

(5)采样皿(膜)安装和取下操作正确性控制;

(6)采样器具运出过程及样品运回过程质量控制;

(7)样品保存及接头、处理、处置程序控制等。

一、采样点的布设

采样点的布设参照第六章第二节。

二、样品采集的质量保证

(一)样品的采集与处理

水样采集的代表性与运输、贮存条件的科学性,是水质监测质量保证工作的重要环节,是取得可靠实验分析数据的前提。各类水环境样品要求具有代表性,以便保证获得的监测数据具有可比性。样品的采集与处理质量保证主要包括以下几方面。

(1)由实验室负责组织常规监测样品的采集和接受,监测技术室确定质控措施。委托样品,按照委托单位的要求(如采样位置及样品保存等)进行采样。常规监测采样断面的设置、采样频次、频率、采样方法、数量,应根据监测对象、污染性质、分析方法和具体条件,按《水质采样技术规程》(SL187—96)的规定和任务书的要求执行。

(2)采样人员应具有相当于中专以上文化水平,熟悉质量保证内容、程序和方法,了解采样技术关键环节,掌握现场测定仪器性能,并通过质量控制技术考核后持证上岗。

(3)采样仪器设备应按检定规程或校(检)验方法校准,并处于有效工作状态。采集样品前,应事先检查采样仪器及容器是否符合质量要求,应按《水质采样技术规程》(SL187—96)规定选择容器、洗涤器皿。一般采样器的清洗方法应符合以下要求:

1)清洗前预先用软布擦拭,再用洗涤剂清洗油污;

2)用自来水冲净采样器上残存的洗涤剂;

3)用10%硝酸或盐酸仔细刷洗采样器;

4)用自来水冲净采样器上的残酸,再用纯水冲洗数次,沥干备用。

(4)采样人员应按规定的采样方法进行采样。如果要改变采样方法,应记录在案。

(5)采样时,断面横向和垂向点位的数目、位置应完全准确,每次采样应尽量保持一致。

(6)现场采样人员必须严格按操作规程进行操作,不得擅自更改操作程序和规定。在采样过程中应认真填写"水环境采样原始记录",认真记录采样时间和各项参数(气温、水温、流量、pH值、溶解氧、样品的种类、采样地点名称和状况、采样方法、天气状况、样品外观、样品有无臭味等)。一般采样质量保证应注意以下事项:

1)采样时应避免剧烈搅动水体和搅起沉积物。当水体中有漂浮杂质时应防止漂浮杂质进入采样器。

2)用采样瓶直接采集表层水样时,瓶口应面对水流方向逆采。用船只采样时,采样器应尽量远离船体逆流采集。在不流动的水面采样,应握住采样瓶水平向前推,直至充满水为止。

3)采集溶解氧水样时应避开湍流,水样要平稳地充满溶解瓶,不得曝气,瓶内不能残留小气泡。

4)采样人员采样时不应使用化妆品,不应在采样、分装样品及添加保存剂现场吸烟。汽车应停在采样断面下风向50m以外处。

5)对河流的采样系统应仔细选择和安装,入口应用粗筛网环绕保护,以免水中的粗屑阻塞入口。

6)用泵式采样器采集水样时,采水管的入口应面对水流方向,并调整泵的抽水速度,使采水管入口流速与被采样水体的流速相接近,以便进入采样瓶的待测物浓度与被采样水体中的浓度相同。

7)在同一采样垂线进行分层采样时,应自上而下进行,避免不同层次水体的搅扰。与其他监测项目同时采样时,应优先采集细菌学指标测定样品。

8)采样瓶必须有内外盖,装瓶时应使容器留有1/10顶空(测溶解氧、五日生化需氧量、二氧化碳等可溶解性气体的项目除外),以保证样品不外溢。

9)水样采集后应在现场根据所测项目的保存要求添加保存剂固定,并颠倒摇动数次,使保存剂在水样中均匀分散。

10)水样采集量应根据分析方法和质控要求考虑实际用量而定。

(7)采样过程中应按下列预防方法防止水样污染与变质：

1)新的或曾用过的采样瓶应进行清洗。

2)贮样瓶只用于盛装水样，已经在实验中作为存贮试剂用的瓶子不应用作贮样容器。

3)野外采样前，对于已经经过防污保存的玻璃器皿，仍应对其清洁程度作抽样检验。

4)采样瓶内部或顶部不应用裸露的手、手套等触摸，以防污染。

5)采样瓶应远离尘埃、垃圾、烟雾或烟尘，应保持清洁的环境。

6)经过消毒灭菌处理的采样瓶，应保持无菌，采样前严禁用水样冲洗。如果消毒过的重质纸或铝箔已经丢失，或瓶子顶部的密封已经破碎，则该瓶子应舍弃。

7)水样采集后应尽快运到实验室，并按相应保存方法进行保存。

(8)各类样品应按规定加以保存、处理、运输，避免样品在运输、保存过程中损失、污染、变质，并应在规定时间内送实验室分析。需低温保存的样品，采样后应放置在备有冰块的保温桶内运回实验室。

(9)采样结束后，应仔细检查应填项目是否齐全，若采样有遗漏或不符合规定要求，应立即进行补采或重采。

(二)采样器的选择

为了正确采集水样，必须选用适用的采样器和科学的样品保存技术。采样器的选用应符合以下原则：

(1)凡采样器直接与水样有接触的部件，其材质不应对原状水样产生影响。

(2)采样器应有足够的强度，且启动灵活、操作简单、密封性能好，一次最大采水量不应小于 $1.0 \sim 5.0$L 中的某一数值。

(3)采样器应具有设计简单、表面光滑、容易清洗和没有流量干扰等特点，以免样品被采样器玷污失去真实性。

(4)采样器的选择应考虑河流的宽窄、深浅、急缓程度，并与所采集水样的类型及对象相适应。

目前在多泥沙河流水污染监测中，采水器的使用比较混乱，没有统一的规格，这往往会造成数据的可比性差、误差大。为此，本书仅介绍常用的适用于多泥沙河流水环境的采样器，以供选用。

1.表层采样器

表层采样器是一种普通的敞开式开口容器，适用于采集水面或靠近水面除溶解氧、油类、细菌学指标等有特殊要求以外的大部分水质和水生生物监测项目的水样。

2.单层采样器

单层采样器的特点是从表层水到深层水都可以由样品瓶直接在水体中采样。它适用于大部分监测项目的水样采集，尤其是油类和细菌学指标等监测项目必须使用这类采样器。

3.积深式采样器

积深式采样器适用于采集平原河流、湖泊、水库沿垂线不同深度的混合水样。采集时将采样器以匀速沉入水中，然后以近似同样的速度上升提至水面，使整个垂直断面的各层水样进入采样瓶。由于浅水河流的深度不够实施积分采样,因此积深采样器不适用于浅水河流。

无积深采样器时,可采用排空式采样器分别采集不同深度的样品,然后混合。

4.封闭管式采样器

封闭管式采样器是一种能采集较大量(2L以上)不同深度的水样采样器。这类采样器是由两端开口的管子或圆筒组成的,并带有十分合适的密封盖或塞子。当采样器沉入水中时,它的口是敞开的,水不停留在采样器中,到达预定深度时启动机械或光电解扣装置,从而关闭采样器两端的盖子或插入塞子,即取到所需深度的样品。属于这种类型的采样器有横式采样器、竖式采样器和排空式采样器等,其适用范围如下:

(1)横式采样器适用于山区水深流急的河流和溪流的水样采集。

(2)竖式采样器适用于水流平稳的平原河流、湖泊、水库的水样采集。

(3)排空式采样器适用于水流平稳、水体中除细菌学指标及油类以外大部分监测项目分析样品的采集,也适用于采集分层水样和积深水样。

5.泵式采样器

泵式采样器由抽吸泵(常用的是蠕动式或手动式真空泵)、采样瓶、安全瓶、采水软管等部件构成,它适用于从特定深度采集大部分监测项目测定用的水样,不适用于油类、叶绿素和细菌学指标分析样品的采集。

6.溶解氧采样器

溶解氧采样器适用于溶解氧(或其他溶解性气体)和生化需氧量测定项目水样的采集。这种采样器是在采样器内放置一个250～300ml的BOD采样瓶,在采样瓶口的胶塞中插入两根玻璃管,一根靠近BOD瓶底,一根靠近采样瓶口。采样时将采样器放至水中所需深度打开夹子,并停放在那里,直到看不见采样器中的空气逸出为止,然后取出采样器,将特定的锥形塞放在BOD瓶中,即取到所需深度的溶解氧样品。

7.自动式采样器

自动式采样器有间歇型和连续型,如何选择将依赖于实际采样情况而定。自动式采样器适用于采集时间和空间混合积分样,但不适用于油类、pH值、溶解氧、电导率、水温和水生物等项目的水样采集。

上述各种采样器的具体使用方法应参阅产品说明书。

(三)野外采样质量控制

(1)采样器空白样。为了评估样品在采集、处理、传递、储藏过程引入的系统误差,必须进行采样器质量控制。对于周期性使用的采样器,质量控制尤为重要。在多泥沙河流水污染调查中,规定用纯水注入采样器作为一个空白样品来进行质量控制。

采样器空白样是指用纯水注入或流经该采样器后作为一个样品,然后分析所需要的各个参数,检验采样器周期性使用后所引起的空白变化。

(2)现场空白样。用作现场空白样的纯水,应按不同监测项目的分析方法要求制备,其水质质量必须满足该方法的要求。纯水使用洁净专用容器,由采样人员带到现场,运输过程中应注意防止受玷污。

现场空白样即在采样现场以纯水作样品,按测定项目的采集方法和要求,与样品同等条件下装瓶、保存、运输和送实验室分析。通过现场空白样检验,掌握采样过程中操作步骤和环境条件对样品质量影响的状况。

(3)现场平行样。现场平行样是指在同等条件下重复采集两个或多个完全相同的子样,密码编号后,送实验室分析。现场平行样主要反映采样与实验室的精密度变化状况。

采集平行样除按正常采样要求执行外,应注意控制采样操作条件的一致。对多泥沙河流水体中非均匀物质或分布不均匀的污染物,在样品灌装时,摇动采样器,使内部样品保持均匀。

(4)现场加标样。现场加标是指取一组现场平行样,将实验室配制的一定浓度的被测参数的标准溶液,等量加入到其中一份已知体积的水样中,然后按采样要求处理,同时送实验室分析。获得的分析结果与实验室加标样对比,以掌握测定参数在采样、运输过程中的准确度变化情况。

现场使用的标准液应与实验室使用的为同一标准溶液。

三、样品的运输和保存

(一)水样保存要求

1.样品的保存原则

在样品运输过程和贮存时期内,必须尽可能地保证水样中待测组分的定性、定量组成不改变。事实上,如果不采取保护措施,可能会因为生物的、物理的、化学的或综合的因素影响,使某些组分的浓度在极短的时间内发生极其明显的变化,从而使所得到的数据失真或根本不能代表所采水体的状况。在分析前,应特别注意样品的保存和运输管理,确保样品的代表性。

2.样品变化的因素

引起变化的因素很多,其中一些原因是:

(1)细菌、藻类及其他水生生物体,能消耗某些组分,改变某些组分的性质或产生一些新的组分。这种生物体会对溶解氧、二氧化碳、含氮化合物、磷及硅的含量产生影响。

(2)某些化合物能被样品中的溶解氧或空气中的氧所氧化,如硫化物等。

(3)某些物质能沉淀出来,如碳酸钙或磷酸镁等;也有一些物质会挥发掉,如溶解性气体等。

(4)pH值、电导率、二氧化碳含量等会因吸收了空气中的二氧化碳而改变。

(5)某些有机物、溶解态或悬浮态的金属能不可逆地吸附在容器壁上。

(6)水样中有些物质能聚合,而另一些聚合物可解聚。

当然这些变化进行的快与慢,随样品本身的化学和生物学性质而不同,也取决于贮存样品容器的材质、贮存时间的长短、运输中震动的大小以及光照与否等条件。

3.保存样品的具体技术要求

(1)对贮样容器材质的要求包括以下内容:

1)容器不应引起新的玷污。一般的玻璃容器在贮存水样时可溶出钠、钙、镁、硅、硼等元素,在测定这些项目时,应避免使用玻璃容器,以防止新的污染。

2)容器器壁不应吸收或吸附某些待测组分。一般的玻璃容器吸附金属,聚乙烯等塑料吸附有机物质、磷酸盐和油类,在选择容器材质时应予以考虑。如:进行 TOC 分析时,不能用塑料容器。

3)容器不应与某些待测组分产生反应,如测氟时,氟化物可与玻璃反应,水样不能贮于玻璃瓶中。

4)某些物质对光很敏感,因此在样品保存时需要把光敏作用降到最低。应使用不透光或棕色玻璃容器,减少或防止光敏性组分的透光损失。

5)容器应有一定强度,并具有抗碰撞、抗破裂、抗极端温度、成本费用低和便于清洗等特点。

(2)贮样容器清洗方法包括以下内容:

1)贮样容器的一般清洗方法应符合以下要求:①新的容器应使用不含磷酸盐的去污粉或洗涤剂,用软毛刷洗刷容器内外表面及盖子,以清除灰尘和包装材料;②玻璃容器使用盐酸和硫酸混合液进行清洗,如贮存有机物,应用重铬酸钾洗液浸泡,然后用自来水冲洗数次,再用纯水冲洗干净,直至瓶壁不挂水珠,晾干备用;③聚乙烯容器应使用 1mol/L 的硝酸或盐酸浸泡 1~2d,然后用自来水冲洗数次,再用纯水冲洗干净,晾干备用。

2)贮存微量重金属水样的容器,应使用 1 + 4 硝酸浸泡 24h 以上,然后用自来水冲洗至近中性,再用纯水冲洗干净。

3)贮存痕量有机物水样的容器,应按贮样容器一般清洗方法清洗干净后,在烘箱内 180℃烘干 4h,再用纯化过的乙烷或石油醚冲洗数次,最后用氮气或其他惰性气体干燥处理。

4)贮存阴离子表面活性剂水样的容器,应使用去污粉或洗涤剂刷洗,然后用甲醛洗 1min,再依次用自来水、纯水冲洗干净。

5)贮存微生物水样的容器,除按贮样容器一般清洗方法洗涤干燥外,还应用防潮硬纸将瓶塞与瓶颈包扎好,经 160℃干热灭菌 2h,或置于高压灭菌锅中,再经 120℃和 200kPa 下灭菌 20min。当要采集加氯处理水样时,样品瓶应在灭菌前,按每 125ml 样品加入 0.1ml 10%硫代硫酸钠,以除去余氯对细菌的抑制作用。

6)采样前应随机抽查已洗好的贮样容器数个加入纯水,按样品保存技术要求加入相应保存剂,在规定条件下放置一定时间,然后进行实验室分析,分析结果不应检出待测组分,否则应查明原因重新清洗。

(3)贮样容器类型选择包括以下内容:

1)硬质(硼硅)玻璃容器适用于常规采样,易于贮存测定有机物及生物水样,也易于贮存某些无机物(如六价铬、硫化氢、氨等)水样,不宜贮存碱性水样以及测定锌、钠、钾、钙、镁、硅等水样。

2)聚乙烯容器适用于常规采样,易于贮存测定金属、放射性及无机项目的水样,不宜贮存测定有机物和痕量汞的水样。

3)聚四氟乙烯容器是材质惰性最好的一种容器,宜于贮存测定痕量有机物和痕量金属元素的水样,也宜于用作自动采样器的采样管。

4)特殊样品容器宜于贮存测定溶解氧、生化需氧量和光敏物质等特殊水样。测定溶解氧和生化需氧量的样品瓶应配有锥形磨口玻璃塞,以减少空气的吸收程度。测定含有光敏物质的样品,包括藻类,应使用不透明材料或有色玻璃构成的容器。

5)用于贮存微生物样品的容器,应能经受灭菌过程中产生的高温,并在灭菌和样品存放期间,不应产生或释放抑制生物生存能力或促进繁殖的化学物质,也不得释放有毒化学物质。

4.样品的保存技术

样品中各组分的性质不同,对保存的技术要求也各不相同,水样保存应符合表 3-1 要求,超过保存期的样品按废样处理。由于多泥沙河流水体中含沙量较大,因此在水样前处理及测定方法选择时,与一般河流有所不同,在本书中予以了强调说明。表 3-1 中说明了水样保存技术的前处理注意事项及要求。

表 3-1 样品保存技术

序号	待测项目	容器类别	保存方法	分析地点	可保存时间	前处理注意事项及要求
1	水温		低温 2～5℃密闭保存和运输,回实验室取摇匀的浑水作为待测样	现场		现场直接测试
2	pH 值			现场或分析室		最好现场直接测试
3	悬浮物	P 或 G		分析室	24h	单独定容采样
4	电导率			现场或分析室	24h	最好现场直接测试
5	总硬度	P 或 BG	低温 2～5℃密闭保存和运回实验室	分析室	数月	含沙量不大于 0.2g/L 时,用 $0.45\mu m$ 滤膜过滤,取滤液作为待测液;含沙量大于 0.2g/L 时,用两层中速定量滤纸过滤,取滤液作为待测液
6	硫酸盐	P 或 BG		分析室	数月	
7	溶解氧	溶解氧瓶	①电极法立即测定 ②碘量法加 1ml $MnSO_4$(1mol/L)和 2ml 碱性 KI(1mol/L),现场固定后存放暗处	现场或分析室	数小时	现场采样应将预先处理好的电极直接放入河水或 1 000ml 以上体积的水样瓶中测量。加入保存剂时应注意将管子插入至液面以下
8	五日生化需氧量	P 或 G	在 2～5℃暗处冷藏	分析室	尽快	最好使用专用玻璃容器
9	氨氮	P 或 G	用 H_2SO_4 酸化至 pH 值＜2,在 2～5℃冷藏	分析室	尽快	为了阻止硝化细菌的新陈代谢,应考虑加入杀菌剂。有些废水样品不能保存,需要现场分析
10	氟化物	P		分析室	数月	
11	硝酸盐氮	P 或 G	用 H_2SO_4 酸化至 pH 值＜2	分析室	24h	
12	亚硝酸盐氮	P 或 G	尽快分析	分析室	尽快	
13	氯化物	P 或 G	常温下保存	分析室	数月	
14	六价铬	P 或 G	低温 2～5℃密闭保存和运输,回实验室加 $Zn(OH)_2$ 絮凝沉淀,定量滤纸过滤,取滤液作为待测样	分析室	尽快	不得使用磨口及内壁已磨毛的容器,以避免对铬的吸附

序号	待测项目		容器类别	保存方法	分析地点	可保存时间	前处理注意事项及要求
15	高锰酸盐指数		P 或 G	尽快分析或用 H_2SO_4 酸化至 pH 值<2;详细记录加入保存剂的体积,在 2~5℃ 保存运输	分析室	1 周	含沙量不大于 0.2g/L 时,只测定浑水,应在现场对采集的浑水加浓 H_2SO_4 至 pH 值<2,低温(2~5℃)保存和运输,回实验室后取摇匀的浑水作为待测样
16	总磷		BG	加 H_2SO_4 至 pH 值<2 密闭保存运输(为了阻止硝化细菌新陈代谢,可考虑加入适量杀菌剂)	分析室	数月	含沙量大于 0.2g/L 时,除测定浑水外,必须加测沉淀澄清水,应同时采集两份浑水样,其中一份浑水样在现场沿样品瓶壁缓慢加入浓 H_2SO_4 至 pH 值<2(详细记录加入保存剂的体积),将水样慢速摇匀后低温(2~5℃)保存和运输,回实验室取摇匀的浑水作为待测样;另一份浑水样置于密闭容器内低温(2~5℃)保存运输,到实验室重新摇匀,沉淀澄清 8~12h 后,用虹吸法于液面下 5cm 处向上吸取澄清水作为待测样
17	总氮		P 或 G		分析室	24h	
18	镉	过滤镉 总镉	P 或 BG	含沙量不大于 0.2g/L 时,用 HNO_3 酸化至 pH 值<2	分析室	1 个月 1 个月	含沙量不大于 0.2g/L 时,只测定浑水,应在现场对采集的浑水按测定项目的要求加保存剂,密闭保存和运输,回实验室后取摇匀的浑水作为待测样 含沙量大于 0.2g/L 时,除测定浑水外,必须加测沉淀澄清水,应同时采集两份浑水样,其中一份浑水样在现场沿样品瓶壁缓慢加入测定项目要求的保存剂(详细记录加入保存剂的体积),将水样慢速摇匀后,密闭保存和运输,回实验室取摇匀的浑水作为待测样(计算时应考虑保存剂的体积);另一份浑水样置于密闭容器内低温(2~5℃)保存运输,到实验室重新摇匀,沉淀澄清 8~12h 后,用虹吸法于液面下 5cm 处向上吸取澄清水作为待测样
19	铅	过滤铅 总铅	P 或 BG	测定可过滤态金属样品,现场过滤,HNO_3 酸化至 pH 值<2,并在 2~5℃ 保存运输	分析室	1 个月 1 个月	
20	铜	过滤铜 总铜	P 或 BG		分析室	1 个月 1 个月	
21	总汞		P 或 BG	保存方法取决于分析方法	分析室	2 周	
22	总砷		P 或 G	①不能用 HNO_3 酸化,用 H_2SO_4 酸化至 pH 值<2 ②生活污水及工业废水应使用加碱调节 pH 值=12	分析室	数月	

序号	待测项目	容器类别	保存方法	分析地点	可保存时间	前处理注意事项及要求
23	大肠菌群	灭菌容器 G	在 2～5℃ 冷藏	分析室	尽快	对重金属含量高于 0.01mg/L 的水样,应在容器消毒之前,按每 125ml 容积加入 0.3ml 的 15%（w/w）EDTA 溶液
24	细菌总数					
25	透明度			现场		用透明度盘现场测定
26	叶绿素 a	P 或 G	在 2～5℃ 冷藏,过滤后冷冻滤渣	分析室	24h 1 个月	
27	挥发酚	BG	用 $CuSO_4$ 抑制生化作用,并用 H_3PO_4 酸化;或用 NaOH 调节至 pH 值＞12	分析室	24h	回实验室取摇匀的水样蒸馏,以蒸馏冷凝液作为待测样（挥发酚保存方法取决于分析方法）
28	氰化物	P	用 NaOH 调节至 pH 值＞12	分析室	24h	
29	硫化物	G	每 100ml 水样中先加 2ml 2mol/L 的 $Zn(Ac)_2$ 后,再加入 2ml 2mol/L 的 NaOH 并冷藏	分析室	24h	在现场沿瓶壁缓慢加入固定保存剂,密闭保存运输,实验室取摇匀的浑水作为待测样
		P	1 000ml 水样中加 2g NaOH			
30	硒	G 或 BG	用 NaOH 调节至 pH 值＞11	分析室	数月	
31	矿化度	P 或 G		分析室		
32	非离子氨	P 或 G	用 H_2SO_4 酸化至 pH 值＜2,在 2～5℃ 冷藏	分析室	尽快	
33	溶解性铁	P	尽快通过 0.45μm 滤膜过滤,并立即加 HNO_3 酸化滤液,使 pH 值为 1～2	分析室		
34	阴离子表面活性剂	G	H_2SO_4 酸化至 pH 值＜2,在 2～5℃ 下冷藏	分析室	尽快 48h	
35	石油类	G	现场萃取冷冻至 -20℃	分析室	24h 数月	建议使用分析时所用的溶剂冲洗容器,采样后立即加入萃取剂,或进行现场萃取

序号	待测项目	容器类别	保存方法	分析地点	可保存时间	前处理注意事项及要求
36	凯氏氮	P 或 G	用 H_2SO_4 酸化至 pH 值<2,在 2~5℃冷藏	分析室	尽快	含沙量不大于 0.2g/L 时,只测定浑水,应在现场对采集的浑水加浓 H_2SO_4 调至 pH 值<2,低温(2~5℃)保存和运输,回实验室后取摇匀的浑水作为待测样
37	化学需氧量	G	尽快分析或用 H_2SO_4 酸化至 pH 值<2(详细记录加入保存剂的体积),在 2~5℃保存运输	分析室	尽快 1 周	含沙量大于 0.2g/L 时,除测定浑水外,必须加测沉淀澄清水,应同时采集两份浑水样,其中一份浑水样在现场沿样品瓶壁缓慢加入浓 H_2SO_4 调至 pH 值<2(详细记录加入保存剂的体积),将水样慢速摇匀后低温(2~5℃)保存和运输,回实验室取摇匀的浑水作为待测样;另一份浑水样置于密闭容器内低温(2~5℃)保存运输,到实验室重新摇匀,沉淀澄清 8~12h 后,用虹吸法于液面下 5cm 处向上吸取澄清水作为待测样
38	总锰	P 或 BG	HNO_3 酸化至 pH 值<2	分析室	1 个月	含沙量不大于 0.2g/L 时,只测定浑水,应在现场对采集的浑水按测定项目的要求加浓 HNO_3 调至 pH 值<2,密闭保存和运输,回实验室后取摇匀的浑水作为待测样
39	总锌	P 或 BG	HNO_3 酸化至 pH 值<2	分析室	1 个月	含沙量大于 0.2g/L 时,除测定浑水外,必须加测沉淀澄清水,应同时采集两份浑水样,其中一份浑水样在现场沿样品瓶壁缓慢加入浓 HNO_3 调至 pH 值<2(详细记录加入保存剂的体积),将水样慢速摇匀后,密闭保存和运输,回实验室取摇匀的浑水作为待测样(计算时应考虑保存剂的体积);另一份浑水样置于密闭容器内低温(2~5℃)保存运输,到实验室重新摇匀,沉淀澄清 8~12h 后,用虹吸法于液面下 5cm 处向上吸取澄清水作为待测样
40	铁 过滤态铁	P	尽快通过 0.45μm 滤膜过滤,并立即加 HNO_3 酸化滤液,使 pH 值为 1~2	分析室		
	总铁	P	加 HNO_3 酸化至 pH 值为 1~2	分析室		
41	总有机碳	G	常温贮存于棕色玻璃瓶中	分析室	24h	
		G	加 H_2SO_4 将其调至 pH 值<2,于 4℃冷藏	分析室	7d	

序号	待测项目	容器类别	保存方法	分析地点	可保存时间	前处理注意事项及要求
42	有机氯农药	G	现场根据不同项目按规定的要求用萃取剂直接萃取摇匀的浑水,将萃取液在2～5℃条件下保存回实验室分析;或在2～5℃条件下密闭保存浑水样,回实验室取摇匀的浑水进行萃取分析	分析室	一周	
43	苯并(α)芘	G		分析室		水样应贮于玻璃瓶中并避光,24h内用环乙烷萃取,环乙烷萃取液放入冰箱中保存
44	丙烯醛					
45	苯类	G		分析室	尽快	样品应充满瓶子,并加盖瓶塞,用铝箔和细绳将瓶塞和瓶颈拴紧。建议现场萃取
46	银	P	加HNO₃将水样酸化至pH值为1～2	分析室	尽快分析	
		P	不加酸	分析室	立即进行分析	用于感光材料的生产、胶片洗印及镀银等行业的废水
47	浑浊度	P或G		现场	尽快	现场直接测试
48	六六六	G		分析室	尽快分析	如不能及时分析,可在4℃冷藏箱中贮存,不多于7天
49	滴滴涕	G		分析室	尽快分析	如不能及时分析,可在4℃冷藏箱中贮存,不多于7天
50	总α放射性	P或G	取10L水样,立即加HNO₃酸化,使pH值为1～2	分析室		
51	总β放射性	P或G	取10L水样,立即加HNO₃酸化,使pH值为1～2	分析室		
52	钾	P	尽快通过0.45μm滤膜(或中速定量滤纸)过滤,并立即加HNO₃酸化滤液,使pH值为1～2	分析室	数月	
53	钠	P	尽快通过0.45μm滤膜(或中速定量滤纸)过滤,并立即加HNO₃酸化滤液,使pH值为1～2	分析室	数月	

序号	待测项目	容器类别	保存方法	分析地点	可保存时间	前处理注意事项及要求
54	钙	P 或 BG	加 HNO_3 将水样酸化至 pH 值为 1~2	分析室	数月	
55	镁	P 或 BG	加 HNO_3 将水样酸化至 pH 值为 1~2	分析室	数月	
56	溶解性总固体	P 或 G		分析室		
57	侵蚀性二氧化碳	P 或 G	加入 2g $CaCO_3$	分析室		
58	游离二氧化碳	P 或 G		分析室		
59	总碱度	P 或 G		分析室	24h	
60	碳酸盐	P 或 G	4℃ 保存	分析室	数月	
61	重碳酸盐	P 或 G	4℃ 保存	分析室	24h	

注:P 为聚乙烯容器;G 为玻璃容器;BG 为硅硼玻璃。

(二)水样运送要求

(1)必须根据采样记录或登记表核对清点样品,以免有误或丢失。

(2)水样塑料容器要塞紧内盖,旋紧外盖;玻璃瓶要塞紧磨口塞,细菌瓶用细绳和重质纸(或铝箔)将瓶塞与瓶颈拴紧。

(3)需冷藏的样品,有条件者可配备专门的隔热容器,放入致冷剂,并将样品瓶置于其中保存。

(4)运输中应采用防震措施,有条件者可用冷藏箱运送;运输时应避免阳光直射、冰冻和剧烈震动。为防止样品在运输过程中因震动、碰撞而导致损失或玷污,最好将样品装箱运输。装运箱要用聚合泡沫塑料或瓦楞纸板做衬里和隔板。样品按顺序装入箱内。

(5)冬季应采取保温措施,以免因冰冻而使玻璃瓶破碎。

(6)样品运输的速度越快,样品变化就越小,应迅速、准确、无误地尽快将样品送往实验室,核查水样无误后,接送双方在送样单上签字。

四、样品的传递与管理

(1)常规的水污染调查监测由实验室派人采集样品,并具体负责样品验收,在验收分析样品时,要认真检查核对,凡不符合水样采集和贮存规定的样品不予接受,在样品接受单中,应有采样人和收样人的签名,实验室收样要有专人统一登记和编号,经验收无误后分发至各检验人员。

(2)外单位委托检测任务。在承担外单位委托的污染监测任务时,对检测样品,原则上仅对来样负责,但为确保检测质量,应详细询问样品来源及采样环境条件。实验室接收样品核对无误后同办公室与委托单位签订委托协议书,并通知监测技术室由质量保证负责人按要求下达质控措施后将样品分发给各有关检测人员。

(3)常规监测每次需采集密码平行样,其数量按每测次全部监测项目的20%控制。

(4)常规监测水样,各分析参数的分析实验应严格按水质监测规范要求,应在保存期内分析完毕,样品一般保存至月报资料报出后方可处理。委托样及污染监测样品,保存至检测结果报出半个月后处理。

第五节　标准分析方法的选择

样品分析数据的准确性与精密性,除取决于有代表性的样品外,还取决于实验室的分析工作。实验室进行的分析工作,首先必须采用准确可靠的分析方法。由于分析方法本身不完善带来的方法误差,是最重要的系统误差,它会导致各实验室的全部分析结果偏离真值而不被察觉。如果各实验室采用不同的分析方法,往往会使分析结果之间缺少可比性而难于进行统一的归纳评价。

监测测试方法是在布点方法、采样方法的基础上,定性定量地测定环境质量和污染物程度的具体方法。由于环境监测的范围广、频次多,且样品复杂、含量变化大等特点,故用于监测的测试方法很多,几乎应用到现代分析学的所有领域,而且随着环境监测工作的不断发展,测试方法还在不断地向深度和广度发展。同时,环境监测结果的法律性、公正性和权威性特点,要求其所使用的测试方法必须权威、规范等。所以,加强对测试方法的正规管理,监测管理人员熟悉、了解和科学运用方法,是确保监测质量的关键环节。

一、监测分析方法分类

按科研和监测工作中使用的情况,监测分析方法又可分为非统一分析方法、统一分析方法和标准分析方法三大类。

(一)非统一分析方法

非统一分析方法是指未成为统一分析方法和标准方法的方法,也称试行法。大都是科研工作者为解决某一特别任务而制定的方法,或已在权威杂志上发表的分析方法研究成果。其特点是数量大,但使用面较窄,在技术上尚不健全,格式上也不规范,但在特定情况下,经按程序审批后,可作为分析依据试行。

(二)统一分析方法

在大量非统一方法中,挑选经常使用的方法,组织实验室内和实验室间的验证完善,证明在技术上正确和行之有效,再由主管机构正式发布作为共同使用的方法,以保证监测数据的可比性和统一性,故又称为实用法。如我们目前使用的《水和废水监测分析方法》等都属于统一分析方法。其特点是技术内容比较完整,使用面较广,但部分方法技术上尚有缺陷,编写格式较国家标准灵活。

(三)标准分析方法

标准分析方法又称方法标准,它是实用方法经过筛选、改进、提高、完善、验证后而形成的,是方法的最高阶段,由国家环保局发布。其特点是技术内容完整,表达规范。

二、监测测试方法的选用原则

在多泥沙河流水污染调查中,从多泥沙河流的实际特点和需要出发,尽可能选用国际上推荐的或在国内已经初步确定的标准分析方法或统一分析方法。如国际标准化组织(ISO)推荐的方法和我国国家环保局组织编写的《水和废水监测分析方法》(第四版),以及其他全国性业务归口部门组织编写的方法等,在实际生产中应用时间较长,方法准确可靠,适应面也较广。

监测测试方法的选用原则包括以下几方面。

(一)权威性

在监测分析中,有标准分析方法时,要优先选用标准方法。当使用非标准方法时,必须与委托方协商一致,制定详细有效的方法文件,并应提供给委托方或其他接受单位。

(二)灵敏性

选择的分析方法应能满足监测项目标准的准确定量要求。也就是说,所选择的监测方法的最低检测限至少小于标准值的1/3,并力求低于标准值的1/10。

(三)选择性

监测方法的选择性要好,抗干扰能力要强。若存在干扰,能有适当的掩蔽剂或预分离的方法予以消除,以增强方法的适用性。

(四)稳定性

监测方法的稳定性要好,能够较好地保证监测结果的重复性、再现性,能够对各种环境样品得到相近的准确度和精密度,足够小地减少随机和系统误差。

(五)实用性

选择监测方法后所用的试剂和仪器容易得到,操作方法尽量简便快捷,并应尽可能地采用国内外的新技术和新方法。

在本书污染源调查、水质调查及沉降物调查各部分,均选用了多泥沙河流调查常用项目的分析方法,这些方法,有的是从标准方法或统一方法中选出的,有的则不完全是标准方法或统一方法而是另选的。

三、分析方法的检验

如果选用的方法不是标准方法或统一方法时,或有的标准方法、统一方法本身有较大的局限性对水样不适用时,必须另选方法。对这些另选的方法,应按检验程序进行检验并合格后方可选用。检验包括以下内容:

(1)取几份不同含量水平,不同干扰情况的样品,用选定的方法与测定该项目的标准方法进行比较分析,并对两种方法所得的两组测定结果进行精密度一致性检验(F 检验)和平均值一致性检验(t 检验),均无显著性差异后,方能选用(数据的统计检验详见本章第十节)。

(2)采用所选定的方法对标准物质进行分析时,其平均值应在标准物质的保证值及其不确定度的范围内,精密度也应符合要求。

(3)采用选定的方法,对实际样品进行准确度、精密度实验;对实际样品进行加标回收率实验并计算其回收率。同一实验室对同一样品进行多次重复测定,计算其重复性。多个实验室对同一样品进行重复测定,计算其再现性。重复性和再现性均以标准偏差和相对标准偏差表示。用回收率表示的准确度与用标准偏差表示的精密度,均应符合要求。

(4)计算最低检测限,应满足课题的要求(计算检测限的方法详见本章第八节)。

四、分析方法的管理

环境监测方法,是实施监测工作的基本依据。方法管理的主要任务,是采取必要的措施,保证监测工作按照完善、规范、统一的监测方法进行。监测管理者应保证与本机构所开展监测工作有关的说明、标准、手册和参考数据等的现时有效性,并能及时提供给工作人员。在进行具体监测工作时,应使用统一的和公认的方法和程序。如果某一项目没有指定方法或程序时,监测机构采用的监测方法必须有权威的出处并征得用户或委托方的认可。对于一些规定不够具体的方法或程序,机构应结合自己的实际情况,编制比较详尽的、操作性较强的操作程序文件,供操作者随时参照执行,以确保监测全过程规范化操作,使监测结果的不确定度降到最低限,从而不断优化和提高监测工作质量。

第六节　对合格实验室的要求

监测实验室的环境分为内环境与外环境。内环境条件直接影响监测分析工作的质量、分析人员的身体健康以及工作效率和监测分析测试仪器设备的示值精度与使用寿命。实验室周围的的外环境条件(如存在污染物质),也会对分析实验结果产生影响。而实验室测试分析时所产生的废水、废气和其他有毒有害物质等亦可影响周围的环境。因此,环境监测实验室的环境条件必须满足有关标准规定和有关技术要求。

一、基本要求

环境监测实验室应满足以下基本要求:

(1)实验室布局合理,便于工作,周围环境以及实验室间和测试项目间不产生干扰和交叉污染。

(2)仪器设备的安放应避免受到震动影响及其有害气体和试剂的腐蚀。

(3)水、电、气的设置及化学药品的放置应合乎安全管理的规定。

(4)实验室内应保持清洁、整齐、明亮和安静。

(5)实验室内产生的废水、废气及其他要素等有害物质应有处理措施,符合环境保护规定。

(6)实验室的面积、结构、装饰、通风、采光等应满足监测工作需要和有关技术规定要求。

二、对主要分析仪器的要求

环境监测仪器设备是开展环境监测工作的重要物质基础和基本手段,是确保监测工作质量的重要条件之一。因此,环境监测机构的仪器设备的数量和性能应能够满足所承担监测任务的需要,应符合所开展监测项目测试方法的要求。

(一)环境监测仪器设备的分类

环境监测仪器设备按照功能可分为实验室通用精密仪器、实验室辅助电器类仪器设备和环境监测专用仪器3大类;依其原理及用途可分为化学计量仪器类的化学污染监测分析仪器、物理计量仪器类的物理污染监测测量仪器和生物计量仪器类的环境生物监测检验仪器3大类;依其作用可分为常规规范监测仪器、自动监控系统和小型现场快速监测仪器3大类;依其计量管理要求,又可分为强检监测仪器、常检监测仪器和一般监测设备3大类。

(二)环境监测仪器设备的管理要求

环境监测仪器的类别、性能不同,对其管理要求亦应有所区别。

(1)根据技术先进、经济合理、适于使用的原则,制定购置计划,正确地选择仪器设备,防止盲目攀比,尽力提高仪器设备利用率和质量水平。

(2)保证监测仪器设备的运行使用始终处于最佳技术状态,杜绝带故障运行,以确保监测数据的准确可靠。

(3)加强对仪器使用、保管人员的培训及有关技术条件的配套,确保对仪器的正确使用和维护保养,保证所用仪器完好符合标准。

(4)建立完善监测仪器设备管理制度,做到计划严密,购置合理,手续健全,档案完整。

(5)重视对仪器设备的定期校验、更新换代和淘汰报废工作。

(三)常用主要分析仪器的管理

监测机构的仪器设备(含标准物质),是保证各项监测工作开展的必要手段,对其管理的主要任务,就是要尽力配齐与承担的监测任务相适应的仪器设备,对于租用或借用的设备,应该保证其符合标准规定的要求,保证其能满足开展工作的需要;同时要采取措施,保证所有仪器设备均处于受控状态,保证正确操作使用和维护保养,使其始终处于良好状态;保证对其严格按照要求进行校准检定,以确保其量值准确可靠和可以进行溯源。

实验室常用主要分析仪器的管理工作,主要包括建立玻璃量器计量标准,对所用的各类玻璃量器如移液管、滴定管、容量瓶等,应按玻璃量器计量检定规程规定的方法定期检查校正,其允许误差应满足环境分析要求。分析天平、比色计、原子吸收分光光度计及其他分析仪器,要定期检定或自检,保证其灵敏度和稳定性,使仪器始终处于正常工作状态。

所有检测项目不得随意更换使用的玻璃量器,避免产生系统误差。

1.分析天平和砝码

应根据测定方法的准确度对称量准确度的要求选用天平。环境分析选用的分度值为0.1mg,最大载荷100g或200g的天平即可满足要求。

新天平安装后应鉴定其外观和计量性能,计量性能包括分度值、不等臂性误差、示值变动性、挂码组合误差。使用中的天平应按使用的频繁程度确定鉴定周期,一般不超过一年。应定期进行天平的清洁工作。

砝码按其允差分为五等,分析天平一般配备二等或三等砝码。二等、三等砝码可与高一等的砝码直接比较进行检定。砝码检定周期一般为一年。

不合格的天平或砝码应进行调修。

2.容量仪器

应选用符合质量标准的容量仪器,量器按精度分为 A 级、A_2 级和 B 级,A 级优于 B 级。

必须使用活塞密合性符合要求的滴定管和量瓶。

对于准确度要求较高的分析,可对仪器进行校准使用校准值。A 级容量仪器可不校准。

滴定管、量瓶、吸管,均应采用衡量法校准(绝对校准法),配套使用的量瓶和吸管可使用相对校正法进行校准。

3.分光光度计

分光光度计应参照鉴定规程进行外观、稳定性、波长误差、灵敏度、线性误差、重复性和比色皿成套性、仪器的绝缘电阻等的检定。使用中和修理后的仪器的鉴定周期不作统一规定,当更换光源灯、光电池或光电管时,或指示器和单色器修理后,均应进行鉴定。测定中有异常现象时也应进行鉴定。补充比色皿时,配置的同一光径的比色皿透射比之差应不大于 0.5%。

4.原子吸收分光光度计

新仪器在调试验收时,应对其技术指标进行测定。项目一般包括波长准确度、单色器分辨本领、零吸收稳定度或基线稳定度、灵敏度和测定精度等。

使用中的仪器应按要求经常进行清洁维护,并定期检查各项指标。

三、对试剂的要求

化学试剂是环境监测分析实验中不可缺少的物质基础,试剂的质量及选择是否恰当,直接关系到监测分析工作的成败,直接影响着监测分析结果的优劣。

在环境监测分析中,常用的化学试剂就有数百种,既有气体、液体和固体,又有易燃、易爆和剧毒品。因此,切实加强管理,保证化学试剂的妥善保存和正确使用至关重要。

(一)建立严格的试剂管理制度

应对试剂的购置、存贮、使用等做出明确规定,使全体人员对试剂的性质、用途、保存、选择、配制方法等充分了解,从而使监测分析工作质量得到保障。

(二)按照分析要求正确选择试剂

实验用化学试剂必须按规定的检测方法、要求选用,以实验条件、分析方法和分析结果所要求的准确度为依据,本着既满足分析要求,又要节约的原则,选用合格试剂。

一般化学试剂按照纯度分为 4 级:一级纯称为优级纯(G.R.)或保证试剂,包装为绿色标签,主要适用于精密的分析研究工作;二级纯称为分析纯(A.R.),包装为红色标签,主要适用于比较精密的分析研究工作;三级纯称为化学纯(C.P.),包装为蓝色标签,主要适用于一般的分析研究工作;四级纯称为实验试剂,包装为黄色标签,主要适用于普通溶液和清洁剂的配制。此外,还有生物试剂、指示剂和基准试剂(低于或相当于优级纯)以及高级纯试剂等。

生物试剂用于生物化学检验标本的染色液的配制;基准试剂用于标定标准溶液;高级纯试剂用于超痕量或痕量分析。一般分析工作,均应采用分析纯以上规格的试剂。配制

pH 标准缓冲溶液应选用 pH 基准缓冲物质。某些特殊要求,如对石油类或其他有机污染物测定时,应按分析方法给出的试剂规格或试剂的提纯方法准备试剂。

(三)妥善保存试剂

化学试剂应妥善保存以防变质,应根据其特性采取相应措施。试剂保存对环境条件的共同要求是通风良好,比较干燥,避免日光直射,严禁烟火。试剂存放的基本要求是分门别类,禁止混放,应按质安放、按期排序,防止过期,防交叉污染。对怀疑有变质可能的试剂,应于检验合格后再使用。

(四)正确取用试剂

(1)使用试剂的级别,主要依据是试剂所含的杂质不对样品分析产生干扰。应根据不同分析对象和对分析结果精确度的要求情况进行合理选用。

(2)在微量和痕量分析中,对一些长期使用或贮存的试剂,特别是某些不易保存的试剂以及不符合规定要求纯度的试剂,使用前都应进行纯度检验。变质试剂不得使用,不符合纯度要求的试剂应进行提纯或精制处理,或降级使用。

(3)同批分析样品和试剂空白试验应使用同批号的试剂。

(4)在分析测试中,需注意选用的试剂纯度级别应与实验用水和所用的容器相匹配。

(5)取用试剂时应保持清洁,防止污染。要遵守"只出不进,量用为出"的原则,取用液体试剂时,应遵循"只能倾出,不准吸出"的原则。

(6)取用挥发性试剂,一定要在通风橱内进行。

(7)使用易燃易爆试剂,要远离火源,避免撞击。

(8)所有试剂瓶上都要贴上规范化标签,不允许盛入与标签不符合的试剂。

(五)加强试剂的使用管理

试液是试剂以分子、原子或离子状态分散于溶剂中构成的均匀而稳定的溶液。未规定精确浓度,只用于一般实验的试液称为普通试液;用基准试剂配制成已知准确浓度的试液称为标准试液。试液的浓度均用摩尔浓度(mol/L)表示。试液的质量除主要受试剂质量的影响外,还会受到其他因素的影响,故在试液的配制、贮存和使用等诸环节上,必须加强质量管理,确保其性能可靠准确。

四、对水的要求

分析实验用水的纯度对分析结果影响很大,它直接左右分析方法的空白试验值,从而影响方法的检测限和测定的准确性。因此,制备符合要求的实验用水,是监测机构质量保证的一项重要的基础工作。

(一)实验用水的基本要求

纯水是分析工作必要条件之一,实验室用水的质量应符合 GB6682—92 的要求。根据分析对象的不同,有时用蒸馏水,有时用去离子水。一般的无机分析,如阴离子、阳离子分析,用去离子水(即普通水通过阴、阳离子交换树脂柱后的水);在测定其他项目时,如化学需氧量(COD),生化需氧量(BOD)等,必须用蒸馏水,因去离子水只除去了阴、阳离子,并没除去有机质,如用去离子水,便会引起较大的误差。对不同分析项目,应正确选用不同纯度的纯水,以保证分析质量。

特殊要求的分析用水,除电导率应满足要求外,还应按规定方法自行制备,经检验合格后方可使用。

纯水中的待测物质,一定要低于方法的检出限,其分级标准见表3-2。

表 3-2 纯水分级标准

级别	电阻率(25℃) (MΩ·cm)	制备方法	用途	说明
特级	16～18	混合床离子交换柱 (0.45μm 滤膜,石英亚沸蒸馏器)	专用配制标准样品	金属质量分数小于 $1×10^{-9}$
一级	10～16	混合床离子交换柱(石英蒸馏器)	用于稀释标样和超痕量分析(10^{-9}级)	金属质量分数小于 $1×10^{-9}$
二级	2～10	双级复合床或混合床离子交换柱	用于痕量分析(10^{-6}～10^{-9}级)	
三级	0.5～2	单级复合床离子交换柱	用于微量分析(10^{-9}级以上)	
四级	<0.5	金属或玻璃蒸馏器	用于有机分析(COD、BOD 等)	

(二)正确选择制备方法

实验室纯水制备方法,多用蒸馏法和离子交换法。对于一些有特殊要求的纯水,如无氯水、无酸水、无重金属水、无酚水、无氨水、无 CO_2 水等,还需采用特殊的处理方法。应根据分析需要,按规定选用适当的制备方法,保证满足分析质量需要。

(三)重视纯水质量标准

经过各种方法制备的纯水还会含有一定的杂质,在使用前,应按实验用水质量指标要求进行检验,以保证用水质量。外购纯水,必须进行质量检验,做好检验记录,并与原始记录同样保存,实验室质量监督员应定期对纯水质量进行抽查。

(四)注意纯水的贮存

容器、空气和管路都会对纯水质量带来一定的影响,所以,应避免传送、保存、使用中器皿和环境对纯水的污染。必须重视纯水的贮存条件,防止暴露在空气中;盛装纯水的容器应根据纯水用途选择适当,尽量减少变质机会,并应注意贮存时间不易过长。在进行分析测试前,应先进行空白试验,以检验纯水是否符合要求。

五、对实验室环境的要求

实验室环境是指实验室内温度、湿度、气压、空气中的悬浮微粒含量及气体污染成分等。实验室环境条件有的影响仪器的性能,有的使空白值增高或不稳定,直接影响测定结果。

保证实验室布设符合监测工作的要求主要有以下几点:

（1）应有通风设施，保持室内空气清新，防止干扰监测分析，确保监测人员身心健康。

一切产生酸雾或有害气体的操作，均应在通风橱中进行。要防止有害气体对测定工作的交叉干扰，以免影响测定结果或污染纯水及试剂。

一般化学分析室和前处理室，除门、窗自然通风外，还应在外墙上部安装双向排气扇。另外，应设置通风橱，产生毒害和腐蚀刺激性气体的操作应在通风橱内进行，通风橱的大小应满足实验需要，形式及制作要求应符合有关规定，通风橱内不得安装电源插座，最好设置上下水路装置。

（2）应有照明设施，便于夜间操作。灯光在室内应均匀分布，避免出现阴影妨碍分析和观察。

（3）设置大小合适的实验台，高度应便于操作。主要操作实验台应与窗面呈垂直放置，使光线从操作者站立的侧面射入，避免对光和背光之弊。台面应耐热耐蚀，易于清洗，通常是用木质台面并刷以中国漆或铺以橡胶板。安放仪器的实验台应与墙分离留有过道，便于使用操作和维修，放置牢固避免震动影响。放置加热器的实验台应用水磨石台面。常规实验台一端或中间应有上下水道，以便使用。

（4）配备必要的附属设备（如柜架等），保证必要的溶液、玻璃器皿等妥善放置，以免玷污和变质。柜、架材质应耐腐蚀易清洗和不易玷污。

（5）精密仪器室要求防震、防腐蚀，且对温度和湿度有一定要求。带计算机的仪器，还要求防电磁干扰。大型精密仪器室应设成套间形式，里间安放仪器，外间作为准备室，里、外间用玻璃推拉门为隔墙，确保室内清洁，根据需要安装空调和除湿设备，保持仪器操作所需的温度和湿度条件。

（6）原子吸收分光光度计操作室，通常应在尽量靠近有害气体发生源的位置放置伞形排气罩，并以排气扇的调速或调节风管截面控制合适的排气量，以保证既能使有害气体排出，又不影响测试。

（7）天平室应避开震动源和阳光直射；采暖装置应与天平保持适当的距离，以免受局部影响，防止强的空气对流对称量操作的影响。

（8）为了控制空气中悬浮微粒含量，某些痕量和超痕量分析要求使用超净实验室或超净柜。

六、对基本操作的要求

实验室内常用的测量仪器，如天平、容量瓶、吸管、滴定管等，应按照一般分析化学的基本操作进行洗涤、准备使用。分析仪器，如分光光度计、原子吸收分光光度计等，应按照仪器说明书的有关规定进行检查和使用。除此以外，本书另作如下要求。

1.溶液配制要求

（1）认真填写配制记录，并经校核、复核者签名。

（2）所有试剂瓶上应贴有标签，标签填写内容要齐全，字迹要清晰，符号要准确。内容包括溶液名称、浓度值（浓度使用法定计量单位）、介质、配制日期、配制人。

（3）检验方法中某些标准、滴定溶液配制及标定，应按中华人民共和国国家标准《食品卫生检验方法理化部分》（GB/T 5009.1—1996）中附录 B"标准滴定溶液"中盐酸、硫酸、氢氧化钠、氢氧化钾、高锰酸钾、草酸、硝酸银、硫代硫酸钠标准溶液规定的方法标准和《滴定分析用标准溶液的制备》(GB601—88)执行。

(4)由于精密度实验是反映样品整个测定过程中偶然误差大小的,因此重复测定应从样品称量(指固样)或量取(指液样)开始,准备数份平行样品,按照同样分析方法进行全过程的分析测定。不能省略其中某些步骤,如只称取或量取 1 份样品,经一定的实验步骤后,再分成几份进行测定。

需标定的标准溶液,应在每次测定样品前进行标定。标定方法必须是分别称取 2~3 份基准试剂配成溶液作平行标定,不允许只称取一份基准试剂配成溶液后,从中分取几份进行标定。平行标定结果的相对差值一般要求≤2‰,否则需要重新标定。

(5)标准溶液要求按规定期限配制,稳定的基准溶液、标准贮备液,一般每年配制 1 次,如重金属 Cu、Pb、Zn、Cd、Cr 等;稳定性较差的酚、氰化物等,每半年配制 1 次。标准溶液的使用液应在临用前配制。

自配标准溶液每半年与国家标准溶液对比 1 次。

2.空白试验要求

由于空白试验是反映整个测定过程中因试剂、蒸馏水不纯,仪器环境不洁而给测定带来的影响,因此空白值试验应是全过程空白试验,即用蒸馏水代替样品,按照与分析样品完全相同的步骤进行测定(包括溶样或消解、除干扰、测定等全过程),而不能省去其中某些步骤。

3.分光光度计使用要求

在第一次使用分光光度计测定之前,需对已显色的待测溶液进行波长扫描,以核对分析方法规定的测定波长,与使用该仪器时待测组分显色后的吸收波长是否一致。如果不一致,应使用仪器的实际吸收波长,以免降低灵敏度造成误差。

当用分光光度计进行测定时,应用蒸馏水或试剂调零,并用它们作测定时的参比溶液,而不能用空白试验的显色溶液来调零或作参比溶液。

七、设施与环境管理

设施与环境管理的主要任务,是采取有效措施,保证监测实验室的设施、测试场所以及能源、采光、保温和通风等与开展的监测工作要求相适应,保证其环境条件不对监测结果的有效性或所要求的测量准确度、稳定性及操作产生不利影响。对特殊的监测分析场所和环境要素进行隔离和控制,确保监测结果的有效性和可靠性。同时,应加强对实验室的内务管理,保证实验室清洁、整齐,符合安全和卫生要求,为监测工作人员提供一个比较优美、舒适的工作环境。

第七节　实验室间考核、比测

在多部门参加的多泥沙河流调查中,为了保证各实验室报出的数据准确可比,在开始实际样品分析测定前,应对参加分析测试的各实验室发放未知样品进行统一考核。

一、考核的目的

(1)全面检查各实验室是否具有报出准确数据的能力。
(2)是否存在明显的系统误差,同时进一步检验所采用的方法是否有异常。

二、考核的内容

(1)空白值试验。全面检查实验室的水平,包括试剂、蒸馏水的纯度、分析仪器的灵敏度、仪器及环境的清洁程度等是否合乎要求,还可以检查空白值计算的检测下限是否符合要求。
(2)对未知样品进行测定。根据测定值,考核分析结果的精密度和准确度。
(3)加标回收率控制。在样品中加入确定量的标准,测定其回收率,称为加标回收率。测定加标回收率是目前实验室最为常用而又方便的控制准确度的方法。

三、对考核结果进行整理、总结和评价

(1)对考核结果的数据进行各种统计检验,结合分析的实际情况,删除离群值。
(2)绘制直方图,全面检查考核结果。以考核结果的数据段为横坐标,实验室的频数为纵坐标,绘制直方图。根据偶然误差的分布规律,直方图应以平均值为中轴呈正态分布。
考核样品的标准值及其不确定度区间,应基本上在考核结果的众数区间。如果直方图不呈正态分布,或考核样品的定值范围与直方图的众数区间有明显差异,则表明有明显的系统误差或有其他问题存在,应找出原因,予以纠正。
(3)对考核中发现的其他问题,应具体分析并予以改进。
(4)经考核合格的实验室,收到通知书后方能进行实际的样品分析。

第八节　实验室内质量控制

监测分析数据的质量控制,是保证监测分析数据及其准确可靠的重要手段,而要进行质量控制,必须要有标准物质给予有力的技术支持。如绘制质控图,批内插入明码或密码加入标准物质进行质量控制,以及用标准物质考察分析人员的技术水平和检查实验室的状况等。
实验室内质量控制,包括实验室内分析人员对分析质量进行自我控制和受他控制的过程。自我控制是分析人员自我控制分析质量的过程;受他控制属于外部质量控制,是由独立于实验室外的他人对监测分析人员实施质量控制的过程。实验室内的质量控制包括以下内容。

一、分析方法选择控制

分析方法选择控制的要点,是优先选用现行有效的标准分析方法。对国际上暂未列入的分析方法,应首先选用经验证后统一规定的方法;如确需要用标准和规定之外的其他

方法时,必须经过等效实验,验证合格并报上级批准后方可采用。

二、质量控制基础实验

(一)空白值试验与检测限

1. 空白值试验

(1)实验室空白控制。空白值是指用一种方法测定某物质时,除样品中不含有该测定物质外,整个分析过程的全部因素引起的测定信号值或相应浓度值。

空白试验是指除用水代替样品外,其他所加试剂和全部操作程序都与样品测定完全相同的操作过程。

空白值试验应是全过程空白试验,即进行与样品分析步骤完全相同的全过程分析,包括相同的样品消解、消除干扰、测定等步骤,而不能省去其中的某些步骤。

1)意义。分析样品得到的响应值,不完全是来自环境样品中的被测物,其他可能产生响应的因素包括纯水中的杂质、试剂中含有待测组分的杂质及其他可能产生同样响应的杂质,以及每个分析步骤中环境、仪器以及操作过程中玷污产生的响应等。消除这类因素造成的误差主要靠空白试验。

空白值测定的目的,是通过测定空白值大小,确定方法下限精密度,计算检出限。

2)方法要求。环境分析中待测组分常为痕迹量,当空白试验值与样品测定值水平相当时,空白实验值的大小以及平行空白试验值的分散程度,对样品分析结果的准确度和精密度影响极大。实际上,空白值大小及其重复性如何,在一定程度上,能比较全面地反映一个实验室及其分析人员的水平。

在实际样品测定结果中,必须扣除空白值。空白值的测定方法,一般常规分析是采用每天平行测定两个空白值($n=2$),连测 5 日($m=5$),用取得的 5 对测定值计算平均值及批内标准差 S_{ud}:

$$S_{ud} = \sqrt{\frac{\sum x^2 - \frac{1}{n}\sum B^2}{m(n-1)}} \tag{3-1}$$

式中: S_{ud}——批内标准差;

$\quad x$——m 批中所有单个测定值;

$\quad B$——每天 n 个测定值之和。

空白试验值受到实验用水的纯度、化学试剂的纯度、玻璃器皿的精度和清洁程度、分析仪器的精度、实验室环境及分析人员操作水平、自身玷污程度等诸因素的影响,因此应十分重视控制每个环节质量。随样品分析,一次平行测定的 2 个空白试验值,其测定结果的相对偏差一般不得大于 50%。

控制空白试验值既要控制其大小,也要控制其分散程度。根据空白值的测定结果,计算检测限。如果高于该方法规定的检测限,应找出原因,予以改进,重测空白值,直至合格。

(2)现场空白控制。现场空白试验是将实验室分析用的纯水,在采样的同时装入采样瓶中,并和试剂样品经过完全一致的运输、保存和分析的实验过程。现场空白是环境监测全过程空白的综合体现,既能反映实验室空白的大小,也能发现在采样、运输和保存过程中样品是否受到玷污,并通过与实验室空白的比较,估计玷污的程度。因此,近年来现场空白试验及其控制越来越引起关注。

2.检测限(最低检测限)的控制

检测限是指对某一特定的分析方法在恰当的概率($p=95\%$,显著性水平为5%)时,能定性检出待测物质的最小浓度或最小量。检测限是个定性指标,它的意义仅仅在于断定样品中确实存在有浓度高于空白的待测物质。

对检测限的规定方法目前尚未统一。当置信概率为95%时,样品浓度的一次测定值与零浓度试样的一次测定只有显著差别者即为检测限 L。

(1)当空白测定测数 n 大于 20 时,检测限公式为

$$L = 4.6S_{wb} \tag{3-2}$$

式中:L——检测限;

S_{wb}——空白平行测定(批内)标准偏差。

(2)当空白测定次数 n 小于 20 时,检测限计算公式为:

$$L = 2\sqrt{2}t_f S_{wb} \tag{3-3}$$

式中:f——批内自由度,$f = m(n-1)$,m 为重复测定测数,n 为平行测定测数;

t_f——显著性水平 $\alpha = 0.05$(单侧),自由度为 f 的 t 值;

其他字母含义同前。

(3)对各种光学分析法,检测限计算公式为

$$L = \frac{RS_b}{S} \tag{3-4}$$

式中:R——系数(光谱化学分析法取 $R = 3$);

S_b——空白多次测定的标准偏差;

S——方法的灵敏度;

其他字母含义同前。

(4)在原子吸收方法中,检测限计算公式为

$$L = 3S_{wb} \tag{3-5}$$

式中字母含义同前。

此外,国际理论与应用化学联合会(IUPAC)等组织也规定了不同的检测限定义和方法,常用 $L = 3S_{wb}$ 代表检测限。

检测限的大小与空白批内测定的分散程度有关。空白测定的精密度过低,当由测得的空白值计算出的 L 值明显高于方法中规定的检测限水平时,表明空白试验存在一定的问题,必须寻找原因降低空白值,重新测定计算至合格。因此,检测限可以作为空白试验的一种控制指标。

(二)校准曲线的控制

1.定义

校准曲线是描述待测物质浓度(或量)与相应的测量仪器响应量或其他指示量间的定

量关系曲线。按照分析要求不同,可分为校准曲线和标准曲线两大类。前者是指标液的分析步骤与样品的分析步骤完全相同,后者是指二者分析步骤不完全相同,通常省去标液的前处理。

2. 标准曲线的绘制步骤

(1)按分析方法步骤,通过实测浓度和仪器信号的直线关系,确定实验室条件下的测定上限。当测定上限低于方法的检测上限时,只能用实测的直线范围。

(2)配制在测量范围内的一系列已知浓度的标准溶液,并且不少于5个浓度值(不包括零浓度溶液)。

(3)按照与样品相同的测量步骤测定各浓度标准溶液的响应值。

(4)选取适当的坐标方式,以响应值为纵坐标,以浓度(或量)为横坐标,将测量数据标在坐标纸上作图,并用最小二乘法原理计算曲线回归方程及相关系数 r,当 $r \geqslant 0.999$ 时,将方程标在坐标纸上。

(5)校准曲线绘制与每批测定样品同时进行,应与样品同时测定两份中等浓度标准和两份空白的平行样。测得标准的浓度值(减去空白值)与原校准曲线相对应的浓度值的相对偏差,分光光度计应小于5%,原子吸收应小于10%,否则应重新制作校准曲线。

3. 标准曲线的绘制要求

绘制校准曲线一般不应少于5个点(其中不包括空白试验),应尽可能均匀地分布在测定限以内。校准曲线可以用作图法或一元线性回归计算得到,多数校准曲线可以用一直线来描述:

$$y = a + bx \tag{3-6}$$

式中:y——响应值;

$\quad a$——截距;

$\quad b$——斜率;

$\quad x$——浓度值。

式(3-6)中斜率 b 反映了方法的灵敏度。在各种分光光度法中,若不以空白试样调零,而以某种适当的溶剂调零测定校准曲线,那么 a 值实际上反映了空白试验值的平均水平。一般说来,用 a 估计空白试验值的大小比用一两份空白试样测定值估计更合理。

在各种实验条件比较稳定的情况下,a 和 b 都应该保持在一定的范围以内;而当条件改变时,a 值和 b 值也会随之变化。因此,最好是在分析样品的同时绘制标准曲线。即使是比较稳定的曲线,也应该每次分析时,用标准溶液(至少在曲线中点上下各一个浓度)来校核曲线。

除以 a 和 b 来控制校准曲线外,回归曲线的相关系数 r 也在很大程度上反映了曲线的质量。当方法严格遵从郎白-比尔定律时,r 值的大小主要反映了曲线的精密度水平。任何方法本身都有一定的精密度,因此 r 值也有一定的稳定性。r 值明显变小,可能是由于曲线中某个点有明显偏离,或者是建立曲线的过程中精密度太低。环境监测中多数监测方法的 r 值可达到 0.999。有些方法本身精密度较低,其 r 值在 0.99 左右。精密度较好的方法,其 r 值可超过 0.999 9。

三、质量控制图

该方法纳入常规应用后,为了监视例行监测分析工作,需要建立质量控制图。

质量控制图的原理是:如果分析结果均处于统计学的控制状态,即同一样品的多次测定结果呈正态分布,则测定结果落在 μ(总均值)$\pm 3\sigma$(标准差)范围内的概率为 99.7%,超过此范围的概率仅为 0.3%。如果测定结果超出了 $\mu \pm 3\sigma$ 的范围,在统计学上叫做小概率事件,可以认为分析过程中出现异常,即产生了较大误差,需要找出原因后重新分析。$\mu \pm 3\sigma$ 这个界限叫做上、下控制限,测定数据超出此控制限叫做失控;同理,数据落在 $\mu \pm 2\sigma$ 范围内的概率为 95.4%,测定数据超出这个界限的概率约为 4.7%,如果超出此限,表示测定结果已开始出现异常,应引起警惕;$\mu \pm 2\sigma$ 的上、下界限叫警戒限;在 $\mu \pm \sigma$ 处的两条线称为上、下辅助线,质量控制图的组成见图 3-1。

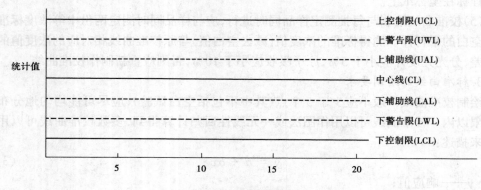

图 3-1 质量控制图的组成

四、常规分析中的质量控制

质量控制工作的经常化、常规化、制度化是保证分析质量的根本措施,对及时发现和纠正实验过程中的误差有决定性作用。

(一)对分析人员要求

凡初次参加项目分析或采用新分析方法进行分析的人员,应首先进行分析项目精密度偏差性实验,当其测定结果的评价合格并取证后,方可上岗操作并出具数据。每一项目要求至少有两人以上持证。

(二)空白试验值的控制

一次平行测定至少要有两个空白试验值,平行测定相对偏差不得大于 50%,并用空白试验值控制图进行控制。

(三)平行实验

平行双样分析,反映测试结果的精密度。每次分析,必须随机加测至少 20% 的平行样测定。当断面只有 1 个采样点时,必须测平行样。

平行样相对偏差要求不得大于方法规定的允许差或标准分析方法中相对标准差的 2 倍,方法中未有允许差和标准差值者,按照分析结果所在数量级,不得大于规定最大允许值。

容量分析时应控制滴定用量,即当用量小于 10ml 时,两次用量之差不超过 0.5ml;用量大于 10ml 时,两次用量相差不应超过 0.5%。

比色分析每次必须平行测定空白值,其相对偏差一般不得大于 50%。

(四)检测限的控制

每天测定 1 对空白试验平行样,共测 5 天,检测限计算方法可根据工作目的和要求按前述原则选用。

(五)校准曲线的控制

要求见本节前述"校准曲线的控制"部分的内容。

(六)准确度的控制

1. 定义

回收率和加标回收率可以评价监测系统或检测结果的准确度,回收率控制和加标回收率控制是准确度控制的两种主要方法。

回收率以"真值"来评价准确度,其真值一般是由标准物质或质量控制样品提供的。如果标准物质或质量控制样品在基体、浓度等方面越接近实际样品,回收率控制的类比性就越好,用回收率来评价监测结果就越可靠。回收率 P_0 是用下面的公式表示的:

$$P_0 = x/\mu_0 \times 100\% = R \cdot E \times 100\% \tag{3-7}$$

式中:P_0——回收率;

x——测定值;

μ_0——真值;

$R \cdot E$——相对误差。

在样品中加入确定量的标准物质后测定的回收率,称为加标回收率。测定加标回收率是目前实验室中更为常用而又方便的控制准确度的方法。加标回收率 P 按下式计算:

$$P = \frac{加标试样测定值 - 试样测定值}{加标量} \times 100\% \tag{3-8}$$

由国家环境监测总站或其他经国家计量部门授权认可的单位提供的标准物质,是监测分析准确度的量值追踪目标。各级监测机构对已有标准物质的监测项目的量值追踪,每年不得少于 1 次。

各实验室自行配制的质控样品,在分析质量处于受控状态下,与标准物质进行比对实验证明其浓度值可靠后,方可作为该实验室的质量控制样品,质控样应和待测样具有相近的基准,自控时每批样品至少要带 1 个已知浓度的质控样品,他控时质控样一般占样品总量的 5% ～10%。

2. 评价准确度的注意事项

评价准确度时应注意以下几点。

(1)在一般情况下,样品中待测物质的含量与加标量越接近,测得的加标回收率就越可靠,而这在实际测量中往往难以实现。待测物质较高时,加标后的总浓度不宜超过方法线性范围的 90%;而当样品浓度在检测限附近时,可按方法线性范围上限的 10% 量加标。在其他情况下,加标量应控制在样品浓度的 1/3～3 倍。

(2)加入的标准与试样中待测物质的形态未必一致，即使一致，其与试样中其他组分间的关系也未必相同。因此，用加标回收率来评价准确度未必一定可靠。

(3)加标回收率常常可以发现实际样品基体对待测组分的干扰。然而，也有些基体的干扰并不一定能为加标回收率实验所发现。例如，用银量法测定水中氯化物时，由于受到水中其他卤化物的影响而产生的系统误差，就很难只靠测定加标回收率来发现。

加标回收率的测定。加标率为每批试样中随机抽取 10% ～20% 的样品进行的加标回收率测定，当样品数量不足 10 个时，应适当增加测定比率。加标方式可采用明码加标和密码加标。加标量不宜过大，一般为试样含量的 0.5～2.0 倍，且加标后的总含量不得超出分析方法的检测上限。加标浓度宜高，体积宜小，一般不超过原试样体积的 1%。

合格要求。回收率 95% ～105% 为目标值，若超此范围时，应根据其测定的标准差（$S/\sqrt{n}$）、自由度（f）、测定次数（n）、置信水平（95%）和加标量（D）计算出加标百分回收率为 95% 的置信区间，作为正常允许范围，计算公式为

$$P_{上限} = 1.05 + \frac{t_{0.05}(f) \times S/\sqrt{n}}{D} \tag{3-9}$$

$$P_{下限} = 0.95 - \frac{t_{0.05}(f) \times S/\sqrt{n}}{D} \tag{3-10}$$

每批样品要同时平行测定规定项目的加标回收，回收率要求达到 90% ～110%。当合格率<95% 时，除对回收率不合格者重做外，再增加 10% ～20% 的样品加标测定，直至合格率≥95% 为止。

(4)标准曲线的绘制。在每次测定水样的同时，均须作标准曲线，以控制标准曲线的波动范围，标准系列应在线性范围之内，标准曲线的相关系数一般应达到 0.999 以上；对于小于 0.99 者，必须返工重测。

(5)当分析方法已确定又严格执行操作时，标准曲线的灵敏度（斜率）应具有一定波动范围。如单纯地追求相关系数或只对斜率进行检验而不加以比较，将可能引入很大误差。因此，应进行灵敏度控制。

斜率控制范围应根据多年测定值进行统计，定为 $b \pm 2s$（b 为斜率统计均值，s 为标准样）。

(6)利用自带标准样品进行自控（每半年一次由技术室发标样或自配质控样）。对测定不合格者，要求重测直至合格。

标准物质（或质控样）对比分析，采用标准物质（或质控样）和样品同步进行测试，将测试结果与保证值相比较，以评价其准确度和检查实验室（或个人）是否存在系统误差。

(七)精密度控制

1.意义

控制精密度是质量控制的核心。这是因为精密度的高低是准确度好坏的前提，在测量次数减少的情况下，精密度过低是不可能有好的准确度的；或者说如果精密度不能限制在允许差以内，也必然影响到分析结果的准确性。另外，质量控制仅仅是质量保证的一个环节，而达到一定的准确度要靠整个质量保证体系的支持。例如，当方法选择不当时，用加标回收率来控制准确度，就不能解决回收率达到限度的要求，解决这一问题需要追究原

因,弄清问题所在,甚至需要改进和更换方法,但这往往超出了质量控制工作的范围。

由于精密度常随样品中待测组分浓度的变化而变化,因此实行精密度控制时,首先应考虑浓度对精密度的影响。如以标准偏差表示,精密度一般是随浓度的增加而增加;如以相对标准偏差表示,则浓度增加到一定水平后,精密度随浓度的变化不很明显。

2. 精密度控制方法

采用分析样品的平行双样的相对偏差控制精密度。

(1)平行双样的测定率。凡能进行平行样分析的项目,均应作平行双样测定。当样品数量>10个时,测定率为10%～20%;当样品数量<10个时,测定率为30%～50%。

测定的方式用明码平行或密码平行均可,不必重复,但以密码平行更能反映实际水平。

(2)合格要求。实验室内平行双样的相对容许偏差,在标准分析方法规定的范围内为合格;没有规定者,可参阅表 3-3 进行判定。

表 3-3 相对容许偏差判定

分析结果所在数量级(g/L)	10^{-4}	10^{-5}	10^{-6}	10^{-7}	10^{-8}	10^{-9}	10^{-10}
相对偏差容许值(%)	1	2.5	5	10	20	30	50

当全部平行双样测定不合格时,应重新测定;部分平行双样测定合格率<95%时,除对不合格者重测外,再增加测定 10%～20% 的平行双样,直至总合格率≥95%为止。

(八)密码样品的控制

密码样品的控制是受他控制。质量控制的组织者将密码样品发给一个或若干个分析者,要求他(他们)测定样品中为分析者所不知的一些参数的量,而这些参数对于组织者来说则可能是已知的,因此可用来了解分析者的操作水平。

所谓的密码样品或称旨样,可以是标准物质或质量控制样品、分成若干份平行样的实际样品,也可以是既包括实际样品又包括加标试样的成对样品甚至可能是某种空白样(如蒸馏水)。由于分析者预先并不知道平行样品、加标样品的采样位置,也不知道质量控制样品的浓度,故此得到的质量控制数据和对受控状况的评价也都比较客观。

第九节 实验室间质量控制

一、实验室间质量控制的意义和目的

实验室间质量控制,就是指采取措施,使多个实验室得到的分析数据,具有准确可比的分析结果。实验室间质量控制也是一种外部质量控制,通常是由一个监测网的组织者对网内各实验室的质量控制,用来评价实验室的性能。

实验室间质量控制,是在各实验室内质控的基础上进行的。在很大程度上,是要消除各实验室之间存在的系统误差。

实验室间质量控制的目的,是在控制分析测试的随机误差达到最小的情况下,进一步控制系统误差,使之最低。通常用作协作实验、仲裁实验,对分析人员的技术评定和实验室性能评价等方面,一般是用测标准样的方法。其质控限一般大于实验室内部的质控限。

实验室间质量控制一般是由外部有工作经验和技术水平的第三方进行组织,如上级监测部门,对实验室及其分析工作者进行定期或不定期的分析质量考核的过程。这项工作常用密码标准样品对各实验室以考核的方式进行。

二、实验室间质量控制工作程序

实验室间质量控制一般工作程序包括以下内容。

(一)制订工作计划和实验方案

实验室间的质量考核由有经验的中心实验室负责,根据需要制订出具体的考核实施方案,考核方案中应包括:

(1)参加考核的实验室范围;

(2)考核的项目和考核的分析方法;

(3)考核的程序;

(4)考核结果的评价依据和程序。

(二)选择建立统一的分析方法

为减少各实验室的系统误差,使所得数据具有可比性,应规定使用统一方法和统一时限要求。

(三)发放统一样品

质量考核前,通常由中心实验室分发统一工作基准样到实验室,以校准各实验室的标准溶液。实验室考核是对承担分析监测项目能力的考核,由中心实验室分发统一的未知样品(考核样品)到各实验室。发放的统一样品应贴有统一编号标签,附有样品使用说明,明确样品的浓度范围、稀释方法及注意事项等。发放的样品应尽量使参加单位能在相近的日期内收到,其发放数量应适当。

各实验室的样品测定结果,是和各自的标准溶液相比较得到的。如果各实验室之间标准溶液准确可比,就避免了重大的系统误差。因此,主持单位应统一下发准确浓度的工作基准溶液,与各实验室的标准溶液进行比较,求得实验室之间标准溶液的准确可比性。

(四)上报测试结果

各参加考核的实验室,应按要求在规定的期限内用统一的分析方法,按照规定的测定程序和规定的数据报告程序,向中心实验室报告未知样品的测定结果。

测试报告内容应满足考核的目的要求。一般应包括:

(1)空白试验值。应报出每天平行双份和连续 5 天的测定结果,同时上报原始记录的数据。

(2)统一样品测定值。一般要求上报 6 个测定值及其原始记录,以便对其进行统计检验。

(3)加标回收实验值。上报随机编号的平行双样加标回收实验值,并说明加标量。

(4)其他内容。上报有关标准曲线、回归方程及相关系数等质控资料。

(五)结果整理与评价

中心实验室在收到各实验室的结果后,对其进行登记、建标,并按照预定的考核质量标准(包括准确度允许差和精密度允许差),评价各实验室的监测分析质量。需要强调的是,考核评价所依据的质量标准是根据经验、需要和可能在考核前预先规定好的,而不是在考核后由考核结果统计得到的。对有疑问的结果,可要求有关实验室或人员做出明确回答。最后,对全部结果作出评价,按照规定的日期通知各参加考核的实验室。

(六)互相检查或抽查

组织各实验室对已经分析过的样品进行互相检查或抽查。环境监测全过程的质量控制要点,如表 3-4 所示。

表 3-4　　　　　　　　　　　　环境监测全过程质控要点

系统过程	质 控 要 点	
布点系统	①监测目标系统的控制; ②监测点位点数的优化控制	控制空间代表性及可比性
采样系统	①采样次数及频率优化控制; ②采样方法及工具的规范控制; ③样品的运输质量控制; ④样品的固定及保存质量控制	控制时间代表性及可行性
分析测试系统	①分析方法准确度、精密度及监测范围控制; ②分析人员素质及实验室间的控制	控制准确性、精密性、可靠性、可比性
数据处理系统	①控制数据整理、处理及精度检验; ②数据分布,分类管理制度控制	控制可靠性、可比性、完整性、科学性
综合评价系统	①信息量的控制; ②成果表达的控制; ③结论完整性、透彻性及对策控制	控制真实性、完整性、科学性、适用性

第十节　分析结果的数据处理

监测工作的直接成果,是获得大量的数据。对监测获得的数据进行科学的记录整理,并用概率和数理统计的方法对数据进行甄别和判断,进而围绕监测目的,对数据进行概括分析和解释等,是数据处理方法管理的主要任务。

一、监测数据处理方法及基本要求

(一)遵守计算规则,减少计算误差

在进行数据运算时,必须遵循修约规则,注意保护重要参数,尽量减少运算次数,努力提高算法和计算程序技巧。

(二)谨慎对待离群数据的检验

对于实验室出现的离群数据,应建立严密的检验程序,谨慎对待,不得随意取舍,必须经过实验复查、专家判断和检验等程序后,方可做出最后舍留决定,以确保监测工作质量。

(三)要建立严格的数据审查制度

监测站应建立监测数据分析人员自我审核、分析实验室主任审核和监测站长审核的三级审核制度,以便及时发现问题,并能跟踪检查和迅速解决,确保监测准确可靠。

二、准确度与精密度

准确度与精密度是衡量分析结果好坏的两个相关尺度。

(一)准确度

它反映测得值与样品真实含量之间的一致程度。准确度的大小用误差来表示。误差分为绝对误差和相对误差两种:

$$绝对误差(E) = 测得值(O) - 真值(T) \tag{3-11}$$

$$相对误差(E\%) = \frac{测得值(O) - 真值(T)}{真值(T)} \times 100\% \tag{3-12}$$

测得值大于真值为正误差,反之为负误差。

对于多次测定值来说,绝对误差为多次测得值的平均值与真值之差:

$$绝对误差(E) = 测得值均值(\overline{O}) - 真值(T) \tag{3-13}$$

$$相对误差(E\%) = \frac{测得值均值(\overline{O}) - 真值(T)}{真值(T)} \times 100\% \tag{3-14}$$

(二)精密度

精密度是对同一均匀稳定的样品的某一测定项目,用同一分析方法多次重复测定,所得结果相互之间的符合程度。精密度的大小用偏差表示,偏差有以下几种表示方式。

(1)绝对偏差与相对偏差。绝对偏差为测得值与平均值之差,取绝对值,不分正负,即

$$绝对偏差 \ d_i = |x_i - \overline{x}| \tag{3-15}$$

相对偏差为绝对偏差与平均值的百分比:

$$相对偏差(d_i\%) = \frac{d_i}{\overline{x}} \times 100\% \tag{3-16}$$

(2)平均偏差与相对平均偏差。平均偏差为各次测定值与平均值之差(取绝对值,不分正负)的平均数:

$$平均偏差 \ \overline{d_i} = \frac{\sum\limits_{i=1}^{n} |x_i - \overline{x}|}{n} \tag{3-17}$$

相对平均偏差为平均偏差与平均值的百分比:

$$相对平均偏差(\overline{d_i}\%) = \frac{\overline{d_i}}{\overline{x}} \times 100\% \tag{3-18}$$

(3)标准偏差(标准差)与相对标准偏差:

$$标准差(S) = \sqrt{\frac{\sum\limits_{i=1}^{n}(x_i - \overline{x})^2}{(n-1)}} = \sqrt{\frac{\sum\limits_{i=1}^{n} d_i^2}{(n-1)}} \tag{3-19}$$

$$相对标准偏差(RSD) = \frac{S}{\overline{x}} \times 100\% \tag{3-20}$$

相对标准偏差又叫变异系数(C_v)。

(三)准确度与精密度的关系

(1)精密度是保证准确度的先决条件,如果数据准确,首先必须精密度好。

(2)精密度好,准确度不一定好。

(3)分析结果准确,必须精密度与准确度都好。

三、有效数字

对监测数据进行记录整理时,要确保原始数据的正确记录和数据的正确运算。在记录数据的时候必须考虑计算器具的精密度、准确度及测试人员的读数误差。在数据运算时要注意遵照有效数字运算规则,不得随意增减有效数字位数。

(一)监测数据的有效数字保留规则

有效数字是指在分析和测量中实际能测得的数字,它表示数字的有效意义,反映了计量器具或仪器的精密度和准确度。因此,有效数字的位数不得任意增减。

有效数字是由全部确定数字和一位不确定数字构成的。从最后一位算起的第二位以前的数字应该是确定的,只有末尾数字是不确定的,总体构成有效数字的数值。

有效数字不仅表明数量大小,而且也反映测量的准确度。例如,用分析天平称量,得到数据为2.450 0g,就不同于2.450g,因为这两个数字的量值虽然相同,但其反映的准确度前者较后者大10倍。

1.有效数字的位数

(1)有效数字的位数应根据计量器具的允许误差和读数误差确定。如10ml A级无分度单标线吸管,其允许误差为±0.02ml,用于表示其准确体积的有效数字为10.00ml。

(2)记录测量结果时,只保留一位可疑(不确定)数字。

(3)测量结果的有效数字所能达到的位数,不能低于方法检出限的有效数字所能达到的位数。

2."0"在有效数字中的作用

数字"0",当它用于指示小数点的位置,而与测量的准确程度无关时,不是有效数字;当它用于表示与测量准确程度有关的数值时,则为有效数字。这与"0"在数值中的位置有关。

(1)"0"在第一个非"0"数字前,仅起定位作用,不是有效数字。例如:0.082 8中,"8"前面两个"0"均不是有效数字。因为这些"0"仅与所取单位有关,而与测量的准确度无关。0.082 8、0.828、8.28、82.8、828等均为3位有效数字。

(2)"0"在数字中间,是有效数字。例如8.009中的两个"0"均为有效数字,8.009为4位有效数字,8.000 9为5位有效数字。

(3)"0"在数字后面,是有效数字。例如0.500 0中5后面的3个"0"均为有效数字,0.500 0为4位有效数字。

(4)"0"作为整数的结尾时,有效数字的位数则难以判断。例如89 700,可能是3位、4

位或 5 位有效数字。在此情况下,应根据测定值的准确度改写成指数形式。例如 8.97×10^4 为 3 位有效数字,$8.970\,0\times10^4$ 为 5 位有效数字。

(二)监测数据的修约规则

1.数据修约的一般规则

监测数据的修约,按 GB3101—93 附录 B"数的修约规则"(参考件)执行。

(1)修约的含义是用一修约数代替一已知数,修约数来自选定的修约区间的整数倍。例如:

1)修约区间为 0.1,则整数倍如 12.1、12.2、12.3 等。

2)修约区间为 10,则整数倍如 1 210、1 220、1 230 等。

(2)如果只有一个整数倍最接近已知数,则此整数倍就认为是修约数。例如:

1)修约区间为 0.1,则

已知数	修约数
12.223	12.2
12.251	12.3
12.275	12.3

2)修约区间为 10,则

已知数	修约数
1 222.3	1 220
1 225.1	1 230
1 227.5	1 230

(3)如果有两个连续的整数倍同等地接近已知数,则有两种不同的规则可以选用。

规则 A:选取偶数整数倍作为修约数。例如:

1)修约区间为 0.1,则

已知数	修约数
12.25	12.2
12.35	12.4

2)修约区间为 10,则

已知数	修约数
1 225.0	1 220
1 235.0	1 240

规则 B:取数大的整数倍作为修约后的数(此规则广泛用于计算机,本书略)。

2.环境监测数据的修约规定

环境监测数据的修约应按以下规定进行:

(1)当拟舍弃数字的最左一位数字小于 5 时,则舍弃,保留的各位数值不变。例如将 1.839 6 修约到保留一位小数时为 1.8。

(2)当拟舍弃数字的最左一位数字大于 5 时或虽等于 5 而其后并非全部为 0 数字时,则进 1,即保留的末位数字加 1。如将 2.364 修约到保留一位小数时为 2.4,将 2.354 1 修约到保留一位小数时为 2.4。

(3)当舍弃数字的最左一位数字为 5,而其后皆为 0 或无数字时,若保留的末位数字为奇数(1、3、5、7、9)则进 1,为偶数(2、4、6、8、0)则舍弃。如将 2.35 修约到保留一位小数时应为 2.4,将 2.450 修约到保留一位小数时应为 2.4。

(4)拟修约的数字应在确定修约位数后一次修约获得结果,不得多次连续修约。如将 2.549 修约到保留一位小数时应为 2.5,而不应先将最末一位 9 进 1,变成 2.55,再将末位 5 按上述第(3)条规则进 1,而使修约后变为 2.6。

(5)负数修约时,先将它的绝对值按上述规则进行修约,然后在修约值前面加上负号。

3. 监测数据的计算规则

监测数据的计算规则主要内容为:

(1)在加减运算时,得数经修约后小数点后面的有效数字位数应和参加运算的数中小数点后面有效数字位数最少者相同。如 $0.40 + 0.425 = 0.825$,按规则修约后应为 0.82。

(2)在乘除运算时,得数经修约后,其有效数字的位数应和参加运算的数中有效数字位数最少者相同。如 $12.358 \times 0.052 = 0.642\,626$ 按规则修约后应为 0.64(与 0.052 有效数字位数相同)。

(3)在进行乘方、开方运算时,得数的有效数字位数与原数相同。如 $6.55^2 = 42.902\,5$,按规则修约后变为 42.9(与原数有效数字位数相同)。

(4)在进行对数和反对数运算时,所取对数的有效数字位数(不包括首数)应与真数的有效数字位数相同。

(5)求多个(4 个及其以上)数字的平均值时,有效数字的位数可比参加运算的数中有效数字位数最少者增加一位。如,求 15.26、17.283、1.29、3.62、17.925 五组数据的平均值 $(15.26 + 17.283 + 1.29 + 3.62 + 17.925)/5 = 11.075\,6$,按规则修约后应为 11.08(比最少的 3 位增加 1 位)。

(6)在计算过程中,对中间结果不作修约,只对最后结果按规则进行修约。

(7)算式中的常数(如 π、e)或系数(如 1、2、3……1/2、1/3、1/4……),不是仪器测量出来的,其有效数字的位数,可以认为是无限的,需要保留几位就保留几位。

(8)误差和偏差的有效数字,必须与分析结果相适应。如分析结果为 154mg/L,那么,标准偏差不能写成 $s = 7.8$mg/L,而应写成 $s = 8$mg/L。

四、数据的统计检验

在多泥沙河流水污染调查监测时的一组或多组分析测试数据中,为了判别是否存在应剔除的偏离总体的离群值,或判别两组测定数据中的精密度和准确度是否存在显著性差异,需借助于统计学的方法进行检验。但需特别注意,凡在实验室中已觉察到的有明显失误的数据,应及时查明原因,另行补做实验。实验过程中有失误的数据,不能参与统计检验。

(一)统计检验的用途

在实验室分析测试工作中,统计检验的用途很多。譬如下面两类问题,就经常需要借助于统计检验来解决。

(1)判断一组分析数据中的可疑值的取舍。

(2)判断不同实验室或不同分析方法对同一样品测得结果的一致性。

(二)统计检验的方法

对分析数据的统计检验分以下步骤进行：

(1)用给定的公式计算统计量。

(2)根据需要,选定显著性水平 α,如 10%、5%、1% 等。环境分析中,被测组分多为痕迹量(10^{-6}级或 10^{-9}级),一般选用 1%。

(3)按自由度 f(即 $n-1$)和选定的显著性水平 α,从相应的统计数据表中,查出统计量的临界值。

(4)统计量的临界值与计算的统计量比较,若计算值大于它的临界值,则被检验的可疑值为离群值,应予剔除;反之,应保留。

(三)数据统计检验的类型

1. 监测数据分布类型检验

为了准确地由测定结果来判断环境总体的污染状况,需要掌握实测资料的分布类型,选用合适的统计处理方法,使得所计算的统计量(如平均值、标准差等)能反映总体状况。

造成环境介质中所测各种污染物浓度数据的频数分布具有多种类型,既有正态分布,又有对数正态分布和偏态分布,且大多数属于对数正态分布。所以,应先进行数据分布类型的检验,然后按类型分布进行离群检验。若为正态分布,原始数据不转换,直接进行检验;若为对数正态分布或偏态分布,则统一按对数正态分布,将测量值进行对数转换后再进行检验。有关数据分布类型的检验方法和具体步骤,参见有关统计技术专著。

2. 监测数据离群值检验

与正常数据不是来自同一分布总体,明显歪曲监测结果的测量数据,称为离群数据。可能歪曲监测结果,但尚未经检验判定其是否离群数据的测量数据称为可疑数据。

对于离群值,必须首先从技术上弄清原因,若查明因实验技术上的失误引起,应舍弃,不必参加统计检验;若未查明原因,则不能轻易决定舍留,应对其进行统计检验,如果确认为异常值,应舍弃,如不是异常值,即使是极值,也应予保留。

在化学分析测试中判断异常值的检验方法主要有狄克逊法、格鲁布斯法、克伦科法及偏度－峰度检验法等。方法的具体规定参见有关统计方法著作。

3. 监测数据统计检验

通过监测环境样本来了解和判断环境总体,通常是对总体做出一些假设,然后利用实测的样本值,通过一定的统计方法检验假设是否合理,决定接受还是否定假设的方法称为统计检验。

(1)总体均值的统计检验,包括以下内容:

1)总体均值与一已知值相等的统计检验。这是用来比较测量值的总体均值与一已知值之间是否存在差异。当已知值为真值时,亦可发现测量中是否存在系统误差。根据总体方差已知或未知,检验方法可分为 u 检验法和 t 检验法,以 t 检验法应用最广泛。

2)两总体均值之差等于一已知值和两总体均值相等的统计检验。常用于比较不同条件下(不同时间、地点、仪器、人员等)的两组测量数据之间是否存在差异,或差异是否等于一已知值 d。在实际中最常遇到的是 $d=0$ 的情况,即要检验的假设两总体均值相等。

根据总体方差已知或未知,检验方法可分为 u 检验法和 t 检验法,以 t 检验法应用最广泛。

(2)总体方差的统计检验,包括以下内容:

1)总体方差与一已知值相等的统计检验——x^2 检验。应用于比较测量值的总体方差与一已知值之间是否存在差异。当已知值为某一确定的精密度指标时,利用这一检验可以判断测量是否达到预定的精密度。

2)两总体方差相等的统计检验——F 检验法。应用于比较不同条件下(不同时间、地点、分析方法、人员等)测量的两组数据是否具有相同的精密度。如总体方差未知时,先检验两总体方差是否相等,如其相等方可用 t 检验法比较两总体均值的差异。

3)多个总体的方差检验。应用于研究多组数据之间是否存在显著性差异。常用的有巴特莱检验法、克柯兰检验法和哈特利检验法等。

(3)总体均值的区间估计。进行区间估计是为了弥补单体估计不足,为总体参数的估计提供更多信息。进行区间估计时,加以一定的概率来估计总体参数,使之含在某个区间之中,则这一区间为总体参数的置信区间,能包含在置信区间中的总体参数的概率称为置信水平(通常用 $1-\alpha$ 表示,α 为一很小的概率,称为显著性水平)。在环境监测中,最常采用的置信水平为 0.95,其相应的显著性水平为 0.05。

总体均值的区间估计可分为总体均值 u 的区间估计,两总体均值之间 $\mu_1-\mu_2$ 的区间估计以及总体方差的区间估计等。

监测数据统计检验方法的前提,都是设测量值的总体遵从于正态分布,其具体方法步骤请参考有关数理统计部分。

4.监测数据方差分析

方差分析就是通过分析数据,弄清与研究对象有关的各个因素对该对象是否存在影响以及影响程度和性质。

方差分析要求同一水平的数据应遵从正态分布,各水平实验数据的总体方差都相等。因此,通常要用样本方差检验总体方差的一致性。在实验室质控中应用最广泛的是单因素实验及其方差分析。双因素实验,按照实验设计方式可分为交叉分组实验和系统分组实验。在环境监测中经常采用系统分组实验。如为了确定方法的可靠性和适用范围,通常由不同实验室、不同分析人员在不同时间对不同样品进行多次重复测定。

5.监测数据回归分析

环境监测中经常遇到相互间有一定联系的变量。回归分析就是研究各因素变量相互关系的统计方法。通过回归分析可以确定各因素变量间的关系、建立回归方程、评价和度量变量间关系的密切程度、计算相关系数并进行检验,从而应用回归方程的主要参数做进一步的评价和比较,建立回归曲线,进而修正公式参数,提高模式的准确度。

监测数据回归分析主要用于建立校准曲线、进行同一样品不同监测分析项目数据间的相关分析、不同仪器测定同一污染物所得结果的相关分析、不同时期污染物浓度的相关分析、不同监测方法所得监测结果的相关分析、不同测点所得资料的相关分析、模式计算与实测浓度的相关分析等。

第四章　河流水环境污染基本情况调查

第一节　流域自然环境特征调查

一、流域概况调查

(一)流域地理位置

流域地理位置包括数理地理位置和自然地理位置。

流域数理地理位置,是利用地球表面的经纬网来确定的,即以经度和纬度表示流域所处的空间位置。流域数理地理位置决定了流域所在地球表面的部位,从而也就决定了流域所处的生物气候带。

流域自然地理位置,是流域与周围陆地、海洋、山脉、河流等自然地理要素之间的空间关系。流域自然地理位置对于流域自然地理特征的形成具有重大影响。海陆位置、地势高低、大江大河等,对于流域内各自然地理要素及其组合结构的形成均起着不可忽视的作用。

(二)流域及其划分

地表水分水线所包围的集水区为流域。地表水主要是降水,降水形成的地表径流集中成为小溪、小河,再汇集成大河,形成脉络相通的河流系统,成为水系。流域由多个水系组成。

二、流域地质地貌调查

通过地质调查应获得流域内系统的区域地质资料,阐明区域地层、岩石和地质构造的基本特征及区域地质演变历史,必要时还需对流域内的矿产进行调查。

流域与地质条件之间有着密切的关系,地质条件影响或控制河流的成因、形态、沉积作用和发育(衰亡)进程;营养元素在地壳中的丰度、分布、形态和迁移富集规律;流域沉积物中记录着流域环境(沉积物质来源、水动力环境、湖水理化性质、生物群落等)演变历史和富营养化历史的研究等。

(一)矿物和岩石

矿物是元素和化合物的自然存在形态,可分为自然元素、硫化物、氧化物和氢氧化物、卤化物、含氧锰 5 个大类。

岩石是矿物的集合体,组成地壳的岩石按成因分为 3 大类:岩浆岩、沉积岩和变质岩。3 大岩类各有详细的分类体系,分类依据是:岩石成因、岩石的化学和矿物成分、结构、产状、蚀变和变质作用类型等。

可按流域的情况收集相关的矿物和岩石的情况。

(二)地层和地质年代

地史时期的沉积物保存下来经过固结就成为地层。地层形成于不同的年代。

(三)地质构造

研究地质构造,应查明各种构造的位置、产状、规模、形态、分布和形成的力学机制,综合分析不同规模的各种构造之间的从属、组合关系和先后次序,研究区域地质构造形成条件,确定构造运动的期次和时代。

(四)矿产

收集流域内的矿产资料,阐明其矿种、位置、规模和质量,以及开采情况等。

对流域环境有显著影响的矿床,要尽可能取得详细资料,包括矿石种类、品级品位、矿物和化学组分;矿体形态、产状、厚度和规模;对投产矿山要了解开采方式和开采量。对矿坑排水、洗矿废水、废石和选矿尾沙的排放去向、排放量和有害物质成分、含量,应作为污染源进行调查。

三、流域土壤调查

土壤既是流域固体物质的主要给源,同时也是可溶性物质的主要给源。

土壤及其成土母质主要通过侵蚀、淋溶和渗漏,以地表径流和渗漏液的形式被带入湖泊。这些土壤固体物质、土壤胶体和可溶性物质,直接参与河流沉积物和河水的组成,直接影响河流沉积物和河水的性质。因此,河流泥沙沉积数量、河水的基本性质,物质组成(包括氮、磷)和浓度,在很大程度上决定于流域内土壤及其成土母质的性质、组成及其水迁移能力。流域土壤物质对水质量影响深刻。

流域土壤调查,可收集和参考近年来各地区完成的土壤志、土壤普查报告和土壤普查图幅。主要调查内容包括土壤成土母质、土壤类型、土壤组成、土壤性质以及土壤环境背景值等。

(一)成土母质

成土母质调查,包括成土母岩(与土壤形成直接有关的块状岩体)的类型和性质,如花岗岩、石灰岩等。成土母质(母岩的风化物)的成因类型,如残积物、坡积物、冲积物、湖积物、风积物等。成土母质的粒径(如砾石、砂粒状况)、成层性和分选性等。成土母质的化学性质(如 pH 值、石灰含量)、化学元素含量等。

(二)土壤类型和构型

流域的土壤分类系统包括土类、亚类、土属、土种和变种,土壤的形成、发育和分布规律。我国主要土壤类型有:

(1)森林土壤。主要分布在我国东部沿海湿润地带,从北到南,有灰化土、暗棕壤、棕壤、褐土、黄棕壤、黄壤、红壤、砖红壤性红壤和砖红壤。

(2)草原土壤。主要分布在我国温带和暖温带半干旱地区,从东向西,有黑土、黑钙土、栗钙土、棕钙土、灰钙土和黑垆土等。

(3)荒漠土壤。主要分布在我国西北干旱地区,有灰棕漠土、棕漠土和灰漠土。

(4)水成土壤。主要分布在地势低平,地表积水或水分过度湿润地区,有沼泽土、草甸土和白浆土。

(5)盐成土壤。主要分布在我国内陆干旱、半干旱或滨海地区,有盐土和碱土。

(6)岩成土壤。在一定生物气候条件下,母岩的性质对土壤形成起了显著作用的土壤类型,分布广泛,主要有石灰岩土、紫色土和风沙土。

(7)高山土壤。主要分布在青藏高原和天山、阿尔泰山等山地上部无林地带,有高山草甸土、高山草原土和高山漠土。

(8)农业土壤。包括各种水稻土和旱地土壤。

(三)土壤的组成

1.土壤矿物质

土壤矿物质包括原生矿物和次生矿物。

原生矿物主要有石英、长石、云母、辉石、角闪石、橄榄石等,并有铁的碳化物矿物,磷灰石及少量的绿帘石、石榴子石和锆石等。

次生矿物主要有水云母、绿泥石、蒙脱石、高岭石和次生的氧化铁、铝及氧化硅等。

2.土壤有机质

土壤有机质包括非特殊性有机质和腐殖质。非特殊性有机质来源于动植物(包括微生物)残体,主要是高等绿色植物的根、茎、叶等有机残体及其分解产物。腐殖质分胡敏酸和富里酸两大类。

3.土壤水分、溶液和空气

土壤水分一般分吸湿水、薄膜水、毛管水和重力水。

但土壤水分一般含有气体、溶质和悬浮物,呈溶液状态。土壤溶液中的物质,主要包括无机盐类,如碳酸盐、重碳酸盐、硫酸盐、氯化物、硝酸盐、磷酸盐等。有机化合物类,如腐殖酸、有机酸、碳水化合物、蛋白质等。溶解性气体,如 O_2、CO_2 和 N_2 等。胶体类,如铁、铝氧化物。

土壤空气主要包括 CO_2、O_2 和水汽及少量 CH_4、H_2S 和 H_2。

4.土壤生物

主要包括土壤微生物和土壤动物。

(四)土壤的性质

土壤物理特性,包括土壤质地和土壤结构。

土壤质地也称土壤的机械组成。根据土壤颗粒的粒径,分为砾石、砂粒、粉砂和黏粒4个粒组;再根据后3个粒组在土壤中所占的重量百分比,划分为砂土、壤土和黏土3个质地类型。

(五)土壤环境背景值

土壤环境背景值是指土壤在未受或很少受人类活动影响,未受污染或破坏时土壤固有的化学组成和含量。此项调查主要是调查湖泊流域内的有毒有害物质,如重金属元素的环境背景含量和分布规律等。

四、流域植被调查

流域植被类型和覆盖度,是影响流域径流量的重要因素。同时,流域内不同的植物群落和生产量,可能导致进入河流的有机质性质、数量和形态也各不相同,对河流水质、营养状况将发生显著影响。

对流域的植被调查可充分利用已有的有关资料。

五、流域气候气象调查

流域的气候气象条件与河流的环境保护、资源开发利用等有着极为密切的关系,调查时应阐明不同纬度处的流域气候特征、气象要素变化特点和异常灾害性天气。

主要调查内容包括流域的全年气候特征及四季气候特征。主要气象年、季、月变化内容包括以下内容。

(一)气温

包括年、月平均气温,极端气温,一定界限气温的分布及其日数。

(二)降水

年、季、月降水量,降水日数、最长连日降水时间、降水强度;雨季各月中 1 日、1 小时、1 分钟的最大降水量,各月中大、中、小暴雨日数。

(三)风向和风速

年、季、月平均风速及风向频率,年、季主导风向,大风日数。

(四)湿度和蒸发

年平均相对湿度,最大、最小相对湿度出现的月份;蒸发量的年、月平均,最大和最小值。

(五)日照和云量

年、月、日日照时数及百分率;季节变化特点;年、月平均总云量、低云量;晴、阴日数。

(六)温度变化和降雪

地面初、终冻期,最大冻土深度及出现时间;降雪、积雪等各年出现日数,最大积雪深度。

(七)主要灾害性天气

灾害性天气包括旱、涝、寒潮、低温、霜冻、冰雹、大风等。

第二节 流域社会经济状况调查

流域的社会经济状况和河流水体的环境质量有比较密切的联系。

流域社会经济状况调查,一般包括人口、土地利用、资源、能源、经济和交通等内容。

一、人口及其特征调查

人口数量及其分布特征,与流域的开发、社会经济发展水平、环境质量有一定联系,调查的主要内容有:

(1)人口总数、密度、出生率及人口增长速度;人口年龄结构、性别结构及占人口总数的百分比。

(2)职业结构、城市人口数及各占总人口数的百分比。

(3)常住人口数、流动人口数及各占总人口数的百分比。

（4）人体健康状况、有无地方病。

二、自然资源情况调查

自然资源内容广泛，主要调查流域内的土地、森林、矿产等资源及其开发利用状况，以及自然保护区、风景名胜区的保护情况。

（一）土地资源

调查土地资源特点，利用概况，水土流失、土地沙化和盐碱化情况，土地管理及其保护措施。

（二）森林资源

森林覆盖率，木材蓄积量及森林砍伐量，毁林开荒、滥砍乱伐和森林火灾情况，以及林业建设管理和保护情况。

（三）矿产资源

矿产资源的种类、分布、储量及开采量。重点调查与河流水体质量有关的能源矿、有色金属矿、化工原料非金属矿，如磷矿、硫铁矿、天然碱等。矿产开发存在的问题，如随意开矿造成资源破坏和浪费，矿产资源的保护情况。

（四）自然保护区

流域内自然保护区名称、位置、面积及其保护现状。珍稀动植物种类、数量、分布及其保护情况。

（五）风景名胜区

包括流域内国家及省级、市县级风景名胜区及文物保护单位名称、范围和主要内容，旅游资源的开发、管理和保护情况。

三、经济、交通状况调查

主要调查流域内的经济发展情况、经济结构、生产布局、工农业结构、能源结构、交通体系等。

（一）经济发展速度

主要调查流域内历年工农业生产量及其增减情况、历年工农业总产值、平均发展速度，及其相应的污染产生量和变化趋势。

（二）生产布局与经济结构

流域内的生产布局影响流域不同地区及河流水体的污染程度，而流域内的经济结构则决定了流域内的污染类型和负荷。若经济结构以工业为主，则点污染负荷可能较重；若以农业为主，则面源污染将显著增加。

主要调查内容包括城乡工业布局（重工业、轻工业布局），总产值（各部门的产值以及占总产值的比例），农业布局（种植业、林业、畜牧业、渔业的布局）及产值，以及工业、农业和其他行业的产值占总产值的比例。

（三）工业结构

在工业结构中，一般以电力、化学、冶金、建材等工业在大气污染物中所占比重较大，而化学、造纸、食品等工业在废水中有机污染物的排放量所占比重较大。主要调查内容包

括:

(1)轻、重工业的企业数,产值及其占流域内总数和总产值的比例。

(2)大、中、小企业数,产值及其占总数和总产值的比例。

(3)全民所有制、集体所有制、乡镇企业等企业数(包括个体户),产值及其占总数和总产值的比例。

(四)农业结构

农、林、牧、副、渔等五业生产对环境的污染和破坏不尽相同,粮、棉生产,由于农药和化肥的流失而引起急性或富集性的污染;鱼类养殖可能引起水体富营养化;牧业生产可能引起植被破坏,造成水土流失。农业结构的调查一般包括农、林、牧、副、渔业的产值,占农业总产值的比例,总产量、单位面积产量等。同时,还应调查农药与化肥的使用种类和数量。

(五)能源结构

一般通过煤、石油或其他能源的结构和使用情况,可了解污染物的主要类型。调查内容包括流域内各种能源的年使用量及占总数的比例,生产和生活上燃料的使用量及占总数的比例。

第三节 河流水文特征调查

主要调查内容包括年径流量调查,设有水文站的断面,应系统收集完备的水文资料。

第四节 河流水资源利用现状调查

水资源利用现状调查内容包括供水水源、水产养殖、水库发电、航运及旅游等。

一、供水水源

(一)生活饮用水源

调查区域内自来水厂取水口的位置,实际供水量,包括最大供水量、平均供水量和最小供水量及供水规律,供水水质情况。

(二)工业用水源

各工业用水取水口的位置,实际供水量,包括最大供水量、平均供水量和最小供水量及供水规律,工厂对水质的需求及实际供水水质情况。

(三)农业用水源

农业灌溉用水源的取水位置,灌溉方式(自流灌溉或提水灌溉、漫灌或滴灌、喷灌),年平均用水量(t/a),单位面积平均用水量。

二、水产养殖

主要调查内容包括渔业主要生产方式、规模及养殖规模,主要经济鱼种类及产量,其他经济价值较高的水生生物的生长情况,年均产量。

三、水库发电

主要调查内容包括现有水库的数量、设计规模、装机容量、年发电量及经济和社会效益。

四、航运及旅游

主要调查内容包括航运码头数量及吞吐量,平均客运量和货运量,区域内与旅游相关的人数及景区服务设施等。

第五章　污染源调查

　　污染源是指污染环境的污染物的发生源,污染物是指对环境产生污染的物质的统称。污染源有来自自然的,也有来自人为的。环境污染源主要分为自然污染源和人为污染源两类。

　　自然污染源是鼠、蚊、蝇、病原体和一些不可抗拒的自然灾害导致的;人为污染源是生产、生活活动的结果,它又分为点污染源和非点污染源。点污染源主要指通过排放口或管道排放污染物的污染源,主要包括工业废水、城镇生活污水、固体废物处理场,污染物可直接量化;非点污染源没有固定的发生地,污染物的运动在时间和空间上都有不确定性和连续性,它是指地表和大气中溶解的和固态的污染物受降雨产流过程的影响而形成的污染,不受管道和集中排放控制,主要包括来自城镇的地表径流、农牧区的地表径流、矿区的地表径流、林区的地表径流等。

第一节　点源污染调查

一、点污染源污染特征

　　点污染源是指有相对产生范围或位置并有固定排放点的污染源。它的特点是污染物排放地点固定,所排放污染物的种类、特性、浓度和排放时间相对稳定。由于污染物集中在很小的范围内高强度排放,故对局部水域影响较大。

　　对河流水体造成影响的点污染源主要有两类,即工业废水和生活污水,二者的污染特征有所不同。

(一)工业废水

　　工业废水是目前河流水体中的主要污染源,特点是水量大、含污染物质多、成分复杂,有些废水中含有毒有害物质。不同的工业废水在水质特征、排放量、排放规律等方面存在着很大的差异,对水体的污染程度也各不相同。

(二)生活污水

　　生活污水是城镇居民的生活活动所产生的污水,其数量、成分、污染物浓度与居民的生活习惯、生活水平和用水量有关。生活污水的排放为不均匀排放,瞬时变化较大。生活污水的特征是水质比较稳定,有机物和氮、磷等营养物含量较高,一般不含有毒物质,污水中还含有大量的合成洗涤剂以及细菌、病毒、寄生虫卵等。

二、污染源调查

(一)调查目的

　　通过对流域范围内点污染源的调查,可以掌握区域内各类污染源的污染物排放情况,确定重点污染源及污染物,为污染源的监督管理和污染物入河总量控制奠定基础。

(二)调查对象

调查对象包括河流流域内对水环境造成影响的所有工业及生活污染源。

(三)工业污染源调查

工业污染源调查的对象,是工业企业生产和管理的全过程及污染物的排放治理情况。

1. 工业企业生产和管理

(1)概况。企业名称、厂址、主管机关、企业性质、规模;厂区占地面积、职工构成、投产时间;产品、产量、产值等。

(2)生产工艺。工艺原理、主要原理、工艺流程、主要技术指标、设备条件。

(3)能源及原材料。种类、产地、成分、单耗、总耗、资源利用率等。

(4)水源。供水类型、水源、水质、供水量耗水指标、重复利用率、节水潜力。

(5)生产布局。原料堆场、水源位置、车间、办公室、居住区位置、废渣堆放、绿化、污水排放系统等。

(6)生产管理。体制、编制、规章制度、管理水平及经济指标等。

2. 污染物排放及治理

(1)污染物产生及排放。污染物种类、数量、成分、浓度、性质、绝对排放量、排放方式、排放规律、污染历史、事故记录、排放口位置类型、数量等。

(2)污染物治理。生产工艺改革、综合利用、污染物治理方法、工艺投资、成本、效果、运行费用、损益分析、管理体制等。

3. 污染危害及事故

危害对象、程度、原因、历史以及由此引起的损失和赔偿,职工及居民职业病、常见病、癌症死亡率,病物相关分析、代谢产物有毒成分分析,重大事故发生时间、原因、危害程度及处理情况。

(四)生活污染源调查

1. 调查区域人员概况

生活污染源主要来自居民高度集中的城市,调查内容包括人口分布、人口总数、人口密度及人均耗水量。

2. 区域用水和排水情况

包括给水处理和用水标准、用水量、排水量、废水水质。

3. 污染治理

包括污水处理工艺、设施数量、处置能力、基建和运行投入、处理效果。

三、点污染源负荷计算方法

污染物的排放量可用污染负荷计算。点污染源负荷计算根据其排放方式的不同,计算方式也不同。

(一)工业污染源负荷计算方法

1. 负荷计算方法

(1)实测法。实测法是污染源调查中的主要方法,是通过实地测量废水中的污染物浓

度及流量,然后计算出各污染物的绝对排放量。计算公式为

$$G_i = Q \cdot C_i \times 10^{-6} \tag{5-1}$$

式中:G_i——废水中某污染物的绝对排放量,t/a;

$\quad$ Q——废水总排放量,m^3/a;

$\quad$ C_i——废水中某污染物的实测浓度,mg/L。

(2)物料衡算法。该方法的理论依据为物质不灭定律,在生产过程中,投入的物料量等于产品量和物料流失量的总和。计算公式为

$$\sum G = \sum G_1 + \sum G_2 \tag{5-2}$$

式中:$\sum G$——投入物料量总和;

$\quad$ $\sum G_1$——所得产品量总和;

$\quad$ $\sum G_2$——物料或产品流失量总和,其表达式为

$$\sum G_2 = \sum (G \cdot M_i) - \sum (G \cdot N_i) \tag{5-3}$$

其中:M_i——投入物料中某污染物的百分含量;

$\quad$ N_i——产品中某污染物的百分含量。

(3)经验估算法。此法是由生产实践中取得的经验数据。根据生产过程中单位产品的经验排放系数和产品产量计算污染物的排放量,其表达式为

$$G_i = K_i \cdot W/1\ 000 \tag{5-4}$$

式中:G_i——某污染物的排放量,t/a;

$\quad$ K_i——单位产品的经验排放系数,kg/t;

$\quad$ W——某产品的年产量,t。

2.污水量的计算方法

(1)实测法。污水量的计算在有条件的情况下,可采用水表、流量计等仪表计量污水量。若不宜使用仪表,具有排污口的废水排放量可由下式计算求得:

$$废水排放量 = 流量 \times 时间 = 流速 \times 截面面积 \times 时间 \tag{5-5}$$

流量及流速的测量,可采用下述方法:

1)流速仪法。本方法适用于水深大于30m,流速不小于0.05m/s时的流量测量,根据水深和流速大小选用合适的流速仪。使用流速仪测量时,一般采用一点法。如废污水水面较宽时,应设置测流断面。仪器放入相对水深的位置,可根据水深和流速仪悬吊方式确定,测量时间不得少于100s。计算公式为

$$Q = V \cdot S \tag{5-6}$$

式中:Q——某断面废水流量,m^3/s;

$\quad$ S——废水过流断面面积,m^2;

$\quad$ V——某断面废水平均流速,m/s。

2)浮标法。适用于底壁平滑,长度不小于10m,无弯曲,有一定液面高度的排污渠道。具体方法为向废水中投放浮标,观测其流速,计算公式为

$$Q = K \cdot V \cdot S = K \cdot L \cdot S/t \tag{5-7}$$

式中:L——上、下断面距离,m;

t——浮标流经上、下断面的时间,s;

K——浮标系数;

其他字母含义同前。

水深 0.3~1.0m 的普通污水渠,K 为 0.55~0.75;长满水草的污水渠,K 为 0.45~0.65;宽浅的污水渠,K 为 0.8~0.9。

投放浮标的数目视渠宽而定。一般渠宽小于 3m 时,投放 1~2 个;渠宽为 3~5m 时,投放 2~3 个。投放浮标的次数,应视测量结果而定,一般不少于 3 次。

3)容积法。此法即用容器接水测量,适用于废水量小于每分钟 1m³ 的排污口。测量时用秒表测定污废水充满容器所需的时间。容器容积的选择应使水充满容器的时间不少于 10s,重复测量数次,取平均值。计算公式为

$$Q = \frac{V}{t} \tag{5-8}$$

式中:Q——废水流量,m³/s;

V——容器体积,m³;

t——接流时间,s。

(2)根据用水量推算法。在无法采用有关方法测量污水量时,可根据以下经验计算公式推算排放量:

$$Q = p \cdot \omega \cdot k \tag{5-9}$$

式中:Q——污废水排放量,t/d;

p——单位产品废水排放量,t/单位产品;

ω——产品日产量;

k——污废水入河量系数。

(二)生活污水污染源负荷计算方法

1.负荷量计算方法

(1)实测法。同工业污染源实测法。

(2)单位负荷法。当生活污水与其他污水混杂难以实测或不具备实测条件时,则可采用单位负荷法,单位负荷法即通过对居住区人们生活及排水的抽样详细调查,认定每日每人排放的污染物量,再以此量乘以居住区对应人口总数可计算出污水的总负荷量。

2.生活污水水量计算法

(1)实测法。同工业污染源实测法。

(2)推算法。当生活污水与其他污水混杂难以实测时,可采用比率法和蒸发率法两种方法测量。

1)比率法。该方法是一种统计学的方法,经过统计,求得生活污水量与废水总排放量的比率,将总排放量乘以此比率,求得生活废水排放量,计算公式为

$$Q = K \cdot W \tag{5-10}$$

式中:Q——生活污水排放量;

K——生活污水占污水总排放量的比率,一般为 0.1(工业区)~0.9(居民区),通常

情况下,取 0.2～0.3;

　　W——生活污水排放总量。

　　2)蒸发率法。此方法为一种经验估算法。生活污水的排放量也可由生活用水量扣除损耗和蒸发量后进行估算。估算公式为

$$Q = W \cdot (1 - a) \qquad (5\text{-}11)$$

式中:a——损失率,一般取 0.02～0.04;

　　W——生活污水排放总量,可以通过水费收入或民用水表计算;

　　其他字母含义同前。

　　3.非直接入河的点源污染负荷的计算

　　当点源不直接排入河道,而是先排入河流的支流,或是若干个点源都先汇入支流、沟渠,然后再注入河道,则点源污染负荷量的计算应当考虑中途的损失和变化。

　　一般来说,污染物进入水环境后,会发生各种物理、化学和生物变化,如稀释、扩散、沉淀和吸附等物理迁移过程,水解、氧化、分解等化学转移过程,以及硝化、厌氧等生物化学转移。污染物发生上述变化后,浓度降低,使得排入的量与原点源排放口处有较大的不同。特别是对于污染负荷较大,且中途传输途径很长的污染源,在确定其对于河流的污染总负荷所起的作用时,用原点源处的污染负荷不能确切表述其污染程度。

第二节　非点源污染调查

　　非点源污染可分为城区径流非点源和流域径流非点源。城区径流非点源主要是指城区透水地面和非透水地面形成的降雨径流所挟带的污染物负荷,这类非点源的产生、形成及流出特征,与城区的城市性质、地形地貌、人们的生产和生活活动方式密切相关;流域径流非点源主要是指非城区广大地区的山地、农田、林地、村庄等区域产生的污染源。流域径流非点源污染是流域非点源污染中最重要的构成部分。

一、非点源污染特征及主要影响因素

　　非点源污染是伴随着水文过程而发生的,表现为污染物质在降雨所产生的径流的冲刷下,而最终到达受纳水体的过程。污染负荷可存在于径流、基流和地下水中。负荷量的大小不仅与降雨量、降雨强度、流域下渗能力和蓄水特征等重要的水文因素密切相关,而且还取决于流域的土壤特性、地表污染物积累量及人类的土地利用活动。同时,污染物在迁移过程中所发生的沉淀、截留、溶解、化学反应和生物过程等,又直接影响污染物的输出量。因此,非点源污染物的输出,既服从于地表水文学的降雨－产汇流规律,又有污染物本身的物理运动、化学反应和生化效应的演化规律,是水文、地理、气象和人为活动等多种因素综合作用的结果,污染负荷呈现随机性。

　　通常,与非点源污染物输出有关的主要影响因素有以下几个方面。

　　(一)降雨径流过程

　　降雨所产生的径流,是造成非点源污染中污染物输出的主要因素,它包括两部分内容,一方面是空气中的粉尘污染物随降雨而转移,另一方面是生产生活等活动所产生的面

源污染随降雨径流进入水体。径流量的大小,取决于降雨量、雨强、降雨历时、流域下渗能力和蓄水特征。一般来说,径流量越大,冲刷挟带的污染物量就越大,对水体所造成的影响就越大。

(二)地表污染物含量

地表污染物主要包括地面残存污染物和透水性地区(城市、农村)土壤中潜在的污染物。地面残存污染物在径流的影响下进入水体或转化为透水性地区(城市、农村)土壤中的潜在污染物。对于潜在污染物,通常在相同的径流情况下,含量越高,所造成的污染物输出负荷越大。另外,土壤对于潜在污染物也有一定的影响。土壤可以停留、改变、分解或吸附污染物,其能力大小取决于土壤的许多因素,如质地、pH值、透水性、土壤剖面特性、有机质含量和代换性阳离子和阴离子的含量等。这些因素作用的结果,可改变土壤中污染物含量及其潜在的累积量,从而影响污染输出量。

(三)污染物组成

在非点源污染中,污染物可以吸附在土壤颗粒中成为粒状,也可以是溶解相的。污染物在土壤中的吸附相与溶解相之间,按照土壤对一定污染物的吸附、解吸能力达到吸附平衡。通常颗粒状污染物只能由地表径流迁移,而溶解的污染物则可以通过地表或壤中流、地下水迁移。

(四)非点源污染物的来源

本章主要介绍流域径流非点源污染,也就是农村非点源污染。农村非点源污染涉及面广,污染物来源途径多,概括起来主要包括以下几方面:

(1)农村村落。包括堆存的生活垃圾、牲畜粪尿、无下水道地区生活污水和乡镇企业废水、地表降尘等,主要污染物是磷、氮、有机物和泥沙。

(2)农田区。包括土壤流失、化肥农药流失,主要污染物是磷、氮和泥沙。个别地区存在有机物和农药污染。

(3)工地及矿山。主要污染物是泥沙,个别地区因区域特征不同而产生不同的污染物,如磷矿区磷是最主要的污染物。

(4)畜禽业基地。包括养猪场、养牛场与家禽养殖场等,污染主要来自牲畜排泄物的排放和水土流失等,主要污染物是磷、氮和有机物。过度放牧区的污染还应包括泥沙。

(5)植被覆盖率低的黄山丘陵及弃耕地。污染主要来自水土流失,主要污染物是泥沙,其次可能是磷、氮等。

(6)植被覆盖率较高的林地与草场。污染一般较轻,污染物主要是磷、氮和泥沙。

(7)其他地区。包括道路与水面等。

二、非点源污染负荷调查步骤

非点源污染在时间和空间上的不确定性,增加了非点源污染负荷调查的困难,而在全流域内普遍观测地表径流、泥沙流失和污染负荷量又是不可能的。因此,可根据地面条件的差异分类调查,最后计算出全流域非点源污染负荷量。首先确定调查范围,确定非点源污染负荷监测方案,设置有代表性的监测站点,水质、水量同步监测。水量监测一般为流量、流速;水质监测项目可根据所研究问题的需要,选择与泥沙和营养物质有关的项目,一般总磷、总氮和悬浮物为必测项目。

在监测频次的选取上，非汛期，根据排放规律，可选择较低的频率；汛期，特别是大的径流过程，污染物的冲刷随径流的变化而急速变化，故需较高的监测频率。监测频率以能反映整个径流过程的水量和水质的变化为宜。

三、非点源污染负荷及其计算

非点源污染负荷的定量化主要有两种途径。一种是通过对受纳水体所接受的污染物量进行观测、分析和计算，推算汇水区域的污染物输出量；另一种是通过对非点源污染物输出的主要过程——降雨、入渗、有效地表蓄水、地表径流、土壤水的运动、污染物的积聚和迁移等的模拟，计算污染物的输出量。采取上述两种途径的一些主要定量化方法有直接计算法、单位负荷法与模拟法。在利用单位负荷法与模拟法进行计算时，根据下垫面的不同，可将非点源污染负荷按照土地利用的两大类型——城镇区和非城镇区分别进行计算。

(一)直接计算法

这种方法不涉及污染物在流域地表的实际迁移过程，而只是通过对排水区域输出口、水体主要入流口的污染负荷的直接计算（流量及污染物浓度），来计算非点源污染负荷。在主要入流口的污染负荷中，既有点源负荷，又有非点源负荷，因此可以通过从入流口测得的总负荷中减去间接点源负荷而得出流域非点源污染负荷。

这种方法立足于对受纳水体的水质分析，即通过对水量及污染物浓度的同步监测而计算污染物负荷。实际上，非点源涉及大面积的排水区或多个支流子流域，经常性的连续监测不容易做到。因此，常采用"区段法"，即根据所研究区域的流量变化率特征，划分为多个监测区段，并假定各个区段的水量和水质变化较小。用各区段的平均污染物浓度（或代表性的污染物浓度）和相应区段内所监测的径流总量，计算区段非点源污染负荷，并根据区段非点源污染负荷的总和计算某一时期内的流域非点源污染负荷，即

$$L = \sum_{i}^{n} C_i \cdot Q_i \tag{5-12}$$

式中：L——某种污染物输出量；

C_i——第 i 个区段的污染物浓度；

Q_i——第 i 个区段的径流总量。

(二)单位负荷法

1.城镇地表径流污染负荷计算

按各种土地利用类型，分别计算单位面积、单位时间所产生的污染负荷，然后再求得总的污染负荷量，计算公式为

$$L = \sum_{i=1}^{n} L_i = \sum_{i=1}^{n} X_i \cdot A_i \tag{5-13}$$

式中：L——各种土地类型总污染负荷量，kg/a；

L_i——第 i 种土地类型污染负荷量，kg/a；

X_i——第 i 种土地类型单位负荷，kg/(km^2·a)；

A_i——第 i 种土地类型的总面积,km^2;

n——土地类型个数。

其中,X_i 的计算公式为

$$X_i = \alpha_i \cdot F_i \cdot \gamma_i \cdot P_i \tag{5-14}$$

式中:α_i——污染物浓度参数,$kg/(cm \cdot km^2)$;

F_i——人口密度参数;

γ_i——地面清扫频率参数;

P_i——年降水量,cm/a。

其中,当清扫间隔 $N_s < 20h$ 时,$\gamma_i = N_s/20$;当清扫间隔 $N_s \geqslant 20h$ 时,$\gamma_i = 1$。污染物浓度参数 α_i 见表 5-1,人口密度参数 F_i 见表 5-2。

表 5-1　　　　　　　　　年负荷污染物浓度参数 α_i

城市土地利用类型	污染物浓度参数($kg/(cm \cdot km^2)$)			
	BOD_5	SS	$PO_4 - P$	N
生活区	35	720	1.5	5.8
商业区	141	980	3.3	13.1
工业区	53	1 290	3.1	12.2
其　他	5	12	0.4	2.7

表 5-2　　　　　　　　　　人口密度参数 F_i

城市利用类型	生活区	商业区	工业区	其他
F_i	$0.142 + 0.111 D_p^{0.54}$ D_p 为人口密度(人/km^2)	1.0	1.0	0.142

2. 非城镇地表径流污染负荷计算

(1)样区污染负荷量计算。其计算公式为

$$L_{ij} = \int_0^t Q(t) \cdot C(t) \cdot dt \tag{5-15}$$

式中:L_{ij}——第 i 样区第 j 场暴雨流失的污染物量,kg;

t——降雨历时,min;

Q——暴雨径流量随时间变化的函数;

C——径流中污染物浓度随时间变化的函数。

(2)综合区年流失污染物量。其计算公式为

$$L = \sum_{i=1}^n L_i \cdot F_i \cdot u_i \tag{5-16}$$

式中:L——综合区年流失污染物量,kg;

L_i——第 i 样区年流失污染量,kg;

n——综合区内土地类型数;

F_i——第 i 样区土地类型的总面积,km^2;

u_i——相对于样区的第 i 类土地类型的地形地貌参数,可由经验统计得出。

第三节 入河排污口调查

一、入河排污口调查的基本要求

开展入河排污口调查应进行必要的现场查勘和社会调查,以确定入河排污口的数量、分布、污水的流向、排放方式和排放规律,以及排污单位。根据污水性质和来源,将入河排污口排出的污废水按以下几种类型进行分类:工业废水、生活污水、医院污水、工业废水和生活污水合流的混合污水、城市污水处理后的出厂水。在调查的基础上取样监测。进行入河排污口监测时,应同步测定污废水和主要污染物质的排放量。所监测的各入河排污口排放量之和应占本河段或本区域入河排污总量的 80% 以上。重点河段和易发生重大水污染事故河段上的主要排污口监视性监测频次与时间,由流域或省级水环境监测中心确定;一般河段的监测频次,每年不得少于 2 次。在对排污口污水进行测量和采集样品时,必须注意安全,加强对有毒有害、放射性物质和热污染的防护。

二、污水流量的测定方法与要求

(一)污水流量的测定方法

根据不同的入河排污口和具体条件,可选择下列方法之一。

1. 流速仪法

根据水深和流速大小选用合适的流速仪。使用流速仪测量时,一般采用一点法。如废污水水面较宽时,应设置测流断面。仪器放入相对水深的位置,可根据水深和流速仪悬吊方式确定,测量时间不得少于 100s。

2. 浮标法

适用于底壁平滑,长度不小于 10m,无弯曲,有一定液面高度的排污渠道。

3. 三角形薄壁堰法

堰口角为 90° 的三角形薄壁堰,为废污水测量中最常用的测流设备。适用于水头 H 在 0.05~0.035m 之间,流量 Q 小于或等于 0.1m³/s,堰高 P 大于 $2H$ 的污水流量的测定。

4. 矩形薄壁法

适用于较大污水流量的测定。

5. 容积法

适用于污废水排放量小于每分钟 1m³ 的排污口。测量时用秒表测定污废水充满容器所需的时间。容器容积的选择应使水充满容器的时间不少于 10s,重复测量数次,取平均值。

(二)测量要求

采用流速仪、浮标、薄壁堰测量污水排放量时,测验的环境条件、技术要求和精度等,应符合现行国家和行业有关标准的规定。施测排污口入河污水量的前3天应无明显降水。

三、污废水量的计算方法与要求

（一）污废水量的计算方法
在某一时间间隔内，入河排污口的污废水排放量按下式计算：

$$Q = V \cdot a \cdot t \tag{5-17}$$

式中：Q——污废水排放量，t/d；

V——污废水平均流速，m/s；

a——过水断面面积，m^2；

t——日排污时间，s。

（二）污废水量的计算要求
装有污水流量计的排污口，排放量从仪器上读取。经水泵抽取排放的污水量，由水泵额定流量与开泵时间计算。对有地表或地下径流影响的排污口，在计算排污量时，应予以合理扣除。在无法采用有关方法测量污水量时，可根据以下经验计算公式，推算排放量：

$$Q = p \cdot \omega \cdot k \tag{5-18}$$

式中：p——单位产品废水排放量，t/单位产品；

ω——产品日产量；

k——污废水入河量系数；

其他字母含义同前。

四、污废水测量频次要求

（一）连续排放排污口
对连续排放排污口，每隔6～8h测量1次，连续施测3天。

（二）间歇排放排污口
对间歇排放排污口，每隔2～4h测量1次，连续施测3天。

（三）季节性排放排污口
对季节性排放排污口，应调查了解排污周期和排放规律，在排放期间，每隔6～8h测量1次，连续施测3天。

（四）脉冲型排放排污口
对脉冲型排放排污口，每隔2h测量1次，连续施测3天。另外，当排污口发生事故性排污时，应每隔1h施测1次，延续时间可视具体情况而定。对污水排放稳定或有明显排放规律的排污口，可适当降低测量频次。

五、入河排污口采样点布设和采样垂线要求

采样点可选择在排污沟（渠）平直、水流稳定、水质均匀的部位，但应避免纳污河道水流的影响。

有涵闸或泵站控制的排污口，应在积蓄污水的池塘、洼地内设置采样点。

城市污水处理厂的进出水口应设采样点。

在排污暗管(渠)落水口处采样,可直接用采样桶采集。

当排污沟(渠)水深小于 1m 时,应在 1/2 水深处采样;当水深大于 1m 时,应在 1/4 水深处采样。采样时应避免搅动底部沉积物,防止异物进入采样器。

六、采样器和样品容器要求

污水样品采集可选用聚乙烯塑料桶、有机玻璃采水器、泵式采水器、自动采水器等采样工具。样品容器用硬质玻璃和聚乙烯塑料等带塞(带盖)的瓶、桶,不应使用橡胶塞和软木塞。

七、监测项目要求

监测项目的选择应根据表 5-3 中的污水类型确定;所选用的分析方法应符合国家和行业有关标准的规定。现场测试和易变项目,应及时测定。稳定项目可将日采集的污水样品混合后测定,也可逐次测定,取日平均值。

表 5-3   污水监测项目

污水类型	监 测 项 目
工业废水	pH 值、色度、悬浮物、化学需氧量(COD_{Cr})、五日生化需氧量(BOD_5)、挥发酚、氰化物以及相应行业排放标准中规定的监测项目
生活污水	化学需氧量(COD_{Cr})、五日生化需氧量(BOD_5)、悬浮物、氨氮、总磷、阴离子表面活性剂、细菌总数、总大肠菌群
医院污水	pH 值、色度、余氯、化学需氧量(COD_{Cr})、五日生化需氧量(BOD_5)、悬浮物、致病菌、细菌总数、总大肠菌群
城市污水处理厂出厂污水和市政公共下水道污水	pH 值、色度、悬浮物、化学需氧量(COD_{Cr})、五日生化需氧量(BOD_5)、氨氮,与工业污水合流的市政下水道混合污水应增加有关工业废水监测项目

第四节　水污染事故调查

一、污染事故调查内容

污染事故调查内容包括污染事故发生的时间、地点、过程及影响范围,发生的详细原因,造成的损失和影响等 3 个方面。

二、重大污染事故的界定

重大污染事故危害大、影响广,因此对重大水污染事故必须及早防范。凡具备以下情

形之一的,均可作为重大污染事故对待:

(1)重要的河流干流发生大范围的水污染;

(2)县级以上城镇集中供水水源地发生水污染,影响或可能影响供水安全;

(3)因水污染导致人群中毒;

(4)水污染直接损失在 10 万元以上;

(5)因水污染使社会安定受到或可能受到影响;

(6)其他影响重大的水污染事件。

三、水污染事故调查方式与要求

重大水污染事故发生后,应立即组织进行调查。根据调查内容及污染事故的情况,制订详细的调查工作方案,各级河道管理部门按河道分工分别报上一级的水行政管理部门。重大水污染事件可采取电话、电子邮件、传真、文件等多种报告方式,确保信息及时,内容准确。对特别重大的水污染事故的报告应按照国家保密有关规定,实行领导负责制和报告值班制,并在调查处理结束后的 10 日内以正式文件向水利部提交重大水污染事件调查报告,报告应包括以下主要内容:

(1)污染事故发生的时间、地点、过程及影响范围;

(2)发生的详细原因;

(3)采取的措施和效果;

(4)造成的损失和影响;

(5)经验教训与建议。

认真填写重大污染事故报告登记表(见表 5-4)。

表 5-4 重大污染事故报告登记表

单位: 登记人: 登记日期:

时间		事件 发生地		所在 流域	
时间来源 (报告单位、报告人或发现人)					
水污染事件基本情况记录		原因初步分析		采取措施	
影响范围				现场检测	
事故经过				报告单位	
其他有关 情况				其他措施	

主管领导:

第五节　污染源评价

在对污染源进行调查之后要对污染源做出评价,以确定主要污染物和主要污染源,为污染源的治理或制定治理规划和污染防治对策提供依据。

不同的污染物和污染源具有不同的特征、不同的环境效应,对公众产生不同的健康危害。为使它们具有可比性,在同一尺度上加以比较,最常用的对某污染源评价的方法是等标污染负荷评价法。

一、评价公式

(一)等标污染负荷

(1)某污染物的等标污染负荷计算公式为:

$$P_{ij} = \frac{C_{ij}}{C_{oj}} Q_{ij}$$

式中:P_{ij}——第 j 个污染源第 i 种污染物的等标污染负荷,m³/s;

　　C_{ij}——第 j 个污染源第 i 种污染物的排放浓度,mg/L;

　　C_{oj}——第 i 种污染物的排放标准,mg/L;

　　Q_{ij}——第 j 个污染源含有第 i 种污染物介质的排放流量,m³/s。

(2)污染源的等标污染负荷。若第 j 个污染源共有几种污染物参与评价,则该污染源的等标污染负荷的计算公式为

$$P_j = \sum_{i=1}^{n} P_{ij} = \sum_{i=1}^{n} \frac{C_{ij}}{C_{oj}} Q_{ij}$$

式中:P_j——第 j 个污染源的等标污染负荷,m³/s;

　　其他字母含义同前。

(3)某评价区内某污染物的总等标污染负荷。若评价区共有 m 个污染源含有第 i 种污染物,则该污染物在评价区内的总等标污染负荷的计算公式如下:

$$P_i = \sum_{j=1}^{m} P_{ij} = \sum_{j=1}^{m} \frac{C_{ij}}{C_{oj}} Q_{ij}$$

式中:P_i——第 i 种污染物的总等标污染负荷,m³/s;

　　其他字母含义同前。

(4)某评价区内的总等标污染负荷。若评价区共有 m 个污染源,则该评价区内的总等标污染负荷的计算公式如下:

$$P = \sum_{j=1}^{m} P_j = \sum_{j=1}^{m} \frac{C_{ij}}{C_{oj}} Q_{ij}$$

式中:P——某评价区内的总等标污染负荷,m³/s;

　　其他字母含义同前。

(二)等标污染负荷比

等标污染负荷比是用来描述污染物和污染源对环境贡献大小的一个无量纲的量,它

是确定污染源中各污染物排序的参数,数值最大者就是最主要的污染物。

(1)某污染物在某评价区内的等标污染负荷比。其计算公式为

$$K_i = \frac{P_i}{P} \times 100\%$$

式中:K_i——某污染物在某评价区内的等标污染负荷比;

其他字母含义同前。

(2)某污染源在某评价区内的等标污染负荷比。其计算公式为

$$K_j = \frac{P_i}{P} \times 100\%$$

式中:K_j——某污染物在某评价区内的等标污染负荷比;

其他字母含义同前。

二、评价标准

污染源评价依据《污水综合排放标准》(GB8978—1996)进行。

第六章 水质调查与监测

第一节 采样断面布设

监测断面布设的目的,就是通过科学的方法和手段寻找和确定监测断面位置,力求用最少的点位,获取最有代表性的、能反映监测对象质量的监测数据。

监测断面的布设随监测任务的不同而不同,一般应经过严格的调查设计、数据模拟计算和综合考虑后确定。

一、采样断面布设原则

(一)信息量优化原则

充分考虑所设河段(地区)的取水口、排污(退水)口数量和分布,以及污染物排放状况、水文及河道地形、支流汇入及水工程情况、植被与水土流失情况等影响水质及其均匀程度的因素。力求以较少的监测断面和测点获取最具代表性的样品,全面、真实、客观地反映该区域水环境质量及污染物的时空分布状况与特征。

(二)信息完整性原则

在进行布点时,所设站点不仅能掌握环境污染水平、环境质量状况,而且还应能掌握监测范围内的污染源状况及区域环境污染特征,以及获得监测范围内的一些污染共性信息和反映个性特征信息。

(三)可操作性原则

必须充分考虑现实的可行性,避开死水和回水区,选择河段顺直、河岸稳定、水流平缓、无急流湍滩且交通方便处,并对具体问题做出周密的考虑。

(四)水量、水质相结合的原则

为充分体现水量水质并测,水质站应尽量与水文断面相结合。

二、采样断面布设程序、方法与要求

(一)断面布设的基本程序

1.性质分析

对断面布设的性质、目的和任务进行分析,明确要完成的监测任务的种类,监测的目的,需要获得的监测信息、监测范围及精度要求等。

2.现状调查

根据监测方案,对相关范围内的自然环境状况、社会经济状况、环境质量状况、污染源强度及分布状况进行调查。

3. 资料收集

在进行现状调查的同时,根据需要,尽可能收集现有的各种环境监测数据资料,污染源的分布、数量、构成及各种污染物的排放量、排放去向及规律,以及污染源治理状况等资料、社会发展规划资料、环境条件(气象、水文、交通等)数据资料。

4. 确定路线

在分析性质、现状调查和收集资料的基础上,对掌握的各种监测资料进行综合分析,结合现有的站点情况,提出切实可行的断面布设技术路线。

5. 站点确定

根据技术路线,通过对断面代表性的对比分析,优选出最优设计方案,最终确定监测断面个数和监测断面位置。

城市或工业区河段水质断面,应布设对照断面、控制断面和削减断面。

(二)各种不同河流特征情况下的采样断面布设要求

1. 背景断面布设

干流或支流水系背景断面可设置在上游接近河流源头或未受人类活动明显影响的河段。如黄河干流背景断面设置在上游接近源头处的玛曲断面,截至目前,该断面未受到人类活动的明显影响。

2. 省界河段

在行政区界处布设省界断面。在干流上设省界控制站,在支流入河口和一些排污口设省界污染调查站。

3. 污染严重河段

对污染严重的河段,可根据排污口分布及排污状况,设置若干控制断面,控制的排污量不得小于本河段总量的80%。对水文地质或地球化学异常的河段,应在上、下游分别设置断面。

4. 干支流交汇河段

区段内有较大支流汇入时,应在汇合点支流上游处以及充分混合后的干流下游处布设断面。

5. 特殊用途河段

水质稳定或污染源对水体无明显影响的河段,可只布设一个控制断面。供水水源地、水生生物保护区以及水源性地方病发病区、水土流失严重区应设置断面;城市主要供水水源地上游1 000m处应布设断面;干流入海口应布设断面。

(三)水库(湖泊)采样断面布设方法与要求

1. 水库(湖泊)采样断面布设方法

当水库(湖泊)无明显功能分区时,可采用网格法均匀布设。网格大小依湖、库面积而定。

2. 水库(湖泊)采样断面布设要求

在水库(湖泊)主要出入口、中心区、滞流区、饮用水源地、鱼类产卵区和游览区等,应设置断面。

水库(湖泊)的采样断面应与断面附近水流方向垂直。

在主要排污口汇入处,应视其污染物扩散情况在下游100~1 000m处设置1~5条断面或半断面。

峡谷型水库,应在水库上游、中游、近坝区及库尾与主要库湾回水区布设采样断面。

第二节　采样垂线与采样点布设

一、采样垂线布设方法与要求

河流采样垂线的布设应视河流主流流向而定,避开死水区。水库(湖泊)的出入口上、下游和主要排污口下游断面应布设采样垂线。水库及湖泊的中心、滞留区的各断面,可视湖、库大小及水面宽窄,沿水流方向布设1~5条采样垂线。同时,在其相应的横断面布设一定数量的垂线。

河流采样垂线的布设,应符合表6-1的规定。

表6-1　　　　　　　　　　　河流采样垂线布设

水面宽 (m)	采样垂线布设	岸边有污染带	相对范围
<50	1条	在有污染带的一方增加1条垂线	在中泓线采样
50~100	左、中、右 3条	在有污染带的一方增加1条垂线	左、右侧设在距湿岸5~10m处,如遇有污染带,左(右)侧设在距污染带3m处
100~ 1 000	左、中、右 3条	在有污染带的一方增加1条垂线,如污染带较宽,可在有污染带的一方增加2条	左、右侧设在距湿岸5~10m处,如遇有污染带,左(右)侧设在距污染带3m处
>1 000	3~5条	在有污染带的一方增加1条垂线,如污染带较宽,可在有污染带的一方增加2条	左、右侧设在距湿岸5~10m处,如遇有污染带,左(右)侧设在距污染带3m处

二、采样点布设要求

河流采样垂线上采样点的布设,应符合表6-2的规定。特殊情况、特殊项目可按河流

表6-2　　　　　　　　　　　采样点布设

水深(m)	采样点数	位　置	说　明
<5	1	水面下0.5m处	①不足1m时,取1/2水深 ②如沿垂线水质分布均匀,可减少中层采样点
5~10	2	水面下0.5m处,距河底0.5m处	
>10	3	水面下0.5m处,1/2水深处,距河底0.5m处	

水深和待测物的分布均匀程度确定。水库(湖泊)采样垂线上采样点的布设与干流相同，但出现温度分层现象时，应分别在表温层、斜温层和亚温层布设采样点；水体封冻时，采样点应布设在冰下水深0.5m处；水深小于0.5m时，在1/2水深处采样。

第三节　水质样品采集

一、采样频次与时间要求原则

(一)原则
采样频次和时间确定的基本原则，是满足各类监测站点的设置目的和要求。

(二)河流采样频次和时间要求
1.背景断面

常规监测的背景断面每年采样3次，丰、平、枯水期各1次，交通不便时可酌情减少，但不得少于每年1次。用于调查项目的背景断面，可根据调查目的选择监测频次。

2.水资源评价站

满足水资源评价的需要，采样频次每年不得少于12次，每月中旬采样。用于调查项目的水资源评价断面，可根据调查目的选择监测频次。

3.供水水源地

供水水源地等重要水域，常规监测采样频次每年不得少于12次，采样时间根据具体要求确定。用于调查项目的供水水源地等重要水域断面，可根据调查目的选择监测频次。

4.专用站

专用站(站网)的采样频次和时间，可视其性质和具体要求而定，也可根据调查目的选择监测频次。

5.特殊水期

河流最枯水位和封冻期，应根据调查目的适当增减采样频次。

6.污染严重河段

流经城市或工业区污染较为严重的河段，常规监测采样频次每年不得少于12次，每月采样1次。在污染河段有季节差异时，采样频次和时间可按污染季节和非污染季节适当调整，但全年监测不得少于12次，或根据调查目的适当增减监测频次。

7.中小河流基本站

中小河流基本站常规监测采样频次，每年不得少于6次，一般按丰、平、枯水期各2次，也可按单、双月执行。

(三)水库(湖泊)采样频次和时间要求
(1)设有全国重点基本站或具有向城市供水功能的水库(湖泊)，每月采样1次，全年12次。

(2)一般水库(湖泊)全年采样3次，丰、平、枯水期各1次。

(3)污染严重的水库(湖泊)，全年采样不得少于6次，隔月1次。

(4)水库(湖泊)最枯水位和封冻期，应适当增加采样频次。

上述采样频次适用于常规监测,用于调查目的的监测,可根据调查目的具体设置采样频次,但是应遵循以下两项原则:①在采样点所采集的样品,要对整个调查水域的某项指标或多项指标有较好的代表性;②在保证达到必要的精度和满足统计学样品数的前提下,布设断面要尽量少,采样频次应尽量兼顾技术指标和投资费用。

二、采样器和贮样器的选择与使用要求

(一)采样器材质要求

采样器应有足够强度,且使用灵活,方便可靠,雨水样接触部分应采用惰性材料,如不锈钢、聚四氟乙烯等制成。采样器在使用前,应先用洗涤剂洗去油污,用自来水冲净,再用10%盐酸洗刷,自来水冲净后备用。

根据多泥沙的实际情况,可选用以下类型的水质采样器:

(1)直立式采样器。直立式采样器应带有将水样上下搅拌均匀的装置,出水口内径不小于1.5cm。适用于在水流平缓的河段上的水样采集。

(2)横式采样器。与铅鱼连用,用于在水深流急处的水样采集。

(3)有机玻璃采样器。由桶体、带轴的两个半圆上盖和活动底板等组成,主要用于水生生物样品的采集,也适用于除细菌指标与油类以外水质样品的采集。

(4)单层采样器。用于采集油类和细菌学监测项目的水样。

(5)溶解氧采样器。用于采集溶解氧和生化需氧量。

(6)自动采样器。

(二)贮样器材质要求

(1)容器材质应化学稳定性好,不会溶出待测组分,且在贮存期内不会与水样发生物理、化学反应。

(2)对于存放具有光敏性组分的水样的容器,其材质应具有遮光作用。

(3)用于微生物检测的容器,应能耐受灭菌时的高温。

(三)贮样器选择与使用要求

(1)测定有机及生物项目的贮样器,应选用硬质(硅硼)玻璃容器。

(2)测定金属、放射性及其他无机项目的贮样器,可选用高密度聚乙烯或硬质(硅硼)玻璃容器。

(3)测定溶解氧及生化需氧量,应使用专用贮样器。

(4)容器在使用前应根据监测项目和分析方法的要求,采用相应的洗涤方法进行洗涤。

三、采样方法

根据调查项目的实际情况,可选用自动或人工方式、方法采样。在没有自动采样器的情况下,选用人工采样方式与方法采集样品。

(一)采样方式与适用范围

(1)涉水采样。适用于水深较浅的清水河段。对于多沙河段,无论水深水浅均不可涉水采样。

（2）桥梁采样。适用于河段内有桥梁的采样断面。

（3）船只采样。适用于水体较深的河段、水库、湖泊。

（4）缆道采样。适用于山区流速较快的河段。

（5）冰上采样。适用于北方冬季冰冻河流、湖泊和水库。

（二）采样器的使用

在水流较急的河流中采样，采样器应与适当重量的铅鱼与绞车配合使用。

四、样品采集与现场测定要求

（一）样品采集要求

（1）水质采样应在自然水流状态下进行，不应扰动水流与底部沉积物，以保证样品代表性。

（2）采样地点和时间应符合要求。对进入河流的污水，应在充分混合均匀后的地点以及流入河流前某一地点采样。

（3）采样人员应经过专门训练。

（二）采样注意事项

（1）水样的采集量，视监测项目及采用的分析方法所需水样量及备用量而定。

（2）采样时，采样器口部应面对水流方向。用船只采样时，船只应逆向水流，采样在船舷前部逆流进行，以避免船体污染水样。

（3）因采样器容积有限，需多次采样时，可将各次采集的水样放入洗净的大容器中，混匀后分装，但本法不适用于溶解氧及细菌等易变项目的测定。

一般分析项目水样的采集，必须将采样器每次所采集的水样，全部通过 $63\mu m$ 的过滤筛倒入一个较大的贮样器中，取够需用量后，应先将贮样器中的水样搅拌均匀，然后边搅拌边灌装每一个贮样瓶。

（4）除细菌、油等测定用水样外，容器在装入水样前，应先用该采样点水样冲洗 3 次。装入水样后，应按要求加入相应的保存剂后摇匀，并及时填写水样标签。

（5）测定溶解氧与五日生化需氧量（BOD_5）的水样，采集时应避免水样曝气或有气泡残存在采样瓶中，水样应充满容器并溢出 1/3 左右，避免接触空气。从采样器（或采样瓶中）分装水样时，溶解氧样品必须最先采集，且应在采样器从水中提出后立即进行，即用乳胶管一端连接采样器的水嘴或用虹吸法与采样瓶连接，乳胶管的另一端插入溶解氧瓶底。注入水样时，先慢速注至小半瓶，然后迅速充满，在保持溢流状态下，缓慢地撤出管子。

测定生化需氧量的水样应按测定溶解氧样品要求采集。

（6）在多沙水样中测定过滤态元素时，为缩短现场采样时间，应先将采集水样适当沉淀澄清，然后倾出较清的上清液，过 $0.45\mu m$ 滤膜，取一定量的滤液作为水样进行测定。

（7）采样时应做好现场采样记录，填好水样送检单，核对瓶签。

（8）采样时应注意安全。

（三）现场测定项目与要求

（1）水温。温度计法。

（2）pH 值。pH 值计法。

(3)溶解氧。容量法或膜电极法。

(4)电导率。电导率仪法。

(5)透明度。塞氏盘法。

(6)水的颜色、嗅及感官性状。现场描述记录。

(7)流速。流速仪法。

用于现场测定的仪器,应现场校正后使用;或取同一组水样,用现场测试仪与实验室分析对比无误后,方可报出分析数据。

五、样品采集质量控制

质量控制样品数量应为水样总数的 10%～20%,每批水样不得少于 2 个。

质量控制样品制备方法包括以下内容。

(一)现场空白样

在采样现场,以纯水按样品采集步骤装瓶,与水样同样处理,以掌握采样过程中环境与操作条件对监测结果的影响。

(二)现场平行样

现场采集平行样,用于反映采样与测定分析的精密度状况,采集时应注意控制采样操作条件一致。

(三)加标样

对含沙量大于 0.2g/L 的水样,可选用上述两种方式。对含沙量小于 0.2g/L 的水样,可取一组现场平行样,在其中一份中加入一定量的被测物标准溶液,然后两份水样均按常规方法处理后,送实验室分析。

六、水样保存与运送要求

(一)时间要求

水样应尽快送交实验室,在核查水样无误后,接送双方均应在送样单上签字。

(二)技术要求

加入的保存剂不应对监测项目测定产生干扰。保存剂应每月更换一次,如发现被污染,应立即更换。地表水样品的保存剂,如酸应使用优级纯试剂,碱和其他试剂使用优级纯或分析纯试剂,最好用优级纯。保存剂如果含杂质太多,达不到要求,则必须提纯。冬季应采取保温措施,以免冻裂样品瓶。

(三)运送要求

水样塑料容器要塞紧内盖,旋紧外盖;玻璃瓶要塞紧磨口塞,细菌瓶用细绳将瓶塞与瓶颈拴紧。

运输中应采用防震措施,有条件者可用冷藏箱运送。运输时应避免阳光直射、冰冻和剧烈震动。为防止样品在运输过程中因震动、碰撞而导致损失或玷污,最好将样品装箱运输。装运箱要用聚合泡沫塑料或瓦楞纸板做衬里和隔板,样品按顺序装入箱内。

需冷藏的样品,有条件者可配备专门的隔热容器,放入致冷剂,样品瓶置于其中保存。运输时应避免阳光直射、冰冻和剧烈震动。

水样保存应符合第三章表 3-1 要求,超过保存期的样品按废样处理。

第四节 监测项目与分析方法

一、监测项目选择原则

(一)标准化原则

所选项目,应为国家与行业水环境与水资源质量标准或评价标准中已列入的项目,或国家及行业正式颁布的标准分析方法中列入的监测项目。

(二)代表性原则

所选监测项目,应为能反映该地区水体中主要污染物的监测项目。

(三)实用性原则

对于专用站,应依据具体的情况选择监测项目,所选监测项目应能满足管理的需要。

二、监测项目分类

(1)河流(湖、库)等地表水全国重点基本站监测项目应符合表 6-3 必测项目要求。同时,也应根据不同功能水域污染物的特征,增加表 6-3 中某些选测项目。

表 6-3 地表水监测项目

	必测项目	选测项目
河流	水温、pH 值、悬浮物、总硬度、电导率、溶解氧、高锰酸盐指数、五日生化需氧量、氨氮、硝酸盐氮、亚硝酸盐氮、挥发酚、氰化物、氟化物、硫酸盐、氯化物、六价铬、总汞、总砷、镉、铅、铜、大肠菌群	硫化物、矿化度、非离子氨、凯氏氮、总磷、化学需氧量、溶解性铁、总锰、总锌、硒、石油类、阴离子表面活性剂、有机氯农药、苯并(α)芘、丙烯醛、苯类、总有机碳等
饮用水源地	水温、pH 值、悬浮物、总硬度、电导率、溶解氧、高锰酸盐指数、五日生化需氧量、硝酸盐氮、氨氮、亚硝酸盐氮、挥发酚、氰化物、氟化物、硫酸盐、氯化物、六价铬、总汞、总砷、镉、铅、铜、大肠菌群、细菌总数	铁、锰、铜、锌、硒、银、浑浊度、化学需氧量、阴离子表面活性剂、六六六、滴滴涕、苯并(α)芘、总 α 放射性、总 β 放射性等
水库	水温、pH 值、悬浮物、总硬度、透明度、总磷、总氮、溶解氧、高锰酸盐指数、五日生化需氧量、氨氮、硝酸盐氮、亚硝酸盐氮、挥发酚、氰化物、氟化物、六价铬、总汞、总砷、镉、铅、铜、叶绿素 a	钾、钠、锌、硫酸盐、氯化物、电导率、α 放射性、溶解性总固体、侵蚀性二氧化碳、游离二氧化碳、总碱度、碳酸盐、重碳酸盐、大肠菌群等

(2)重金属和微量有机污染物等,可参照国际、国内有关标准选测。

(3)若水体中挥发酚、总氰化物、总砷、六价铬、总汞等主要污染物连续 3 年未检出时,附近又无污染源,可将监测采样频次减为每年 1 次,在枯水期进行。一旦检出后,仍应按原规定执行。

三、分析方法的选择原则

国家或行业标准分析方法;等效或参照使用 ISO 分析方法或其他国际公认的分析方

法;经过验证的新方法,其精密度、灵敏度和准确度不得低于常规方法。

四、分析完成时间要求

各监测项目的分析应在其规定保存时间内完成。全部水样的分析一般应在收到水样后10日内完成。

第五节　水污染动态监测

一、污染动态监测的任务和方法

(一)污染动态监测的任务

随着传统水利向现代水利的转变,以"水资源可持续利用支持社会经济可持续发展"已成为新的治水理念。新的治水理念,需要有新的监测模式与之相配套。

在常规定点、定时监测的基础上,加强动态监测,弥补水质信息量的不足就成为新的治水思路下的必备监测手段。其目的就是为有效监控流域水环境污染,掌握水质动态变化情况,严格控制入河排污量,实施入河污染物排放实施总量控制,并及时准确地对超量排放进行削减,及时为水资源保护监督管理提供依据。

水污染动态监测的主要任务,是对突发性水污染事故实施全程跟踪监测;对干支流重点河段、省界和主要支流入河口等断面水质,开展例行监控性监测;对重点排污口进行监督监测;对水污染纠纷开展调查性监测。及时掌握水体水质状况,为污染物排放总量控制管理提供基础资料。

(二)污染动态监测的方法

污染动态监测是相对于室内的定点、定时监测而言的,它是借助于移动实验室和现场测试仪器,通过巡测、巡查和网络信息传输的方式而达到信息采集的一种监测模式,不受时间和地点的限制。动态监测能充分体现监测数据的时效性。

二、水污染动态监测采样布点原则

(一)最优化原则

动态监测,既要充分考虑所设河段(地区)取水口、排污(退水)口数量和分布及污染物排放状况等,又要避开污染源,断面水质混合均匀,并能全面控制水质状况。动态监测要力求以较少的监测断面和测点获取最具代表性的样品,全面、真实、客观地反映该区域水环境质量及污染物的时空分布状况与特征。

(二)互补性原则

在进行布点时,既要和常规的定点监测站网相结合,又要考虑污染动态监测的实际,能充分掌握污染的实际情况。

(三)水量、水质相结合的原则

为充分体现水量水质并测,在动态监测布点时尽量与水文断面相结合。

三、动态监测要求

开展水污染动态监测必须制订详细的动态监测实施方案,实施方案应对各方面做出明确的规定,确保在野外的紧急情况下圆满完成任务。

(一)人员要求

动态监测工作强度大,参加人员必须具备一定的水资源保护法律、法规知识,较强的责任心和务实的工作态度。有一定的水质监测理论基础和实践经验,能够熟练完成野外监测实验和数据发送等工作。有较强的组织纪律性,能够保证紧急任务按时执行和顺利完成。

(二)技术要求

(1)项目要求。动态监测随机性较强,在项目的选择时要根据常规的监测项目,结合污染的具体情况,突出河段的个性特征信息。

(2)频次要求。根据污染情况、河流水文特征具体确定。

(3)动态监测设施。巡测设备和用品由专人负责管理,建立完善的借出归还登记、验收制度,并保证一定的消耗品储备。管理人员负责设备的维护和保养,必须保证所有设备完好和正常运行。水质测试设备应定期进行计量检定,保证测试数据的准确性。

(三)质量要求

野外监测不同于室内,实验条件较差,影响实验结果的因素较多,必须加强质量控制,才能保证监测结果既快又准。首先应对人员进行培训,持证上岗。在测试过程中按要求进行全程序空白、平行样、质控样等的测试,有条件的还应进行加标回收实验。

四、动态监测信息传递

动态监测信息传递的准确和快捷,是确保动态监测有效性的最重要的环节之一。动态监测信息传递可通过电话、传真、因特网等方式进行。

第六节　水质分析

现行的国家标准中涉及的所有监测项目的具体分析方法和分别应注意的事项,见表6-4。

一、pH值的测定——玻璃电极法

(一)适用范围

(1)本方法适用于饮用水、地面水及工业废水 pH 值的测定。但在 pH 值小于 1 的强酸性溶液中,会有所谓酸误差,可按酸度测定;在 pH 值大于 10 的碱性溶液中,因有大量钠离子存在,产生误差,使读数偏低,通常称为钠差。消除钠差的方法,除了使用特制的低钠差电极外,还可以先用与被测溶液的 pH 值相近似的标准缓冲溶液对仪器进行校正。

(2)温度影响电极的单位和水的电离平衡。须注意调节仪器的补偿装置与溶液的温度一致,并使被测样品与校正仪器用的标准缓冲溶液温度误差在 ±1℃ 之内。

项目测试方法及注意事项

表6-4

序号	项目	测定方法及分析方法来源	检测范围*	检出限(mg/L)	注意事项
1	水温	水温计测量法(GB13195—91)	-6~+40℃		
2	pH值	玻璃电极法(GB6920—86)	0~14		
3	悬浮物	重量法(GB11901—89)			
4	总硬度	EDTA滴定法(GB5750—85(10))			本方法为Ca和Mg总量的测定
5	电导率	电导率仪法(SL78—94)			
6	溶解氧	碘量法(GB7489—87)	0.2~20		碘量法测定溶解氧有各种修正法,测定时应根据干扰情况具体选定
7	五日生化需氧量	稀释与接种法(GB7488—87)	2~6 000		在多泥沙河流水质监测中,可以用虹吸法吸取上清液进行测定 生活污水和生产废水可选用稀释法
8	亚硝酸盐氮	N-乙萘乙二胺分光光度法(GB7493—87)	0.003~0.20	0.005	采样后应尽快分析,结果以氮(N)计
9	总磷	钼酸铵分光光度法(GB11893—89)	0.01~0.6		未过滤水样经硝化处理后测得的和悬浮的溶解的总磷量(以P计) 多泥沙河流水质监测,含沙量不大于0.2g/L时,只测定浑水;含沙量大于0.2g/L时,还应增加测定澄清液,除测定浑水的测定,可吸取上清液进行测定
10	高锰酸盐指数	酸性高锰酸钾法(GB11892—89)	0.5~4.5		氯离子浓度小于300mg/L时,采用酸性高锰酸钾法。高锰酸盐指数是一个相对的条件性指标,其测定结果与溶液的酸度、高锰酸盐浓度、加热温度、加热温度和时间有关,测定时应严格遵守操作规范,使结果具有可比性
		碱性高锰酸钾法(GB11892—89)	0.5~4.5		氯离子浓度大于300mg/L时,采用碱性高锰酸钾法;氯离子浓度大于300mg/L时,只测定浑水;含沙量大于0.2g/L时,除测定澄清浑水,可吸取上清液进行测定。浑水含沙量较大终点时,可稀释测定

续表 6-4

序号	项目	测定方法及分析方法来源	检测范围*	检出限(mg/L)	注意事项
11	氨氮	纳氏试剂比色法(GB7479—87)	0.05~2(分光光度法) 0.02~2(目视法)	0.05	对较清洁的水,可采用絮凝沉淀法;对污染严重的水或工业废水,则以蒸馏法使之消除干扰;在多泥沙河流水质监测中,可用絮凝法或蒸馏法去除泥沙除其他干扰
		水杨酸分光光度法(GB7481—87)	0.01~1		对污染严重的水或工业废水,可用蒸馏法使之消除干扰
		蒸馏和滴定法(GB7478—87)	0.2~1 000		
12	硝酸盐氮	紫外分光光度法(SL84—94)	0.08~4	0.08	溶解的有机物、表面活性剂、亚硝酸盐、六价铬、溴化物、碳酸氢盐和碳酸盐等干扰测定,需进行适当的预处理。紫外分光光度法采用大孔中性吸附树脂进行处理,以排除水样中大部分常见有机物,浊度和 Fe^{3+}、Cr^{6} 对测定的干扰
		酚二磺酸分光光度法(GB7480—87)	0.02~1		硝酸盐含量过高,应稀释后测定,结果以氮(N)计
13	挥发酚	蒸馏后 4-氨基安替比林分光光度法(氯仿萃取法)(GB7490—87)	0.002~6	0.002	
		蒸馏后溴化容量法(GB7491—87)			本方法可适用于含高浓度挥发酚的工业废水
		蒸馏后 4-氨基安替比林直接光度法	0.1		
14	总氮	碱性过硫酸钾消解紫外分光光度法(GB11894—89)	0.050~4		多泥沙河流水质监测,含沙量大于 0.2g/L 时,只测定浑水;含沙量大于 0.2g/L 时,除测定浑水外,还应增加沉淀清水的测定,可吸取上清液进行测定
15	总氰化物	异烟酸-吡唑啉酮分光光度法(GB7486—87)	0.004~0.25	0.004	包括全部简单氰化物和绝大部分络合氰化物,不包括钴氰络合物
		硝酸银滴定法(GB7486—87)	1~100		本方法适用于含量较大的废污水。用硝酸银标准溶液滴定前,应以 pH 试纸检验试样的 pH 值,必要时,应加氢氧化钠溶液调节 pH 值>11
		吡啶-巴比妥酸分光光度法(GB7486—87)	0.002~0.45		

续表 6-4

序号	项目	测定方法及分析方法来源		检测范围*	检出限(mg/L)	注意事项
16	氟化物	离子选择电极法(GB7484—87)		0.50~1 900	0.05	结果以F⁻计
		氟试剂分光光度法(GB7482—87)		0.50~1.8		
		硒素磺酸锆分光光度法		0.50~2.5		
17	硫酸盐	EDTA容量法(SL85—94)		10~200		结果以SO₄²⁻计
		硫酸钡重量法(GB5750—85)		10以上		
		铬酸钠分光光度法(GB5750—85)		5~200		
		硫酸钡比浊法(GB5750—85)		1~40		
18	总汞	冷原子荧光法	高锰酸钾－过硫酸钾消解法(GB7468—87)	检出下限0.000 1(最佳条件0.000 05)	0.000 05	包括无机或有机结合的、可溶的和悬浮的全部汞
			溴酸钾－溴化钾消解法(GB7468—87)			
19	镉	原子吸收分光光度法(螯合苯取法)(GB7475—87)		0.001~0.05		多泥沙河流水质监测,含沙量不大于0.2g/L时,只测定浑水;含沙量大于0.2g/L时,除测定浑水外,还应增加沉淀澄清液的测定,可吸取上清液进行测定
		双硫腙分光光度法(GB7471—87)		0.001~0.05		
20	铅	原子吸收分光光度法	直接法(GB7475—87)	0.2~10		
			螯合苯取法(GB7475—87)	0.01~0.2		
		双硫腙分光光度法(GB7470—87)		0.01~0.30		

续表 6-4

序号	项目	测定方法及分析方法来源		检测范围*	检出限(mg/L)	注意事项
21	铜	原子吸收分光光度法	直接法(GB7475—87)	0.05～5		
			螯合萃取法(GB7475—87)	0.001～0.05		
		二乙基二硫代氨基甲酸钠(铜试剂)分光光度法(GB7474—87)		检出下限 0.003(3cm 比色皿) 0.02～0.70(1cm 比色皿)		
		2,9－二甲基－1,10－二氮杂菲(新铜试剂)分光光度法(GB7473—87)		0.006～3		
22	六价铬	二苯碳酰二肼目视比色法 二苯碳酰二肼分光光度法(GB7467—87)		0.004～1.0	0.004	
23	总砷	二乙基二硫代氨基甲酸银分光光度法(GB7485—87)		0.007～0.5	0.007	测得为单体形态,无机或有机物中元素砷的含量
24	氯化物	硝酸银容量法(GB11896—89)		10～500		结果以 Cl⁻ 计
		硝酸汞容量法(GB5750—85)		可测至 10 以下		
25	大肠菌群	多管发酵法(GB5750—85(36))				
		滤膜法(GB5750—85(36))				
26	细菌总数	平板法(GB5750—85(35))				

续表 6-4

序号	项目	测定方法及分析方法来源	检测范围*	检出限(mg/L)	注意事项
27	硫化物	对氨基二甲基苯胺分光光度法 亚甲基蓝分光光度法(GB/T16489—1996) 紫外分光光度法 碘量法	0.08~4 0.02~0.8 适合含硫化物在1以上	0.02	结果以S²⁻计 还原性物质的存在,能与碘起反应,并能阻止显色反应而干扰测定;悬浮物,水样色度等也对硫化物的测定产生干扰,因此应对水样进行预处理 本方法适合废水的测定
28	矿化度	重量法(SL79—1994)			
29	非离子氨	纳氏试剂分光光度法(GB7479—87) 水杨酸分光光度法(GB7481—87)	0.05~2(分光光度法) 0.20~2(目视比色法) 0.01~1	0.01	样品处理后用纳氏分光光度法,测得值为氨氮与有机氮的总和,结果以氮(N)计
30	凯氏氮	硒催化矿化法(GB11891—89)	检出下限 0.5(1cm比色皿)		以氮(N)计
31	石油类	红外分光光度法(GB/T16488—1996) 紫外分光光度法(SL93.2—94)	0.05~50	0.01	
32	浊度	目视比色法(GB13200—91)		0.05	
33	化学需氧量	重铬酸钾法(GB11914—89)	30~700		在多泥沙河流水质监测中,对含沙量小于0.2g/L的水样测定原状水;含沙量大于0.2g/L的水样,除测定原状水外,加测澄清水,以满足不同用水部门的需要

续表 6-4

序号	项目	测定方法及分析方法来源		检测范围*	检出限 (mg/L)	注意事项
34	溶解性铁	火焰原子吸收分光光度法 (GB11911—89)		0.03~5	0.03	取过滤或离心后样品测定
35	总锰	原子吸收分光光度法 (GB11911—89)			0.01	多泥沙河流水质监测,含沙量不大于0.2g/L时,只测定浑水;含沙量大于0.2g/L时,除测定浑水外,还应增加沉淀澄清水的测定清液进行测定
		高碘酸钾分光光度法 (GB1906—89)			0.02	
36	总锌	原子吸收分光光度法 (GB7475—87)				
37	硒(四价)	二氨基联苯胺分光光度法 (GB5750—85)			0.01	
		荧光分光光度法 (GB5750—85)			0.001	
38	阴离子表面活性剂	亚甲基蓝分光光度法 (GB7494—87)		0.05~2.0		本法测得为亚甲基蓝活性物质(MBAS),结果以LAS计
39	有机氯农药	气相色谱法 (GB13192—91)				
40	苯并(α)芘	乙酰化滤纸层析荧光分光光度法 (GB11895—89)		2.5μg/L	0.004 μg/L	
41	丙烯醛					
42	总有机碳	非色散红外线吸收法 (GB13193—91)		0.5~60	0.5	
43	苯系物	气相色谱法	液上气相色谱法 (GB11890—89)	0.005~0.1	0.005	
			二硫化碳萃取气相色谱法 (GB11890—89)	0.05~12	0.05	
44	铁	火焰原子吸收分光光度法 (GB11911—89)		0.03~5		

续表 6-4

序号	项目	测定方法及分析方法来源	检测范围*	检出限(mg/L)	注意事项
45	银	3,5-Br₂-PADAP 分光光度法(GB11909—89)	0.02~1.0	0.02	本方法适合于受银污染的地面水和有关行业排放的废水
46	六六六	气相色谱法(GB7492—87)	最低下限 4ng/L		
47	滴滴涕	气相色谱法(GB7492—87)	最低下限 200ng/L		
48	总 α 放射性				
49	总 β 放射性				
50	钾	火焰原子吸收分光光度法(GB11904—89)	0.05~4.00		
51	钠	火焰原子吸收分光光度法(GB11904—89)	0.01~2.00		
52	溶解性总固体	重量法(SL79—1994)			
53	侵蚀性二氧化碳	酸滴定法			
54	游离二氧化碳	碱滴定法			
55	总碱度	酸碱指示剂滴定法			
56	碳酸盐	酸碱指示剂滴定法			
57	重碳酸盐	酸碱指示剂滴定法			

注：* 本列数字除给出单位之外，其余的单位均为 mg/L。

(二)定义[1]

pH 值是从操作上定义的。对于溶液 X,测出伽伐尼电池

$$参比电极 \mid KCl 浓溶液 \parallel 溶液 X \mid H_2 \mid Pt$$

的电动势 E_X,将未知 pH(X) 的溶液 X 换成标准 pH 溶液 S,同样测出电池的电动势 E_s,则

$$pH(X) = pH(S) + (E_s - E_X)F/(RT\ln 10)$$

因此,所定义的 pH 值是无量纲的量。

pH 值没有理论上的意义,其定义为一种实用定义。但是在物质的量浓度小于 $0.1 mol/dm^3$ 的稀薄水溶液有限范围,即非强酸性又非强碱性(2<pH 值<12)时,则根据定义有

$$pH = -\lg[c(H)y/(mol \cdot dm^3)] \pm 0.02$$

式中的 $c(H)$ 代表氢离子 H 的物质的量浓度,y 代表溶液中典型 1-1 价电解质的活度系数。

(三)原理

pH 值由测量电池的电动势而得。该电池通常由饱和甘汞电极为参比电极,玻璃电极为指示电极所组成。在 25℃ 溶液中每变化 1 个 pH 值单位,电位差改变为 59.16mV,据此可在仪器上直接以 pH 值的读数表示。温度差异在仪器上有补偿装置。

(四)试剂

1.标准缓冲溶液(简称标准溶液)的配制方法

(1)试剂和蒸馏水的质量。其内容包括以下方面:

1)在分析中,除非另作说明,均要求使用分析纯或优级纯试剂,购买经中国计量科学研究院检定合格的袋装 pH 值标准物质时,可参照说明书使用。

2)配制标准溶液所用的蒸馏水应符合下列要求:煮沸并冷却、电导率小于 $2 \times 10^6 S$[2] /cm 的蒸馏水,其 pH 值以 6.7~7.3 为宜。

(2)测量 pH 值时,按水样呈酸性、中性和碱性 3 种可能,常配制以下 3 种标准溶液:

1)pH 值标准溶液甲(pH=4.008,25℃)。称取先在 110~130℃ 干燥 2~3h 的邻苯二甲酸氢钾($KHC_8H_4O_4$)10.12g,溶于水并在容量瓶中稀释至 1L。

2)pH 值标准溶液乙(pH=6.865,25℃)。分别称取先在 110~130℃ 干燥 2~3h 的磷酸二氢钾(KH_2PO_4)3.388g 和磷酸氢二钠(Na_2HPO_4)3.533g,溶于水并在容量瓶中稀释至 1L。

3)pH 值标准溶液丙(pH=9.180,25℃)。为了使晶体具有一定的组成,应称取与饱和溴化钠(或氯化钠加蔗糖)溶液(室温)共同放置在干燥中平衡两昼夜的硼砂($Na_2B_4O_7 \cdot 10H_2O$)3.80g,溶于水并在容量瓶中稀释至 1L。

2.配制标准溶液校正仪器

当被测样品 pH 值过高或过低时,应参考表 6-5 配制与其 pH 值相近似的标准溶液校正仪器。

---

[1] 此定义引自《量和单位》(BG3100~3102—82)第 151 页。
[2] 电导的单位是西(门子)(siemens),用符号"S"表示,1S=1℧。

表 6-5　　　　　　　　　　　　pH 值标准溶液的制备[*]

标准溶液中溶液质量摩尔浓度(mol/kg)	25℃的 pH 值	每 100ml 25℃水溶液所需药品质量
基本标准　酒石酸氢钾(25℃饱和)	3.557	6.4gKHC$_4$H$_4$O$_6$[④]
0.05m 邻苯二甲酸氢钾	3.776	11.4gKHC$_8$H$_4$O$_4$
0.05m 柠檬酸二氢钾	4.008	10.12gKHC$_8$H$_4$C$_4$
0.025m 磷酸二氢钾[+]	6.865	3.533gKH$_2$PO$_4$
0.025m 磷酸氢二钠		3.388gNa$_2$HPO$_4$[②③]
0.008 695m 磷酸二氢钾[+]	7.413	1.179gKH$_2$PO$_4$
0.030 43m 磷酸氢二钠		4.302gNa$_2$HPO$_4$[②③]
0.01m 硼砂	9.180	3.80gNa$_2$B$_4$O$_7$·10H$_2$O[②]
0.025m 磷酸氢钠[+]	10.012	2.092gNaHPO$_3$[+]
0.025m 碳酸钠		2.640gNa$_2$CO$_3$
辅助标准　0.05m 四草酸钾	1.679	12.61gKH$_3$C$_4$O$_8$·2H$_2$O[②]
氢氧化钙(25℃饱和)	12.454	1.5gCa(OH)$_2$[①]

注：* 此表引自美国《水和废水标准检验法》15 版(中文译本)第 374 页,建筑工业出版社(1985)。

　　① 大约溶解度；

　　② 在 110～130℃烘 2～3h；

　　③ 必须用新煮沸并冷却的蒸馏水(不含 CO$_2$)配制；

　　④ 别名酸三氢钾,使用前在 54±3℃干燥 4～5h。

3.标准溶液的保存

(1)标准溶液要在聚乙烯瓶或硬质玻璃中密闭保存。

(2)在室温条件下标准溶液一般以保存 1～2 个月为宜,当发现有浑浊、发霉或沉淀现象时,不能继续使用。

(3)在 4℃冰箱内存放,且用过的标准溶液不允许再倒回去,这样可延长使用期限。

4.标准溶液的 pH 值随温度变化而稍有差异

一些常用标准溶液的 pH(S)值见表 6-6。

(五)仪器

(1)酸度计或离子浓度计为常规检验使用的仪器,至少应当精确到 0.1pH 值单位,pH 值范围为 0～14。如有特殊需要,应使用精度更高的仪器。

(2)玻璃电极与甘汞电极。

(六)样品保存

样品最好在现场测定。否则,应在采样后把样品保持在 0～4℃的条件中保存,并在采样后 6h 之内进行测定。

(七)步骤

(1)仪器校准。操作程序按仪器使用说明书进行。先将水样与标准溶液调到同一温度,记录测定温度,并将仪器温度补偿旋纽调至该温度上。

表 6-6

t(℃)	A	B	C	D	E
0		4.003	6.984	7.534	9.464
5		3.999	6.951	7.500	9.395
10		3.998	6.923	7.472	9.332
15		3.999	6.900	7.448	9.276
20		4.002	6.881	7.429	9.225
25	3.557	4.008	6.865	7.413	9.180
30	3.552	4.015	6.853	7.400	9.139
35	3.549	4.024	6.844	7.389	9.102
38	3.548	4.030	6.840	7.384	9.081
40	3.547	4.035	6.838	7.380	9.068
45	3.547	4.047	6.834	7.373	9.038
50	3.549	4.060	6.833	7.367	9.011
55	3.554	4.075	6.834		8.985
60	3.560	4.091	6.836		8.962
70	3.580	4.126	6.845		8.921
80	3.609	4.164	6.859		8.885
90	3.650	4.205	6.877		8.850
95	3.674	4.227	6.886		8.833

注：* 此表引自《IUPAC Manual of Symbols and Teminology for phyicochemical Quantities and Units》(1979)第 31 页。

这些标准溶液的组成是：

A：酒石酸氢钾(25℃饱和)；

B：邻苯二甲酸氢钾,0.05mol/kg；

C：磷酸二氢钾,0.025mol/kg,磷酸氢二钠,0.025mol/kg；

D：磷酸二氢钾,0.008 695mol/kg,磷酸氢二钠,0.030 43mol/kg；

E：硼砂,0.01mol/kg。

溶剂为水。

用标准溶液校正仪器,该标准溶液与水样 pH 值相差不超过 2 个 pH 值单位。从标准溶液中取出电极,彻底冲洗并用滤纸吸干,如果仪器响应的示值与第二个标准溶液的 pH(S)值之差大于 0.1pH 值单位,就要检查仪器、电极或标准溶液是否存在问题。当三者均正常时,方可用于测定样品。

(2)样品测定。测定样品时,先用蒸馏水认真冲洗电极,再用水样冲洗,然后将电极浸入样品中,小心摇动或进行搅拌使其均匀,静置待读数稳定时记下 pH 值。

(八)精密度

对 pH 值测定精密度的要求,见表 6-7。

(九)注释

(1)玻璃电极在使用前先放入蒸馏水中浸泡 24h 以上。

(2)测定 pH 值时,玻璃电极的球泡应全部浸入溶液中,并使其稍高于甘汞电极的陶

表 6-7   pH 值测定的精密度

pH 值	允许差(pH 值单位)	
	重复性[①]	再现性[②]
6	±0.1	±0.3
6～9	±0.1	±0.2
9	±0.2	±0.5

注:①根据一个实验室中的 pH 值在 2.21～13.23 范围内的生活饮用水,轻度、中度、重度污染的地面水及部门类型工业废水样品进行重复测定的结果而定。

②根据北京地区 19 个实验室共使用 10 种不同型号的酸度计,4 种不同型号的电极用本法对 pH 值在 1.41～11.66 范围内的 7 个人工合成水样及 1 个地面水样的测定结果而定。

瓷芯端,以免搅拌时碰坏。

(3)必须注意玻璃电极的内电极与球泡之间、甘汞电极的内电极和陶瓷芯之间不得有气泡,以防短路。

(4)甘汞电极中的饱和氯化钾溶液的液面必须高出汞体,在室温下应有少许氯化钾晶体存在,以保证氯化钾溶液的饱和,但须注意氯化钾晶体不可过多,以防止堵塞与被测溶液的通路。

(5)测定 pH 值时,为减少空气和水样中二氧化碳的溶入或挥发,在测水样之前,不应提前打开水样瓶。

(6)玻璃电极表面受到污染时,需进行处理。处理吸附的无机盐结垢时,可用温稀盐酸溶解;对钙镁等难溶性结垢,可用 EDTA 二钠溶液解;沾有油污时,可由丙酮清洗。电极按上述方法处理后,应在蒸馏水中浸泡一昼夜再使用。注意忌用无水乙醇、脱水性洗涤剂处理电极。

(十)实验报告

实验报告应包括下列内容:

(1)取样日期、时间和地点;

(2)样品的保存方法;

(3)测定样品的日期和时间;

(4)测定时样品的温度;

(5)测定的结果(pH 值应取最近于 0.1pH 值单位,如有特殊要求时,可根据需要及仪器的精确度确定结果的有效数字位数);

(6)其他需说明的情况。

二、悬浮物的测定——重量法

(一)主题内容和适用范围

该标准规定了水中悬浮物的范围,适用于地面水、地下水,也适用于生活污水和工业废水中悬浮物的测定。

(二)定义

水中的悬浮物是指水样通过孔径为 $0.45\mu m$ 的滤膜,截留在滤膜上并经 103～105℃

烘干至恒重的固体物质。

(三)试剂

蒸馏水或同等纯度的水。

(四)仪器

常用实验室仪器,以及全玻璃微孔滤膜过滤器;CN-CA 滤膜、孔径 0.45μm、直径 60mm;吸滤瓶、真空泵;无齿扁嘴镊子。

(五)采样及样品贮存

(1)采样。所用聚乙烯瓶或硬质玻璃瓶要先用洗涤剂洗净,然后依次用自来水和蒸馏水冲洗干净,在采样之前再用即将采集的水样清洗 3 次。采集具有代表性的水样 500～1 000ml,盖严瓶塞。

需要说明的是,漂浮或浸没的不均匀固体物质不属于悬浮物质,应从水样中除去。

(2)样品贮存。采集的水样应尽快分析测定。如需放置,应贮存在 4℃冷藏箱中,但最长不得超过 7 天。值得注意的是,不能加入任何保护剂,以防破坏物质在固、液间的分配平衡。

(六)步骤

1.滤膜准备

用扁嘴无齿镊子夹取微孔滤膜放于事先恒重的称量瓶里,移入烘箱中经 103～105℃烘干半小时后取出置干燥器内冷却至室温,称其重量。反复烘干、冷却、称量,直至两次称量的重量差≤0.2mg。将恒重的微孔滤膜正确地放在滤膜过滤器的滤膜托盘上,加盖配套的漏斗并用夹子固定好。以蒸馏水湿润滤膜,并不断吸滤。

2.测定

量取充分混合均匀的试样 100ml 抽吸过滤,使水全部通过滤膜。再以每次 10ml 蒸馏水连续洗涤 3 次,继续吸滤以除去痕量水分。停止吸滤后,仔细取出载有悬浮物的滤膜放在原恒重的称量瓶里,移入烘箱中经 103～105℃烘干 1 小时后移入干燥器中,使冷却到室温,称其重量。反复烘干、冷却、称量,直至两次称量的重量差≤0.4mg 为止。

需要说明的是,滤膜上截留过多的悬浮物可能挟带过多的水分时,除延长干燥时间外,还可能造成过滤困难,此时可酌情少取试样;当滤膜上悬浮物过少时,则会增大称量误差,影响测定精度,必要时,可增大试样体积。一般以 5～100mg 悬浮物量作为量取试样体积的实用范围。

(七)结果的表示

悬浮物含量 c(mg/L)按下式计算

$$c = \frac{(A - B) \times 10^6}{V}$$

式中:c——水中悬浮物的浓度,mg/L;

　　A——悬浮物＋滤膜＋称量瓶的重量,g;

　　B——滤膜＋称量瓶的重量,g;

　　V——试样的体积,ml。

三、溶解氧的测定——碘量法

本标准等效采用国际标准 ISO5813—1983,规定采用碘量法测定水中溶解氧;由于考虑到某些干扰而采用改进的温克勒(Winkler)法。

(一)适用范围

碘量法是测定水中溶解氧的基准方法。在没有干扰的情况下,此方法适用于各种溶解氧浓度大于 0.2mg/L 和小于氧的饱和浓度 2 倍(约 20mg/L)的水样。易氧化的有机物,如丹宁酸、腐殖酸和木质素等会对测定产生干扰;可氧化的硫的化合物,如硫化物硫脲,也如同易于消耗氧的呼吸系统产生干扰。当含有这类物质时,宜采用电化学探头法。

亚硝酸盐浓度不高于 15mg/L 时就不会产生干扰,因为它们会被加入的叠氮化钠破坏掉。

如存在氧化物质或还原物质需改进测定方法参见本方法中的(八)。

(二)原理

在样品中溶解氧与刚刚沉淀的二价氢氧化锰(将氢氧化钠或氢氧化钾加入到二价硫酸锰中制得)反应,酸化后生成的高价锰化合物将碘化物氧化游离出等当量的碘,用硫代硫酸钠滴定法,测定游离碘量。

(三)试剂

分析中仅使用分析纯试剂和蒸馏水或纯度与之相当的水。

(1)硫酸溶液。小心地把 500ml 浓硫酸($\rho = 1.84g/ml$)在不停搅动下加入到 500ml 水中。

(2)硫酸溶液。$c(1/2H_2SO_4) = 2mol/L$。

(3)碱性碘化物——叠氮化物试剂。

当试样中亚硝酸氮含量大于 0.05mg/L 而亚铁含量不超过 1mg/L 时,为防止亚硝酸氮对测定结果的干涉,须在试样中加叠氮化物,叠氮化钠是剧毒试剂。若已知试样中的亚硝酸盐低于 0.05mg/L,则可省去此试剂。因此,操作过程中严防中毒;不要使碱性碘化物——叠氮化物试剂酸化,因为可能产生有毒的叠氮酸雾。处理方法是,将 35g 的氢氧化钠(NaOH)和 30g 碘化钾(KI),或 50g 的氢氧化钾(KOH)和 27g 碘化钠(NaI)溶解在大约 50ml 水中,再单独将 1g 的叠氮化钠(NaN_3)溶于几毫升水中。将上述两种溶液混合并稀释至 100ml,然后把溶液贮存在塞紧的细口棕色瓶子里。经稀释和酸化后,在有指示剂存在下,本试剂应无色。

(4)无水二价硫酸锰溶液,浓度为 340g/L 或一水硫酸锰溶液,浓度为 380g/L。

可用浓度为 450g/L 的四水二价氯化锰溶液代替。

过滤不澄清的溶液。

(5)碘酸钾 $c(1/6KIO_3) = 10mmol/L$ 标准溶液。经 180℃ 干燥数克碘酸钾(KIO_3),称量 $3.567 \pm 0.003g$ 溶解在水中并稀释到 1 000ml。将上述溶液吸取 100ml 移 1 000ml 容量瓶中,用水稀释至标线。

(6)硫代硫酸钠标准滴定液 $c(Na_2S_2O_3) \approx 10mmol/L$。

1)配制。将 2.5g 五水硫代硫酸钠溶解于新煮沸并冷却的水中,再加 0.4g 的氢氧化钠(NaOH),并稀释至 1 000ml。溶液贮存于深色玻璃瓶中。

2)标定。在锥形瓶中用 100～150ml 的水溶解约 0.5g 的碘化钾或碘化钠,加入 5ml 2mol/L 的硫酸溶液,混合均匀,加 20.00ml 标准碘酸钾溶液,稀释至约 200ml,立即用硫代硫酸钠溶液滴定释放出的碘,当接近滴定终点时,溶液呈浅黄色,加指示剂,再滴定至完全无色。硫代硫酸钠浓度 c(mol/L)由下式求出:

$$c = \frac{6 \times 20 \times 1.66}{V}$$

式中:V——硫代硫酸钠溶液滴定量,ml。

每日标定一次溶液。

(7)淀粉。新配制 10g/L 溶液。也可用其他适合的指示剂。

(8)酚酞。1g/L 乙醇溶液。

(9)碘。约 0.005mol/L 溶液。溶解 4～5g 的碘化钾或碘化钠于少量水中,加约 130mg 的碘,待碘溶解后稀释至 100ml。

(10)碘化钾或碘化钠。

(四)仪器

除常用实验室设备外,还有细口玻璃瓶,容量在 250～300ml 之间,校准至 1ml;具塞温克勒瓶或任何其他适合的细口瓶,瓶肩最好是直的。每一个瓶和盖要有相同的号码。用称量法来测定每个细口瓶的体积。

(五)步骤

(1)当不存在有能固定或消耗碘的悬浮物,或者怀疑有这类物质存在时,最好采用电化学探头法测定溶解氧。

(2)检验氧化或还原物质量是否存在。如果预计氧化或还原剂可能干扰结果时,取 50ml 待测水,加 2 滴酚酞溶液后,中和水样。加 0.5ml 硫酸溶液、几粒碘化钾或碘化钠(质量约 0.5g)和几滴指示剂溶液。如果溶液呈蓝色,则有氧化物质存在。如果溶液保持无色,加 0.2ml 碘溶液,并振荡,放置 30s,如果没有呈蓝色,则存在还原物质。

有氧化物质存在时,按照下面的规定处理。

(3)样品的采集。除非还要作其他处理,样品应采集在细口瓶中,并在瓶内进行测定。试样应充满全部细口瓶。

在有氧化或还原物的情况下,需取两个试样。

1)取地表水样。充满细口瓶至溢流,小心避免溶解氧浓度的改变。对浅水用电化学探头法更好些。在消除附着在玻璃瓶上的气泡之后,立即固定溶解氧。

2)从配水系统管理中取水样。将一惰性材料管的入口与管道连接,将管子出口插入细口瓶的底部。用溢流冲洗的方式充入大约 10 倍细口瓶体积的水,最后注满瓶子,在消除附着在玻璃瓶上的空气泡之后,立即固定溶解氧。

3)不同深度取水样。用一种特别的取样器,内盛细口瓶,瓶上装有橡胶入口管并插入到细口瓶的底部。当溶液充满细口瓶时将瓶中空气排出,避免溢流。某些类型的取样器可以同时充满几个细口瓶。

(4)溶解氧的固定。取样之后,最好在现场立即向盛有样品的细口瓶中加 1ml 二价硫酸锰溶液和2ml碱性试剂。使用细尖头的移液管,将试剂加到液面以下,小心盖上塞子,避免把气泡带入。若用其他装置,必须小心保证样品氧含量不变。

将细口瓶上下颠倒转动几次,使瓶内的成分充分混合,静置沉淀最少5min,然后再重新颠倒混合,保证混合均匀。之后便可以将细口瓶运送至实验室。若避光保存,样品最长储藏24h。

(5)游离碘。为确保所形成的沉淀物已沉降在细口瓶下三分之一部分。须慢速加入1.5ml硫酸溶液或相应体积的磷酸溶液,盖上细口瓶盖,然后摇动瓶子,要求瓶中沉淀物完全溶解,并且碘已均匀分布。

若直接在细口瓶内进行滴定,须小心地虹吸出上部分相应于所加酸溶液容积的澄清液,而不扰动底部沉淀物。

(6)滴定。将细口瓶内的组分或其部分体积转移到锥形瓶内,用硫代硫酸钠滴定,终点时,加淀粉溶液或者加其他合适的指示剂。

(六)结果的表示

溶解氧含量 c_1(mg/L)由下式求出:

$$c_1 = \frac{M_r V_2 c f_1}{4 V_1}$$

式中:M_r——氧的分子量,$M_r = 32$;

$\quad V_1$——滴定时样品的体积,ml,一般取 $V_1 = 100$ml,若滴定细口瓶内试样,则 $V_1 = V_0$;

$\quad V_2$——滴定样品时所耗去硫代硫酸钠溶液的体积,ml;

$\quad c$——硫代硫酸钠溶液的实际浓度,mol/L。

$$f_1 = \frac{V_0}{V_0 - V'}$$

其中:V_0——细口瓶的体积,ml;

$\quad V'$——二价硫酸溶液 1ml 和碱性试剂 2ml 体积的总和,结果取一位小数。

(七)再现性

分别在 4 个实验室内,在自由度为 10 的前提下,对空气饱和的水(范围为 8.5～9 mg/L)进行了重复测定,得到溶解氧的批内标准差为 0.03～0.05mg/L。

(八)特殊情况

1.存在氧化性的物质

(1)原理。通过滴定第二个实验样品来测定除溶解氧以外的氧化性物质含量,以修正得到的结果。

(2)步骤。包括以下内容:

1)按照样品采集方法中规定取两个实验样品。

2)按照样品采集后方法中规定的步骤测定第一个试样中的溶解氧。

3)将第二个试样定量转移至大小适宜的锥形瓶内,加 1.5ml 硫酸溶液[或相应体积的磷酸溶液],然后再加 2ml 碱性试剂和 1ml 二价硫酸溶液,放置 5min。用硫代硫酸钠滴定,在滴定快到终点时,加淀粉或其他合适的指示剂。

(3)结果表示。溶解氧含量 c_2(mg/L)由下式给出：

$$c_2 = \frac{M_r V_2 c f_1}{2 V_1} - \frac{M_r V_4 c}{4 V_3}$$

式中：M_r、V_2、c 和 f_1 的含义同前；

$\quad\quad V_3$——盛第二个试样的细口瓶体积，ml；

$\quad\quad V_4$——滴定第二个试样用去的硫代硫酸钠的溶液体积，ml。

2.存在还原性物质

(1)原理。加入适量次氯酸钠溶液，氧化第一和第二个试样中的还原性物质。测定一个试样中的溶解氧含量；测定另一个试样中过剩的次氯酸钠量。

(2)试剂。用该方法规定的试剂和次氯酸钠溶液。后者中约含游离氯 4g/L，用稀释市售浓次氯酸钠溶液的办法制备，用碘量法测定溶液的浓度。

(3)步骤：

1)按照规定取两个试样。

2)向这两个试样中各加入 1.00ml(若需要可加入更多的准确体积)的次氯酸钠溶液，盖好细口瓶盖，混合均匀。

一个试样按规定进行处理，另一个按照特殊情况中步骤三的规定进行。

(4)结果的表示。溶解氧的含量 c_3(mg/L)由下式给出：

$$c_3 = \frac{M_r V_2 c f_2}{4 V_1} - \frac{M_r V_4 c}{4(V_3 - V_5)}$$

式中：M_r、V_1、V_2、V_3、V_4 和 c 的含义同前；

$\quad\quad V_5$——加入到试样中次氯酸钠溶液的体积，ml，通常 $V_5 = 1.00$ml；

$\quad\quad f_2$ 的表达式为

$$f_2 = \frac{V_0}{V_0 - V_5 - V'}$$

其中：V'含义同前；

$\quad\quad V_0$——盛第一个实验样品的细口瓶的体积，ml。

(九)实验报告

实验报告包括下列内容：

(1)参考国家标准；

(2)对样品的精确鉴别；

(3)结果和所用的表示方法；

(4)环境温度和大气压力；

(5)测定期间注意到的特殊细节；

(6)国家标准没有规定的或考虑可任选的操作细节。

四、五日生化需氧量（BOD$_5$）的测定——稀释与接种法

该方法参照采用国际标准 ISO5815—1983，是国家标准规定作为测定水中生化需氧量的标准方法，它是一种经验性常规方法。

(一)适用范围

该方法适用于 BOD_5 大于或等于 $2mg/L$ 但不超过 $6\,000mg/L$ 的水样。BOD_5 大于 $6\,000mg/L$ 的水样虽然仍可用该方法,但由于稀释会造成误差,有必要要求对测定结果做慎重的说明。

实验得到的结果是生物化学和化学作用共同产生的结果,它们不像单一的,有明确定义的化学过程那样具有严格的明确特性,但是它能提供用于评价各种水样质量的指标。实验的结果可能受水中的某些物质所干扰,对微生物有毒的物质,如杀菌剂、有毒金属或游离氧等,会抑制生化作用;水中的藻类或硝化微生物,也可能导致结果偏高。

(二)定义

生化需氧量(BOD_5),是指在规定条件下,水中有机物和无机物在生物氧化作用下所消耗的溶解氧(以质量浓度表示)。

(三)原理

将水样注满培养瓶,塞好后应不透气,将瓶置于恒温条件下培养 5 天。培养前后分别测定溶解氧浓度,由两者的差值可算出每升水消耗掉氧的质量,即 BOD_5 值。

由于多数水样中含有较多的需氧物质,其需氧量往往超过水中可利用的溶解氧(DO)量,因此在培养前需对水样进行稀释,使培养后剩余的溶解氧(DO)符合规定。

一般水质检测所得的 BOD_5 只包含碳物质的耗氧量,常和无机还原性物质的耗氧量无关。因此,有时要分别测定含碳物质耗氧量和硝化作用的耗氧量。常用的区别含碳和氮的硝化耗氧量的方法,是向培养瓶中加入硝化抑制剂。加入适量硝化抑制剂后,所测出的耗氧量即为含碳物质的耗氧量。在 5 天培养时间内,硝化作用的耗氧量取决于是否存在足够数量的能进行此种氧化作用的微生物。原污水或初级处理的出水中这种微生物的数量不足,不能氧化显著量的还原性氮,而许多二级生化处理的出水和受污染较久的水体中,往往含有大量硝化微生物,因此测定这种水样时应抑制其硝化反应。

在测定 BOD_5 的同时,需用葡萄糖和谷氨酸标准溶液完成验证实验。

(四)试剂

分析时,只采用公认的分析纯试剂和蒸馏水或同等纯度的水(在全玻璃装置中蒸馏的水或去离子水),水中含铜不应高于 $0.01mg/L$,并不应有氯、氯胺、苛性碱、有机物和酸类。

1. 接种水

如实验样品本身不含有足够的合适性微生物,应采用下述方法之一,以获得接种水:

(1)城市废水,取自污水管或取自没有明显工业污染的住宅区污水管出水。这种水在使用前,应倾出上清液备用。

(2)在 1L 水中加入 100g 花园土壤,混合并静置 10 分钟。取 10ml 上清液用水稀释至 1L。

(3)含有城市污水的河水或湖水。

(4)污水处理厂出水。

(5)当待分析水样为含难降解物质的工业废水时,取待分析水排放口下游 $3\sim 8km$ 的水或所含微生物适宜于待分析水并经实验室培养过的水。

2. 盐溶液

下述溶液至少可稳定 1 个月,应贮存在玻璃容器内,置于暗处。一旦发现有生物滋长迹象,则应弃去不用。

(1)磷酸盐缓冲溶液。将 8.5g 磷酸二氢钾（KH_2PO_4)、21.75g 磷酸氢二钾(K_2HPO_4)、33.4g 七水磷酸氢二钠($Na_2HPO_4 \cdot 7H_2O$)和 1.7g 氯化铵(NH_4Cl)溶于约 500ml 水中,稀释至 1 000ml 并混合均匀。

此缓冲溶液的 pH 值应为 7.2。

(2)七水硫酸镁(22.5g/L)溶液。将 22.5g/L 的七水硫酸镁($MgSO_4 \cdot 7H_2O$)溶于水中,稀释至 1 000ml 并混合均匀。

(3)氯化钙(27.5g/L)溶液。将 27.5g 的无水氯化钙($CaCl_2$)(若用水合氯化钙,要取相当的量)溶于水,稀释至 1 000ml 并混合均匀。

(4)六水氯化铁(Ⅲ)(0.25g/L)溶液。将 0.25g 六水氯化铁(Ⅲ)($FeCl_3 \cdot 6H_2O$)溶解于水中,稀释至 1 000ml 并混合均匀。

3. 稀释水

取以上 4 种盐溶液各 1ml,另加入约 500ml 水中,然后稀释至 1 000ml 并混合均匀,将此溶液置于 20℃下恒温,曝气 1h 以上,采取各种措施,使其不受污染,特别是不被有机物质、氧化或还原性物质或金属污染[*],确保溶解氧浓度不低于 8mg/L。

此溶液的五日生化需氧量不得超过 0.2mg/L。此溶液应在 8h 内使用。

4. 接种的稀释水

根据需要接种水的来源,向每升稀释水中加 1.0～5.0ml 接种水,将已接种的稀释水在约 20℃下保存,8h 后尽早应用。

已接种的稀释水的 5 天(20℃)耗氧量应在每升 0.3～1.0mg 之间。

5. 盐酸(HCl)溶液

浓度为 0.5mol/L。

6. 氢氧化钠(NaOH)溶液

浓度为 20g/L。

7. 亚硫酸钠(Na_2SO_3)溶液

浓度为 1.575g/L,此溶液不稳定,需每天配制。

8. 葡萄糖－谷氨酸标准溶液

取一些无水葡萄糖($C_6H_{12}O_6$)和一些谷氨酸($HOOC-CH_2-CH_2-CHNH_2-COOH$)在 103℃下干燥 1h,每种称量 150±1mg,溶于蒸馏水中,稀释至 1 000ml 并混合均匀。

此溶液于临用前配制。

(五)仪器

使用的玻璃皿要认真清洗,不能吸附有毒或生物可降解的化合物,并防止玷污。

---

[*] 建议采用压缩空气瓶或采用空气不与任何润滑油接触的压缩机(隔膜泵压缩机)。空气瓶在用前应过滤和洗涤。

常用的实验室设备如下：

(1)培养瓶。细口瓶的容量在 250~300ml 之间，带有磨口玻璃塞，并具有供水封用的钟形口，最好是直肩的。

(2)培养箱。能控制温度为 20 ± 1℃。

(3)测定溶解氧仪器*。

(4)用于样品运输和贮藏的冷藏手段(0~4℃)。

(5)稀释容器。带塞玻璃瓶，刻度精确到毫升，其容积大小取决于使用稀释样品的体积。

(六)样品的贮存

样品需充满并密封于瓶中，置于 2~5℃ 保存到进行分析时。一般应在采样后 6h 之内进行实验；若需远距离转运，在任何情况下贮存皆不得超过 24h。

(七)操作步骤

1.样品预处理

(1)样品的中和。如果样品的 pH 值不在 6~8 之间，先做单独实验，确定需要用的盐酸溶液或氢氧化钠溶液的体积，再中和样品，不管有无沉淀形成。

(2)含游离氯或结合氯的样品。加入所需体积的亚硫酸钠溶液，使样品中自由氯和结合氯失效，注意避免加过量。

2.实验水样的准备

将实验样品温度升至约 20℃，然后在半充满的容器内摇动样品，以便消除可能存在的过饱和氧。

将已知体积样品置于稀释容器中，用稀释水或接种稀释溶液稀释，轻轻地混合，避免夹杂空气泡。稀释倍数可参考表 6-8。

若采用的稀释比大于 100，将分两步或几步进行稀释。若需要抑制硝化作用，则加入 ATU 或 TCMP 试剂。

若只需要测定有机物降解的耗氧，必须抑制硝化微生物以避免氮的硝化过程，为此需在每升稀释样品中加入 2ml 浓度为 500mg/L 的烯丙基硫脲(ATU)($C_4H_8N_2S$)溶液或一定量的固定在氯化钠(NaCl)上的 2 - 氯代 - 6 - 三氯甲基吡啶(TCMP)($Cl - C_5H_3N - CCl_3$)，使 TCMP 在稀释样品中浓度大约为 0.5mg/L。

恰当的稀释比，应使培养后的剩余溶解氧至少为 1mg/L，消耗的溶解氧至少为 2mg/L。

当难于确定恰当的稀释比时，可先测定水样的总有机碳(TOC)或重铬酸盐法化学需氧量(COD)，根据 TOC 或 COD 估计 BOD_5 可能值，再围绕预期的 BOD_5 值，做几种不同的稀释比，最后从测定结果中选取合乎要求条件者。

3.空白试验

用接种稀释水进行平行空白试验测定。

---

* 溶解氧的测定可采用碘量法(GB7489—87)。

表 6-8		测定 BOD$_5$ 时建议稀释的倍数	
预期 BOD$_5$ 值(mg/L)	稀释比	结果取整到	适用的水样
2~6	1~2	0.5	R
4~12	2	0.5	R,E
10~30	5	0.5	R,E
20~60	10	1	E
40~120	20	2	S
100~300	50	5	S,C
200~600	100	10	S,C
400~1 200	200	20	I,C
1 000~3 000	500	50	I
2 000~6 000	1 000	100	I

注:R:河水;

E:生物净化过的污水;

S:澄清过的污水或轻度污染的工业废水;

C:原污水;

I:严重污染的工业废水。

4.测定

按采用的稀释比,用虹吸管充满两个培养瓶至稍溢出。

将所有附着在瓶壁上的空气泡赶掉,盖上瓶盖,小心避免夹空气泡。

将瓶子分为两组,每组都含有一瓶选定稀释比的稀释水样和一瓶空白溶液。

放一组瓶于培养箱中,并在暗处放置5天。

在计时起点时,测量另一组瓶的稀释水样和空白溶液中的溶解氧浓度。

达到需要培养的5天时间时,测定放在培养箱中那组稀释水样和空白溶液的溶解氧浓度。

5.验证实验

为了检验接种稀释水、接种水和分析人员的技术,需进行验证实验。将20ml 葡萄糖－谷氨酸标准溶液用接种稀释水稀释至1 000ml,并且按照测定的步骤进行测定。

得到的 BOD$_5$ 应在 180~230mg/L 之间,否则,应检查接种水。如果必要,还应检查分析人员的技术。

本实验与实验品同时进行。

(八)结果的表示

(1)被测定溶液若满足以下条件,则能获得可靠的测定结果。

培养5天后,剩余 DO≥1mg/L、消耗 DO≥2mg/L。

若不能满足以上条件,一般应舍掉该组结果。

(2)五日生化需氧量(BOD$_5$)以每升消耗氧的毫克数表示,由下式算出:

$$BOD_5 = \left[(c_1 - c_2) - \frac{V_t - V_e}{V_t}(c_3 - c_4) \right] \frac{V_t}{V_e}$$

式中:c_1——在初始计时时一种实验水样的溶解氧浓度,mg/L;

c_2——培养 5 天时同一种水样的溶解氧浓度,mg/L;

c_3——在初始计时时空白溶液的溶解氧浓度,mg/L;

c_4——培养 5 天时空白溶液的溶解氧浓度,mg/L;

V_e——制备该实验水样用去的样品体积,ml;

V_t——该实验水样的总体积,ml。

若有几种稀释比所得数据皆符合(1)所要求的条件,则这几种稀释比所得结果皆有效,以其平均值表示检测结果。

五、亚硝酸盐氮的测定——分光光度法

(一)适用范围

本方法规定了用分光光度法测定饮用水、地下水、地面水及废水中亚硝酸盐氮的方法。

(1)测定上限。当试份取最大体积(50ml)时,用该法可以测定亚硝酸盐氮浓度高达 0.20mg/L。

(2)最低检出浓度。采用光程长为 10nm 的比色皿,试份体积为 50ml,以吸光度 0.01 单位所对应的浓度值为最低检出限浓度,此值为 0.003mg/L。

采用光程长为 30mm 的比色皿,试份体积为 50ml,最低检出浓度为 0.001mg/L。

(3)灵敏度。采用光程长为 10mm 的比色皿,试份体积为 50ml,亚硝酸盐氮浓度 $c_N = 0.20$mg/L,给出的吸光度约为 0.67 单位。

(4)干扰。当试样 pH 值≥11 时,可能遇到某些干扰。遇此情况,可向试份中加入酚酞溶液 1 滴,边搅拌边逐滴加入磷酸溶液,至红色刚消失。经此处理,则再加入显色剂后,体系 pH 值为 1.8±0.3,而不影响测定。

试样如有颜色和悬浮物,可向每 100ml 试样中加入 2ml 氢氧化铝悬浮液,搅拌、静置、过滤,弃去 25ml 初滤液后,再取试份测定。

水样中氯胺、氯、硫代硫酸盐、聚磷酸钠和三价铁离子有明显干扰。

(二)原理

在磷酸介质中,当 pH 值为 1.8 时,试份中亚硝酸根离子与 4 - 氨基苯磺酰胺反应生成重氮盐,它再与 N - (1 - 萘基) - 乙二胺二盐酸盐[N-(1-naphthy1-11,2-diaminoethane dihy drochlo-ride)]偶联生成红色染料,在 540mm 波长处测定吸光度。如果使用光程长为 10mm 的比色皿,亚硝酸盐氮的浓度在 0.2mg/L 以下其呈色符合比乐尔定律。

(三)试剂

在测定过程中,除非另有说明,均使用符合国家标准或专业标准的分析纯试剂,实验用水均为无亚硝酸盐的二次蒸馏水。

(1)实验用水。采用下列方法之一进行制备:

1)加入高锰酸钾结晶少许于 1L 蒸馏水中,使溶液呈红色,另加入氢氧化钡(或氢氧化钙)结晶至溶液呈碱性,使用硬质玻璃蒸馏,弃去最初的 50ml 馏出液,收集约 700ml 不含锰盐的馏出液待用。

2)于 1L 蒸馏水中加入硫酸 1ml、硫酸锰溶液每 100ml 水中含有 36.4g 硫酸锰（$MnSO_4 \cdot H_2O$）0.2ml，滴加 0.04%（V/V）的高锰酸液，至钾溶液呈红色（一般为 1～3ml），然后使用硬质玻璃蒸馏器进行蒸馏，弃去最初的 50ml 馏出液，收集约 700ml 不含锰盐的馏出液待用。

（2）各种试剂的指标为：

1)磷酸。15mol/L，$\rho = 1.70$g/ml。

2)硫酸。18mol/L，$\rho = 18$mol/ml。

3)磷酸。1+9 溶液（1.5mol/L）。

溶液至少可稳定 6 个月。

（3）显色剂。在 500ml 烧杯内置入 250ml 水和 50ml 磷酸，加入 20.04g 4-氨基苯磺酰胺（$NH_2C_6H_4SO_2NH_2$）。再将 1.00g N-（1-萘基）-乙二胺二盐酸盐（$C_{10}H_7NHC_2H_4NH_2 \cdot 2HCl$）溶于上述溶液中，转移至 500ml 容量瓶中，用水稀释至标线，摇匀。

此溶液贮存于棕色试剂瓶中，保存在 2～5℃ 的环境中，至少可稳定 1 个月。但应注意，本试剂有毒性，避免与皮肤接触或吸入体内。

（4）亚硝酸盐氮标准贮备液：$c_N = 250$mg/L。

1)贮备液的配制。称取 1.232g 亚硝酸钠（$NaNO_2$），溶于 150ml 水中，定量转移至 1 000ml 容量瓶中，用水稀释至标线，摇匀。

配制好的溶液贮存在棕色试剂瓶中，加入 1ml 氯仿，保存在 2～5℃ 条件下，至少可稳定 1 个月。

2)贮备液的标定。在 300ml 具塞锥形瓶中，移入高锰酸钾标准溶液 50.00ml、硫酸 5ml。用 50ml 无分度吸管，使下端插入高锰酸钾溶液液面下，加入亚硝酸盐氮标准贮备液 50.00ml，轻轻摇匀，水浴加热至 70～80℃，按每次 10.00ml 的量加入足够的草酸钠标准溶液，使高锰酸钾标准溶液褪色并过量，记录草酸钠标准溶液用量 V_2。然后用高锰酸钾标准溶液滴定过量草酸钠至溶液呈微红色，记录高锰酸钾标准溶液总量 V_1。

再以 50ml 实验用水代替亚硝酸盐氮标准贮备液，同以上操作，用草酸钠标准溶液标定高锰酸钾溶液的浓度 c_1。

按下式计算高锰酸钾标准溶液浓度 c_1（1/5$KMnO_4$，mol/L）：

$$c_1 = \frac{0.050\ 0 \times V_4}{V_3}$$

式中：V_3——滴定实验用水时加入高锰酸钾标准溶液的总量，ml；

V_4——滴定实验用水时加入草酸钠标准溶液的总量，ml；

0.050 0——草酸钠标准溶液的浓度 c（1/2$Na_2C_2O_4$），mol/L。

按下式计算亚硝酸盐氮标准贮备液的浓度 c_N（mg/L）：

$$c_N = \frac{(V_1 c_1 - 0.050\ 0 V_2) \times 7.00 \times 1\ 000}{50.00}$$

$$= 140 V_1 c_1 - 7.00 V_2$$

式中：V_1——滴定亚硝酸盐氮标准贮备液时加入高锰酸钾标准溶液的总量,ml；

V_2——滴定亚硝酸盐氮标准贮备液时加入草酸钠标准溶液的总量,ml；

c_1——经标定的高锰酸钾标准溶液的浓度,mol/L；

7.00——亚硝酸盐氮标准贮备液的取样量,ml；

50.00——亚硝酸盐氮标准贮备液的取样量,ml；

0.050 0——草酸钠标准溶液的浓度 $c(1/2Na_2C_2O_4)$,mol/L。

(5)亚硝酸盐氮中间标准液。浓度为 $c_N = 50.0$mg/L。配制时,取亚硝酸盐氮标准贮备液 50.00ml 于 250ml 容量瓶中,用水稀释至标线,摇匀。此溶液贮存于棕色瓶内,保存在 2~5℃条件下,可稳定一星期。

(6)亚硝酸盐氮标准工作液。浓度为 $c_N = 1.00$mg/L。配制时,取亚硝酸盐氮中间标准液 10.00ml 于 500ml 容量瓶内,用水稀释至标线,摇匀。此溶液使用时,当天配制。

需要说明的是,亚硝酸盐氮中间标准液和标准工作液的浓度值,应采用贮备液标定后的准确浓度的计算值。

(7)氢氧化铝悬浮液。溶解 125g 硫酸铝钾［$KAl(SO_4)_2 \cdot 12H_2O$］或硫酸铝铵［$NH_4Al(SO_4)_2 \cdot 12H_2O$］于 1L 一次蒸馏水中,加热至 60℃,在不断搅拌下,徐徐加入 55ml 浓氢氧化铵,放置约 1h 后,移入 1L 量筒内,用一次蒸馏水反复洗涤沉淀,最后用实验用水洗涤沉淀,直至洗涤液中不含亚硝酸盐为止。澄清后,把上清液尽量全部倾出,只留稠的悬浮物,最后加入 100ml 水。使用前应振荡均匀。

(8)高锰酸钾标准溶液。浓度为 $c(1/5KMnO_4) = 0.050$mol/L。溶解 1.6g 高锰酸钾 ($KMnO_4$)于 1.2L 水中(一次蒸馏水),煮沸 0.5~1h,使体积减少到 1L 左右,放置过夜,用 G-3 号玻璃砂芯滤器过滤后,滤液贮存于棕色试剂瓶中避光保存。

(9)草酸钠标准溶液。浓度为 $c(1/2Na_2C_2O_4) = 0.050$ 0mol/L。溶解经 105℃烘干 2h 的优级纯无水草酸钠 ($Na_2C_2O_4$) 3.350 0 ± 0.000 4g 于 750ml 水中,定量转移至 1 000ml 容量瓶中,用水稀释至标线,摇匀。

(10)酚酞指示剂。浓度为 $c = 10$g/L。取 0.5g 酚酞溶于 95%(V/V)乙醇 50ml 中。

(四)仪器

所有玻璃器皿都应用 2mol/L 盐酸仔细洗净,然后用水彻底冲洗。

常用实验室设备及分光光度计。

(五)采样和样品

(1)采样和样品保存。实验室样品应用玻璃瓶或聚乙烯瓶采集,并在采集后尽快分析,放置时间不要超过 24h。

若需短期保存(1~2 天),可以在每升实验室样品中加入 40mg 氯化汞,并保存于 2~5℃条件下。

(2)试样的制备。当实验室样品含有悬浮物或带有颜色时,需按照抗干扰所述的方法制备试样。

(六)步骤

(1)试份。试份最大体积为 50.0ml,可测定亚硝酸盐氮浓度最高至 0.20ml。浓度更高时,可相应用较少量的样品或将样品进行稀释后,再取样。

（2）测定。用无分度吸管将选定体积的试份移至 50ml 比色管（或容量瓶）中,用水稀释至标线,加入显色剂 1.0ml,密塞、摇匀、静置,此时 pH 值应为 1.8 ± 0.3。

加入显示剂 20min～2h,在 540nm 的最大吸光度波长处,用光程长 10mm 的比色皿,以实验用水作参比,测量溶液吸光度。

需要注意的是,最初使用本方法时,应校正最大吸光度的波长,以后的测定均应用此波长。

（3）空白试验。按测定所述步骤进行空白试验,用 50ml 水代替试份。

（4）色度校正。如果实验室样品经试剂的制备方法制备的试样还具有颜色时,按测定所述方法,从试样中取相同体积的第二份试份,进行测定吸光度,只是不加显色剂,改加磷酸 1.0ml。

（5）校准。在一组 6 个 50ml 比色管（或容量瓶）内,分别加入亚硝酸盐氮标准工作液 0、1.00ml、3.00ml、7.00ml 和 10.00ml,用水稀释至标线,然后按测定溶液吸光度的步骤操作。

根据测得的各溶液吸光度,减去空白试验吸光度,得校正吸光度 A_r。绘制以氮含量（µg）对校正吸光度的校准曲线,亦可按线性回归方程的方法,计算校准曲线方程。

（七）结果表示

1. 计算方法

试份溶液吸光度的校正值 A_r 按下式计算:

$$A_r = A_s - A_b - A_c$$

式中:A_s——试份溶液测得的吸光度;

A_b——空白试验测得的吸光度;

A_c——色度校正测得的吸光度。

由校正吸光度 A_r 值,从校准曲线上查得（或由校准曲线方程计算）相应的亚硝酸盐氮的含量 m_N（µg）。

试份的亚硝酸盐氮浓度按下式计算:

$$c_N = \frac{m_N}{V}$$

式中:c_N——亚硝酸盐氮的浓度,mg/L;

m_N——相应于校正吸光度 A_r 的亚硝酸盐氮的含量,µg;

V——试份的体积,ml。

当试份体积为 50ml 时,结果以三位小数表示。

2. 精密度和准确度

（1）取平行双样测定结果的算术平均值为测定结果。

（2）23 个实验室测定亚硝酸盐氮浓度为 7.46×10^{-2} mg/L 的试样,重复性为 1.1×10^{-3} mg/L,再现性为 3.7×10^{-3} mg/L,加标百分回收率范围为 96%～104%。

15 个实验室测定亚硝酸盐氮浓度为 6.19×10^{-2} mg/L 的试样,重复性为 2.0×10^{-3}

mg/L,再现性为 3.7×10^{-3} mg/L,加标百分回收率范围为93%～103%。

(八)其他物质对结果的影响及注意事项

其他物质对结果的影响及注意事项,见表6-9。

表6-9　　　　　　　　　其他物质对结果的影响及注意事项

物质	所用盐	物质的量*	对测定的影响**		
			$m_N = 0$	$m_N = 1.00\mu g$	$m_N = 10.0\mu g$
镁	乙酸盐	1 000	0.00	0.00	−0.07
钾	氯化物	100	0.00	0.00	−0.07
钾	氯化物	1 000	0.00	−0.03	−0.13
钠	氯化物	100	0.00	0.00	−0.02
钠	氯化物	1 000	0.00	−0.01	−0.13
重碳酸盐	钠	6 100(HCO_3^-)	0.00	+0.03	+0.01
重碳酸盐	钠	12 200(HCO_3^-)	0.00	+0.03	+0.06
硝	酸盐钾	1 000(N)	0.00	0.00	−0.06
铵	氯化物	100(N)	0.00	−0.01	0.03
镉	氯化物	100	0.00	−0.03	−0.03
锌	乙酸盐	100	0.00	−0.04	0.00
锰	氯化物	100	0.00	+0.04	−0.03
铁(Ⅲ)	氯化物	10	0.00	+0.04	−0.03
铁(Ⅲ)	氯化物	100	0.00	−0.06	0.51
铜	乙酸盐	100	−0.06	−0.06	−0.07
铝	硫酸盐	100	0.00	0.00	−0.03
硅酸盐	钠	100(SiO_2)		0.00	
尿 素		100	0.00	+0.04	−0.09
硫代硫酸盐	钠	100($S_2O_3^{2-}$)	0.00	−0.03	−0.82
硫代硫酸盐	钠	1 000($S_2O_3^{2-}$)	0.00	0.00	−0.77
氯		2(Cl_2)	0.00	−0.22	−0.25
氯		20(Cl_2)	−0.01	−1.01	−2.81
氯 胺		2(Cl_2)		−0.06	−0.07
氯 胺		20(Cl_2)	−0.01	−0.30	−2.78
盐酸羟胺		100	0.00	0.00	−0.01
聚磷酸钠(六偏磷酸盐)		50	0.00	−0.03	−0.82
聚磷酸钠(六偏磷酸盐)		500	0.00	−0.80	−8.10

注:* 存于试料中的物质量。除在括号中加指明外,此量指元素或化合物的量。

＊＊假定没有干扰,最大影响分别为 $0.00 \pm 0.02\mu g$、$1.00 \pm 0.14\mu g$(95%置信极限)。

六、总磷的测定——钼酸铵分光光度法

(一)主题内容与适用范围

本方法规定了用过硫酸钾(或硝酸－高氯酸)为氧化剂,将未经过滤的水样消解,用钼

酸铵分光光度法测定总磷的方法。

总磷包括溶解磷、颗粒磷、有机磷和无机磷。

本方法适用于地面水、污水和工业废水。

取 25ml 试料,本方法的最低检出浓度为 0.01mg/L,测定上限为 0.6mg/L。

在酸性条件下,砷、铬、硫对测定结果有干扰。

(二)原理

在中性条件下用过硫酸钾(或硝酸－高氯酸)使试样消解,将所含磷全部氧化为正磷酸盐。在酸性介质中,正磷酸盐与钼酸铵反应,在锑盐存在下生成磷钼杂多酸后,立即被抗坏血酸还原,生成蓝色的络合物。

(三)试剂

所用试剂除另有说明外,均应使用符合国家标准或专业标准的分析纯试剂和蒸馏水或同等纯度的水。

(1)硫酸(H_2SO_4),密度为 1.84g/ml。

(2)硝酸(HNO_3),密度为 1.4g/ml。

(3)高氯酸($HClO_4$),优级纯,密度为 1.68g/ml。

(4)硫酸(H_2SO_4),1＋1。

(5)硫酸,约 $c(1/2H_2SO_4)=1mol/L$。将 27ml 硫酸加入到 937ml 水中。

(6)氢氧化钠(NaOH),1mol/L 溶液。将 40g 氢氧化钠溶于水并稀释至 1 000ml。

(7)氢氧化钠(NaOH),6mol/L 溶液。将 240g 氢氧化钠溶于水并稀释至 1 000ml。

(8)过硫酸钾,50g/L 溶液。将 5g 过硫酸钾($K_2S_2O_8$)溶解于水,并稀释至 100ml。

(9)抗坏血酸,100g/L 溶液。溶解 10g 抗坏血酸($C_6H_8O_6$)于水中,并稀释至 100ml。此溶液贮存于棕色的试剂瓶中,在冷处可稳定几周。如不变色可长时间使用。

(10)钼酸盐溶液。溶解 13g 钼酸铵$[(NH_4)_6MO_7O_{24}\cdot4H_2O]$于 100ml 水中。溶解 0.35g 酒石酸锑钾$[KSbC_4HO_7\cdot1/2H_2O]$于 100ml 水中。在不断搅拌下把钼酸铵溶液徐徐加到 300ml 硫酸中,加酒石酸锑钾溶液并且混合均匀。此溶液贮存于棕色试剂中,在冷处可保存两个月。

(11)浊度－色度补偿液。混合 2 个体积硫酸和 1 个体积抗坏血酸溶液后配制而成,使用当天配制。

(12)磷标准贮备液。称取 0.219 7±0.001g(于 110℃ 干燥 2h 在干燥器中放冷)的磷酸二氢钾(KH_2PO_4),用水溶解后转移至 1 000ml 溶量瓶中,加入大约 800ml 水,加 5ml 硫酸用水稀释至标线并混匀。1.00ml 此标准溶液含 50.0μg 磷。

该溶液在玻璃瓶中可贮存至少 6 个月。

(13)磷标准使用溶液。将 10.0ml 的磷标准溶液转移至 250ml 容量瓶中,用水稀释至标线并混匀。1.00ml 此标准溶液含 2.0μg 磷。

(14)酚酞,10g/L 溶液。将 0.5g 酚酞溶于 50ml 95％的乙醇中。

(四)仪器

实验室常用仪器设备为:

(1)医用手提式蒸汽消毒器或一般压力锅($1.1 \sim 1.4 \mathrm{kg/cm}^2$)。

(2)50ml 具塞(磨口)刻度管。

(3)分光光度计。

所有玻璃器皿均应用稀盐酸或稀硝酸浸泡。

(五)采样和样品

取 500ml 水样后应立即加入 1ml 硫酸调节样品的 pH 值,使之不大于 1,以便保存。但应注意,水样不要用塑料瓶采样,因塑料瓶易被磷酸盐吸附在塑料瓶壁上。

取 25ml 样品于具塞刻度管中。取时应仔细摇匀,以得到溶解部分和悬浮部分均具有代表性的试样。如样品中含磷浓度较高,试样体积可以减少。

(六)分析步骤

1.空白试样

按测定的规定进行空白试验,用水代替试样,并加入与测定时同体积的试剂。

2.测定

(1)过硫酸钾消解。向 25ml 试样中加 4ml 过硫酸钾,将具塞刻度管的盖塞紧后,用一小块布和线将玻璃塞扎紧(或用其他方法固定),放在大烧杯中于高压蒸汽消毒器中加热,待压力达 $1.1 \mathrm{kg/cm}^2$,相应温度为 120℃时,保持 30min 后停止加热。待压力表读数降至零后,取出放冷。然后用水稀释至标线。

如果为加硫酸保存的水样,当用过硫酸钾消解时,需先将试样调至中性。

(2)硝酸-高氯酸消解。取 25ml 试样于锥形瓶中,加数粒玻璃珠,加 2ml 硝酸在电热板上加热浓缩至 10ml。冷后加 5ml 硝酸,再加热浓缩至 10ml,放冷。加 3ml 高氯酸,加热至高氯酸冒白烟,此时可在锥形瓶上加小漏斗或调节电热板温度,使消解液在锥形瓶内壁保持回流状态,直至剩下 $3 \sim 4 \mathrm{ml}$,放冷。

加水 10ml,加 1 滴酚酞指示剂。滴加氢氧化钠溶液至刚呈微红色,再滴加硫酸溶液使微红刚好退去充分混匀。移至具塞刻度瓶中,用水稀释至标线。

(3)需要说明的几个方面:①用硝酸-高氯酸消解需要在通风橱中进行。高氯酸和有机物的混合物经加热易发生危险,需将试样先用硝酸消解,然后再加入硝酸-高氯酸进行消解。②绝不可把消解的试样蒸干。③如消解后有残渣时,用滤纸过滤于具塞刻度管中,并用水充分清洗锥形瓶及滤纸,一并移到具塞刻度管中。④水样中的有机物用过硫酸钾氧化不能完全破坏时,可用此法消解。

3.发色

分别向各份消解液中加入 1ml 抗坏血酸溶液混匀,30s 后加 2ml 钼酸盐溶液试剂充分混匀。

如试样中含有浊度或色度时,需配制一个空白试样(消解后用水稀释至标线),然后向试料中加入 3ml 浊度-色度补偿液,但不加抗坏血酸溶液和钼酸盐溶液。然后从试料的吸光度中扣除空白试料的吸光度。

砷大于 2mg/L 干扰测定,用硫代硫酸钠去除。硫化物大于 2mg/L 干扰测定,用通氮气去除。铬大于 50mg/L 干扰测定,用亚硫酸钠去除。

4．分光光度法测量

室温下放置 15min 后，使用光程为 30mm 的比色皿，在 700nm 波长下，以水作参比，测定吸光度。扣除空白试验的吸光度后，从工作曲线上查得磷的含量。

如显色时室温低于 13℃，可在 20~30℃ 水浴上显色 15min 即可。

5．工作曲线的绘制

取 7 支具塞刻度管分别加入 0.0、0.50ml、1.00ml、3.00ml、5.00ml 和 10.0ml 磷酸盐标准溶液。加水至 25ml。然后按测定步骤进行处理。以水作参比，测定吸光度。扣除空白试验的吸光度后，和对应的磷的含量绘制工作曲线。

（七）结果的表示

总磷含量以 $c(mg/L)$ 表示，按下式计算：

$$c = \frac{m}{V}$$

式中：m——试样测得含磷量，μg；

V——测定用试样体积，ml。

（八）精密度与准确度

1.13 个实验室测定（采用过硫酸钾消解）含磷 2.06mg/L 的统一样品

（1）重复性。实验室内相对标准偏差为 0.75%。

（2）再现性。实验室间相对标准偏差为 1.5%。

（3）准确度。相对误差为 +1.9%。

2.6 个实验室测定（采用硝酸－高氯酸消解）含磷量 2.06mg/L 的统一样品

（1）重复性。实验室内相对标准偏差为 1.4%。

（2）再现性。实验室间相对标准偏差为 1.4%。

（3）准确度。相对误差为 1.9%。

质控样品主要成分是乙氨酸（NH_2CH_2COOH）和甘油磷酸钠（$C_3H_7Na_2O_6P \cdot 5\frac{1}{2}H_2O$）。

七、高锰酸盐指数的测定

测定标准参照采用国际标准《水质高锰酸盐指数的测定》（ISO8467—1986）。

（一）主题内容与适应范围

该标准规定了测定水中高锰酸盐指数的方法。适用于饮用水、水源水和地面水的测定，测定范围为 0.5~4.5mg/L。对污染较重的水，可少取水样，经适当稀释后测定。

这一标准不适用于测定工业废水中有机污染的负荷量，如需测定，可用重铬酸钾法测定化学需氧量。

样品中无机还原性物质如 NO_2^-、S^{2-} 和 Fe^{2+} 等可被测定。氯离子浓度高于 300 mg/L 时，采用在碱性介质中氧化的测定方法。

（二）定义

高锰酸盐指数是反映水体中有机及无机可氧化物质污染的常用指标。定义为：在一定条件下，用高锰酸钾氧化水样中的某些有机物及无机还原性物质，由消耗的高锰酸钾量计算相当的氧量。

高锰酸盐指数不能作为理论需氧量或总有机物含量的指标,因为在规定的条件下,许多有机物只能部分地被氧化,易挥发的有机物也不包含在测定值之内。

(三)原理

样品中加入已知量的高锰酸钾和硫酸,在沸水浴中加热 30min,高锰酸钾将样品中的某些有机物和无机还原性物质氧化,反应后加入过量的草酸钠还原剩余的高锰酸钾,再用高锰酸钾标准溶液回滴过量的草酸钠。通过计算得到样品中高锰酸盐指数。

(四)试剂

除另有说明外,均使用符合国家标准或专业标准的分析纯试剂和蒸馏水或同等纯度的水,不得使用去离子水。

(1)不含还原性物质的水。将 1L 蒸馏水置于全玻璃蒸馏器中,加入 10ml 硫酸试剂和少量高锰酸钾溶液,蒸馏。弃去 100ml 初馏液,余下馏出液贮存于具玻璃塞的细口瓶中。

(2)硫酸(H_2SO_4)。密度(ρ_{20})为 1.84g/ml。

(3)硫酸 1+3 溶液。在不断搅拌下,将 100ml 密度为 1.84g/ml 的硫酸慢慢加入到 300ml 水中,趁热加入数滴高锰酸钾溶液直至溶液出现粉红色。

(4)氢氧化钠,500g/L 溶液。称取 50g 氢氧化钠溶于水并稀释至 100ml。

(5)草酸钠标准贮备液,浓度 $c(1/2Na_2C_2O_4)$ 为 0.100 0mol/L。称取 0.670 5g 经 120℃烘干 2h 并放冷的草酸钠($Na_2C_2O_4$)溶解水中,移入 100ml 容量瓶中,用水稀释至标线,混匀,置 4℃条件下保存。

(6)草酸钠标准溶液,浓度 $c_1(1/2Na_2C_2O_4)$ 为 0.010 0mol/L。吸取 10.00ml 草酸钠贮备液于 100ml 容量瓶中,用水稀释至标线,混匀。

(7)高锰酸钾标准贮备液,浓度 $c_2(1/5KMnO_4)$ 约为 0.1mol/L。称取 3.2g 高锰酸钾溶解于水并稀释至 1 000ml。于 90~95℃水浴中加热此溶液 2h,冷却。存放两天后,倾出清液,贮存于棕色瓶中。

(8)高锰酸钾标准溶液,浓度 $c_3(1/5KMnO_4)$ 约为 0.01mol/L。吸取 100ml 高锰酸钾标准贮备液于 1 000ml 容量瓶中,用水稀释至标线,混匀。此溶液在暗处可保存几个月,使用当天标定其浓度。

(五)仪器

(1)常用的实验室仪器。

(2)水浴或相当的加热装置,有足够的容积和功率。

(3)酸式滴定管,25ml。

需要说明的是,新的玻璃器皿必须用酸性高锰酸钾溶液清洗干净后方可使用。

(六)样品的保存

采样后要加入硫酸 1+3 溶液,使样品 pH 值为 1~2 并尽快分析。如保存时间超过 6h,则需置暗处,于 0~5℃下保存,不得超过 2 天。

(七)分析步骤

(1)吸取 100ml 经充分摇动、混合均匀的样品(或分以适量,用水稀释至 100ml),置于

250ml 锥形瓶中,加入 5±0.5ml 硫酸,用滴定管加入 10.00ml 高锰酸钾溶液,摇匀。将锥形瓶置于沸水浴内 30±2min(水浴沸腾,开始计时)。

（2）取出后用滴定管加入 10.00ml 草酸钠溶液至溶液变为无色。趁热用高锰酸钾溶液滴定至刚出现粉红色,并保持 30s 不退。记录消耗的高锰酸钾溶液体积。

（3）空白试验。用 100ml 水代替样品,按以上步骤测定,记录下回滴的高锰酸钾溶液体积。

（4）向空白试验滴定后的溶液中加入 10.00ml 草酸钠溶液。如果需要,将溶液加热至 80℃。用高锰酸钾溶液继续滴定至刚出现粉红色,并保持 30s 不退。记录下消耗的高锰酸钾溶液体积。

需要说明:① 沸水浴的水面要高于锥形瓶内的液面。② 样品量以加热氧化后残留的高锰酸钾为其加入量的 1/2～1/3 为宜。加热时,如溶液红色退去,说明高锰酸钾量不够,须重新取样,经稀释后测定。③ 滴定时温度如低于 60℃,反应速度缓慢,因此应加热至 80℃ 左右。④ 沸水浴温度为 98℃。如在高原地区,报出数据时,需注明水的沸点。

(八)结果的表示

高锰酸盐指数（I_{Mn}）以每升样品消耗毫克氧数来表示（O_2,mg/L）,按下式计算:

$$I_{Mn} = \frac{[(10 + V_1)10/V_2 - 10] \times c \times 8 \times 1\,000}{100}$$

式中:V_1——样品滴定时消耗高锰酸钾溶液体积,ml;

$\quad\quad V_2$——标定时所消耗高锰酸钾溶液体积,ml;

$\quad\quad c$——草酸钠标准溶液,浓度为 0.010 0mol/L;

如样品经稀释后测定,按下式计算:

$$I_{Mn} = \frac{\{[(10 + V_1)10/V_2 - 10] - [(10 + V_0)10/V_2 - 10] \times f\} \times c \times 8 \times 1\,000}{V_3}$$

式中:V_0——空白试验时消耗高锰酸钾溶液体积,ml;

$\quad\quad V_3$——测定时所取样品体积,ml;

$\quad\quad f$——稀释样品时,蒸馏水在 100ml 测定用体积内所占比例（例如,10ml 样品用水稀释至 100ml,则 $f = 100 - 10/100 = 0.90$）。

(九)精密度

5 个实验室测定高锰酸钾值为 4.0mg/L 的葡萄糖统一分发标准溶液。

（1）重复性。实验室内相对标准偏差为 4.2%。

（2）再现性。实验室间总相对标准偏差为 5.2%。

(十)碱性高锰酸钾氧化法注意事项

（1）适用范围。当样品中氯离子浓度高于 300mg/L 时,则采用在碱性介质中,用高锰酸钾氧化样品中的某些有机物及无机还原性物质。

（2）分析步骤。吸取 100ml 样品（或适量,用水稀释至 100ml）,置于 250ml 锥形瓶中,加入 0.5ml 氢氧化钠溶液,摇匀。用滴定管加入 10.00ml 高锰酸钾溶液,将锥形瓶置于沸水浴中 30±2min(水浴沸腾,开始计时)。

取出后,加入 10±0.5ml 硫酸,摇匀。以下步骤同(七)中的分析步骤。

(3)分析结果表达同(八)。

八、铵的测定——纳氏试剂比色法

(一)适用范围

(1)该方法适用于生活饮用水、地面水和废水。

(2)样品中含有悬浮物、余氯、钙镁等金属离子、硫化物和有机物时,会产生干扰,含有此类物质时,要作适当的预处理,以消除对测定的影响。

(3)范围。最大试份体积为50ml时,铵氮浓度c_N可达2mg/L。

(4)最低检出浓度。①目视法。试份体积为50ml时,最低检出浓度为0.02mg/L。②分光光度法。试份体积为50ml,使用光程长为10mm的比色皿时,最低检出浓度为0.05mg/L。

(5)灵敏度。使用50ml试份,光程长为10mm的比色皿,$c_N=1.0$mg/L,给出的吸光度约为0.2个单位。

(二)原理

以游离态的氨或铵离子等形式存在的铵氮与纳氏试剂反应生成黄棕色络合物,该络合物的色度与铵氮的含量成正比,可用目视比色或者用分光光度法测定。

(三)试剂

分析中只使用公认的分析纯试剂和按以下要求制备的水。

(1)水。无氨,按下述方法之一制备。①离子交换法。将蒸馏水通过一个强酸性阳离子交换树脂(氢型)柱,流出液收集在带有磨口玻璃塞的玻璃瓶中。每升流出液中加入10g同类树脂,以利保存。②蒸馏法。在1 000ml蒸馏水中,加入0.1ml硫酸($\rho=1.84$ g/ml),并在全玻璃蒸馏器中重蒸馏,弃去前50ml馏出液,然后将约800ml馏出液收集在带有磨口玻璃塞的玻璃瓶中。每升收集的馏出液中加入10g强酸性阳离子交换树脂(氢型),以利保存。

(2)纳氏试剂。包括以下内容:

1)二氯化汞-碘化钾-氢氧化钾($HgCl_2-KI-KOH$)。称取15g氢氧化钾(KOH),溶于50ml水中,冷至室温。

称取5g碘化钾(KI),溶于10ml水中,在搅拌下,将2.5g二氯化汞($HgCl_2$)粉末分次少量加入碘化钾溶液中,直到溶液呈深黄色或出现微米红色沉淀溶解缓慢时,充分搅拌混和,并改为滴加二氯化汞饱和溶液,当出现少量朱红色沉淀不再溶解时,停止滴加。

在搅拌下,将冷的氢氧化钾溶液缓慢地加入到上述二氯化汞和碘化钾的混合液中,并稀释至100ml,于暗处静置24h,倾出上清液,贮存于棕色瓶中,用橡皮塞塞紧。存放暗处,此试剂至少可稳定一个月。

2)碘化汞-碘化钾-氢氧化钠($HgI_2-KI-NaOH$)。称取16g氢氧化钠(NaOH),溶于50ml水中,冷至室温。

称取7g碘化钾(KI)和10g碘化汞(HgI_2),溶于水中,然后将此溶液在搅拌下,缓慢地加入到氢氧化钠溶液中,并稀释至100ml。贮存于棕色瓶内,用橡皮塞塞紧。在暗处存放时,有效期可达 1 年。

(3)酒石酸钾钠溶液。称取 50g 酒石酸钾钠($KNaC_4H_6O_6 \cdot 4H_2O$),溶于 100ml 水中,加热煮沸,以除去氨,充分冷却后稀释至 100ml。

(4)铵氮标准溶液,$c_N = 1\,000\mu g/ml$。称取 $3.819 \pm 0.004g$ 氯化铵(NH_4Cl,在 $100\sim105℃$ 干燥 2h),溶于水中,移入 1 000ml 容量瓶中,稀释至刻度。

(5)铵氮标准溶液,$c_N = 10\mu g/ml$。吸取 10.00ml 浓度为 1 000$\mu g/ml$ 的铵氮标准溶液于 1 000ml 容量瓶中,稀释至刻度。临用前配制。

(6)10%(m/V)硫酸锌溶液。称取 10g 硫酸锌($ZnSO_4 \cdot 7H_2O$),溶于水中,稀释至100ml。

(7)25%(m/V)氢氧化钠溶液。称取 25g 氢氧化钠(NaOH),溶于水中,冷至室温,稀释至 100ml。

(8)0.35%(m/V)硫代硫酸钠溶液。称取 3.5g 硫代硫酸钠($Na_2S_2O_3$ 或 $Na_2S_2O_3 \cdot 5H_2O$),溶于水,再稀释至 1 000ml。

(9)淀粉碘化钾试纸。称取 1.5g 可溶性淀粉于烧杯中,用少量水调成糊状,加入 200ml 沸水,搅拌混匀放冷。加 0.5g 碘化钾(KI)和 0.5g 碳酸钠(Na_2CO_3),用水稀释至 250ml。将滤纸条浸湿后,取出晾干,装棕色瓶中密封保存。

(四)仪器

常用实验室仪器及分光光度计。

(五)采样及样品

(1)实验室样品。样品采集后存放在聚乙烯瓶或玻璃瓶内,应尽快分析,不然要在 $2\sim5℃$ 下存放,用硫酸($\rho = 1.84g/ml$)将样品酸化至 pH 值<2 亦有利于保存,但酸化样品会吸收空气中的氨而被污染,应注意防止。

(2)试份。清洁样品可直接取 50ml 作为试份。

含有悬浮物或色度深的样品预处理后,预处理方法见(六),再从中取 50ml(或取适量,稀释至 50ml)作为试份。

(六)步骤

1. 预处理

样品中含有悬浮物、余氯、钙镁等金属离子、硫化物和有机物时,对比色测定有干扰,处理方法如下:

(1)除余氯。加入适量的硫代硫酸钠溶液,每 0.5ml 可除去 0.25mg 余氯。也可用淀粉-碘化钾试纸检验是否除尽余氯。

(2)凝聚沉淀。在 100ml 样品中加入 1ml 10%硫酸锌溶液和 0.1~0.2ml 25%氢氧化钠溶液,调节 pH 值约为 10.5,混匀,放置使之沉淀,倾出上清液作试份。必要时,用经水冲洗过的中速滤纸过滤,弃去初滤液 20ml。

(3)络合掩蔽。加入制备好的酒石酸钾钠溶液,可消除钙、镁等金属离子的干扰。

(4)蒸馏法。用凝聚沉淀和络合掩蔽后,样品仍浑浊和带色,则应采用蒸馏法,见(八)。

(5)低 pH 值下煮沸。蒸馏中,某些有机物很可能与氨同时被馏出,对测定仍有干扰,其中有些物质(如甲醛)可在比色前于低 pH 值下采用煮沸除去。

2.测定

取试份于 50ml 比色管中,加入 1ml 制备好的酒石酸钾钠溶液,摇匀,再加入纳氏试剂 1.5ml 或 1.0ml 碘化汞－碘化钾－氢氧化钠溶液,摇匀。放置 10min 后进行比色。若色度很低采用目视比色,一般在波长 420nm 下,用光程长 20mm 的比色皿,以水作参比,测定试份的吸光度。

3.空白试验

用 50ml 水代替试份,按测定步骤进行处理。此步骤只用于分光光度法。

4.校准

(1)目视比色法。在 6 个 50ml 比色管中,分别加入 0、0.10ml、0.30ml、0.50ml、0.70ml 和 1.00ml 浓度为 $10\mu g/ml$ 的铵氮标准溶液,再加水至刻度,显色后进行目视比色。

(2)分光光度法。在 8 个 50ml 比色管中,分别加入 0、0.50ml、1.00ml、2.00ml、3.00ml、5.00ml、7.00ml 和 10.00ml 浓度为 $10\mu g/ml$ 的铵氮标准溶液,再加水至刻度。显色后进行分光光度测定。

将上面系列标准溶液测得的吸光度扣除试剂空白(零浓度)的吸光度后,得到校正吸光度,以校正吸光度为纵坐标,铵氮质量 m_N 为横坐标,绘制校准曲线。

(七)结果的表示

1.目视比色法

将试份的色度与标准溶液系列中的色度比较后,得到试份中的铵氮质量 m_N,除以试份的体积 V,便可得到试份的铵氮含量 c_N(mg/L)。

2.分光光度法

(1)计算方法。试份中铵氮吸光度 A_r 用下式计算:

$$A_r = A_s - A_b$$

式中:A_s——试份测定吸光度;

A_b——空白试验吸光度。

铵氮含量 c_N(mg/L)用下式计算:

$$c_N = \frac{m_N}{V}$$

式中:m_N——铵氮质量,μg,由 A_r 值和相应比色皿光程的校准曲线确定。

V——试份体积,ml。

(2)精密度和准确度见表 6-10。

表 6-10　　　　　　　　　　　　重复性 r 和再现性 R 及回收率

样品	铵氮浓度 c_N (mg/L)	精密度		准确度回收率 (%)
		重复性 r (mg/L)	再现性 R (mg/L)	
标准溶液	1.47	0.024	0.066	95～105
	1.21	0.028	0.075	94～104

(八)样品的蒸馏预处理注意事项

1. 试剂

所用试剂为公认的分析纯试剂,所用的水应为无氨水。

(1)硼酸(H_3BO_3)。20g/L 溶液。

(2)氢氧化钠(NaOH)。40g/L 溶液。

(3)轻质氧化镁(MgO)。不含碳酸盐,在 500℃下加热氧化镁,以除去碳酸盐。

(4)盐酸(HCl,$\rho = 1.18g/ml$)。1mol/L 溶液。

(5)防沫剂。如石蜡碎片。

(6)溴百里酚蓝(bromthymol blue)。0.5g/L 指示液。

2. 仪器

为常用实验室仪器及以下仪器和过程:

(1)蒸馏器。由一个 500~800ml 的蒸馏烧瓶及防喷头和一个垂直放置的冷凝管组装而成。冷凝管末端可连接一适当长度的滴管,使出口尖端浸入吸收液液面下约 2cm。

(2)蒸馏器清洗。向蒸馏烧瓶中加入 350ml 水,加几粒防爆沸颗粒,装好仪器,蒸馏到至少收集 100ml 水时,将馏出液及瓶内残留液弃去。

3. 蒸馏操作

将 50ml 20g/L 的硼酸溶液移入接收瓶内,确保冷凝管出口在硼酸溶液液面之下。

量取 300ml 样品,移入蒸馏烧瓶中,加几滴 0.5g/L 溴百里酚蓝指示液,必要时,用 40g/L 氢氧化钠溶液或 1mol/L 的盐酸溶液调整 pH 值至 6.0(指示剂呈黄色)~7.4(指示剂呈蓝色)之间,加水使总体积约为 350ml。向蒸馏烧瓶中加入 0.25g 处理过的轻质氧化镁及少许防爆沸颗粒(对一些工业废水样品,必要时,加入石蜡碎片作为防沫剂),立即将蒸馏烧瓶与冷凝管连接好。

加热蒸馏,使馏出液速率约为 10ml/min,等馏出液约为 200ml 时,停止蒸馏。

将馏出液定容至原体积(300ml)。

当分取试份供纳氏试剂比色测定时,应先用浓度为 40g/L 氢氧化钠溶液调节至中性。

九、铵的测定——蒸馏和滴定法

(一)适用范围

该方法适用于饮用水及废水中铵的测定。

采用 10ml 试份,可测定试份中铵氮含量高达 10mg,相当于样品浓度高达 1 000 mg/L。

(1)最低检出浓度。使用 250ml 试份,实际测定的(自由度为 4)最低检出浓度为含氮 0.2mg/L。

(2)灵敏度。使用 100ml 试份,1.0ml 浓度为 0.02mol/L 的盐酸相当于含氮 2.8mg/L。

(3)干扰。尿素可能是主要干扰,它在规定条件下以氨馏出,从而引起结果偏高,挥发性胺类也会引起干扰,它们会被馏出并在滴定时与酸反应,因而使结果偏高。氯化样品中存在的氯胺亦会以这种方式被测定。

(二)原理

调节试份的 pH 值在 6.0~7.4 的范围内,加入氧化镁使呈微碱性,蒸馏释出的氨被接收瓶中的硼酸溶液吸收。以甲基红－亚甲蓝为指示剂,用酸标准溶液滴定馏出液中的铵。

(三)试剂

分析中仅使用公认的分析纯试剂及按以下条件要求制备的水。

(1)水。无氨,用下述方法之一制备:

1)离子交换法。蒸馏水通过强酸性阳离子交换树脂(氢型)柱,将流出液收集在带有磨口玻璃塞的玻璃瓶内。每升流出液加 10g 同样的树脂,以利于保存。

2)蒸馏法。在 1 000ml 的蒸馏水中,加 0.1ml 硫酸(ρ=1.84g/ml),在全玻璃蒸馏器中重蒸馏,弃去前 50ml 馏出液,然后将约 800ml 馏液收集在带有磨口玻璃塞的玻璃瓶内。每升馏出液加 10g 强酸性阳离子交换树脂(氢型)。

(2)盐酸(HCl),ρ=1.18g/ml。

(3)盐酸标准滴定液,相当于 0.10mol/L。将密度为 ρ=1.189g/ml 的盐酸稀释后制备此溶液,用常规分析操作进行标定。

(4)盐酸标准滴定液。相当于 0.02mol/L。将密度为 ρ=1.189g/ml 的盐酸稀释后制备此溶液。用常规分析操作进行标定,或将浓度为 0.10mol/L 的盐酸标准滴定液稀释使用。

(5)1%(V/V)盐酸溶液。将 10ml 密度为 1.18g/ml 的盐酸用水稀释到 1 000ml。

(6)1mol/L 氢氧化钠溶液。将 40g 氢氧化钠(NaOH)溶于约 500ml 水中,冷至室温,稀释至 1 000ml。

(7)轻质氧化镁。不含碳酸盐。在 500℃下加热氧化镁,以除去碳酸盐。

(8)硼酸指示剂溶液。其步骤如下:

1)将 0.5g 水溶性甲基红(methyl red)溶于约 800ml 水中,稀释至 1 000ml。

2)将 1.5g 亚甲蓝(methylene blue)溶于约 800ml 水中,稀释至 1 000ml。

3)将 20g 硼酸(H_3BO_3)溶于温水,冷至室温,加入 10ml 制备好的甲基红指示剂溶液和 2ml 制备好的亚甲蓝指示剂溶液,稀释至 1 000ml。

(9)溴百里酚蓝(bromthymol blue)指示液。将 0.5g 溴百里酚蓝溶于水,稀释至 1 000ml。

(10)防爆沸颗粒。

(11)防沫剂,如石蜡碎片。

(四)仪器

常用实验室仪器及以下仪器和过程:

(1)蒸馏器。由 1 个 500~800ml 的蒸馏烧瓶及防喷头和一个垂直放置的冷凝管组装而成。冷凝管末端可连接一适当长度的滴管,使出口尖端浸入吸收液液面下约 2cm。

(2)蒸馏器清洗。向蒸馏烧瓶中加入 350ml 水,加 2 粒防爆沸颗粒,装好仪器,蒸馏到至少收集了 100ml 水,将馏出液及瓶内残留液弃去。

(五)采样和样品

实验室样品应收集在聚乙烯瓶或玻璃瓶内,要尽快分析,否则应在 2~5℃下存放,或用硫酸($\rho=1.84g/ml$)将样品酸化,使其 pH 值<2。应注意防止酸化样品吸收空气中的氨而被污染。

(六)步骤

1.试份体积的选择

如果已知样品中大约的铵含量,可按表 6-11 选择试份体积。

表 6-11　　　　　　　　　已知铵含量选择的试份体积

铵浓度 c_N(mg/L)	试份体积(ml)
<10	250
10~20	100
20~50	50
50~100	25

注:滴定使用的试份体积是浓度为 0.10mol/L 的盐酸标准滴定液。

2.测定

(1)取 50ml 硼酸指示剂溶液,放入蒸馏器的接收瓶内,确保冷凝管出口在硼酸溶液液面之下。按表 6-11 所列量取选定体积的试份,放入蒸馏烧瓶内。

如果试份中存在余氯,应加入几粒结晶硫代硫酸钠($Na_2S_2O_3$ 或 $Na_2S_2O_3 \cdot 5H_2O$)除去它。

加几滴溴百里酚蓝指示液,必要时,用浓度为 1mol/L 的氢氧化钠溶液或体积比为 1%的盐酸溶液调整 pH 值在 6.0(指示剂呈黄色)~7.4(指示剂呈蓝色)之间,然后加水,使蒸馏烧瓶中液体的总体积约为 350ml。向蒸馏烧瓶中加入 0.25g 轻质氧化镁及少许防爆沸颗粒(对一些工业废水样品,必要时加入防沫剂),立即将蒸馏烧瓶与冷凝管接好。

(2)加热蒸馏器,使馏出液的收集速度约为 10ml/min,收集到约 200ml 时停止蒸馏。

(3)用浓度为 0.02mol/L 的盐酸标准滴定液滴定馏出液到紫色终点,记录下用量。

滴定由含铵量高的样品所得到的馏出液时,可能要用浓度为 0.10mol/L 的盐酸标准滴定液。

氨只要被蒸馏至接收瓶,就可以滴定它。如果氨的蒸出速度很慢,表明可能存在干扰物质,它们在缓慢水解产生氨。

3.空白试验

按上述的步骤进行空白试验,但用 250ml 水代替试份。

(七)结果的表示

1.计算方法

铵氮含量 c_N(mg/L)用下式计算:

$$c_N = \frac{V_1 - V_2}{V_0} \times c \times 14.01 \times 1\,000$$

式中:V_0——试份的体积,ml;

V_1——试份滴定所消耗的盐酸标准滴定液体积,ml;

V_2——空白试验滴定所消耗的盐酸标准滴定液体积,ml;

c——滴定用的盐酸精确浓度,mol/L;

14.01——氮的原子量。

结果可以表示为氮的质量浓度 c_N、氨的质量浓度 c_{NH_3} 或铵离子的质量浓度 $c_{NH_4^+}$,单位以 mg/L 表示,或表示为铵离子的摩尔浓度 $c(NH_4^+)$,单位以 $\mu mol/L$ 表示。相应的换算系数可查表 6-12。

表 6-12　　　　　　　　　　　　铵的测定结果换算系数

	c_N (mg/L)	c_{NH_3} (mg/L)	$c_{NH_4^+}$ (mg/L)	$c(NH_4^+)$ ($\mu mol/L$)
$c_N = 1mg/L$	1	1.216	1.288	71.4
$c_{NH_3} = 1mg/L$	0.823	1	1.059	58.7
$c_{NH_4^+} = 1mg/L$	0.777	0.944	1	55.4
$c(NH_4^+) = 1\mu mol/L$	0.014	0.017	0.018	1

例如,铵离子浓度 $c_{NH_4^+}$ 为 1mg/L,相当于氮浓度 c_N 为 0.77mg/L。

2. 再现性

测定的再现性标准偏差如表 6-13 所示。

表 6-13　　　　　　　　　　　　铵测定的再现性标准偏差

样品	铵含量 c_N (mg/L)	试份体积 (ml)	标准偏差 (mg/L)	自由度
标准溶液	4.0	250	0.23	10
标准溶液	40	250	0.56	11
澄清的污水	35	100	0.70	16
污水厂出水	1.8	25	0.16	11

十、硝酸盐氮的测定——酚二磺酸分光光度法

(一)适用范围

适用于测定饮用水、地下水和清洁地面水中的硝酸盐氮。

1. 测定范围

适用于测定硝酸盐氮浓度范围在 0.02~2.0mg/L 之间。浓度更高时,可分取较少的试份测定。

2. 最低检出浓度

采用光程为 30mm 的比色皿,试份体积为 50ml 时,最低检出浓度为 0.02mg/L。

3. 灵敏度

当使用光程为 30mm 的比色皿,试份体积为 50ml,硝酸盐氮含量为 0.60mg/L 时,吸

光度约 0.6 单位。

使用光度为 10mm 的比色皿,试份体积为 50ml,硝酸盐氮含量为 2.0mg/L 时,其吸光度约 0.7 单位。

4. 干扰

水中含氯化物、亚硝酸盐、铵盐、有机物和碳酸盐时,可产生干扰。含此类物质时,应作适当的前处理,以消除对测定的影响。

(二)原理

硝酸盐在无水情况下与酚二磺酸反应,生成硝基二磺酸酚,在碱性溶液中,生成黄色化合物,于 410nm 波长处进行分光光度测定。

(三)试剂

该方法所用试剂除另有说明外,均为分析纯试剂,实验中所用的水,均应用蒸馏水或同等纯度的水。

(1)硫酸。$\rho = 1.84g/ml$。

(2)发烟硫酸($H_2SO_4 \cdot SO_3$)。含 13% 三氧化硫(SO_3)。

发烟硫酸在室温较低时凝固,取用时,可先在 40～50℃ 隔水浴中加温使溶化,不能将盛装发烟硫酸的玻璃瓶直接置入水浴中,以免瓶裂引起危险。发烟硫酸中含三氧化硫(SO_3)浓度超过 13% 时,可用 $\rho = 1.84g/ml$ 的硫酸按计算量进行稀释。

(3)酚二磺酸($C_6H_3(OH)(SO_3H)_2$)。称取 25g 苯酚置于 500ml 锥形瓶中,加 150ml $\rho = 1.84g/ml$ 的硫酸使之溶解,再加 75ml 发烟硫酸,充分混和。瓶口插一漏斗,置瓶于沸水浴中加热 2h,得淡棕色稠液,贮存于棕色瓶中,密塞保存。

1)当苯酚色泽变深时,应进行蒸馏精制。

2)无发烟硫酸时,亦可用 $\rho = 1.84g/ml$ 的硫酸代替,但应增加在沸水浴中加热时间至 6h,制得的试剂尤应注意防止吸收空气中的水分,以免因硫酸浓度的降低,影响硝基化反应的进行,使测定结果偏低。

(4)氨水($NH_3 \cdot H_2O$)。$\rho = 0.90g/ml$。

(5)硝酸盐氮标准溶液:$c_N = 100mg/L$。

将 0.721 8g 经 105～110℃ 干燥 2h 的硝酸钾(KNO_3)溶于水中,移入 1 000ml 容量瓶,用水稀释至标线,混匀。加 2ml 氯仿作保存剂,至少可稳定 6 个月。

每毫升该标准溶液含 0.10mg 硝酸盐氮。

(6)硝酸盐氮标准溶液。$c_N = 10.0mg/L$。

吸收 50.0ml $c_N = 100mg/L$ 的硝酸盐氮标准溶液,置蒸发皿内,加浓度为 0.1mol/L 的氢氧化钠溶液使调至 pH=8,在水浴上蒸发至干。加 2ml 酚二磺酸试剂,用玻璃棒研磨蒸发皿内壁,使残渣与试剂充分接触,放置片刻,重复研磨一次,放置 10min,加入少量水,定量移入 500ml 容量瓶中,加水至标线,混匀。

每毫升该标准溶液含 0.010mg 硝酸盐氮。贮存于棕色瓶中,此溶液至少稳定 6 个月。

需要说明的是,本标准溶液应同时制备两份,如发现浓度存在差异时,应重新吸取 $c_N = 100mg/L$ 的硝酸盐氮标准溶液进行制备。

(7)硫酸银溶液。称取 4.397g 硫酸银(Ag_2SO_4)溶于水,稀释至 1 000ml。

1.00ml 此溶液可去除 1.00mg 氯离子(Cl^-)。

(8)硫酸溶液。浓度为 0.5mol/L。

(9)氢氧化钠溶液。浓度为 0.1mol/L。

(10)EDTA 二钠溶液。称取 50g EDTA 二钠盐的二水合物($C_{10}H_{14}N_2O_3Na_2 \cdot 2H_2O$),溶于 20ml 水中,使调成糊状,加入 60ml $\rho = 0.90g/ml$ 的氨水充分混合,使之溶解。

(11)氢氧化铝悬浮液。称取 125g 硫酸铝钾($KAl(SO_4)_2 \cdot 12H_2O$)溶于 1L 水中,加热到 60℃,在不断搅拌下徐徐加入 55ml $\rho = 0.90g/ml$ 的氨水,使生成氢氧化铝沉淀,充分搅拌后静置,倾去上清液。反复用水洗涤沉淀,至倾出液无氯离子和铁盐。最后加入 300ml 水使成悬浮液。

使用前振摇均匀。

(12)高锰酸钾溶液。含量为 3.16g/L。

(四)仪器

常用实验室仪器及下列仪器:

(1)瓷蒸发皿。容量为 75～100ml。

(2)具塞比色管。50ml。

(3)分光光度计。适用于测量波长 410nm,并配有光程 10mm 和 30mm 的比色皿。

(五)采样和样品

按照国家标准规定及根据待测水的类型提出的特殊建议进行采样。

实验室样品可贮存于玻璃瓶中或聚乙烯瓶中。

硝酸盐氮的测定应在水样采集后立即进行,必要时,应保存在 4℃ 下,但不得超过 24h。

(六)步骤

1．试份体积的选择

最大试份体积为 50ml,可测硝酸盐氮浓度至 2.0mg/L。

2．空白试验

取 50ml 水,以与试份测定完全相同的步骤、试剂和用量,进行平行操作。

3．干扰的排除

(1)带色物质。取 100ml 试样移入 100ml 具塞量筒中,加 2ml 制备好的氢氧化铝悬浮液,密塞充分振摇,静置数分钟澄清后,过滤,弃去最初滤液的 20ml。

(2)氯离子。取 100ml 试样移入 100ml 具塞量筒中,根据已测定的氯离子含量,加入相当量制备好的硫酸银溶液,充分混合,在暗处放置 30min,使氯化银沉淀凝聚,然后用慢速滤纸过滤,弃去最初滤液 20ml。

1)如不能获得澄清滤液,可将已加过硫酸银溶液后的试样在近 80℃ 的水浴中加热,并用力振摇,使沉淀充分凝聚,冷却后再进行过滤。

2)如同时需去除带色物质,则可在加入硫酸银溶液并混匀后,再加入 2ml 氢氧化铝悬浮液,充分振摇,放置片刻待沉淀后,过滤。

(3)亚硝酸盐。当亚硝酸盐氮含量超过 0.2mg/L 时,可取 100ml 试样,加 1ml 浓度为

0.5mol/L 的硫酸溶液,混匀后,滴加浓度为 3.16g/L 的高锰酸钾溶液,至淡红色保持 15min 不褪为止,使亚硝酸盐氧化为硝酸盐,最后从硝酸盐氮测定结果中减去亚硝酸盐氮量。

4.测定

(1)蒸发。取 50.0ml 试份放入蒸发皿中,用 pH 试纸检查,必要时用浓度为 0.5mol/L 的硫酸溶液或浓度为 0.1mol/L 的氢氧化钠溶液,调节至微碱性(pH≈8),置水浴上蒸发至干。

(2)硝化反应。加 1.0ml 制备好的酚二磺酸试剂,用玻璃棒研磨,使试剂与蒸发皿内残渣充分接触,放置片刻,再研磨一次,放置 10min,加入约 10ml 水。

(3)显色。在搅拌下加入 3～4ml $\rho = 0.90$g/ml 的氨水,使溶液呈现最深的颜色。如有沉淀产生,过滤;或滴加 EDTA 二钠溶液,并搅拌至沉淀溶解。将溶液移入比色管中,用水稀释至标线,混匀。

(4)分光光度测定。于 410nm 波长,选用合适光程长的比色皿,以水为参比,测量溶液的吸光度。

5.校准

(1)标准系列的制备。用分度吸管向一组 10 支 50ml 比色管中,加入硝酸盐氮标准溶液,所加体积见表 6-14,加水至约 40ml,加 3ml $\rho = 0.90$g/ml 的氨水使成碱性,再加入至标线,混匀。

进行分光光度测定。所用比色皿的光程长亦如表 6-14 所示。

表 6-14　　　　　　　　　　　　　校准系列中所用标准溶液体积

硝酸盐氮标准溶液 $c_N = 10.0$mg/L 体积（ml）	硝酸盐氮含量 （mg）	比色皿光程长 （mm）
0	0	10、30
0.10	0.001	30
0.30	0.003	30
0.50	0.005	30
0.70	0.007	30
1.00	0.010	10、30
3.00	0.030	10
5.00	0.050	10
7.00	0.070	10
10.00	0.100	10

(2)校准曲线的绘制。由除零管外的其他校准系列测得的吸光度值减去零管的吸光度值,分别绘制不同比色皿光程长的吸光度对硝酸盐氮含量(mg)的校准曲线。

(七)结果的表示

1.计算方法

试份中硝酸盐氮的吸光度 A_r 用下式计算:

$$A_r = A_s - A_b$$

· 134 ·

式中：A_s——试份溶液的吸光度；

　　A_b——空白试验溶液的吸光度。

需要指出的是，对某种特定样品，A_s 和 A_b 应在同一种光程长的比色皿中测定。

硝酸盐氮含量 c_N 以 mg/L 表示。

（1）未经去除氯离子的试样，按下式计算：

$$c_N = \frac{m}{V} \times 1\ 000$$

式中：m——硝酸盐氮质量，mg，由 A_r 值和相应比色皿光程的校准曲线确定；

　　V——试份体积，ml；

　　$1\ 000$——换算为每升试样计。

（2）经去除氯离子的试样，按下式计算：

$$c_N = \frac{m}{V} \times 1\ 000 \times \frac{V_1 + V_2}{V_1}$$

式中：V_1——供去除氯离子的试样取用量，ml；

　　V_2——硫酸银溶液加入量，ml。

2. 精密度和准确度

经 5 个实验室的分析方法协作实验结果如下：

（1）实验室内。浓度范围为 0.2～0.4mg/L 的加标地面水，最大总相对标准偏差为 6.4%，回收率平均值为 78%。

浓度范围为 1.8～2.0mg/L 的加标地面水，最大总相对标准偏差为 5.4%，回收率平均值为 98.6%。

（2）实验室间。分析含硝酸盐氮 1.20mg/L 的统一分发标准样，实验室间总相对标准偏差为 9.4%，相对误差为 -6.7%；52 个实验室测定含硝酸盐氮 1.59mg/L 的合成水样，相对标准偏差为 11.0%，相对误差为 8.8%。

十一、挥发酚的测定——蒸馏后 4 - 氨基安替比林分光光度法

该方法与 ISO 6439—1984(E)标准在技术上主要差异为试份体积及相应的试剂用量。

（一）适用范围

适用于饮用水、地面水、地下水和工业废水中挥发酚的测定。其测定范围为 0.002～6mg/L。当浓度低于 0.5mg/L 时，采用氯仿萃取法；当浓度高于 0.5mg/L 时，采用直接分光光度法。同时，它还适用于氧化剂、油类、硫化物、有机物或无机还原性物质和芳香胺类干扰酚的测定。

（二）定义

该方法测定的是能随水蒸气蒸馏出的，并和 4 - 氨基安替比林反应生成有色化合物的挥发性酚类化合物，结果以苯酚计。

（三）方法 A——氯仿萃取法

1. 原理

用蒸馏法使挥发性酚类化合物蒸馏出，并与干扰物质和固定剂分离。由于酚类化合

物的挥发速度是随蒸馏液体积而变化的,因此馏出液体积必须与试样体积相等。

被蒸馏出的酚类化合物,于 pH=10±0.2 的介质中,在铁氰化钾存在下,与 4-氨基安替比林反应生成橙红色的安替比林染料。

用氯仿可将此染料从水溶液中萃取出,并在 460nm 波长测定吸收度,以含苯酚 mg/L 表示。

当试份为 250ml,用 10ml 氯仿萃取,以光程为 20mm 的比色皿测定时,酚的最低检出浓度为 0.002mg/L。含酚 0.06mg/L 的吸光度约为 0.7 单位。用光程为 10mm 的比色皿测定时,含酚 0.12mg/L 的吸光度约为 0.7 个单位。

2. 试剂

所用试剂除另有说明外,均为分析纯试剂;所用的水除另有说明外,均指蒸馏水或具有同等纯度的水。

酚标准溶液的配制、校准系列的制备以及稀释馏出液用水,均应用无酚水。

(1)无酚水的制备。包括以下内容:

1)于每升水中加入 0.2g 经 200℃ 活化 30min 的活性炭粉末,充分振摇后,放置过夜,用双层中速滤纸过滤。

2)加氢氧化钠使水呈强碱性,并滴加高锰酸钾溶液至紫红色,移入全玻璃蒸馏器中加热蒸馏,吸取溜出液供用。

3)无酚水应贮存于玻璃瓶中,取用时,应避免与橡胶制品(橡皮塞或乳胶管等)接触。

(2)硫酸亚铁($FeSO_4 \cdot 7H_2O$)。

(3)10%(m/V)硫酸铜溶液。称取 100g 五水硫酸铜($CuSO_4 \cdot 5H_2O$)溶于水,稀释至 1L。

(4)磷酸(H_3PO_4)。$\rho=1.70mg/ml$。

(5)1+9 磷酸溶液。

(6)10%(m/V)氢氧化钠溶液。

(7)四氯化碳(CCl_4)。

(8)硫酸。$\rho=1.84g/ml$。

(9)硫酸溶液,0.5mol/L。

(10)乙醚。

(11)酚贮备液,1.00g/L。称取 1.00g 无色苯酚(C_6H_5OH)溶于水,定量移入 1 000ml 容量瓶中,稀释至标线。标定后置冰箱内保存,至少稳定 1 个月。

(12)酚标准溶液,10.0mg/L。取适量酚贮备液用水稀释至每毫升含 0.010mg 酚。使用时当天配制。

(13)酚标准溶液,1.00mg/L。取适量酚标准溶液用水稀释至每毫升含 1.00μg 酚。配制后 2h 内使用。

(14)氨水($NH_3 \cdot H_2O$)。$\rho=0.90g/ml$。

(15)缓冲溶液(pH 值约为 10.7)。称取 20g 氯化铵(NH_4Cl)溶于 100ml 氨水中,密塞,置冰箱中保存。

应避免氨的挥发所引起 pH 值的改变,注意在低温下保存和取用后立即加塞盖严,并根据使用情况适量配制。

(16)2%(m/V)4-氨基安替比林溶液。称取 2g 4-氨基安替比林($C_{11}H_{13}N_3O$)溶于水中,稀释至 100ml,置冰箱中保存。可使用一星期。

固体试剂易潮解、氧化,宜保存在干燥器中。

(17)8%(m/V)铁氰化钾溶液。称取 8%铁氰化钾($K_3[Fe(CN)_6]$)溶于水,稀释至 100ml,置冰箱内保存,可使用一星期。

(18)氯仿($CHCl_3$)。

(19)甲基橙指示液。0.5g/L。

(20)碘化钾-淀粉试纸。称取 1.5g 可溶性淀粉置烧杯中,用少量水调成糊状,加入 200ml 沸水,搅拌混匀,放冷。加 0.5g 碘化钾(KI)和 0.5g 碳酸钠(Na_2CO_3),用水稀释至 250ml,将滤纸条浸湿后,取出晾干,装棕色瓶中密塞保存。

3.仪器

常用实验仪器及以下仪器:

(1)500ml 全玻璃蒸馏器。

(2)500ml(锥形)分液漏斗。

(3)分光光度计。具 460nm、510nm 波长,并配有光程为 10mm、20mm 的比色皿。

4.采样和样品

在样品采集现场,应检测有无游离氯等氧化剂的存在。如有发现,则应及时加入过量硫酸亚铁去除。

样品应贮存于硬质玻璃瓶中。

采集后样品应及时加磷酸酸化至 pH 值约为 4.0,并加适量硫酸铜(1g/L)以抑制微生物对酚类的生物氧化作用,同时应将样品冷藏(5~10℃),在采集后 24h 内进行测定。

5.步骤

(1)试份。最大试份体积为 250ml,可测定低至 0.5μg 酚。

(2)空白试验。取 250ml 水,采用与测定完全相同的步骤、试剂和用量,进行平行操作。

(3)干扰的排除。包括以下内容:

1)氧化剂(如游离氯)。当样品经酸化后滴于碘化钾-淀粉试纸上出现蓝色时,说明存在氧化剂。遇此情况,可加入过量的硫酸亚铁。

2)硫化物。样品中含少量硫化物时,在磷酸酸化后,加入适量硫酸铜即可生成硫化铜而被除去。当含量较高时,则应在样品用磷酸酸化后,置通风柜内进行搅拌曝气,使其生成硫化氢逸出。

3)油类。当样品不含铜离子(Cu^{2+})时,将样品移入分液漏斗中,静置分离出浮油后,加粒状氢氧化钠使 pH 值调节至 12~12.5,立即用四氯化碳萃取(每升样品用 40ml 四氯化碳萃取两次),弃去四氯化碳层,将经萃取后样品移入烧杯中,于水浴上加温以除去残留的四氯化碳。再用磷酸调节至 pH=4。

当样品含铜离子时,可在分离出浮油后,按 4)操作步骤进行。

4)甲醛、亚硫酸盐等有机物或无机还原性物质。可分取适量样品于分液漏斗中,加硫酸溶液使呈酸性,分次加入 50ml、30ml、30ml 乙醚以萃取酚,合并乙醚层于另一分液漏斗,分次加入 4ml、3ml、3ml 氢氧化钠溶液进行反萃取,使酚类转入氢氧化钠溶液中。合并碱溶液萃取液,移入烧杯中,置水浴上加温,以除去残余乙醚,然后用水将碱萃取液稀释到原分取样品的体积。同时应以水作空白试验。

需要说明的是,乙醚为低沸点、易燃和具麻醉作用的有机溶剂,使用时要小心,周围应无明火,并在通风柜内操作。室温较高时,样品和乙醚宜先置冰水浴中降温后,再进行萃取操作,每次萃取应尽快完成。

5)芳香胺类。芳香胺类亦可与 4 - 氨基安替比林产生呈色反应而干扰酚的测定。一般在酸性条件下,通过预蒸馏可与之分离,必要时可在 pH 值<0.5 的条件下蒸馏,以减小其干扰。

(4)测定。其内容包括:

1)预蒸馏。取 250ml 试样移入蒸馏瓶中,加数粒玻璃珠以防暴沸,再加数滴甲基橙指示液,用磷酸溶液调节到 pH=4(溶液呈橙红色),加 5ml 硫酸铜溶液(如采样时已加过硫酸铜,则适量补加)。如加入硫酸铜溶液后产生较多量的黑色硫化铜沉淀,则应摇匀后放置片刻,待沉淀后,再滴加硫酸铜溶液,至不再产生沉淀为止。

连接冷凝器,加热蒸馏,至蒸馏出约 225ml 时,停止加热,放冷,向蒸馏瓶中加入 25ml 水,继续蒸馏至馏出液为 250ml 为止。

蒸馏过程中,如发现甲基橙的红色褪去,应在蒸馏结束后,放冷,再加 1 滴甲基橙指示液。如发现蒸馏后残液不呈酸性,则应重新取样,增加磷酸加入量,进行蒸馏。

2)显色。将馏出液移入分液漏斗中,加 2.0ml 缓冲溶液,混匀,此时 pH 值为 10.0 ±0.2。加 1.50ml 4 - 氨基安替比林溶液,混匀,再加 1.5ml 铁氰化钾溶液,充分混匀后,放置 10min。

3)萃取。准确加入 10.0ml 氯仿,密塞,剧烈振摇 2min,静置分层。用干脱脂棉花拭干分液漏斗颈管内壁,于颈管内塞一小团干脱脂棉花或滤纸,将氯仿层通过干脱脂棉花团,弃去最初滤出的数滴萃取液后,直接放入光程为 20mm 的比色皿中。

4)分光光度测定。于 460nm 波长,以氯仿为参比,测量氯仿层的吸光度。

(5)校准。包括以下内容:

1)校准系列的制备。于一组 8 个分液漏斗中,分别加入 100ml 水,依次加入 0、0.50ml、1.00ml、3.00ml、5.00ml、7.00ml、10.0ml 和 15.0ml 酚标准溶液,再分别加水至250ml。

按(4)中 2)至 4)规定进行测定。

2)校准曲线的绘制。由校准系列测得的吸光度值减去零管的吸光度值,绘制吸光度对酚含量(μg)的曲线。

6. 结果的表示

(1)计算方法。试份中酚的吸光度 A_r 用下式计算:

$$A_r = A_s - A_b$$

式中:A_s——试份的吸光度;

· 138 ·

A_b——空白试验的吸光度。

挥发酚含量 $c(mg/L)$ 按下式计算：

$$c = \frac{m}{V}$$

7.精密度和准确度

由 3 个实验室参加的分析方法协作实验结果：

(1)实验室内。浓度范围为 $0.008 \sim 0.012mg/L$ 的加标地面水,最大总变异系数为 8.9%,回收率平均值为 99.9%。

浓度范围为 $0.045 \sim 0.052mg/L$ 的加标地面水,最大总变异系数为 3.6%,回收率平均值为 101.1%。

(2)实验室间。分析含 $0.030mg/L$ 的统一标准样,实验室间总相对标准偏差为 3.7%,相对误差为 0.0%。

(四)方法 B—— 直接比色法

1.原理

用蒸馏法使挥发性酚类化合物蒸馏出,并与干扰物质和固定剂分离,由于酚类化合物的挥发速度随馏出液体积而变化,因此馏出液体积必须与试份体积相等。

被蒸馏出的酚类化合物,于 pH 值为 10.0 ± 0.2 的介质中,在铁氰化钾存在下,与 4－氨基安替比林反应生成橙红色的安替比林染料。

显色后,在 30min 内,于 510nm 波长测量吸光度,以含苯酚 mg/L 表示。

当试份为 50ml,以光程长为 20mm 的比色皿测定时,酚的最低检出浓度为 0.1mg/L。含酚 3.0mg/L 的吸光度约为 0.7 个单位。用光程为 10mm 的比色皿测定时,含酚 6.0mg/L 的吸光度约为 0.7 个单位。

2.试剂

所用试剂均为分析纯试剂,所用水指蒸馏水或具有同等纯度的水。

3.仪器

常用实验仪器及 500ml 全玻璃蒸馏器、500ml 分液漏斗、分光光度计。

4.采样和样品

样品应贮存于硬质玻璃瓶中,采集后样品应及时加磷酸酸化至 pH 值约为 4.0。

5.步骤

(1)试份。最大试份体积为 50ml,可测定低至 0.005mg 酚。

(2)空白试验。取 250ml 水,采用与测定完全相同的步骤、试剂和用量,进行平行操作。

(3)去干扰。如存在氧化剂可加入过量的硫酸亚铁;如含硫化物,加入适量硫酸铜,含量高时应在样品磷酸酸化后置通风柜内进行搅拌曝气,使其生成硫化氢逸出。

(4)测定。包括以下内容:

1)预蒸馏。取 250ml 试样移入蒸馏瓶中,加数粒玻璃珠、数滴甲基橙指示液,用磷酸调节 pH 值到 4,加 5ml 硫酸铜溶液,连接冷凝管,加热蒸馏至约 225ml 时,停止加热放冷,向蒸馏瓶中加入 250ml 水,继续蒸馏至馏出液为 250ml 为止。

2)显色。分取 50ml 馏出液入 50ml 比色管中,加 0.5ml 缓冲溶液,混匀,此时 pH 值

为 10.0 ± 0.2,加 1.0ml 4－氨基安替比林溶液,混匀,再加 1.0ml 铁氰化钾溶液,充分混匀后,放置 10min。

3)分光光度测定。于 510nm 波长,用光程为 20mm 的比色皿,以水为参比,测量溶液的吸光度。

（5）校准。包括以下内容:

1)校准系列的制备。于一组 8 支 50ml 比色管中,分别加入 0、0.50ml、1.00ml、3.00ml、5.00ml、7.00ml、10.0ml 和 12.5ml 酚标准溶液,加水至标线。

按（4）中 2)至 3)规定进行测定。

2)校准曲线的绘制。由除零管外的其他校准系列测得的吸光值减去零管的吸光度值,绘制吸光度对酚含量(mg)的曲线。

6. 结果的表示

试份中酚的吸光度 A_r 用下式计算:

$$A_r = A_s - A_b$$

式中:A_s——试份的吸光度;

A_b——空白试验的吸光度。

挥发酚含量 c(mg/L)按下式计算:

$$c = m \times \frac{1\,000}{V}$$

式中:m——挥发酚质量,mg,由 A_r 值从相应的酚校准曲线确定;

V——试份体积,ml。

7. 精密度和准确度

经 3 个实验室参加的分析方法协作实验结果。

（1）实验室内。浓度范围为 0.3～0.5mg/L 的加标地面水,最大总变异系数为 5.9%,回收率平均值为 101.9%。

浓度范围为 3.8～4.1mg/L 的加标地面水,最大总变异系数为 1.3%,回收率平均值为 101.9%。

（2）实验室间。分析含 2.0mg/L 统一标准样品,实验室间总相对标准偏差为 2.0%,相对误差为 －2.0%。

（五）酚贮备液的浓度标定注意事项

吸取 10.0ml 酚贮备液于 250ml 碘量瓶中,加水稀释至 100ml,加 10.0ml 0.1mol/L（1/6KBrO₃）的溴酸钾－溴化钾溶液,立即加入 5ml 浓盐酸,密塞,徐徐摇匀,于暗处放置 10min,加入 1g 碘化钾,密塞,摇匀,放置暗处 5min,用 0.012 5mol/L 硫代硫酸钠（$Na_2S_2O_3 \cdot 5H_2O$）溶液滴定至淡黄色,加入 1ml 淀粉溶液,继续滴定至蓝色刚好褪去,记录用量。

同时以水代替酚贮备液作空白试验,记录硫代硫酸钠溶液用量。

酚贮备液浓度 c_1(mg/ml)由下式计算:

$$c_1 = \frac{(V_1 - V_2)c_B \times 15.68}{V}$$

式中：V_1——空白试验中硫代硫酸钠溶液的用量，ml；

V_2——滴定酚贮备液时硫代硫酸钠溶液的用量，ml；

c_B——硫代硫酸钠溶液的浓度，mol/L；

V——试份体积，ml；

15.68——苯酚（$1/6C_6H_5OH$）摩尔质量，g/mol。

（六）4-氨基安替比林的提纯

4-氨基安替比林的质量直接影响空白试验的吸光度值和测定结果的精密度。必要时，可按下述步骤进行提纯：将4-氨基安替比林置于干燥的烧杯中，加约10倍量的苯，用玻璃棒充分搅拌，并使块状物粉碎。将溶液连同沉淀物在干燥滤纸上过滤，再用少量苯洗至滤液为淡黄色为止。将滤纸上的4-氨基安替比林摊铺于表面皿上，利用通风柜的机械通风，在较短的时间内将残留的苯挥发除去后，置于干燥器内避光保存。

应注意，苯具毒性，提纯操作应在通风柜内进行。

十二、总氮的测定——碱性过硫酸钾消解紫外分光光度法

（一）主题内容与适用范围

1. 主题内容

该方法规定了用碱性过硫酸钾在120～124℃消解、紫外分光光度测定水中的总氮。

2. 适用范围

该方法适用于地面水、地下水的测定。可测定水中亚硝酸盐氮、硝酸盐氮、无机铵盐、溶解态氨及大部分有机含氮化合物中氮的总和。

氮的最低检出浓度为0.050mg/L，测定上限为4mg/L。该方法的摩尔吸光系数为$1.47 \times 10^3 L/(mol \cdot cm)$。

测定中的干扰物主要是碘离子与溴离子，当碘离子相对于总氮含量的2.2倍以上，溴离子相对于总氮含量的3.4倍以上时有干扰。

某些有机物在该方法规定的测定条件下不能完全转化为硝酸盐时对测定有影响。

（二）定义

（1）可滤性总氮。指水中可溶性及含可滤性固体（小于0.45μm颗粒物）的含氮量。

（2）总氮。指可溶性及悬浮颗粒中的含氮量。

（三）原理

在60℃以上水溶液中，过硫酸钾可分解产生硫酸氢钾和原子态氧，硫酸氢钾在溶液中离解而产生氢离子，故在氢氧化钠的碱性介质中可促使分解过程趋于完全。

分解出的原子态氧在120～124℃条件下，可使水样中含氮化合物的氮元素转化为硝酸盐。并且在此过程中有机物同时被氧化分解。可用紫外分光光度法于波长220nm和275nm处，分别测出吸光度A_{220}及A_{275}，按下式求出校正吸光度A：

$$A = A_{220} - 2A_{275}$$

按A的值查校准曲线可计算总氮（以NO_3-N计）含量。

（四）试剂和材料

除另有说明外，分析时均使用符合国家标准或专业标准的分析纯试剂。

（1）水，无氨。按下述方法之一制备：

1）离子交换法。将蒸馏水通过一个强酸型阳离子交换树脂（氢型）柱，流出液收集在带有密封玻璃盖的玻璃瓶中。

2）蒸馏法。在 1 000ml 蒸馏水中加入 0.10ml 硫酸（$\rho = 1.84g/ml$），并在全玻璃蒸馏器中重蒸馏，弃去前 50ml 馏出液，然后将馏出液收集在带有玻璃塞的玻璃瓶中。

（2）氢氧化钠溶液，200g/L。称取 20g 氢氧化钠（NaOH），溶于无氨水中，稀释至 100ml。

（3）氢氧化钠溶液，20g/L。将氢氧化钠 200g/L 溶液稀释至原体积的 10 倍而得。

（4）碱性过硫酸钾溶液。称取 40g 过硫酸钾（$K_2S_2O_8$），另称取 15g 氢氧化钠（NaOH），溶于无氨水中，稀释至 1 000ml，溶液存放在聚乙烯瓶内，最长可贮存一周。

（5）盐酸溶液 1+9。

（6）硝酸钾标准溶液。按下述方法制备：

1）硝酸钾标准贮备液，$c_N = 100mg/L$。硝酸钾（KNO_3）在 105～110℃烘箱中干燥 3h，在干燥器中冷却后，称取 0.721 8g，溶于无氨水中，移至 1 000ml 容量瓶中，用无氨水稀释至标线，在 0～10℃暗处保存，或加入 1～2ml 三氯甲烷保存，可稳定 6 个月。

2）硝酸钾标准使用液，$c_N = 10mg/L$。将贮备液用无氨水稀释 10 倍而得。使用时配制。

（7）硫酸溶液 1+35。

（五）仪器和设备

（1）常用实验仪器。

（2）紫外分光光度计及 10mm 石英比色皿。

（3）医用手提式蒸汽灭菌器或家用压力锅（压力为 1.1～1.4kg/cm^2），锅内温度相当于 120～124℃。

（4）具玻璃磨口塞比色管，25ml。

所用玻璃器皿可以用盐酸 1+9 或硫酸 1+35 浸泡，清洗后再用无氨水冲洗数次。

（六）样品

（1）采样。在水样采集后立即放入冰箱中或低于 4℃的条件下保存，但不得超过 24h。

水样放置时间较长时，可在 1 000ml 水样中加入约 0.5ml 硫酸（$\rho = 1.84g/ml$），酸化到 pH 值小于 2，并尽快测定。

样品可贮存在玻璃瓶中。

（2）试样的制备。取样品用 20g/L 氢氧化钠溶液或 1+35 硫酸溶液调节 pH 值至 5～9 即可制得试样。

如果试样中不含悬浮物，按（七）分析步骤中测定（2）测定；若试样中含悬浮物，则按（七）分析步骤中测定（3）测定。

（七）分析步骤

1. 测定

（1）用无分度吸管取 10.00ml 试样（c_N 超过 100mg 时，可减少取样量并加无氨水稀释至 10ml）置于比色管中。

(2)试样不含悬浮物时,按下述步骤进行:

1)加入 5ml 碱性过硫酸钾溶液,塞紧瓶口塞用布及绳等方法扎紧瓶塞,以防弹出。

2)将比色管置于医用手提式蒸汽灭菌器中,加热,使压力表指针到 $1.1\sim1.4kg/cm^2$,此时温度达 $120\sim124℃$ 后开始计时。或将比色管置于家用压力锅中,加热至顶压阀吹气时开始计时。保持此温度加热半小时。

3)冷却、开阀放气,移去外盖,取出比色管并冷至室温。

4)加盐酸(1+9)1ml,用无氨水稀释至25ml 标线,混匀。

5)移取部分溶液至 10mm,石英比色皿中,在紫外分光光度计上,以无氨水作参比,分别在波长为 220nm 与 275nm 处测定吸光度,并用 $A = A_{220} - 2A_{275}$ 计算出校正吸光度 A。

(3)试样含悬浮物时,先按上述(2)中1)至4)步骤进行,然后待澄清后移去上清液至石英比色皿中。再按上述(2)中5)步骤继续进行测定。

2.空白试验

空白试验除以 10ml 无氨水代替试料外,采用与测定完全相同的试剂、用量和分析步骤进行平行操作。

当测定在接近检测限时,必须控制空白试验的吸光度 A_b 不超过 0.03,超过此值,要检查所用水、试剂、器皿和家用压力锅或医用手提式蒸汽灭菌器的压力。

3.校准

(1)校准系列的制备。包括以下内容:

1)用分度吸管向一组(10 支)25ml 玻璃磨口塞比色管中,分别加入硝酸盐氮标准溶液 0、0.10ml、0.30ml、0.50ml、0.70ml、1.00ml、3.00ml、5.00ml、7.00ml 和 10.00ml。加水稀释至 10.00ml。

2)按试样不含悬浮物时的步骤进行测定。

(2)校准曲线的绘制。零浓度(空白)溶液和其他硝酸钾标准使用溶液制得的校准系列完成全部分析步骤,于波长 220nm、275nm 处测定吸光度后,分别按下式求出除零浓度外其他校准系列的校正吸光度 A_s 和零浓度的校正吸光度 A_b 及其差值 A_r:

$$A_s = A_{s220} - 2A_{s275}$$
$$A_b = A_{b220} - 2A_{b275}$$
$$A_r = A_s - A_b$$

式中:A_{s220}——标准溶液在220nm 波长的吸光度;

A_{s275}——标准溶液在275nm 波长的吸光度;

A_{b220}——零浓度(空白)溶液在220nm 波长的吸光度;

A_{b275}——零浓度(空白)溶液在275nm 波长的吸光度。

按 A_r 值与相应的 $NO_3 - N$ 含量(μg)绘制校准曲线。

(八)结果的表示

按式 $A = A_{220} - 2A_{275}$ 计算得试样校正吸光度 A_r,在校准曲线上查出相应的总氮 μg 数,总氮含量 c_N(mg/L)按下式计算:

$$c_N = \frac{m}{V}$$

式中:m——试样测出含氮量,μg;

$\quad\quad V$——测定用试样体积,ml。

(九)精密度与准确度

1. 重复性

21 个实验室分别测定了亚硝酸钠、氨基丙酸与氯化铵混合样品;CW604 氨氮标准样品;L-谷氨酸与葡萄糖混合样品。上述 3 种样品含氮量分别为 1.49mg/L、2.64mg/L、1.15mg/L,其分析结果为各实验室的室内相对标准偏差分别为 2.3%、1.6%和 2.5%。室内重复测定允许精密度分别为 0.074mg/L、0.092mg/L、0.063mg/L。

2. 再现性

经上述测定,实验室间相对标准偏差分别为 3.1%、1.1%和 4.2%;再现性相对标准偏差分别为 4.0%、1.9%和 4.8%;总相对标准偏差分别为 3.8%、1.9%和 4.9%。

3. 准确度

经上述测定,实验室内均值相对误差分别为 6.3%、2.4%和 8.7%。

室内单样相对误差分别为 7.5%、3.8%和 9.8%。实验室平均回收率置信范围分别为 99.0±6.4%、99.0±5.1%和 101±9.4%。

十三、总氰化物的测定

氰化物属于剧毒物,在操作氰化物及其溶液时,要特别小心,避免玷污皮肤和眼睛。吸取溶液一定要用安全移液管或用洗耳球吸溶液,切勿吸入口中。

除氰化物有剧毒外,吡啶也具有毒性,应注意安全使用。

氰化物可能以氰氢酸、氰离子和络合氰化物的形式存在于水中,这些氰化物可作为总氰化物和氰化物分别加以测定。

测定标准适用于饮用水、地面水、生活污水和工业废水。

活性氯等氧化物干扰,使结果偏低,可在蒸馏前加亚硫酸钠溶液排除干扰,见干扰物的排除部分 1)。

硫化物干扰,可在蒸馏前加碳酸铅或碳酸镉排除干扰,见干扰物的排除部分 3)。

亚硝酸离子干扰,可在蒸馏前加适量氨基磺酸排除干扰,见干扰物的排除部分 2)。

少量油类对测定无影响,中性油或酸性油大于 40mg/L 时的干扰测定,可加入水样体积 20%的正乙烷,在中性条件下短时间萃取排除干扰。

该测定标准分 4 部分:

(1)氰化氢的释放和吸收;

(2)硝酸银滴定法;

(3)异烟酸-吡唑啉酮比色法;

(4)吡啶-巴比妥酸比色法。

硝酸银滴定法最低检测浓度为 0.25mg/L;检测上限为 100mg/L。

异烟酸-吡唑啉酮比色法最低检测浓度为 0.004mg/L;检测上限为 0.25mg/L。

吡啶-巴比妥酸比色法最低检测浓度为 0.002mg/L(用 72 型分光光度计,吸光度为 0.020 左右);检测上限为 0.45mg/L(10mm 比色皿)、0.15mg/L(30mm 比色皿)。

(一)氰化氢的释放和吸收

1.定义

总氰化物是指在磷酸和 EDTA 存在下 pH 值＜2 介质中,加热蒸馏,能形成氰化氢的氰化物,包括全部简单氰化物(多为碱金属和碱土金属的氰化物,铵的氰化物)和绝大部分络合氰化物(锌氰络合物、铁氰络合物、镍氰络合物、铜氰络合物等),不包括钴氰络合物。

2.原理

向水样中加入磷酸和 EDTA 二钠,在 pH 值＜2 条件下,加热蒸馏,利用金属离子与EDTA络合能力比与氰离子络合能力强的特点,使络合氰化物离解出氰离子,并以氰化氢形式被蒸馏出,用氢氧化钠吸收。

3.试剂

测定过程中,只能使用公认的分析纯试剂和不含氰化物和活性氯的蒸馏水或具有同等纯度的水。

(1)磷酸(H_3PO_4),1.69g/ml。

(2)1%(m/V)氢氧化钠(NaOH)溶液。

(3)10%(m/V)EDTA 二钠溶液。

(4)乙酸铅试纸。称取 5g 乙酸铅[$Pb(C_2H_3O_2)_2 \cdot 3H_2O$]溶于水中,并稀释至 100ml。将滤纸条浸入上述溶液中,1h 后,取出晾干,盛于广口瓶中,密封保存。

(5)碘化钾淀粉试纸。称取 1.5g 可溶性淀粉,用少量水搅成糊状,加入 200ml 沸水,混匀,放冷,加 0.5g 碘化钾和 0.5g 碳酸钠,用水稀释至 250ml,将滤纸条浸湿后,取出晾干,盛于棕色瓶中,密封保存。

(6)1＋5 硫酸溶液。

(7)1.26%(m/V)亚硫酸钠(Na_2SO_3)溶液。

(8)氨基磺酸(NH_2SO_3H,sulfamic acid)。

(9)4%(m/V)氢氧化钠(NaOH)溶液。

4.仪器

(1)500ml 全玻璃蒸馏器。

(2)600W 或 800W 可调电炉。

(3)100ml 量筒或容量瓶。

(4)仪器装置见图 6-1。

5.采样和样品

(1)采集水样时,必须立即加氢氧化钠固定。一般每升水样加 0.5g 固体氢氧化钠。当水样酸度高时,应多加固体氢氧化钠,使样品的 pH 值＞12,并将样品贮存于聚乙烯塑料瓶或硬质玻璃瓶中。

(2)当水样中含有大量硫化物时,应先加碳酸镉($CdCO_3$)或碳酸铅($PbCO_3$)固体粉末,除去硫化物后,再加氢氧化钠固定。否则,在碱性条件下,氰离子和硫离子作用形成硫氰酸离子而干扰测定。

检验硫化物方法,可取 1 滴水样或样品,放在乙酸铅试纸上,若变黑色(硫化铅),说明

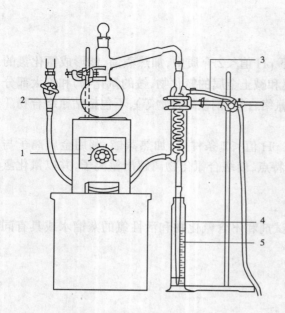

图 6-1　总氰化物蒸馏装置
1—可调电炉；2—蒸馏瓶；3—冷凝水出口水；
4—接收瓶；5—馏出液导管

有硫化物存在。

（3）如果不能及时测定样品，采样后，应在 24h 内分析样品，必须将样品存放在冷暗的冰箱内。

6.步骤

（1）氰化氢的释放和吸收。包括以下内容：

1）量取 200ml 样品，移入 500ml 蒸馏瓶中（若氰化物含量高，可少取样品，加水稀释至 200ml），加数粒玻璃珠。

2）往接收瓶（100ml 量筒或容量瓶）内加入 1%氢氧化钠溶液 10ml，作为吸收液。

当样品中存在亚硫酸钠和碳酸钠时，可用 4%氢氧化钠溶液作为吸收液。

3）馏出液导管上端接冷凝管的出口，下端插入接收瓶的吸收液中，检查连接部位，使其严密。

4）将 10ml EDTA 二钠溶液加入蒸馏瓶内。

5）迅速加入 1.69g/ml 磷酸 10ml，当样品碱度大时，可适当多加磷酸，使 pH 值<2，立即盖好瓶塞，打开冷凝水，打开可调电炉，由低挡逐渐升高，馏出液以 2～4ml/min 速度进行加热蒸馏。

6）当接收瓶内溶液近 100ml 时，停止蒸馏，用少量水洗馏出液导管，取出接收瓶，用水稀释至标线，此碱性馏出液"A"待测定总氰化物时使用。

7）干扰物的排除。包括以下内容：

若样品中存在活性氯等氧化剂，由于蒸馏时氰化物会被分解，使结果偏低，干扰测定。可量取两份体积相同的样品，向其中一份样品投加碘化钾－淀粉试纸 1～3 片，加 1+5 硫酸酸化，用 1.26%m/V 亚硫酸钠溶液滴至碘化钾－淀粉试纸由蓝色变为无色为止，记下用量。另一份样品，不加试纸，仅加上述用量的亚硫酸钠溶液，然后按步骤操作。

若样品中含有大量亚硝酸离子将干扰测定，可加入适量的氨基磺酸分解亚硝酸离子，一般 1mg 亚硝酸离子需要加 2.5mg 氨基磺酸，然后按步骤操作。

若样品中有大量硫化物存在，将 200ml 样品过滤，沉淀物用 1%氢氧化钠洗涤，合并滤液和洗涤液，然后按步骤操作。

（2）空白试验。用实验用水代替样品，按步骤操作，得到空白试验馏出液"B"后待测定总氰化物时使用。

（二）硝酸银滴定法

1.原理

经蒸馏得到的碱性馏出液"A"，用 0.01mol/L 硝酸银标准溶液滴定，氰离子与硝酸银作用生成可溶性的银氰络合离子$[Ag(CN)_2]^-$，过量的银离子与试银灵指示剂反应，溶液由黄色变为橙红色。

2. 试剂

(1)试银灵指示剂。称取0.02g试银灵(对二甲氨基亚苄基罗丹宁，paradimethyl-aminobenzalrhodanine)溶于100ml丙酮中，贮存于棕色瓶并于暗处可稳定1个月。

(2)铬酸钾(K_2CrO_4)指示剂。称取10g铬酸钾溶于少量水中，滴加0.01mol/L硝酸银标准溶液至产生橙红色沉淀为止，放置过夜后，过滤，用水稀释至100ml。

(3)氯化钠标准溶液，0.01mol/L。将氯化钠置瓷坩埚内，经500～600℃灼烧至无爆裂声后，在干燥器内冷却，称取0.584 4g于烧杯中，用水溶解，移入1 000ml容量瓶，稀释至标线，混合摇匀。

(4)硝酸银标准溶液，0.01mol/L。操作步骤如下：

1)称取1.699g硝酸银溶于水中，稀释至1 000ml，贮存于棕色试剂瓶中，摇匀，待标定后使用。

2)硝酸银溶液的标定。包括以下内容：

吸取0.01mol/L氯化钠标准溶液10.00ml，于150ml具柄瓷皿或250ml锥形瓶中，加50ml水，同时另取一具柄瓷皿或250ml锥形瓶，加入60ml水作空白试验。

向溶液中加入3～5滴铬酸钾指示剂，在不断搅拌下，从滴定管加入待标定的硝酸银溶液，直至溶液由黄色变成浅砖红色为止，记下读数V。同样滴定空白溶液，读数V_0。

硝酸银浓度c_1(mol/L)按下式计算：

$$c_1 = \frac{c \times 10.00}{(V - V_0)}$$

式中：c——氯化钠标准溶液浓度，mol/L；

V——滴定氯化钠标准溶液时硝酸银溶液用量，ml；

V_0——滴定空白溶液时硝酸银溶液用量，ml。

(5)硝酸银标准溶液，0.001mol/L。

3. 仪器

(1)10ml棕色酸式滴定管。

(2)150ml具柄瓷皿或250ml锥形瓶。

4. 步骤

(1)测定。包括以下内容：

1)取100ml馏出液"A"(如试样中氰化物含量高时，可少取试样，用水稀释至100ml)于具柄瓷皿或250ml锥形瓶中。

2)加入0.2ml试银灵指示剂，摇匀。用0.01mol/L硝酸银标准溶液滴定至溶液由黄色变为橙红色为止，记下读数V_a。

(2)空白试验。另取100ml空白试验馏出液"B"于250ml锥形瓶中，按测定方法进行滴定，记下读数V_0^a。

若样品氰化物浓度小于1mg/L，可用0.001mol/L硝酸银标准溶液滴定。

5.结果的表示

计算方法。总氰化物含量 c_2(mg/L)以氰离子计,按下式计算:

$$c_2 = \frac{c(V_a - V_0) \times 52.04 \times \frac{V_1}{V_2} \times 1\,000}{V}$$

式中:c——硝酸银标准溶液的浓度,mol/L;

    V_a——测定试样时硝酸银标准溶液的用量,ml;

    V_0——空白试验硝酸银标准溶液的用量,ml;

    V_1——试样(馏出液"A")的体积,ml;

    V_2——试份(测定试样时,所取馏出液"A")的体积,ml;

    52.04——相当于 1L 中 1mol/L 的硝酸银标准溶液的氰离子质量,g。

(三)异烟酸-吡唑啉酮比色法

1.原理

在中性条件下,样品中的氰化物与氯胺 T 反应生成氯化氰,再与异烟酸作用,经水解后生成戊烯二醛,最后与吡唑啉酮缩合生成蓝色染料,其颜色与氰化物的含量成正比。

2.试剂

(1)2%(m/V)氢氧化钠溶液。

(2)0.1%(m/V)氢氧化钠溶液。

(3)磷酸盐缓冲溶液(pH＝7)。称取 34.0g 无水磷酸二氢钾(KH_2PO_4)和 35.5g 无水磷酸氢二钠(Na_2HPO_4)于烧杯内,加水溶解后,稀释至 1\,000ml,摇匀,存于冰箱。

(4)1%(m/V)氯胺 T 溶液。

临用前,称取 1.0g 氯胺 T($C_7H_7ClNNaO_2S \cdot 3H_2O$, chloramine-T)溶于水,并稀释至 100ml,摇匀,贮存于棕色瓶中。

(5)异烟酸-吡唑啉酮溶液。其配制方法为:

1)异烟酸溶液。称取 1.5g 异烟酸($C_6H_6NO_2$, iso-nicotinic acid)溶于 24ml 2%氢氧化钠溶液中,加水稀释至 100ml。

2)吡唑啉酮溶液。称取 0.25g 吡唑啉酮(3-甲基-1-苯基-5-吡唑啉酮,$C_{10}H_{10}ON_2$, 3-methy-1-phenyl-5-pyrazolone)溶于 20ml N,N-二甲基甲酰胺[$HCON(CH_3)_2$, N,N-dimethyl formami-de]中。

临用前,将吡唑啉酮溶液和异烟酸溶液按 1:5 混合。

(6)氰化钾(KCN)标准溶液。其内容包括:

1)氰化钾贮备液的配制和标定。称取 0.25g 氰化钾(KCN,注意剧毒)溶于 1%氢氧化钠中,并稀释至 100ml,摇匀,避光贮存于棕色瓶中。

吸取 10.00ml 上述氰化钾贮备液于 250ml 锥形瓶中,加入 50ml 水和 1ml 2%氢氧化钠,加入 0.2ml 试银灵指示剂,用 0.01mol/L 硝酸银标准溶液滴定,至溶液由黄色刚变为橙红色为止,记录硝酸银标准溶液用量 V_1。同时另取 10.00ml 实验用水代替氰化钾贮备液作空白试验,记录硝酸银标准溶液用量 V_0。

氰化物含量 c_3(mg/ml)以氰离子(CN⁻)计,按下式计算:

$$c_3 = \frac{c(V_1 - V_0) \times 52.04}{10.00}$$

式中:c——硝酸银标准溶液的浓度,mol/L;

V_1——滴定氰化钾贮备液时硝酸银标准溶液的用量,ml;

V_0——空白试验硝酸银标准溶液的用量,ml;

52.04——相当于 1L 的 1mol/L 硝酸银标准溶液的氰离子的质量,g;

10.00——氰化钾贮备液的体积,ml。

2)氰化钾标准中间溶液(1ml 含 10.00μg 氰离子)。先按下式计算出配制 500ml
(1.00ml含 10.0μg 的氰离子)氰化钾标准中间溶液所需氰化钾贮备液的体积 V(ml):

$$V = \frac{10.00 \times 500}{T \times 1\,000}$$

式中:$T \times 1\,000$——1ml 氰化钾贮备液中氰化物含量,μg;

10.00——1ml 氰化钾标准中间溶液含 10.00μg 氰离子;

500——氰化钾标准中间溶液的体积,ml。

准确吸取 V(ml)氰化钾贮备液于 500ml 棕色容量瓶中,用 0.1%(m/V)氢氧化钠溶
液稀释至标线,摇匀。

3)氰化钾标准使用溶液(1.00ml 含 1.00μg 氰离子)。临用前吸取 10.00ml 氰化钾
标准中间溶液于 100ml 棕色容量瓶中,用 0.1%(m/V)氢氧化钠溶液稀释至标线,
摇匀。

3.仪器

(1)分光光度计或比色计。

(2)25ml 具塞比色管。

4.步骤

(1)校准。包括以下内容:

1)取 8 支 25ml 具塞比色管,分别加入氰化钾标准溶液 0、0.20ml、0.50ml、1.00ml、
2.00ml、3.00ml、4.00ml 和 5.00ml,各加 0.1%(m/V)氢氧化钠溶液至 10ml。

2)向管中加入 5ml 磷酸盐缓冲溶液,混匀,迅速加入 0.2ml 1%氯胺 T 溶液,立即盖
塞子,混匀,放置 3~5min。

3)向管中加入 5ml 异烟酸－吡唑啉酮溶液,混匀,加水稀释至标线,摇匀,在 25~
35℃的水浴中放置 40min。

4)用分光光度计,在 638nm 波长下,用 10mm 比色皿,以试剂空白(零浓度)作参比,
测定吸光度,并绘制校准曲线。

(2)测定。包括以下内容:

1)分别吸取 10.00ml 馏出液"A"和 10.00ml 空白试验馏出液"B"于 25ml 具塞比色管
中,按测定步骤进行操作。

2)从校准曲线上查出相应的氰化物含量。

5.结果的表示

(1)计算方法。总氰化物含量 c_4(mg/L)以氰离子(CN⁻)计,按下式计算:

$$c_4 = \frac{(m_a - m_b)}{V \cdot \frac{V_1}{V_2}}$$

式中：m_a——从校准曲线上查出试份(比色时，所取馏出液"A")的氰化物含量，μg；

m_b——从校准曲线上查出空白试验(馏出液"B")的氰化物含量，μg；

V——样品的体积，ml；

V_1——试样(馏出液"A")的体积，ml；

V_2——试份(比色时，所取馏出液"A")的体积，ml。

(2)精密度和准确度。6个实验室测定氰化物含量 0.022～0.032mg/L 加标水样的结果和测定氰化物含量 0.206～0.236mg/L 加标水样的结果如下(1982年10月)：

1)重复性。相对标准偏差分别为 7.4% 和 1.8%。

2)准确度。回收率为 92%～97%。

(四)吡啶-巴比妥酸比色法

1. 原理

在中性条件下，氰离子和氯胺 T 的活性氯反应生成氯化氰，氯化氰与吡啶反应生成戊烯二醛(glutacomdialdehyde)，戊烯二醛与两个巴比妥酸分子缩合生成红紫色染料，可进行比色测定。

2. 试剂

(1)1+3 盐酸(HCl)。

(2)吡啶-巴比妥酸溶液。临用前，称取 0.18g 巴比妥酸($C_4H_4N_2O_3$，barbituricacid)，加入 3ml 吡啶(C_5H_5N，pyridine)及 10ml 1+3 盐酸，待溶解后，加水至100ml，摇匀，贮存在棕色瓶中。配好的溶液若有不溶物可过滤，存于暗处可稳定 1 天，存放于冰箱内可稳定一周。

(3)磷酸盐缓冲溶液(pH=7)。称取 2.79g 无水磷酸二氢钾(KH_2PO_4)和 4.14g 无水磷酸氢二钠(Na_2HPO_4)溶于水中，稀释至 1 000ml，放入试剂瓶，存放冰箱。

(4)盐酸溶液，0.5mol/L。

(5)0.1%(m/V)酚酞指示剂。

3. 仪器

(1)分光光度计或比色计。

(2)25ml 具塞比色管。

4. 步骤

(1)校准。按以下步骤进行：

1)取 8 支 25ml 具塞比色管，分别加入氰化钾标准使用溶液 0、0.20ml、0.50ml、1.00ml、2.00ml、3.00ml、4.00ml 和 5.00ml，各加 0.1%(m/V)氢氧化钠至 10ml。

2)向管中加入 1 滴酚酞指示剂，用 0.5mol/L 盐酸调节溶液至红色刚消失时为止。

3)加入 5ml 磷酸盐缓冲溶液，摇匀，迅速加入 0.2ml 1% 氯胺 T 溶液，立即盖塞子，混匀。放置 3～5min，再加入 5ml 吡啶-巴比妥酸溶液，加水稀释至标线，混匀。

4)在 40℃ 水浴中，放置 20min，取出冷至室温，在分光光度计上，在 580nm 波长处，用

10mm 比色皿,以试剂空白(零浓度)作参比,测定吸光度,并绘制校准曲线。

(2)测定。按以下步骤进行:

1)分别取 10.00ml 馏出液"A"和 10.00ml 空白试验馏出液"B"于 25ml 具塞比色管中,按测定步骤进行操作。

2)从校准曲线上查出相应的氰化物含量。

5.结果的表示

(1)计算方法。氰化物含量 c_5(mg/L)以氰离子(CN^-)计,按下式计算:

$$c_5 = \frac{(m_a - m_b)}{V} \cdot \frac{V_1}{V_2}$$

式中的各符号含义同前。

(2)精密度和准确度。4 个实验室测定的含氰离子 0.020～0.024mg/L 加标水样结果和 0.148～0.153mg/L 加标水样结果如下(1982 年 10 月):

1)重复性。相对标准偏差分别为 4.9% 和 1.5%。

2)再现性。4 个实验室测定的 0.040mg/L 统一已知氰化物样品,相对标准偏差为 1.2%。

3)准确度。4 个实验室测定 0.040mg/L 统一已知氰化物样品,相对误差为 0.3%。

十四、氟化物的测定——离子选择电极法

(一)适用范围

该方法适用于测定地面水、地下水和工业废水中的氟化物。

水样有颜色,浑浊不影响测定。温度影响电极的电位和样品的离解,须使试份与标准溶液的温度相同,并注意调节仪器的温度补偿装置使之与溶液的温度一致。每日要测定电极的实际斜率。

1.检测限

检测限的定义是在规定条件下的 Nernst 限值,该方法的最低检测限为含氟化物(以 F^- 计)0.05mg/L,测定上限可达 1 900mg/L。

2.灵敏度(即电极的斜率)

根据 Nernst 方程式,温度在 20～25℃之间时,氟离子浓度每改变 10 倍,电极电位变化 58±1mV。

3.干扰

该方法测定的是游离的氟离子浓度,某些高价阳离子(例如三价铁、铝和四价硅)及氢离子能与氟离子络合而有干扰,所产生的干扰程度取决于络合离子的种类和浓度、氟化物的浓度及溶液的 pH 值等。在碱性溶液中氢氧根离子的浓度大于氟离子浓度的 1/10 时影响测定。其他一般常见的阴、阳离子均不干扰测定。测定溶液的 pH 值为 5～8。

氟电极对氟硼酸盐离子(BF_4^-)不响应,如果水样含有氟硼酸盐或者污染严重,则应先进行蒸馏。

通常,加入总离子强度调节剂以保持溶液中总离子强度,并络合干扰离子,保持溶液适当的 pH 值,就可以直接进行测定。

(二)原理

当氟电极与含氟的试液接触时,电池的电动势 E 随溶液中氟离子活度变化而改变(遵守 Nernst 方程)。当溶液的总离子强度为定值且足够时服从如下关系式:

$$E = E_0 - \frac{2.303RT}{F} \lg c_{F^-}$$

E 与 $\lg c_{F^-}$ ❶ 成直接关系,$\frac{2.303RT}{F}$ 为该直线的斜率,亦为电极的斜率。

工作电池可表示为:Ag│AgCl,Cl⁻(0.3mol/L),F⁻(0.001mol/L)│LaF₃ ‖试液‖外参比电级。

(三)试剂

所有试剂除另有说明外,均为分析纯试剂,所用水为去离子水或无氟蒸馏水。

(1)盐酸(HCl),2mol/L。

(2)硫酸(H_2SO_4),$\rho = 1.84g/ml$。

(3)总离子强度调节缓冲溶液(TISAB)。其配制如下:

1)0.2mol/L 柠檬酸钠-1mol/L 硝酸钠(TISAB Ⅰ)。称取 58.8g 二水柠檬酸钠和 85g 硝酸钠,加水溶解,用盐酸调节 pH 值至 5~6,转入 1 000ml 容量瓶中,稀释至标线,摇匀。

2)总离子强度调节缓冲溶液(TISAB Ⅱ)。量取约 500ml 水于 1L 烧杯内,加入 57ml 冰乙酸、58g 氯化钠和 4.0g 环己二胺四乙酸(CDTA,cyclohexlane dinitrilo tetraaceticacid),或者 1,2 环己撑二胺四乙酸(1,2-diaminocyclohexane N,N,N-tetraaceticacid),搅拌溶解。置烧杯于冷水浴中,慢慢地在不断搅拌下加入 6mol/LNaOH(约 125ml)使 pH 值达到 5.0~5.5,转入 1 000ml 容量瓶中,稀释至标线,摇匀。

3)1mol/L 六次甲基四胺-1mol/L 硝酸钾-0.03mol/L 钛铁试剂(TISAB Ⅲ)。称取 142g 六次甲基四胺((CH_2)₆N₄)和 85g 硝酸钾(KNO_3)、9.97g 钛铁试剂($C_6H_4Na_2O_8S_2 \cdot H_2O$),加水溶解,调节 pH 值至 5~6,转移到 1 000ml 容量瓶中,用水稀释至标线,摇匀。

(4)氟化物标准贮备液。称取 0.221 0g 基准氟化钠(NaF)(预先于 105~110℃ 干燥 2h,或者于 500~650℃ 干燥约 40min,干燥器内冷却后,转入 1 000ml 容量瓶中,稀释至标线,摇匀。贮存在聚乙烯瓶中,此溶液每毫升含氟 100μg。

(5)氟化物标准溶液。用无分度吸管吸取氟化钠标准贮备液 10.00ml,注入 100ml 容量瓶中,稀释至标线,摇匀。此溶液每毫升含氟(F⁻)10.0μg。

(6)乙酸钠(CH_3COONa)。称取 15g 乙酸钠溶于水,并稀释至 100ml。

(7)高氯酸($HClO_4$),70%~72%。

(四)仪器和装置

(1)通常的实验室设备;

(2)氟离子选择电极;

(3)饱和甘汞电极或氯化银电极。

---

❶ 待测氟离子浓度 $c_{F^-} < 10^{-2}$mol/L 时,活度系数为 1,可以用 c_{F^-} 代替其活度 a_{F^-}。

(4)离子活度计、毫伏计或 pH 计,精确到 0.1mV。

(5)磁力搅拌器。具备覆盖聚乙烯或者聚四氟乙烯等的搅拌棒。

(6)聚乙烯杯,100ml 和 150ml。

(7)氟化物的水蒸气蒸馏装置,见图 6-2。

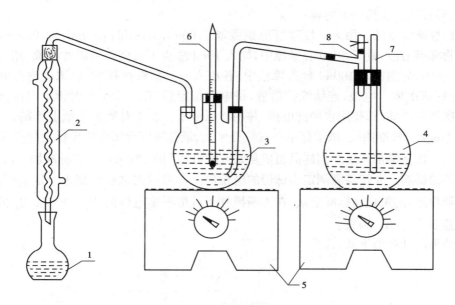

图 6-2　氟化物水蒸气蒸馏装置
1—接收瓶(200ml 容量瓶);2—蛇形冷凝管;3—250ml 直口烧瓶;4—水蒸气发生瓶;
5—可调电炉;6—温度计;7—安全管;8—三通管(排气用)

(五)采样与样品

(1)试样。实验室样品应该用聚乙烯瓶采集和贮存。如果水样中氟化物含量不高,pH 值在 7 以上,也可以用硬质玻璃瓶存放。采样时应先用水样冲洗取样瓶 3~4 次。

(2)试份。试样如果成分不太复杂,可直接取出试份。如果含有氟硼酸盐或者污染严重,则应先进行蒸馏。

在沸点较高的酸溶液中,氟化物可形成易挥发的氢氟酸和氟硅酸与干扰组分按以下步骤分离:准确取适量(例如 25.00ml)水样,置于蒸馏瓶中,并在不断摇动下缓慢加入 15ml 70%~72%高氯酸,按图 6-2 连接好装置,加热,待蒸馏瓶内溶液温度达到约 130℃时,开始通入蒸汽,并维持温度在 140±5℃,控制蒸馏速度 5~6ml/min,待接收瓶馏出液体积约 150ml 时,停止蒸馏,并用水稀释至 200ml,供测定用。

(六)步骤

(1)仪器的准备,按测定仪器及电极的使用说明书进行。

(2)在测定前应使试份达到室温,并使试份和标准溶液的温度相同(温差不得超过±1℃)。

(3)测定。用无分度吸管,吸取适量试份,置于 50ml 容量瓶中,用乙酸钠或 2mol/L 盐酸调节至近中性,加入 10ml 总离子强度调节缓冲溶液,用水稀释至标线,摇匀,将其注入 100ml 聚乙烯杯中,放入一只塑料搅拌棒,插入电极,连续搅拌溶液,待电位稳定后,在继续搅拌时读取电位值 E_X。在每一次测量之前,都要用水充分冲洗电极,并用滤纸吸干。根据测得的毫伏数,由校准曲线上查找氟化物的含量。

(4)空白试验。用水代替试份,按测定的条件和步骤进行空白试验。

(5)校准。包括以下内容:

1)校准曲线法。用无分度吸管分别吸取 1.00ml、3.00ml、5.00ml、10.0ml 和 20.0ml 氟化物标准溶液,置于 50ml 容量瓶中,加入 10ml 总离子强度调节缓冲溶液,用水稀释至标线,摇匀,分别注入 100ml 聚乙烯杯中,各放入一只塑料搅拌棒,以浓度由低到高为顺序,分别依次插入电极,连续搅拌溶液,待电位稳定后,在继续搅拌时读取电位值 E。在每一次测量之前,都要用水冲洗电极,并用滤纸吸干。在半对数坐标纸上绘制 $E(\mathrm{mV})-\lg c_{\mathrm{F}^-}(\mathrm{mg/L})$ 校准曲线,浓度标示在对数分格上,最低浓度标示在横坐标的起点线上。

2)一次标准加入法。当样品组成复杂或成分不明时,宜采用一次标准加入法,以便减少基体的影响。先按步骤测定出试份的电位值 E_1,然后向试份中加入一定量(与试份中氟含量相近)的氟化物标准溶液,在不断搅拌下读取平衡电位值 E_2。E_2 与 E_1 的毫伏值以相差 $30\sim40\mathrm{mV}$ 为宜。

结果的计算如下式:

$$c_x = \frac{c_s\left(\dfrac{V_s}{V_x + V_s}\right)}{10^{(E_2 - E_1)/S} - \left(\dfrac{V_x}{V_x + V_s}\right)}$$

如以 $Q(\Delta E)$ 表示 $\left(\dfrac{V_s}{V_x + V_s}\right) \Big/ \left[10^{\Delta E/S} - \left(\dfrac{V_x}{V_x + V_s}\right)\right]$

则得下式:

$$c_x = c_s Q(\Delta E)$$

式中:c_x——待测试份的浓度,mg/L;

c_s——加入标准溶液的浓度,mg/L;

V_s——加入标准溶液的体积,ml;

V_x——测定时所取试份的体积,ml;

E_1——测得试份的电位值,mV;

E_2——试份加入标准溶液后测得的电位值,mV;

S——电极的实测斜率;

ΔE——$E_2 - E_1$。

当固定 V_a 与 V_x 的比值,可事先将 $Q(\Delta E)$ 用计算器算出,并制成表供查用,实际分析时,按测得的 ΔE 值由表中查出相应的 $Q(\Delta E)$。

(6)电极的存放。电极用后应用水充分冲洗干净,并用滤纸吸去水分,放在空气中,或者放在稀的氟化物标准溶液中,如果短时间不再使用,应洗净,吸去水分,套上保护电极敏感部位的保护帽。电极使用前应充分冲洗,并去掉水分。

(七)结果的表示

(1)计算方法。氟含量,以 mg/L 表示。根据测定所得的电位值,从校准曲线上查得相应的以 mg/L 表示的氟离子含量。测定结果可以用氟离子的 mg/L 表示,也可以用其他认为方便的方式表示。

如果试份中氟化物含量低,则应从测定值中扣除空白试验值。

(2)精密度和准确度。内容包括:

1)含氟 $1.0\mu g/ml$、10 倍量的铝(Ⅲ)、200 倍的铁(Ⅲ)及硅(Ⅳ)的合成水样,9 次平行测定的相对标准偏差为 0.3%,加标回收率为 99.4%。

2)化工厂、玻璃厂、磷肥厂等的十几种工业废水、23 个实验的分析,回收率均在 90%~108%之间。

(八)附录

(1)总离子强度调节缓冲溶液的配方可不局限于试剂配制,加入柠檬酸钠或 CDTA 可优先络合浓度为 5.0mg/L 的铝,钛铁试剂可优先络合 10mg/L 以下的铝,并释放出氟离子。当水样成分复杂、偏酸或者偏碱性时,用 TISAB Ⅲ,可不调节试份的 pH 值。

(2)不得用手指触摸电极的膜表面,为了保护电极,试份中氟的测定溶液最好不要高于 40mg/L。

(3)插入电极前不要搅拌溶液,以免在电极表面附着气泡,影响测定的准确度。

(4)搅拌速度应适中、稳定,不要形成涡流,测定过程中应连续搅拌。

(5)如果电极的膜表面被有机物等玷污,必须先清洗干净后才能使用。清洗可用甲醇、丙酮等有机试剂,亦可用洗涤剂。例如,可先将电极浸入温热的稀洗涤剂(1 份洗涤剂加 9 份水),保护 3~5min。必要时,可再放入另一份稀洗涤剂中。然后用水冲洗,再在 1+1 的盐酸中浸 30s,最后用水冲洗干净,用滤纸吸去水分。

(6)根据氟化物的络合物稳定常数及干扰实验研究的结果:Al^{3+} 的干扰最严重,Zr^{4+}、Sc^{3+}、Th^{4+}、Ce^{4+} 等次之,高浓度的 Fe^{3+}、Ti^{4+}、Ca^{2+}、Mg^{2+} 也干扰。加入适当的络合剂可以消除它们的干扰。

(7)一次标准加入法所加入标准溶液的浓度(c_s),应比试份浓度(c_x)高 10~100 倍,加入的体积为试份的 1/10~1/100,以使体系的 TISAB 溶液变化不大。

(8)查温度为 25℃,体积变化 10% 时 Q 与 ΔE 表中的对应值。

(9)水蒸气蒸馏比直接蒸馏安全。当水样中含有机质时,应用硫酸代替高氯酸,以防发生爆炸。

(10)对化学污泥、制酸污泥、钢渣等 17 种工业废渣的水浸提液的分析,加标回收率均在 90%~110%之间。

十五、总汞的测定——冷原子吸收分光光度法

该方法等效采用 ISO5666/1、3《无焰原子吸收分光光度法测定总汞》第一、三部分,规定了采用高锰酸钾-过硫酸钾法,或溴酸钾-溴化钾法消解水样,用冷原子吸收分光光度法测定水中总汞。

总汞,是指未过滤的水样,经剧烈消解后测得的汞浓度,它包括无机的和有机结合的、

可溶的和悬浮的全部汞。

(一)适应范围

适用于地面水、地下水、饮用水、生活污水及工业废水。

当碘离子浓度大于等于 3.8mg/L 时,会明显影响高锰酸钾－过硫酸钾法的回收率与精密度。

当洗净剂浓度大于等于 0.1ml/L 时,采用溴酸钾－溴化钾消解法,其汞的回收率小于 67.7%。

若有机物含量较高,试样制备步骤中规定的消解试剂最大用量不足以氧化样品中有机物时,则该方法不适用。

该方法最低检出浓度为含汞 0.1μg/L;在最佳条件下(测汞仪灵敏度高,基线噪音及试剂空白值极低),当试份体积为 200ml 时,最低检出浓度可达 0.05μg/L。

(二)原理

汞原子蒸气对波长 253.7nm 的紫外光具有强烈的吸收作用,汞蒸气浓度与吸收值成正比。

在硫酸－硝酸介质及加热条件下,用高锰酸钾和过硫酸钾将试样消解;或用溴酸钾和溴化钾混合试剂,在 20℃ 以上室温和 0.6～2mol/L 的酸性介质中产生溴,将试样消解,使所含汞全部转化为二价汞。

用盐酸羟胺将过剩的氧化剂还原,再用氯化亚锡将二价汞还原成金属汞。

在室温下通入空气或氮气流,将金属汞汽化,载入冷原子吸收测汞仪,测量吸收值,可求得试样中汞的含量。

(三)试剂

除另有说明外,分析中仅使用符合国家标准或专业标准的分析纯试剂,其中汞含量要尽可能得少。

如采用的试剂导致空白值偏高,应改用级别更高或选择某些工厂生产的汞含量更低的试剂,或自行提纯精制。

配制试剂或试样稀释定容,均使用无汞蒸馏水。试剂一律盛于磨口玻璃试剂瓶中。

(1)无汞蒸馏水。二次重蒸馏水或电渗析去离子水通常可达到此纯度。也可将蒸馏水加 $\rho_{20} = 1.19g/ml$ 的优级纯盐酸酸化至 pH＝3,然后通过疏基棉纤维管除汞。

(2)硫酸(H_2SO_4)。$\rho_{20} = 1.84g/ml$,优级纯。

(3)盐酸(HCl)。$\rho_{20} = 1.19g/ml$,优级纯。

(4)重铬酸钾($K_2Cr_2O_7$),优级纯。

(5)硝酸(HNO_3)。$\rho_{20} = 1.42g/ml$,优级纯。

(6)$\rho_{20} = 1.42g/ml$ 硝酸,按 $1+1$ 稀释之。

(7)高锰酸钾溶液,50g/L。将 50g 高锰酸钾($KMnO_4$,优级纯,必要时重结晶精制)用无汞蒸馏水溶解,稀释至 1 000ml。

(8)过硫酸钾溶液,50g/L。将 50g 过硫酸钾($K_2S_2O_8$)用无汞蒸馏水溶解,稀释至 1 000ml。

(9)溴酸钾(0.1mol/L)－溴化钾(10g/L)溶液(简称溴化剂)。用无汞蒸馏水溶解2.784g(准确到0.001g)溴酸钾($KBrO_3$,优级纯),加10g溴化钾(KBr),用无汞蒸馏水稀释到1 000ml,置棕色试剂瓶中保存。若见溴释出,则应重新配制。

(10)200g/L盐酸羟胺溶液。将20g盐酸羟胺($NH_2OH \cdot HCl$)用无汞蒸馏水溶解,稀释至100ml。因其中常含有汞,必须提纯。当汞含量较低时,采用疏基棉纤维管除汞法;当汞含量高时,先按萃取法除掉大量汞,再按疏基棉纤维管除汞法除尽汞。

1)疏基棉纤维管除汞法。在内径6～8mm、长100mm左右、一端拉细的玻璃管,或500ml分液漏斗放液管中,填充0.1～0.2g疏基棉纤维,将待净化试剂以10ml/min速度流过一至两次即可除尽汞。

2)萃取法。取200g/L盐酸羟胺溶液250ml注入500ml分液漏斗,每次加入15ml含二苯基硫巴腙(双硫腙 $C_{13}H_{12}N_4S$)0.1g/L的四氯化碳(CCl_4)溶液,反复进行萃取,直至含双硫腙的四氯化碳溶液保持绿色不变为止。然后用四氯化碳萃取,以除去多余的双硫腙。

(11)疏基棉纤维(sulfhydryl cotton fiber,缩写S·C·F)。于棕色磨口广口瓶中,依次加入100ml硫代乙醇酸($CH_2SHCOOH$,分析纯)、60ml乙酸酐$[(CH_3CO)_2O]$、40ml 36%乙酸(CH_3COOH)、0.3ml浓硫酸,充分混匀,冷却至室温后,加入30g长纤维脱脂棉,铺平,使之浸泡完全,用水冷却,待反应热散去后,加盖,放入40±2℃烘箱中2～4天后取出。用耐酸过滤漏斗抽滤,用无汞蒸馏水充分洗涤至中性后,摊开,于30～35℃下烘干。成品存放于棕色磨口广口瓶中,避光。较低温度下保存。

(12)200g/L氯化亚锡溶液。将20g氯化亚锡($SnCl_2 \cdot 2H_2O$)置于干烧杯中,加入$\rho_{20} = 1.19$g/ml优级纯盐酸20ml,微微加热。待完全溶解后,冷却,再用无汞蒸馏水稀释至100ml。若有汞,可通入氮气鼓泡除汞。

(13)汞标固定液(简称固定液)。将0.5g优级纯重铬酸钾溶于950ml无汞蒸馏水中,再加50ml $\rho_{20} = 1.42$g/ml的硝酸。

(14)汞标准贮备液。称取放置在硅胶干燥器中充分干燥过的0.135 4g氯化汞($HgCl_2$),称准到0.000 1g,用汞标固定液溶解后,转移到1 000ml容量瓶(A级)中,再用汞标固定液稀释至标线,摇匀。此溶液每1ml含100μg汞。

(15)汞标准中间溶液。用吸管(A级)吸取汞标准贮备液10.00ml,注入100ml容量瓶(A级),加汞标固定液稀释至标线,摇匀。此溶液1ml含10.0μg汞。

(16)汞标准使用溶液。用吸管(A级)吸取汞标准中间溶液10.00ml,注入1 000ml容量瓶(A级)。用汞标固定液稀释至标线,摇匀。放置于室温阴凉处,可稳定100天左右。此溶液1ml含0.100μg汞。

(17)稀释液。将0.2g优级纯重铬酸钾溶于972.2ml无汞水中,再加入$\rho_{20} = 1.84$g/ml的硫酸27.8ml。

(18)变色硅胶。直径为3～4mm,干燥用。

(19)经碘化处理的活性炭。称取1份质量碘,2份质量碘化钾和20份质量蒸馏水,在玻璃烧杯中配成溶液,然后向溶液中加入约10份质量的柱状活性炭(工业用,柱状,直径为3mm,长3～7mm)。用力搅拌至溶液脱色后,从烧杯中取出活性炭,用玻璃纤维把溶液滤出,然后在 100℃ 左右烘干 1~2h 即可。

(20)仪器洗液。将 10g 优级纯重铬酸钾溶于 9L 水中,加入 $\rho_{20} = 1.42g/ml$ 的硝酸 1 000ml。

(四)仪器

(1)一般实验室仪器。

其载气净化系统,可根据不同测汞仪特点及具体条件,参考图 6-3 进行连接。所有玻璃仪器及盛样瓶,均用仪器洗液浸泡过夜,用蒸馏水冲洗干净。

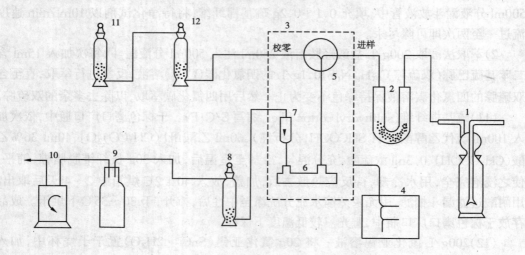

图 6-3　测汞装置气路连接示意

1—汞还原器;2—U 形管;3—测汞仪;4—记录仪;5—三通阀;6—吸收池;
7—流量控制器,量程 0~3L/min;8、12—汞吸收塔;9—气体缓冲瓶,10L;
10—机械真空泵,抽气速率 0.5L/s;11—空气干燥塔(内盛变色硅胶)

(2)测汞仪。

(3)台式自动平衡记录仪。量程与测汞仪匹配。

(4)汞还原器。总容积分别 50ml、75ml、100ml、250ml 和 500ml,具有磨口,带连蓬形多孔吹气头的玻璃翻泡瓶。

(5)U 形管($\phi15 \times 110mm$)。内填变色硅胶 60~80mm 长。

(6)三通阀。

(7)汞吸收塔。250ml 玻璃干燥塔,内填经碘化处理的柱状活性炭。

(五)实验室样品保存

(1)盛样容器。采用硼硅玻璃瓶或高密度聚乙烯塑料壶,样品尽量充满容器,以减少器壁吸附。

(2)保存方法及时间。采样后应立即按每升水样中加 10ml $\rho_{20} = 1.84g/ml$ 的浓硫酸,检查 pH 值应小于 1,否则应适当增加硫酸,然后加入 0.5g 重铬酸钾,若橙色消失,应适当补加,使水样呈持久的淡橙色。密塞,摇匀后置室内阴凉处,可保存一个月。

(3)样品量。为保证样品的代表性和足够分析用,采取废水量不应少于 500ml,地面水不少于 1 000ml。

(六)试样制备

试样制备方法,可根据样品特性,由以下两种消解法进行选择:

1. 高锰酸钾 - 过硫酸钾消解法

(1)近沸保温法。该方法适用于一般废水或地面水、地下水。

1)将实验室样品充分摇匀后,立即准确吸取 10～50ml 废水(或 100～200ml 清洁地面水或地下水),注入 125ml(或 500ml)锥形瓶中,取样量少者,应补充适量无汞蒸馏水。

2)依次加 1.5ml ρ_{20} = 1.84g/ml 的浓硫酸(对清洁地面水或地下水应加 2.5～5.0ml,使硫酸浓度约为 0.5mol/L)、1.5ml ρ_{20} = 1.42g/ml 的硝酸溶液(对地面水或地下水应加 2.5～5.0ml)、4ml 50g/L 的高锰酸钾溶液,如果不能在 15min 内维持紫色,则混合后再补加适量高锰酸钾溶液,以使颜色维持紫色,但总量不超过 30ml。然后,再加 4ml 50g/L 过硫酸钾溶液,插入小漏斗,置于沸水浴中使样液在近沸状态保温 1h,取下冷却。

3)临近测定时,边摇边滴加 200g/L 盐酸羟胺溶液,直至刚好将过剩的高锰酸钾及器壁上二氧化锰全部褪色为止。

4)将废水试样转入 100ml 容量瓶,立即用稀释液稀释至刻度。清洁地面水或地下水则不必进行此步骤。

(2)煮沸法。该方法对消解含有机物、悬浮物较多,组成复杂的废水,效果比近沸保温法好。

1)将实验室样品充分摇匀后,立即根据样品中汞含量,准确吸取 5～50ml 废水,置于 125ml 锥形瓶中。取样量少者,应补加无汞蒸馏水,使总体积约 50ml。

2)按实验步骤加入试剂。

3)向样液中加数粒玻璃珠或沸石,插入小漏斗,擦干瓶底,然后置高温电炉或高温电热板上加热煮沸 10min,取下冷却。

4)以下操作同试样制备步骤。

2. 溴酸钾 - 溴化钾消解法

该方法特别适用于清洁地面水,或地下水、饮用水,也适用于含有机物(特别是洗净剂)较少的生活污水与工业废水。

(1)将实验室样品充分摇匀,立即准确分取 10～15ml 注入 100ml 容量瓶,取样少于 50ml 时,应补加适量无汞蒸馏水。再加 ρ_{20} = 1.84g/ml 浓硫酸 2.5ml、2.5ml 溴化剂,加塞,摇匀,在 20℃ 以上室温下放置 5min 以上。样品中应有橙黄色溴释出,否则可适当补加溴化剂,但每 50ml 样品中最大用量不应超过 8ml。若仍无溴释出,则该方法不适用,可改用煮沸方法进行消解。

(2)临测定前,边摇边滴加盐酸羟胺溶液还原过剩的溴,立即用稀释液稀释至标线,分取适量试份进行测定。

应注意,对清洁地面水、地下水或饮用水,则分取 200ml 样品,注入 250ml 容量瓶中,按比例加入试剂进行消解。试样最后不稀释定容,测定时将试样全部倾入 500ml 汞还原器中。

3.空白试样

每分析一批试样,应同时用无汞蒸馏水代替样品,按试样制备步骤高锰酸钾-过硫酸钾消解法或溴酸钾-溴化钾消解法相同操作制备两份空白试样,并把采样时加的试剂量考虑在内。

(七)测定

(1)连接好仪器,更换 U 形管中变色硅胶,按说明书调试好测汞仪及记录仪(台式自动平衡记录仪),选择好灵敏度挡及载气流速,将三通阀旋至"校零"端。

注意:接入填有变色硅胶的 U 形管,可消除水雾及微量易挥发性有机物干扰,使零点稳定。但硅胶不宜填充太多,否则会增大气阻,严重影响灵敏度。应采取少填勤更换的方式。新鲜变色硅胶对汞蒸气稍有吸附作用,因此测总汞含量低的试样时,应在正式进行测定前,先取中等含量的标准系列溶液,按试样测定步骤进行操作二至三次,使变色硅胶表面吸附汞达动态平衡,然后才正式进行测定。当有一半硅胶变红时,应更换硅胶。

(2)取出汞还原器吹气头,逐个吸取 10.00ml。按高锰酸钾-过硫酸钾消解法步骤或溴酸钾-溴化钾消解法制备的试样或空白试样溶液作为试份,注入汞还原器中,加入 200g/L 氯化亚锡溶液 1ml,迅速插入吹气头,然后将三通阀旋至"进样"端,使载气通入汞还原器。此时试份中汞被还原汽化成汞蒸气,随载气流载入测汞仪的吸收池,表头指针和记录笔迅速上升,记下最高读数或峰高。待指针和记录笔重新回零后,将三通阀旋回"校零"端,取出吹气头,弃去废液,用蒸馏水洗汞还原器两次,再用稀释液洗 1 次,以氧化可能残留的二价锡,然后进行另一试份的测定。

需要说明的是,对汞含量低的样品,为提高灵敏度,应适当增加试份体积(最大体积为 200ml),按每 40ml 试份中加 1m 氯化亚锡溶液后,迅速插入吹气头,先在闭气条件下,用手将汞还原器沿前后或左右方向强烈振摇 1min,然后才将三通阀旋至"进样"端,其余操作均相同。此时校准曲线系列试份体积及测定操作均应与试样相同。

(八)校准

取 100ml 容量瓶(A 级)8 个,用 5ml 的刻度吸管(A 级),准确吸取每毫升含汞 0.100μg 的汞标准使用溶液 0、0.50ml、1.00ml、1.50ml、2.00ml、2.50ml、3.00ml 和 4.00ml,注入容量瓶中,用稀释液稀释至标线,摇匀,然后完全按照测定试样步骤对每一个标准系列溶液进行测定。

在测定清洁地面水时,应当天吸取 0.100μg/ml 汞标准使用溶液,用汞标固定液配制汞浓度为 10μg/ml 的汞标准临时使用溶液,用作制备浓度为 0、0.025μg/L、0.050μg/L、0.100μg/L、0.150μg/L、0.200μg/L 和 0.250μg/L 的标准系列。

最后以扣除空白(零标准溶液)后的标准系列各点测定值(与汞浓度成正比的)为纵坐标,以相应标准试份溶液汞浓度(μg/L)为横坐标,绘制测定值-浓度校准曲线。

由于汞蒸气的发生受较多外界因素的影响,如载气流速、温度、酸度、汞还原器和气液体积比等,因此每次测定均应同时绘制校准曲线。当环境温度低于 10℃ 时,灵敏度会明显降低。

(九)结果的表示

1.计算方法

样品试份中汞浓度可根据扣除空白试份后的样品试份测定值(与汞浓度成正比的),

直接从校准曲线上查得,再乘以样品被稀释的倍数,即得样品中汞含量。其计算公式如下:

$$c = c_1 \times \frac{V_0}{V} \times \frac{V_1 + V_2}{V_1}$$

式中:c——水样中的汞浓度,$\mu g/L$;

c_1——被测样品试份中的汞浓度,$\mu g/L$;

V——制备试样时分取样品的体积,ml;

V_0——按高锰酸钾－过硫酸钾消解法或溴酸钾－溴化钾消解法制备试样时定容的体积,ml;

V_1——采取的水样体积,ml;

V_2——采样时向水中加入硫酸的体积,ml。

如果对采样时加入的试剂体积忽略不计,则上列公式中,等号后第三项 $\frac{V_1 + V_2}{V_1}$ 可以略去。

结果应视含量高低,分别以 3 位或 2 位有效数字表示。

2.精密度和准确度

采用高锰酸钾－过硫酸钾消解法,使用 A、B 两样品进行了 ISO 实验室间测试,其中样品 B 含有 1.5mg/L 碘化物离子。

采用溴消化法,使用 C、D、E 3 样品进行 ISO 实验室间实验,其中 D、E 样均系用苯基乙酸汞（$HgC_8H_8O_2$）配制,且 E 样中含 150mg/L 碘化物离子。

将测试结果按 ISO 5725 进行统计分析,数据详见表 6-15。

表 6-15　　　　　　　　　　　实验测试结果统计分析

样品	参加的实验室数目	删除的实验室数目	标准值（$\mu g/L$）	测得平均值（$\mu g/L$）	标准偏差			
					重复性		再现性	
					绝对	相对%	绝对	相对%
A	47	3	0.58	0.580 3	0.050	8.6	0.166	28.6
B	47	5	0.67	0.560 9	0.057	10.2	0.326	58.0
C	47	5	2.272	2.418	0.121	5.0	0.259	10.7
D	48	6	2.033	2.018	0.097	4.8	0.231	11.5
E	48	7	2.168	2.205	0.077	3.5	0.235	10.7

（十）提高测量灵敏度,降低检出限的主要措施及注意事项

由于清洁地面水和地下水中汞含量很低,通常小于 $0.1\mu g/L$,因此尽力采取措施,提高测量灵敏度,降低检出限具有特别重要的意义。为此,除接入载气净化、干燥装置、注意容器清洗、避免沾污、尽力使用无汞高纯试剂和采用适当的提纯净化措施外,测量时还应采取以下措施增加进入吸收池内汞蒸气的瞬时浓度。

（1）加入氯化亚锡后,先在闭气条件下用手或振荡器充分振荡 30～60s,待完全达到气液平衡后再将汞蒸气抽入（或吹入）吸收池。实验证实,在相同条件下,采取此操作可使信号值比不振荡的读数高 80%～110%,具体可视温度、载气流速和汞还原器的翻泡效率而定。

(2)选择大小适当、汽化效果好的汞还原器。汞还原器大小,应根据测定时的试份体积决定。吹气头形状以莲蓬形最佳,且与底部距离越近越好。采用抽气(或吹气)鼓泡法进样时,气相与液相体积比为1:1～5:1时,对灵敏度影响很小,一般以2:1～3:1最佳;当采用闭气振摇操作时,反而以3:1～8:1时灵敏度较高。

(3)当室温低于10℃时,不能进行测定,应采取提高操作间环境温度的办法来提高试份的汽化温度。

(4)适当增加试份体积。如测清洁地面水,试份体积常取100～200ml。

(5)选择合适的载气流速与进样方式。当采用抽气(或吹气)鼓泡法进样时,流速太大会使进入吸收池的汞蒸气浓度降低;流速过小,又会使汽化速度减慢。按气路装置图,选择0.8～1.2L/min较好。若采取抽入气相法,即将吹气头上的吹气管截去一部分,使之离液面5～10mm,加入氯化亚锡后,先闭气振摇1min,然后再通入载气,将汞蒸气抽入(或吹入)吸收池。此法不仅灵敏度最高,且零点最稳定;缺点是残留在废液中的汞污染室内空气。

按前述措施,当被测试份体积分别为200ml、10ml时,在最佳条件下,每格峰高所代表的试份中汞浓度分别为0.003 9μg/L、0.016 5μg/L。6次以上平行测定汞标准的结果,其相对偏差一般不大于5%,对浓度为0.010～0.099μg/L级的测定,一般都不大于10%。

十六、铜、锌、铅、镉的测定——原子吸收分光光度法

该方法分为两部分。第一部分为直接法,适用于测定地下水、地面水和废水中的铜、锌、铅、镉;第二部分为螯合萃取法,适用于测定地下水和清洁地面水中低浓度的铜、铅、镉。

(一)定义

(1)溶解的金属。未酸化的样品中,能通过0.45μm滤膜的金属成分。

(2)金属总量。未经过滤的样品经强烈消解后测得的金属浓度,或样品中溶解和悬浮的两部分金属浓度的总量。

(二)采样和样品

(1)用聚乙烯塑料瓶采集样品。采样瓶先用洗涤剂洗净,再在1+1硝酸溶液中浸泡,使用前用水冲洗干净。分析金属总量的样品,采集后立即加优级纯硝酸酸化至pH值为1～2,正常情况下,每1 000ml样品加2ml硝酸。

(2)试样的制备。分析溶解的金属时,样品采集后立即通过0.45μm滤膜过滤,得到的滤液再按样品采集中的要求酸化。

(三)直接法

1.适用范围

(1)测定浓度范围与仪器的特性有关,表6-16列出一般仪器的测定范围。

(2)地下水和地面水中的共存离子和化合物,在常见浓度下不干扰测定。但当钙的浓度高于1 000mg/L时,抑制镉的吸收,当钙的浓度为2 000mg/L时,信号抑制达19%。当铁的含量超过100mg/L时,抑制锌的吸收。当样品中含盐量很高,特征谱线波长又低于

350nm 时,可能出现非特性吸收,如高浓度的钙,因产生背景吸收,使铅的测定结果偏高。

表 6-16 直接法测定浓度范围

元素	浓度范围(mg/L)
铜	0.05~5
锌	0.05~1
铅	0.20~10
镉	0.05~1

2.原理

将样品或消解处理过的样品直接移入火焰,在火焰中形成的原子对特征电磁辐射产生吸收,将测得的样品吸光度和标准溶液的吸光度进行比较,确定样品中被测元素的浓度。

3.试剂

除另有说明外,分析时均使用符合国家标准或专业标准的分析纯试剂、去离子水或同等纯度的水。

(1)硝酸(HNO_3)。$\rho = 1.42g/ml$,优级纯。

(2)硝酸(HNO_3)。$\rho = 1.42g/ml$,分析纯。

(3)高氯酸($HClO_4$)。$\rho = 1.67g/ml$,优级纯。

(4)燃料。乙炔,用钢瓶气或由乙炔发生器供给,纯度不低于99.6%。

(5)氧化剂。空气,一般由气体压缩机供给,进入燃料器以前应经过适当过滤,以除去其中的水、油和其他杂质。

(6)1+1 硝酸溶液。用分析纯硝酸配制。

(7)1+499 硝酸溶液。用优级纯硝酸配制。

(8)金属贮备液,浓度为1.000g/L。称取1.000g 光谱纯金属,准确到0.001g,用优级纯硝酸溶解,必要时加热,直至溶解完全,然后用水稀释定容至1 000ml。

(9)中间标准溶液。用1+499 硝酸溶液稀释金属贮备液配制。此溶液中铜、锌、铅、镉的浓度分别为50.00mg/L、10.00mg/L、100.0mg/L 和10.00mg/L。

4.仪器

(1)一般实验室仪器。

(2)原子吸收分光光度计及相应的辅助设备。配有乙炔-空气燃烧器;光源选用空心阴极灯或无极放电灯。仪器操作参数可参照厂家的说明进行选择。

实验用的玻璃或塑料器皿用洗涤剂洗净后,在1+1 硝酸溶液中浸泡,使用前用水冲洗干净。

5.步骤

(1)校准。包括以下内容:

1)参照表6-17,在100ml 容量中,用1+499 硝酸溶液稀释中间标准溶液,配制至少4个工作标准溶液,其浓度范围应包括样品中被测元素的浓度。

表 6-17		中间标准溶液加入体积与工作标准溶液浓度				
中间标准溶液加入体积(ml)		0.50	1.00	3.00	5.00	10.0
工作标准溶液浓度(ml/L)	铜	0.25	0.50	1.50	2.50	5.00
	锌	0.05	0.10	0.30	0.50	1.00
	铅	0.50	1.00	3.00	5.00	10.0
	镉	0.05	0.10	0.30	0.50	1.00

注:定容体积为 100ml。

2)测定金属总量时,如果样品需要消解,则工作标准溶液也按下面(5)测定中步骤 3)的要求进行消解。

3)选择波长和调节火焰,按下面(5)测定中步骤 4)的要求测定。

4)用测得的吸光度与相对应的浓度绘制校准曲线。

注意:①装有内部存贮器的仪器,可输入 1~3 个工作标准,存入一条标准曲线,测定样品时可直接读出浓度。②在测定过程中,要定期复测空白和工作标准溶液,以检查基线的稳定性和仪器的灵敏度是否发生了变化。

(2)试份。测定金属总量时,如果样品需要消解,混匀后取 100.0ml 实验室样品置于 200ml 烧杯中,接下面(5)测定中步骤 3)继续分析。

(3)空白试验。在测定样品的同时,测定空白。取 100.0ml 1＋499 硝酸溶液代替样品,置于 200ml 烧杯中,接下面(5)测定中步骤 3)继续分析。

(4)验证实验。验证实验是为了检验是否存在基体干扰或背景吸收。一般通过测定加标回收率判断基体干扰的程度,通过测定特征谱线附近 1nm 内的一条非特征吸收谱线处的吸收可判断背景吸收的大小。根据表 6-18 选择与特征谱线对应的非特征吸收谱线。

表 6-18	与特征谱线对应的非特征吸收谱线	
元素	特征谱线(nm)	非特征吸收谱线(nm)
铜	324.7	324(锆)
锌	213.8	214(氘)
铅	283.3	283.7(锆)
镉	228.8	229(氘)

根据验证实验结果,如果存在基体干扰,用标准加入法测定并计算结果。如果存在背景吸收,用自动背景校正装置或邻近非特征吸收谱线法进行校正。后一种方法是从特征谱线处测得的吸收值中扣除邻近非特征吸收谱线处的吸收值,得到被测元素原子的真正吸收。此外,也可使用螯合萃取法或样品稀释法降低或排除产生基体干扰或背景吸收的组分。

(5)测定。包括以下步骤:

1)测定溶解的金属时,按要求制备试样,接步骤 4)测定。

2)测定金属总量时,如果样品不需要消解,用实验室样品,按步骤 4)进行测定。如果需要消解,用测定中的试份进行分析。

3)加入 5ml 优级纯硝酸,在电热板上加热消解,确保样品不沸腾,蒸至 10ml 左右,加

· 164 ·

入 5ml 优级纯硝酸和 2ml 优级纯高氯酸,继续消解,蒸至 1ml 左右。如果消解不完全,再加入 5ml 优级纯硝酸和 2ml 优级纯高氯酸,再蒸至 1ml 左右。取下冷却,加水溶解残渣,通过中速滤纸(预先用酸洗)滤入 100ml 容量瓶中,用水稀释至标线。

消解中使用高氯酸有爆炸危险,整个消解要在通风橱中进行。

4)根据表 6-19 选择波长和调节火焰,吸入 1 + 499 硝酸溶液,将仪器调零。吸入空白、工作标准溶液或样品,记录吸光度。

表 6-19   选择的波长和调节火焰

元素	特征谱线波长(nm)	火焰类型
铜	324.7	乙炔 - 空气,氧化性
锌	213.8	乙炔 - 空气,氧化性
铅	283.3	乙炔 - 空气,氧化性
镉	228.8	乙炔 - 空气,氧化性

5)根据扣除空白吸光度后的样品吸光度,在校准曲线上查出样品中的金属浓度。

(四)螯合萃取法

1. 适用范围

(1)浓度测定范围与仪器的特性有关,表 6-20 列出了一般仪器的测定范围。

表 6-20   一般仪器的测定范围

元素	浓度范围($\mu g/L$)
铜	1~50
铅	10~200
镉	1~50

(2)当样品的化学需氧量超过 500mg/L 时,可能影响萃取效率。铁的含量不超过 5mg/L,不干扰测定。如果样品中存在的某类络合剂,与被测金属形成的络合物,比吡咯烷二硫代氨基甲酸铵的络合物更稳定,则应在测定前去除样品中的这类络合剂。

2. 原理

吡咯烷二硫代氨基甲酸铵在 pH 值等于 3.0 时与被测金属离子螯合后萃入甲基异丁基甲酮中,然后吸入火焰进行原子吸收光谱测定。

3. 试剂

除另有说明外,分析时均使用符合国家标准或专业标准的分析纯试剂、去离子水或同等纯度的水。

(1)甲基异丁基甲酮($C_6H_{12}O$)。

(2)氢氧化钠(NaOH,优级纯)溶液,100g/L。

(3)盐酸(HCl,$\rho = 1.19g/ml$,优级纯)溶液,1 + 49 溶液。

(4)吡咯烷二硫代氨基甲酸铵($C_5H_{12}N_2S_2$)溶液,2%。将 2.0g 吡咯烷二硫代氨基甲酸铵溶于 100ml 水中,必要时在分液漏斗中用甲基异丁基甲酮进行纯化,加入等体积的甲基异丁基甲酮,摇动 30s,分层后放出水相备用,弃去有机相。此溶液用时现配。

(5)水饱和的甲基异丁基甲酮。在分液漏斗中放入甲基异丁基甲酮和等体积的水,摇动30s,分层后弃去水相,留下有机相备用。

(6)中间标准溶液。用1+499硝酸溶液稀释1.000g/L金属贮备液配制。此溶液中铜、铅、镉的浓度分别为0.500mg/L、2.00mg/L、0.50mg/L。

4. 仪器

同前述仪器。

5. 步骤

(1)校准。包括以下内容:

1)配制一个空白和至少4个工作标准溶液。空白为100.0ml 1+499硝酸溶液,置于200ml烧杯中。制备工作标准溶液时,参照表6-21。准确吸取一定量的中间标准溶液置于200ml烧杯中,用1+499硝酸溶液稀释至100ml,按螯合法中测定的步骤继续分析。

表6-21　　　　　　　　　　　　　　标准溶液制备

中间标准溶液 加入体积(ml)		0.50	1.00	2.00	5.00	10.0
工作标准溶液 浓度 (mg/L)	铜	0.25	0.50	1.0	2.5	5.0
	铅	1.0	2.0	4.0	10.0	20.0
	镉	0.25	0.50	1.0	2.5	5.0

注:定容体积为100ml。

2)测定金属总量时,如果样品需要消解,则空白和工作标准溶液也要按直接法中测定的步骤进行消解。但过滤时不是滤入100ml容量瓶而是滤入200ml烧杯中,用水定容到100ml。然后接螯合法中测定的步骤继续分析。

3)用扣除空白吸光度后的各工作标准的吸光度与对应的金属含量作图,绘制校准曲线。

(2)试份。分析溶解的金属时,取100.0ml制备的试样。分析金属总量时,如果样品不需要消解,则取100.0ml实验室样品;如果样品需要消解,则混匀后取100.0ml实验室样品,按直接法中测定的步骤消解,最后定容到100ml。以上3种样品置于200ml烧杯中后,按螯合法中测定的步骤继续分析。

(3)空白试验。在测定样品的同时,测定空白。取100.1ml 1+499硝酸溶液置于200ml烧杯中,接螯合法中测定的步骤继续操作。如果样品需要消解,则空白也和样品一同先按直接法中测定3)的步骤消解。

(4)测定。

1)用优级纯氢氧化钠溶液和1+499盐酸溶液调空白、工作标准或试份的pH值为3.0(用pH计指示),将溶液转入200ml容量瓶中,加入2ml 2%吡咯烷二硫代氨基甲酸铵溶液,摇匀。加入100ml甲基异丁基甲酮,剧烈摇动1min,静置分层后,小心地沿容量瓶壁加入水,使有机相上升到瓶颈中并达到吸样毛细管可以达到的高度。

注意:①如果单独测定铅,最佳萃取pH值为2.3±0.2。②样品中存在强氧化剂时,可能破坏吡咯烷二硫代氨基甲酸铵,萃取前应去除。③有些金属离子和吡咯烷二硫代氨基甲酸铵的络合物不稳定,萃取操作时要避免日光直射和避开热源。

2)根据表 6-19 选择波长和调节火焰,吸入水饱和的甲基异丁基甲酮,将仪器调零。吸入空白、工作标准或试份的萃取有机相,记录吸光度。

3)根据扣除空白吸光度后的试份吸光度,从校准曲线上查出试份中的金属含量。

6. 结果的表示

实验室样品中的金属浓度按下式计算

$$c = \frac{W \times 1\,000}{V}$$

式中:c——实验室样品中的金属浓度,$\mu g/L$;

$\quad\quad W$——试份中的金属含量,μg;

$\quad\quad V$——试份的体积,ml。

报告结果时,要指明测定的是溶解的金属还是金属总量。

7. 精密度

该方法的重复性和再现性列于表 6-22。

表 6-22　　　　　　　　螯合萃取法的重复性和再现性

项目	参加实验室数目	质控样品配制浓度（$\mu g/L$）	平均测定值（$\mu g/L$）	重复测定标准偏差（$\mu g/L$）	重复性（$\mu g/L$）	再现测定标准偏差（$\mu g/L$）	再现性（$\mu g/L$）
直接法							
铜	7	100	96	5.9	17	6.6	19
铜	5	500	480	15	42	34	96
锌	8	100	99.9	2.4	6.8	3.1	8.8
锌	4	500	507	8.1	23	11	31
螯合萃取法							
铜	14	40	40.6	1.7	4.8	5.9	17
铅	6	50	49.9	1.8	5.1	2.8	7.9
镉	6	4.9	5.1	0.3	0.8	0.4	1.1

注:① 重复性($\mu g/L$)=2.83×重复测定标准偏差($\mu g/L$)。

　　② 再现性($\mu g/L$)=2.83×再现测定标准偏差($\mu g/L$)。

8. 注意事项

吡咯烷二硫代氨基甲酸铵－甲基异丁基甲酮萃取铜、铅、镉的 pH 值范围如表 6-23 所示。

表 6-23　　　　吡咯烷二硫代氨基甲酸铵－甲基异丁基甲酮萃取金属的 pH 值范围

元素	pH 值范围
铜	<0.1～8
铅	<0.1～6
镉	1～6

十七、六价铬的测定——二苯碳酰二肼分光光度法

(一)适用范围

适用于地面水和工业废水中六价铬的测定。

(1)测定范围。试份体积为 50ml,使用光程长为 30mm 的比色皿,最小检出限为 0.2μg 六价铬,最低检出浓度为 0.004mg/L;使用光程为 10mm 的比色皿,测定上限浓度为 1.0mg/L。

(2)干扰。含铁量大于 1mg/L 显示色后呈黄色。六价钼和汞也和显色剂反应,生成有色化合物,但在显色酸度下,反应不灵敏,钼和汞的浓度达 200mg/L 时不干扰测定。钒有干扰,其含量高于 4mg/L 即干扰显色。但钒与显色剂反应后 10min 即自行褪色。

(二)原理

在酸性溶液中,六价铬与二苯碳酰二肼反应生成紫红色化合物,于波长 540nm 处进行分光光度测定。

(三)试剂

测定过程中,除另有说明外,均使用符合国家标准或专业标准的分析纯试剂和蒸馏水或同等纯度的水,所有试剂应不含铬。

(1)丙酮。

(2)1+1 硫酸溶液。将硫酸(H_2SO_4,$\rho = 1.84g/ml$,优级纯)缓缓加入到同体积的水中,混匀。

(3)磷酸,1+1 磷酸溶液。将磷酸(H_3PO_4,$\rho = 1.69g/ml$,优级纯)与水等体积混合。

(4)氢氧化钠,4g/L 氢氧化钠溶液。将氢氧化钠(NaOH)1g 溶于水并稀释至 250ml。

(5)氢氧化锌共沉淀剂。包括以下内容:

1)硫酸锌,8%(m/V)溶液。称取硫酸锌($ZnSO_4 \cdot 7H_2O$)8g,溶于 100ml 水中。

2)氢氧化钠,2%(m/V)溶液。称取 2.4g 氢氧化钠,溶于 120ml 水中。

用时将两溶液混合。

(6)高锰酸钾,40g/L 溶液。称取高锰酸钾($KMnO_4$)4g,在加热和搅拌下溶于水,最后稀释至 100ml。

(7)铬标准贮备液。称取于 110℃ 下干燥 2h 的重铬酸钾($K_2Cr_2O_7$,优级纯)0.282 9 ± 0.0001 g,用水溶解后,移入 1 000ml 容量瓶中,用水稀释至标线,摇匀。此溶液 1ml 含 0.10mg 六价铬。

(8)铬标准溶液。吸取 5.00ml 铬标准贮备液置于 500ml 容量瓶中,用水稀释至标线,摇匀。此溶液 1ml 含 1.00μg 六价铬。使用当天配制此溶液。

(9)铬标准溶液。吸取 25.00ml 铬标准贮备液置于 500ml 容量瓶中,用水稀释至标线,摇匀。此溶液 1ml 含 5.00μg 六价铬。使用当天配制此溶液。

(10)尿素,200g/L 溶液。将尿素[$(NH_2)_2CO$]20g 溶于水并稀释至 100ml。

(11)亚硝酸钠,20g/L 溶液。将亚硝酸钠($NaNO_2$)2g 溶于水并稀释至 100ml。

(12)显色剂(Ⅰ)。称取二苯碳酰二肼($C_{13}H_{14}N_4O$)0.2g,溶于 50ml 丙酮中,加水稀

释至100ml,摇匀,贮存于棕色瓶中,置冰箱中。色变深后,不能使用。

(13)显色剂(Ⅱ)。称取二苯碳酰二肼2g,溶于50ml丙酮中,加水稀释至100ml,摇匀,贮存于棕色瓶中,置冰箱中。色变深后,不能使用。

显色剂(Ⅰ)也可按下法配制:称取4.0g苯二甲酸酐(C_6H_4O),加到80ml乙醇中,搅拌溶解(必要时可用水浴微温),加入0.5g二苯碳酰二肼,用乙醇稀释至100ml。此溶液于暗处可保存6个月。使用时要注意加入显色剂后立即摇匀,以免六价铬被还原。

(四)仪器

(1)一般实验室仪器。

(2)分光光度计。

所有玻璃器皿内壁须光洁,以免吸附铬离子。不得用重铬酸钾溶液洗涤。可用硝酸、硫酸混合液或合成洗涤剂洗涤,洗涤后要冲洗干净。

(五)采样与样品

实验室样品应该用玻璃瓶采集。采集时,加入氢氧化钠,调节样品pH值约为8,并在采集后尽快测定,如放置,不要超过24h。

(六)步骤

1. 样品的预处理

(1)样品中不含悬浮物,是低色度的清洁地面水可直接测定。

(2)色度校正。如样品有色但不太深时,按测定步骤另取一份试样,以2ml丙酮代替显色剂,其他步骤相同。试份测得的吸光度扣除比色度校正吸光度后,再行计算。

(3)锌盐沉淀分离法。对浑浊、色度较深的样品可用此法前处理。取适量样品(含六价铬少于100μg)于150ml烧杯中,加水至50ml。滴加4g/L氢氧化钠溶液,调节溶液pH值为7～8。在不断搅拌下,滴加氢氧化锌沉淀剂至溶液pH值为8～9。将此溶液转移至100ml容量瓶中,用水稀释至标线。用慢速滤纸过滤,弃去10～20ml初滤液,取其中50.0ml滤液供测定。

注意:当样品经锌盐沉淀分离法前处理后仍含有机物干扰测定时,可用酸性高锰酸钾氧化法破坏有机物后再测定。即取50.0ml滤液于150ml锥形瓶中,加入几粒玻璃珠,加入0.5ml 1+1硫酸溶液、0.5ml 1+1磷酸溶液,摇匀。加入2滴40g/L高锰酸钾溶液,如紫红色消褪,则应添加高锰酸钾溶液保持紫红色。加热煮沸至溶液体积约剩20ml。取下稍冷,用定量中速滤纸过滤,用水洗涤数次,合并滤液和洗液至50ml比色管中,加入1ml 200mg/L尿素溶液,摇匀,用滴管滴加20g/L亚硝酸钠溶液,每加一滴都要充分摇匀,至高锰酸钾的紫红色刚好褪去。稍停片刻,待溶液内气泡逸尽,转移至50ml比色管中,用水稀释至标线,供测定用。

(4)二价铁、亚硫酸盐、硫代硫酸盐等还原性物质的消除。取适量样品(含六价铬少于50μg)于50ml比色管中,用水稀释至标线,加入4ml显色剂(Ⅱ),混匀,放置5min后,加入1ml 1+1硫酸溶液,摇匀。5～10min后,在540nm波长处,用10mm或30mm光程的比色皿,以水作参比,测定吸光度。扣除空白试验测得吸光度后,从校准曲线查得六价铬含量。用同法做校准曲线。

(5)次氯酸盐等氧化性物质的消除。取适量样品(含六价铬少于50μg)于50ml比色管中,用水稀释至标线,加入 0.5ml 1+1 硫酸溶液、0.5ml 1+1 磷酸溶液、1.0ml 20g/L 尿素溶液,摇匀,逐滴加入 1ml 20g/L 亚硝酸钠溶液,边加边摇,以除去由过量的亚硝酸钠与尿素反应生成的气泡,待气泡除尽后,按测定步骤进行(免去加硫酸溶液和磷酸溶液)。

2. 空白试验

按同试样完全相同的处理步骤进行空白试验,仅用 50ml 水代替试样。

3. 测定

取适量(含六价铬少于 $50\mu g$)无色透明试份,置于 50ml 比色管中,用水稀释至标线,加入 0.5ml 1+1 硫酸溶液和 0.5ml 1+1 磷酸溶液,摇匀。加入 2ml 显色剂(Ⅰ),摇匀,5~10min 后,在 540nm 波长处,用 10mm 或 30mm 的比色皿,以水作参比,测定吸光度,扣除空白试验测得的吸光度后,从校准曲线上查得六价铬含量。

如经锌盐沉淀分离、高锰酸钾氧化法处理的样品,可直接加入显色剂测定。

4. 校准

向一系列 50ml 比色管中分别加入 0、0.20ml、0.50ml、1.00ml、2.00ml、4.00ml、6.00ml、8.00ml 和 10.00ml 铬标准溶液(如经锌盐沉淀分离法前处理,则应加倍吸取),用水稀释至标线,然后按照测定试样的步骤进行处理。

把测得的吸光度减去空白试验的吸光度后,绘制以六价铬的量对吸光度的曲线。

(七)结果的表示

1. 计算方法

六价铬含量 c(mg/L)按下式计算:

$$c = \frac{m}{V}$$

式中:m——由校准曲线查得的试份含六价铬量,μg;

V——试份的体积,ml。

当六价铬含量低于 0.1mg/L 时,结果以 3 位小数表示;当六价铬含量高于 0.1mg/L 时,结果以 3 位有效数字表示。

2. 精密度和准确度

(1)7 个实验室测定含六价铬 0.08mg/L 的统一的分发标准溶液按测定步骤 3 中的结果如下:

1)重复性。实验室内相对标准偏差为 0.6%。

2)再现性。实验室间总相对标准偏差为 2.1%。

3)准确度。相对误差为 0.13%。

(2)北京市环保监测中心组织北京市 9 个实验室对配制值为 0.250mg/L 的美国环保局质控样品、浓度水平为 0.392mg/L 的电镀废水(6 个实验室)、浓度水平为 0.122mg/L 的制革废水(7 个实验室)协同实验结果如下:

1)重复性。质控样品实验室内相对标准偏差为 2%;电镀废水实验室内相对标准偏差为 2.8%;制革废水实验室内相对标准偏差为 4.9%。

2)再现性。质控样品实验室间相对标准偏差为 4%;电镀废水实验室间相对标准偏差为 10%;制革废水实验室间相对标准偏差为 16%。

3)准确度。质控样品相对误差为 0.4%。

十八、总砷的测定——二乙基二硫代氨基甲酸银分光光度法

参照采用 ISO 6595《水质－总砷的测定－二乙基二硫代氨基甲酸银分光光度法》。
该方法根据我国实际情况对 ISO 6595 标准方法作如下修改：

(1)吸收液中的有机碱、麻黄碱或吡啶改为三乙醇胺。

(2)试份的预处理由高锰酸钾－过硫酸钾法改为直接测定和硝酸－硫酸加热消解法。

(一)适用范围

(1)该方法规定用二乙基二硫代氨基甲酸银分光光度法测定水和废水中的砷。

当试样取最大体积 50ml 时,该方法可测上限浓度为含砷 0.50mg/L,用无砷水适当稀释试样也可测定较高浓度的砷。

(2)最低检出浓度。试样为 50ml,用 10mm 比色皿,可检测含砷浓度为 0.007mg/L。

(3)干扰。锑、铋干扰测定(参见本法(八)注意事项)。铬、钴、铜、镍、汞、银以及铂,它们浓度高达 5mg/L 时也不干扰测定。

(二)定义

总砷。指单体形态、无机和有机化合物中砷的总量。

(三)原理

锌与酸作用,产生新生态氢;在碘化钾和氯化亚锡存在下,使五价砷还原为三价;三价砷被初生态氢还原成砷化氢(胂);用二乙基二硫代氨基甲酸银－三乙醇胺的氯仿液吸收胂,生成红色胶体银,在波长 530nm 处,测量吸收液的吸光度。

(四)试剂

除另有说明外,分析时均使用符合国家标准或专业标准的分析纯试剂和蒸馏水或同等纯度的水,试剂和水中砷的含量可忽略不计。

(1)二乙基二硫代氨基甲酸银($C_5H_{10}NS_2Ag$)。

(2)三乙醇胺[$(HOCH_2CH_3)_3N$]。

(3)氯仿($CHCl_3$)。

(4)无砷锌粒(10～20 目)。

(5)盐酸(HCl),$\rho = 1.19g/ml$。

(6)硝酸(HNO_3),$\rho = 1.40g/ml$。

(7)硫酸(H_2SO_4),$\rho = 1.84g/ml$。

(8)硫酸溶液($1/2H_2SO_4$),$\rho = 2mol/L$。

(9)氢氧化钠(NaOH)溶液,2mol/L,贮存在聚乙烯瓶中。

(10)碘化钾(KI)溶液,150g/L。将 15g 碘化钾溶于水中并稀释到 100ml。贮存在棕色玻璃瓶中。此溶液至少 1 个月内是稳定的。

(11)氯化亚锡溶液。将 40g 氯化亚锡($SnCl_2 \cdot 2H_2O$)溶于 40ml 盐酸中。溶液澄清后,用水稀释到 100ml。加数粒金属锡保存。

(12)硫酸铜溶液,150g/L。将 15g 硫酸铜($CuSO_4 \cdot 5H_2O$)溶于水中并稀释到 100ml。

（13）乙酸铅溶液,80g/L。将 8g 乙酸铅[(Pb(CH₃COO)₂·3H₂O]溶于水中并稀释到 100ml。

（14）乙酸铅棉花。将 10g 脱脂棉浸于 100ml 浓度为 80g/L 的乙酸铅溶液中,浸透后取出风干。

（15）吸收液。将 0.25g 二乙基二硫代氨基甲酸银用少量氯仿溶成糊状,加入 2ml 三乙醇胺,再用氯仿稀释到 100ml。用力振荡使其尽量溶解。静置暗处 24h 后,倾出上清液或用定性滤纸过滤。贮存于棕色玻璃瓶中。贮存在冰箱中是稳定的。

（16）砷标准溶液,100.0mg/L。将三氧化二砷(As₂O₃)在硅胶上预先干燥至恒重,准确称量 0.132 0g,溶于 5ml 浓度为 2mol/L 氢氧化钠溶液中,溶解后加入 10ml 浓度为 2mol/L 的硫酸溶液,转移至 1 000ml 容量瓶中。用水稀释至刻度。

此标准溶液含砷 100.0μg/ml。

（17）砷标准溶液,1.00mg/L。取 10.00ml 浓度为 100.0mg/L 的砷标准溶液于 1 000ml 容量瓶中,用水稀释至刻度。

需特别注意,本分析方法所用的砷,在溶液转移和处置中要特别小心,整个操作应在良好的通风环境进行,并严防入口。

（五）仪器

（1）一般实验室仪器。

（2）分光光度计。10mm 比色皿。

（3）砷化氢发生装置,此仪器由下述部件组装而成:①砷化氢发生瓶:容量为 150ml、带有磨口玻璃接头的锥形瓶。②导气管:一端带有磨口接头,并有一球形泡(内装乙酸铅棉花;一端被拉成毛细管,管口直径不大于 1mm。③吸收管:内径为 8mm 的试管,带有 5.0ml 刻度。

实验时吸收液柱高保持 8～10cm。

（六）测定步骤

1. 试份

取 50ml 试样于砷化氢发生瓶中,如预料砷的含量超过 0.5mg/L,取适量的试样,并用水稀释至 50ml。

2. 空白试验

在测定的同时应进行空白试验,所用试剂及其用量与在测定中所用的相同,包括任何预处理的步骤亦相同,但用 50ml 水取代试份。

3. 测定

（1）预处理。除非证明试样的消解处理是不必要的,可直接制备试份,加入 4ml 1.84g/ml 的硫酸进行显色和测定,否则,要按下述步骤进行预处理:于砷化氢发生瓶中加入 4ml 1.84g/ml 的硫酸和 5ml 1.84g/ml 的硝酸。在通风橱内煮沸消解至产生白色烟雾。如溶液仍不清澈,可再加 5ml 1.84g/ml 的硝酸,继续加热至产生白色烟雾,直至溶液清澈为止(其中可能存在乳白色或淡黄色酸不溶物)。冷却后,小心加入 25ml 水,再加热至产生白色烟雾,赶尽氮氧化物,冷却后,加水使总体积为 50ml。

在消解破坏有机物的过程中,勿使溶液变黑,否则砷可能有损失。

(2)显色。包括以下内容：

1)于砷化氢发生瓶中加 4ml 150g/L 的碘化钾，摇匀，再加 2ml 氯化亚锡溶液，混匀，放置 15min。

2)取 5.0ml 吸收液至吸收管中，插入导气管。

3)加 1ml 150g/L 的硫酸铜溶液和 4g(10～20 目)无砷锌粒于砷化氢发生瓶中，并立即将导气管与发生瓶连接，保证反应器密闭。

4)在室温下，维持反应 1h，使砷化氢完全释出。加氯仿将吸收体积补足到 5.0ml。

必须注意，砷化氢有剧毒，整个反应应在通风橱内或通风良好的室内进行。在完全释放砷化氢后，红色生成物在 2.5h 内是稳定的，应在此期间内进行分光光度测定。

(3)光度测定。用 10mm 比色皿，以氯仿为参比液，在 530nm 波长下测量吸收液的吸光度，减去空白试验所测得的吸光度，从校准曲线上查出试份中的含砷量。

4.校准

(1)标准工作溶液的制备。往 8 个砷化氢发生瓶中，分别加入 0、1.00ml、2.50ml、5.00ml、10.00ml、15.00ml、20.00ml 和 25.00ml 1.00mg/L 砷标准溶液，并用水加到 50ml。

(2)显色与测定。于上述砷化氢发生瓶中，分别加入 4ml 硫酸，以下步骤按显色中 2)和 3)进行。

(3)校准曲线的绘制。减去试剂空白的吸光度，来修正对应的每个标准溶液的吸光度。以修正的吸光度为纵坐标，与之对应的标准溶液的砷含量(μg)为横坐标作图。

要经常绘制校准曲线，至少在每次使用新试剂时要绘制一次。

(七)结果的表示

1.计算方法

砷含量 c(mg/L)由下式计算：

$$c = \frac{m}{V}$$

式中：m——校准曲线查得的试份砷含量，μg；

V——试份的体积，ml。

2.结果表示

(1)取平行测定结果的算术平均值为测定结果。

(2)报告砷的含量。根据有效数字的规则，结果以 2 位或 3 位有效数字表示。

3.精密度和准确度

7 个实验室分析含砷 0.100mg/L 的统一分发标准溶液结果如下：

(1)重复性。实验室内相对标准偏差为 2%。

(2)再现性。实验室间相对标准偏差为 3%。

(3)准确度。相对误差为 -1%。

(八)注意事项

(1)锑的干扰及其消除。锑盐在实验条件下，还原生成氢化物，又能与吸收液作用产生红色胶体银。当试份中锑的含量大于 0.1mg/L 时，干扰砷的测定。加入 2ml 氯化亚锡溶液和 5ml 浓度为 150g/L 的碘化钾溶液,可抑制 300μg 锑盐的干扰。如锑浓度很高,该方法不适用。

(2)当硝酸浓度为 0.01mol/L 时,开始有负干扰,故不适合作保存剂。若试份中有硝酸,分析前要加硫酸再加热分解之。

(3)硫化物对测定有干扰,可通过乙酸铅棉花去除。若棉花变黑,应更换。

(4)吸收液中氯仿沸点较低,在吸收砷化氢的过程中,易挥发损失,影响砷化氢的吸收。当室温较高时,建议将发生瓶和吸收管降温,并不断补加氯仿于吸收管中,使之尽可能保持一定高度的液层。

(5)锌粒的规格(粒度)对砷化氢的发生有影响,表面粗糙的锌粒还原效率高,规格以 10～20 目为宜,当粒度较大时,应适当增加用量。

(6)夏天高温季节,还原还应激烈,可适当减少硫酸溶液的用量,或将砷化氢发生瓶放入冷水中,使反应缓和。

十九、氯化物的测定——硝酸银滴定法

(一)主题内容与适用范围

该方法规定了水中氯化物浓度的硝酸银滴定法。适用于天然水中氯化物的测定,也适用于经过适当稀释的高矿化度水如咸水、海水等,以及经过预处理除去干扰物的生活污水或工业废水。

该方法适用的浓度范围为 10～500mg/L 的氯化物。高于此范围的水样经稀释后可以扩大其测定范围。

溴化物、碘化物和氰化物能与氯化物一起被滴定。正磷酸盐及聚磷酸盐分别超过 250mg/L 及 25mg/L 时有干扰。铁含量超过 10mg/L 时使终点不明显。

(二)原理

在中性至弱碱性范围内(pH值为 6.5～10.5),以铬酸钾为指示剂,用硝酸银滴定氯化物时,由于氯化银的溶解度小于铬酸银的溶解度,氯离子首先被完全沉淀出来后,然后铬酸盐以铬酸银的形式被沉淀,产生砖红色,指示滴定终点到达。该沉淀滴定的反应如下:

$$Ag^+ + Cl^- \rightarrow AgCl \downarrow$$
$$2Ag^+ + CrO_4 \rightarrow Ag_2CrO_4 \downarrow$$

(三)试剂

分析中仅使用分析纯试制及蒸馏水或去离子水。

(1)高锰酸钾(1/5KMnO_4),浓度为 0.01mol/L。

(2)过氧化氢(H_2O_2),30%。

(3)乙醇(C_6H_5OH),95%。

(4)硫酸溶液(1/2H_2SO_4),浓度为 0.05mol/L。

(5)氢氧化钠溶液(NaOH),浓度为 0.05mol/L。

(6)氢氧化铝悬浮液。溶解 125g 硫酸铝钾[$KAl(SO_4)_2 \cdot 12H_2O$]于 1L 蒸馏水中,加

热至60℃,然后边搅拌边缓缓加入55ml浓氨水放置约1h后,移至大瓶中,用倾泻法反复洗涤沉淀物,直至洗出液不含氯离子为止。用水稀释至约为300ml。

(7)氯化钠标准溶液(NaCl),浓度为0.014 1mol/L,相当于500mg/L氯化物含量。将氯化钠(NaCl)置于瓷坩埚内,在500~600℃下灼烧40~50min。在干燥器中冷却后称取8.240 0g,溶于蒸馏水中,在容量瓶中稀释至1 000ml。用吸管吸取10.0ml,在容量瓶中准确稀释至100ml。1.00ml此标准溶液含0.50mg氯化物(Cl^-)。

(8)硝酸银标准溶液($AgNO_3$),浓度为0.014 1 mol/L。称取2.395 0g于105℃烘0.5h的硝酸银($AgNO_3$),溶于蒸馏水中,在容量瓶中稀释至1 000ml,贮存于棕色瓶中。

用氯化钠标准溶液标定其浓度。用吸管准确吸取25.0ml氯化钠标准溶液于250ml锥形瓶中,加蒸馏水25ml。另取一锥形瓶,量取蒸馏水50ml作空白。各加入1ml浓度为50g/L的铬酸钾溶液,在不断摇动下用硝酸银标准溶液滴定至砖红色沉淀刚刚出现为终点。计算每毫升硝酸银溶液所相当的氯化物量,然后校正其浓度,再作最后标定。1.00ml此标准溶液相当于0.50mg氯化物(Cl^-)。

(9)铬酸钾溶液,浓度为50g/L。称取5g铬酸钾(K_2CrO_4)溶于少量蒸馏水中,滴加硝酸银溶液至有红色沉淀生成。摇匀,静置12h,然后过滤并用蒸馏水将滤液稀释至100ml。

(10)酚酞指示溶液。称取0.5g酚酞溶于50ml 95%的乙醇中。加入50ml蒸馏水,再滴加0.05mol/L氢氧化钠溶液使呈微红色。

(四)仪器

(1)锥形瓶,250ml。

(2)滴定管,25ml,棕色。

(3)吸管,50ml、25ml。

(五)样品

采集代表性水样,放在干净且化学性质稳定的玻璃瓶中或聚乙烯瓶中。保存时不必加入特别的防腐剂。

(六)分析步骤

1.干扰的排除

若无以下各种干扰,此节可省去。

(1)如水样浑浊及带有颜色,则取150ml或取适量水样稀释至150ml,置于250ml锥形瓶中,加入2ml氢氧化铝悬浮液,振荡过滤。弃去最初滤下的20ml,用干的清洁锥形瓶接取滤液备用。

(2)如果有机物含量高或色度高,可用茂福炉灰化法预先处理水样。取适量废水样于瓷蒸发皿中,调节pH值至8~9,置于水浴上蒸干,然后放入茂福炉中,在600℃下灼烧1h,取出冷却后,加10ml蒸馏水,移入250ml锥形瓶中,并用蒸馏水清洗3次,一并转入锥形瓶中,调节pH值至7左右,稀释至50ml。

(3)由有机质而产生的较轻色度,可以加入0.01mol/L高锰酸钾2ml,煮沸。再滴加95%乙醇以除去多余的高锰酸钾至水样退色,过滤,滤液贮存于锥形瓶中备用。

(4)如果水样中含有硫化物、亚硫酸盐或硫化酸盐,则加0.05mol/L的氢氧化钠溶液将水样调至中性或弱碱性,加入1ml 30%过氧化氢,摇匀。1 min后加热至70~80℃,以除去过量的过氧化氢。

2.测定

(1)用吸管吸取50ml水样或经过预处理的水样(若氯化物含量高,可取适量水样用蒸馏水稀释至50ml),置于锥形瓶中。另取一锥形瓶加入50ml蒸馏水作空白试验。

(2)如水样pH值在6.5~10.5范围时,可直接滴定,超出此范围的水样应以酚酞作指示剂,用0.05mol/L的稀硫酸或0.05mol/L的氢氧化钠溶液调节至红色刚刚退去。

(3)加入1ml浓度为50g/L的铬酸钾溶液,用0.014 1mol/L的硝酸银标准溶液滴定至砖红色沉淀刚刚出现即为滴定终点。

同法作空白滴定。

注意:铬酸钾在水样中的浓度影响终点到达的迟早,在50~100ml滴定液中加入1ml浓度为5%的铬酸钾溶液,使CrO_4浓度为2.6×10^{-3}~5.2×10^{-3}mol/L。在滴定终点时,硝酸银加入量略过终点,可用空白测定值消除。

(七)结果的表示

氯化物含量c(ml/L)按下式计算:

$$c = \frac{(V_2 - V_1) \times M \times 35.45 \times 1\,000}{V}$$

式中:V_1——蒸馏水消耗硝酸银标准溶液量,ml;

V_2——试样消耗硝酸银标准溶液量,ml;

M——硝酸银标准溶液浓度,mol/L;

V——试样的体积,ml。

(八)精密度和准确度

6个实验室测定含氯化物88.29mg/L的标准混合样品结果(1987年1月)如下:

(1)重复性。实验室内相对标准偏差为0.27%。

(2)再现性。实验室间相对标准偏差为1.2%。

(3)准确度。相对误差为0.57%。加标回收率为100.21±0.32%。

(九)注意事项

对于矿化度很高的咸水或海水的测定,可采取下述方法扩大其测定范围:

(1)提高硝酸银标准溶液的浓度到1ml。

(2)对样品进行稀释,稀释度可参考表6-24。

表6-24　　　　　　　　　　　　　高矿化度样品的稀释度

密度	稀释度	相当取样量(ml)
1.000~1.010	不稀释,取50ml滴定	50
1.010~1.025	不稀释,取25ml滴定	25
1.025~1.050	25ml稀释至100ml,取50ml	12.5
1.050~1.090	25ml稀释至100ml,取25ml	6.25
1.090~1.120	25ml稀释至500ml,取25ml	1.25
1.120~1.150	25ml稀释至1 000ml,取25ml	0.625

注:此范围值摘自Anpual Book of ASTM Standords,Designation D4458~85。

第七章　河流沉降物调查与监测

第一节　调查目的和内容

多泥沙河流水系是溶解态和颗粒态污染物质迁移、扩散和沉积的一个重要通道,也是污染物通过生物吸收进入食物链的重要环节。由于沉降物是河流中大多数污染物质的主要载体,因此是反映河流污染的最灵敏的指示物。同时,沉降物上赋存的污染物又确实对河流水生生态系统有着一定的毒性效应或不良影响。因此,在多泥沙河流水污染调查中,有必要对河流沉降物进行调查与监测。

一、沉降物的概念

河流沉降物主要包括水体悬浮物和沉积物(底质)。悬浮物是指河流中通过水的紊动作用而保持悬浮状态,且不与河流底部接触,粒径在 $0.45 \sim 63 \mu m$ 范围内的颗粒状物质。沉积物指沉积在河流底部的松散矿物质颗粒或有机物质。

二、沉降物的形成

河流沉降物是经暴风雨侵蚀及洪水冲刷农田、非覆盖的森林泥土、牧场、露天矿、市区等地面的泥土和无机颗粒物、生物过程的产物、有机质沉降物、污水排出物等形成的。

(一)释放和底泥悬浮物质

释放和底泥悬浮物质主要包括:

(1)水中动物排泄;

(2)有机物碎屑化学分解及微生物分解;

(3)以有机物碎屑和微生物为食的动物及它们的排泄物;

(4)水底的物理化学条件变化造成的溶解;

(5)风浪造成的底泥悬浮。

(二)沉降和沉积的物质

沉降和沉积的物质主要包括:

(1)直接沉积和溶解物质被吸附和沉淀;

(2)动植物残体的沉降;

(3)有机物质沉积。

因此,沉降物是河流水体主要的组成部分,它与水质、水生物之间密切相关。

三、沉降物与污染的关系

进入水体的污染物质,在水体中会发生一系列的吸附、絮凝、沉降等作用,绝大部分与水相中的黏粒、沙石等一起沉淀并累积在沉降物中。这一过程,会使水相中的污染物质降低,而沉降物中污染物的含量有时会达到惊人的地步。因此,沉降物往往成为水体污染物的主要归宿,常被人们称为"指示剂"。被吸附在沉降物中的污染物,在环境条件变化时,通过解吸、溶解、生物分解等作用,又会重返水相,产生"第二次污染"。因此,评判沉降物污染与否,已成为当前环境科学迫切需要解决的问题。

四、沉降物的调查目的

近年来,由于人类对自然资源的加速开发,导致森林植被遭到破坏、水土流失加剧和固体废弃物排放量增加,许多河流的沉降物含量也日益增高,沉降物对河流水质的影响更为突出。

由于地表水中悬浮物的沉降作用,污染物与悬浮物一起沉入水底。底质的性质对水质、水生物有着明显的影响。水质检测所得的数据只能代表采集水样瞬时(或短期内)的水质状况,而对不连续排放的污染物质,取样时不一定能采集到,因而需进行水体沉降物的测定。沉降物的分析有助于了解水体在过去较长一段时间内具有的污染物质的富集程度,及其对水体将发生的危害。

沉降物调查的主要目的,在于揭示水中沉降物的理化特性及其与水质的关系,研究多泥沙河流中有毒有机物和有毒重金属的污染分配状况、赋存状态、迁移转化、降解途径及主要归宿,为建立适合多泥沙特点的河流水质监测及评价体系提供科学依据。

五、沉降物的调查内容

沉降物的测定,是了解水体的一种有效手段。这不仅有助于评价水质污染程度,而且可结合水文学等特点,预测未来发展趋势。但多泥沙河流中沉降物的来源千变万化,其组成差异也很大,不仅具有不同的污染物本底含量,而且吸附性能也不同,吸附机理错综复杂。因此,在进行多泥沙河流沉降物调查时,要有针对性地全面进行。

(一)沉降物粒径组成

水体沉积过程也就是污染物的运动过程,具有一定的规律。对于同一条河流来说,不同河段有着不同的沉积过程。上游以冲刷为主,平缓的下游则以沉积为主;在不同的季节亦然,丰水期沉积物较粗,枯水期沉积物较细。

沉积相对重金属、石油类化合物和其他有机物的富集作用,主要是通过沉积物的前身悬浮物和水体接触过程的界面反应所带来的,固相比表面的大小在固液界面反应中起着关键的作用。一般悬浮物的粒度越小,分散度越高,比表面越大,富集能力越强。由于悬浮物及沉积物的粒径组成不同,造成其吸附性能各不相同,吸附机理差异也很大,因此在沉降物调查中要考虑其粒径组成。

(二)沉降物背景值调查

在河流水环境中,沉降物在微量金属的传输和地球化学循环中起着重要的作用。悬浮物化学分析结果已被用于寻找矿床、确定水质的长期变化趋势和人为污染源。为了阐明来源广泛、性质复杂、组成多变的沉降物中各种成分之间的关系,研究河流水环境中污染物的含量分布及污染物的迁移转化过程的影响,必须对沉降物的理化性质及元素背景值进行研究。

为使采集样品具有代表性、可靠性和有效性,沉降物背景值调查的布点主要考虑以下5种因素:

(1)样点布设的位置要尽量回避人类活动的影响,力求避开已知的污染源,设置在常年河水有流处(冰封期除外)。

(2)样点布设要体现区域代表性和总体的完整性。

(3)样点布设要结合区域内地貌特征、水系分布及水土流失程度(输沙模数),既能反映水系不同水域水环境背景及主要影响因素的变化,又能反映水环境质量的总体特征。

(4)样点布设要兼顾区域内主要的土壤和母质类型以及土地利用状况,断面应设在已形成一定的过水流量并有一定的积水面积的溪河上。

(5)采样布设应考虑区域内土壤机械组成的地域性差异,具体位置的确定还应考虑设在水文条件比较稳定和河道较平直的河段上。

(三)河流沉降物中污染物含量及分布调查

河流是挟带污染物和颗粒物质迁移和沉积的重要途径。沉降物内或其表面的污染物进入河道的方式,有倾倒或是正常的侵蚀过程。倾倒产生的沉积物通常来自点源,而侵蚀作用则可能涉及点源和面源。因此,沉降物中的污染物来源于点源和面源。来自点源的物质常常随一股径流进入河流,而来自面源的物质进入河里超过了表层侵蚀的正常过程。这些过程包括降雨侵蚀、地表径流和河床径流。

在点源污染中,河流底部沉积物累积污染物的程度与工业废水中污染物含量有关。同时,河流底部沉积物含量变化又与距污染源的距离有关。在排污口处,污染物进入河流附近的累积量最高,向上游或向下游方向则递减。

面源污染物主要来源于水土流失、农药化肥、工业废渣、废气和垃圾。

(1)大面积的水土流失,是多泥沙河流最突出的面源污染。一旦物质进入河流,假如它们非常细小或成为河床质泥沙,可能作为冲刷物而被迁移并继续悬浮。

(2)流域性大量使用的化肥、农药,除被作物吸收、分解外,大部分残留在土壤和水分中,然后随农田退水和地表径流进入水体,造成污染。

(3)工业生产过程所产生的固体废弃物随着工业发展日益增多,其中以冶金、煤炭、火力发电等行业的排放量最大。一些工矿企业把工业废弃物随意堆积于河滩或直接倾入水体,这些工业废弃物中含有大量易溶于水的物质或在水中发生转化而进入水体的物质,造成水体污染。

(4)由于工业生产、燃料燃烧和汽车尾气,向大气排放大量的二氧化硫、氮氧化物、碳氧化物、碳氢化物和烟尘,这些废气和烟尘可以自然降落或在降水过程中溶于水,而被挟带至河道中,对水体形成污染。

河流沉降物中污染物会通过农作物和底栖生物而对人体健康发生有害影响,因此有必要对其含量和分布进行调查。

(四)河流沉降物中污染物的形态分析

随着人们对环境的认识不断深入及分析技术的日益提高,人们认识到环境污染物质的毒性并非取决于污染物的总量,而是与其在环境中的实际赋存状态密切相关。当评价一个天然水体受污染物(如重金属)污染时,如果仍按通常的程序,只测定水体中金属的总量,有可能得出完全错误的结论。因为水体重金属存在的形式不同,对生物的毒性效应各异,事实上有些水体中金属总含量不高,而毒性却很大;反之,有的水体虽然金属总含量很高,但其毒性却很小。悬浮沉降物中的金属,形态不同对生物的可给性亦不同。因此,在进行河流沉降物调查时,应对污染物形态进行分析。

(五)沉降物柱状样调查

监测水中沉降物的组成含量,不仅可掌握污染状况,而且根据底质按年代分层,可采集各层沉积物,进行分层检验,以了解沉积物的历史污染情况。一般来说,随着时间的推移,河流底部沉积物厚度逐渐增加并分层,越靠下部沉积层年代越久,颜色越深。

当大量含有污染物的工业废水进入河流后,其中大部分重金属污染物很快沉降并逐渐累积在河流底部的沉积物上。因此,在河流沉降物调查时,利用沉降物柱状样的监测,可从各个深度沉降物中污染物含量的不同基本了解河流对底质的冲击情况及河流沉降物的年代分布。

第二节 河流沉降物采样点布设与采样

一、河流沉降物采样点布设

(一)采样断面的布设原则

水体沉降物采样点应根据本地区、本河段的土壤背景状况和污染源及主要污染物种类等情况布设,并应符合以下原则:

(1)根据监测目的与水体水力学特征(如河道地形、水流流态等)及功能要求,能反映监测区域沉降物的基本特征。

(2)沉降物采样断面,一般应与地表水水质采样断面相结合。若水质断面所处位置为砂砾或卵石区,则应根据控制断面、削减断面和对照断面分别向下游或上游偏移至泥质区,因为各类污染组分易吸附于细小的沉积物上。

(3)用于特殊目的沉降物调查样点布设时,采样点按监测目的与要求布设。

(4)调查特定污染源排污影响时,需在排污口上游避开污水回流影响处设对照断面,在排污口下游 1 500m 内根据情况设置采样断面。

(二)采样点布设方法与要求

采样点布设时可以按如下要求进行:

(1)在本河段上游应设置背景采样断面(点)。

(2)采样断面应选择在水流平缓、冲刷作用较弱的地方,采样点应与水质采样点位于同一垂线上。采样点按两岸近岸与中泓布设,近岸采样点距湿岸 2~10m。但水质断面所处位置若为砂砾或卵石区,则应根据控制断面、削减断面和对照断面分别向下游或上游偏移至泥质区,因为各类污染组分易吸附于细小的沉积物上。但采样点必须设在水能经常淹没的地方。

(3)调查特定污染源排污影响时,布设排污口区采样点,可在上游 50m 处设对照采样点,并应避开污水回流的影响;在排污口下 50~1 000m 处布设若干采样断面(或半断面)或采样点,亦可按放射式布设。

(4)水库采样点布设应与水库水质采样垂线一致。如遇砂砾和卵石区可适当偏移,但采样点必须设在水能经常淹没的地方。

(5)柱状样品采样点应设置在河段沉积物较均匀、代表性较好处。

(6)进行痕量有机组分监测时,采样点应选择在水流流速低、淤泥、黏土能沉积的沉积区。例如,河湾内部或有其他障碍的下游、水库近中心区等,不能在两条河流直接汇合区采样。

二、河流沉降物采样频次和时间的确定

对沉降物采样频次和时间要求如下。

(一)悬浮物

以评估水体环境质量为目标时,悬浮物样品可不定期进行,通常应在丰水期采集,各年时间宜一致。

(二)沉积物

沉积物一般情况下每半年采集一次,或者每年丰、枯水期各采样 1 次,各年时间宜一致。

三、河流沉降物样品采集的数量

沉降物样品采集量可根据具体监测项目确定,一般情况下,可按下列要求进行采集。

(一)悬浮物

悬浮物样品采集量应视测试项目、目的和含沙量而定,悬浮物样品需使用 $0.45\mu m$ 滤膜过滤。采样量(湿重)不宜少于 3g,一般(干重)为 $0.5\sim5.0g$。如果样品不易采集或测定项目较少时,可予酌减;监测项目多时,应酌情增加。

(二)沉积物

沉积物样品采集量应视测试项目、目的而定,每个沉积物样品采集数量为 $0.5\sim1kg$ (湿重),如样品不易采集或测定项目较少时,可予酌减。

悬浮物、沉积物的采样量,除应考虑其测定项目所需样品量外,还应考虑所测含水率的样品需要量。为使沉积物样品具有代表性,在同一采样点应采集 $2\sim3$ 次,将各次样品混合成一个样品。

四、河流沉降物采样

(一)采样器和贮样器的选择与使用要求

1.采样器

沉降物采样器分为悬浮物采样器和沉积物采样器,采样器材质应强度高、耐磨及耐蚀性良好。

(1)悬浮物采样器。其采样方式和水质采样相同。为避免多泥沙水样采集后因泥沙下沉而使水样中泥沙分布不均,悬浮物样品的采集应采用横式采样器,或带有可将水样上

下搅拌均匀装置的、出水口内径不小于1.5cm的特殊竖式采样器(是为避免水样流出不畅而定的)。

(2)沉积物采样器。根据河床的软硬程度,可选用不同的类型,现有挖式、抓式、管式或锥式沉积物采样器。在采样断面上、下游附近的同域范围内寻找沉积环境,采集泥质沉积物、半泥半沙或细沙样品时,每个断面采1个样。

1)深水的断面可用挖掘式采泥器采集。挖掘式(抓式)采样器具有带爪的斗,爪钩依靠弹簧加载或重量加载开启。用绳将采样器降到河底,借铁爪急速闭合采集样品。用大船采样时,选用Peterson和Shipck挖掘式采样器,可从河床采集较大量的样品。在同一采样点采集样品不得少于3次,取挖掘沉积物泥堆的中心样品,将其混合均匀。该方法适用于采集量较大的表层沉积物样品。

2)用小划船采样时,可选用Ekman和Ponar采样器,采样体积为1~2L。为了保持底质的层次结构,可采用管式泥芯采样器。该采样器是一根管,将管降至河底,加以钻探取得圆柱形的样品,在管子采样端有活塞装置阻止样品脱落。该方法适用于采集柱状样品。

3)当采集较少量的表层沉积物样品时,可选用锥式采样器。

4)水特别浅的断面,可直接用小铲采集。在水深小于3m时,可选用削有斜面的竹竿采样。将竹竿粗的一端削成尖头斜面,插入河床底取样。

2.贮样器

悬浮物样品贮样器要求参见第三章中"贮样容器材质要求"、"贮样容器清洗办法"、"贮样容器类型选择"部分。

(二)采样方式

多泥沙河流水环境样品采集对水样中泥沙分布的均匀性要求较高。由于涉水采样易扰动采样区域底部沉积物,使水样失去代表性,因此无论河水深浅,均不可涉水采样。

在有缆道的河流采样时,如用船只,必须抛锚或用马达使船平衡在水面;如用吊箱,必须将吊箱固定在缆道上,悬吊采样器的绳子应能到达采样点位置。缆道采样是一种安全可靠的采样方式,但在流速较大的山区河流采集悬浮物样品时,应使用带有重锤的横式采样器。

(三)采样技术

1.悬浮物

根据悬浮物的定义,采集的悬浮物样品应为水体中粒径在$0.45 \sim 63 \mu m$范围内的全部颗粒物。大量的科学研究表明,小于$63 \mu m$的泥沙颗粒在河流断面上的分布比较均匀,在地球化学和环境化学方面具有重要的代表性。因此,悬浮物样品的采集可在现场用$63 \mu m$孔径的筛子,除去大于$63 \mu m$的颗粒物,然后放入事先清洗干净的贮样容器内,冷藏保存。

2.沉积物

根据河床的软硬程度,选择不同的沉积物采样器。水浅的断面可直接用小铲采集;深水的断面可用挖掘式采泥器采集,取挖掘沉积物泥堆的中心样品,并应防止采样器的污染影响。采集的样品应尽可能具有代表性,颗粒大小不应超过2mm,样品采集后应沥去水分,除去石块、树枝、木屑、动植物的残体。

采集到的沉积物样品用小塑料铲或竹、木制的铲子,将其直接转装入聚乙烯塑料袋中,重量在 2 000g(泥质样)至 4 000g(细砂质样)之间。当即做好记录,放好标签或标志,严防混样。仔细扎紧袋口,然后套入新白布袋中,做好标记放入样品箱以待运送。

(四)采样时的注意事项

在沉降物采集时应注意以下事项:

(1)采样前,采样器应用水样冲洗,采样时应避免搅动底部沉积物。

(2)为保证样品代表性,在同一采样点可采样 2~3 次,然后混匀。

(3)样品采集后应沥去水分,除去石块、树枝等杂物。供有机物分析的样品应置于棕色广口磨口玻璃瓶中,瓶盖应内衬洁净铝箔或聚四氟乙烯薄膜;供无机物分析的样品可放置于塑料袋中。

(4)沉降物样品的采集应与水质采样同步进行。

(5)采样时需详细记录采样时间(年、月、日、时),采样点位置(用图标出),采样方法(使用的采样器名称、型号、采样使用的方法),并对底质作现场描述,如质地、色、味等。

(6)采集的样品应尽可能迅速地进行分析测定,若不能立即进行分析时,应按照分析项目的要求进行妥善保存。

五、沉降物样品的制备

(一)悬浮物样品的制备

水沙分离方法可根据采样条件和分析方法要求选择离心、过滤或沉淀澄清法。

1.水沙分离的设备要求

(1)选用的离心设备主要包括离心机和离心管,它们应符合以下要求:

1)离心机。额定转速必须大于 4 000r/min,一次离心的水量不能小于 200ml。

2)离心管。应根据不同测试项目,选用玻璃、塑料、不锈钢等材质所制专用离心管。

(2)选用的过滤设备应符合以下要求:

1)孔径为 $63\mu m$ 的过滤筛。测金属项目的样品,应使用塑框尼龙网过滤筛;测有机物项目的样品应使用不锈钢框金属网筛。

2)孔径为 $0.45\mu m$ 的滤膜。测金属项目的样品,应使用有机滤膜(聚碳酸酯、纤维素、醋酸纤维素等),通常先用稀酸清洗,再用蒸馏水清洗,然后保存在培养皿内待用;测定有机物项目的样品,应使用玻璃纤维滤膜或银滤膜,通常先用溶剂浸泡清洗,再于 300℃ 温度下烘干,保存在铝箔或螺帽密封的干净金属或玻璃容器中待用。

(3)选用的沉淀澄清水沙分离设备应满足下述要求:

1)贮样器应根据不同的测试项目选用不同的材质,容器上口直径不小于 5cm,高度不小于 50cm,容积至少为待测水样需用量的 5 倍以上。

2)采集清水的虹吸管也应根据测试项目的不同选用不同的材质,将其插入贮样容器的一端应带有长度约 2cm 的向上弯头。

2.悬浮物样品水沙分离方法

悬浮物样品可通过原水样品采集后进行水沙分离而得到。因此,原水样品的采样技术适用于悬浮物样品。

（1）离心法。可采用离心法取得悬浮物样品。离心转速和时间分别控制在 4 000 r/min 和 30min 为宜。离心机停转后，应小心取出离心管，防止固体再悬浮，然后弃去上清液，取出下部固体，转移到事先清洗干净的贮样器中，冷藏保存。只有河流中所采集的原水样品全部经离心分离，操作过程中严格防止细粒径组分的丢失，获取的悬移质样品才具有代表性，部分分离所得样品不具有代表性。

（2）滤膜过滤法。悬浮物样品的制备还可采用滤膜过滤法。过滤所用滤膜孔径为 0.45μm，所选材质及清洗方法视测定项目而定。过滤时要求将河流中采集的一个原水样品全部通过滤器过滤，然后弃去滤液，滤膜截留部分与滤膜一起折好，放入事先清洗干净的贮样器内，冷藏保存。

（3）沉淀澄清法。对于条件困难、不能实行离心和过滤法进行水沙分离的实验室，也可采用完全澄清法从原水中取得悬浮物样品。但每次采样澄清时间和温度应尽可能保持一致，以澄清时间 72h、温度 4℃左右为好。澄清后，小心移取或吸取水沙界面的上清液，将剩余部分转移到事先备好的贮样器中。

无论以上述何种方式取得悬浮物样品，均应为原水样品中的全部悬浮物。操作过程中应严格防止细粒径组分丢失。

3. 悬浮物样品的干燥

对于那些需用新鲜样品作待测试的项目，应尽快分析，不易放置保存太久，以免样品变质。

·对于不需要用新鲜样品的测试项目，可以对悬浮物样品进行干燥，然后再装入预先清洗并烘过的广口磨口瓶中，盖紧，并填好和贴好标签，供测试用或冷冻保存。悬浮物样品的干燥见沉积物样品的干燥方法。

（二）沉积物样品的制备

1. 样品制备的目的

对于那些需用新鲜样品作待测试的项目，应尽快分析，不易放置保存太久，以免样品变质。对于不需要用新鲜样品的测试项目，可以对沉积物样品进行制备，然后再保存。沉积物样品制备的目的如下：

（1）挑出动植物残骸、石粒、砖块等，以除去非底质样的组成部分；

（2）适当磨细，充分混匀，使分析时所称取的少量样品具有较高的代表性，以减少称样误差；

（3）全量分析项目，样品需要磨细，以便分解样品的反应能够完全和均匀；

（4）使样品能长期保存，不致因微生物的活动而霉坏。

2. 沉积物样品的预处理

沉积物样品制备包括样品干燥、粉碎、过筛和缩分等步骤。

（1）样品干燥。根据测试对象，样品干燥可选用下列方法之一：

1）真空冷冻干燥。适用于各种类型的样品，特别适用于对热、空气不稳定的组分。如果沉降物中含有易挥发或易受空气氧化的污染物质如烷基汞、农药、氢化物、硫化物等，为避免干燥过程的损失，试样脱水后应立即分析，否则，需加入适当固定剂，在 0～5℃暗处保存。如检验农药可用中性甲醛固定。

2)自然风干。适用于较稳定组分。测汞用的样品只能用风干法脱水。在沉降物分析中，一般采取风干样品而不是烘干样品作为分析样品，因为在样品的烘干过程中有些成分发生变化或遭到破坏。沉降物样品风干时，在阴凉通风处初步晾干，去掉大部分水分。将半干的沉降物样品置于搪瓷或玻璃盘中，用木棒将其碾碎，除去残存的动植物体及石块等杂物，摊开并铺成约5cm厚的薄层，于干燥通风处避光风干，并不时翻动。应注意防止酸、碱蒸气的玷污，并避免落入尘埃，同时贴好标签。

3)恒温干燥(105℃)。适用于稳定组分。

4)离心分离。适用于易挥发或易发生变化的组分。

5)无水硫酸钠脱水。适用于油类等有机污染物的测定。

(2)沉积物样品粉碎、过筛和缩分等步骤。沉积物样品干燥脱水后，按下列程序制备样品：

1)剔除石块、贝壳、杂草等杂质，平摊在有机玻璃板上，再剔除明显的砾石与动植物残体后，反复用木锤研碾破碎，过20目筛，至筛上不含泥土为止。过筛的沉积物样品重复用四分法进行弃取，最后留出足够分析的用量。弃去的样品另装瓶备用。

2)测定金属的样品应用玻璃瓶或玛瑙粉碎器皿研磨至全部样品通过80~200目筛(视测定项目要求而定)。

3)过筛后的样品应充分搅拌均匀，并采用四分法缩分，得到所需量的沉积物样品后，装入预先清洗并烘过的广口磨口瓶中，盖紧后填好并贴好标签，供测试用或冷冻保存。

(3)沉积物样品制备应注意以下事项：

1)测定金属项目的样品应使用尼龙网筛；测有机污染物样品应使用不锈钢网筛。

2)测定汞、砷、硫化物等项目的样品宜采用人工方法碎样，并且过80目筛。

3)采用湿样测定不稳定组分时，应同时制备两份样品，其中一份用于含水量测定。含水量测定时采用烘干样品，即将沉积物样品于105~110℃条件下烘至恒重，它可用于样品的含水量计算。计算结果时，样品质量均换算成105~110℃下烘干至恒重的沉积物量，以此作为基数。

六、沉降物样品的保存与预处理

(一)沉降物样品的保存

沉降物样品保存应符合以下要求：

(1)悬浮物样品采集后尽快采用0.45μm滤膜过滤或离心等方法将水分离后保存。

(2)沉积物样品采集后，于-20~-40℃冷冻保存，并在样品保存期内测试完毕。

(3)有些成分，如亚价铁、铵态氮、硝态氮等，在风干过程中也会发生变化，所以对这些分析项目应当采用新鲜样品进行分析。

新鲜样品是指从现场采集后未作任何处理的沉积物样品。一般的制备原则是，尽量保持样品的原来状态，以保证样品的所需测试组分或性质不发生变化。具体做法是：用柱状采样器采得样品后，加盖使之与空气隔绝，带回实验室静放0.5~1h，待沉降物上部的悬浮沉降物颗粒沉降之后，去掉上覆水，取出样品，去掉样品中的动植物残骸及石块等非底质杂物。如需保存，应在低温(4℃左右)阴暗处保存。在测试时，可取一定量样品作分析,同时取同样重量的样品作称重定量(即含水量的计算)。沉降物样品保存与要求,见表 7-1。

表 7-1　　　　　　　　　　　　　　沉降物样品保存与要求

测定项目	容器	样品保存方法与要求
重金属	P、G	于 -20℃ 下,保存期为 6 个月(汞为 30 天)
有机污染物	G	尽快萃取或 4℃ 下避光保存至萃取,可萃取有机物在萃取 40 天内分析,挥发性有机物保存期为 14 天
颗粒度	P、G	小于 4℃,保存期 6 个月,样品在分析前严禁冷冻和烘干处理
总固体,水分	P、G	冷冻保存,保存期 6 个月
总挥发性固体	P、G	冷冻保存,保存期 6 个月
总有机碳	P、G	冷冻保存,保存期 6 个月,室温融解
生化需氧量	P、G	尽快分析(4℃ 下可保存 7 天,分析前升温到 20℃)
化学需氧量	P、G	尽快分析(4℃ 下可保存 7 天)
油　脂	P、G	尽快分析(80g 湿样,加入 1ml 浓盐酸,4℃ 下密封保存,保存期 28 天)
硫化物	P、G	尽快分析(80g 湿样,加入 2ml 浓度为 1mol/L 的醋酸锌并摇匀,于 4℃ 下避光密封保存,保存期 7 天)

(二)沉降物样品的预处理

沉降物样品的预处理方法视待测组分而异。

(1)金属。根据所测组分,可分别选用 $HCl-HNO_3$、$HNO_3-H_2SO_4-HClO_4$、$H_2SO_4-H_3PO_4$、$HNO_3-H_2SO_4$、$H_2SO_4-KMnO_4$ 等法进行消化提取。用提取液进行金属离子分析。

(2)阴离子。用相应的稀酸提取各种吸附在沉降物上面的阴离子,如 NO_3^-、SO_4^{2-}、PO_4^{3-} 等。

(3)可挥发性物质。在不同条件下,用蒸馏法将氨、酚、氰、氟等化合物分离。

(4)有机农药。有机溶剂可将除草剂、杀虫剂等萃取出来。残留的有机磷和有机氯农药可采用索氏提取法(Soxhlet extraction method)和层析法等进行抽提。

(5)底质中化学成分的全分析。取试样将其所包括的全部矿物质进行溶解。过去溶解法常选用各种不干扰待测组分的无机盐作助溶剂,以使增溶(solubilization);现多选用简便、快速的封闭加压法,利用所制得样品总溶液,分别进行各种组分分析。

第三节　监测项目与分析方法

一、监测项目与分析方法的选择原则

为了确保调查与监测工作的全面性,在选择监测项目与分析方法时应符合下列原则:

(1)能反映监测区域或河段沉降物基本特征；

(2)全国沉降物评价统一要求的监测项目；

(3)矿区或土壤地球化学高背景区监测项目，按矿物成分、丰度及土壤背景选测；

(4)分析方法采用国家、行业现行有关标准或相关国际标准。

二、监测项目与分析方法的选择要求

在选用监测项目与分析方法时，应根据不同的情况、不同的水体、不同的监测目的进行选择。

(1)一般河流水污染调查时可以按照表7-2中水体沉降物监测项目与分析方法要求进行；水库、湖泊沉降物除表中所列项目外，另应加测总氮、总磷。

表 7-2　　　　　　　　　　**水体沉降物监测项目与分析方法**

必测项目	样品消解与测定方法
总　镉	盐酸－硝酸－高氯酸(或盐酸－硝酸－氢氟酸－高氯酸)消解 (1)萃取－火焰原子吸收分光光度法测定 (2)石墨炉原子吸收分光光度法测定
总　汞	硝酸－硫酸－五氧化二矾或硫酸、硝酸－高锰酸钾消解，冷原子吸收法测定
总　砷	(1)硫酸－硝酸－高氯酸消解，二乙基二硫代氨基甲酸银分光光度法测定 (2)盐酸－硝酸－高氯酸消解，硼氢化钾－硝酸银分光光度法测定
总　铜	盐酸－硝酸－高氯酸(或盐酸－硝酸－氢氟酸－高氯酸)消解后，火焰原子吸收分光光度法测定
总　铅	盐酸－硝酸－氢氟酸－高氯酸消解 (1)萃取－火焰原子吸收法测定 (2)石墨炉原子吸收分光光度法测定
总　铬	硫酸－硝酸－氢氟酸消解 (1)高锰酸钾氧化，二苯碳酰二肼光度法测定 (2)加氯化铵溶液，火焰原子吸收分光光度法测定
总　锌	盐酸－硝酸－高氯酸(或盐酸－硝酸－氢氟酸－高氯酸)消解后，火焰原子吸收分光光度法测定
总　镍	盐酸－硝酸－高氯酸(或盐酸－硝酸－氢氟酸－高氯酸)消解后，火焰原子吸收分光光度法测定
六六六,滴滴涕	丙酮－石油醚提取，浓硫酸净化，气相色谱法(电子捕获检测器)
pH 值	玻璃电极法(土:水 ＝ 1.0:2.5)
阳离子交换量	乙酸铵法等

(2)选测项目还可根据当地实际情况，选测颜色、氧化还原电位、嗅、氰化物、硫化物、酚类化合物、泥沙颗粒级配、底质需氧量(SOD)、有机质、多环芳烃、三氯乙醛、多氯联苯、氯酚类、有机硫农药、除草剂、有机氯农药、有机磷农药等。

(3)根据监测目的，还可选用不同的样品预处理方法，测定样品中不同的金属形态和可提取金属含量。

三、沉降物分析方法

就现行国家标准中涉及的监测项目的具体分析方法和各方法应注意的事项,主要介绍以下内容。

(一)土壤中铅、镉的测定——KI-MIBK 萃取火焰原子吸收分光光度法

1. 主题内容与适用范围

(1)根据国家标准,测定土壤中铅、镉采取碘化钾-甲基异丁基甲酮(KI-MIBK)萃取火焰原子吸收分光光度法。

(2)国家标准中的检出限(按称取 0.5g 试样消解定容至 50ml 计算)为:铅 0.2mg/kg,镉 0.5mg/kg。

(3)当试液中铜、锌的含量较高时,会消耗碘化钾,应酌情增加碘化钾的用量。

2. 原理

采用盐酸-硝酸-氢氟酸-高氯酸全分解的方法,彻底破坏土壤的矿物晶格,使试样中的待测元素全部进入试液中。然后,在约 1% 的盐酸介质中,加入适量的 KI,试液中的 Pb^{2+}、Cd^{2+} 与 I^- 形成稳定的离子缔合物,可被甲基异丁基甲酮(MIBK)萃取。将有机相喷入火焰,在火焰的高温下,铅、镉化合物离解为基态原子,该基态原子蒸气对相应的空心阴极灯发射的特征谱线产生选择性吸收,在选择的最佳测定条件下,测定铅、镉的吸光度。

当盐酸浓度为 1%~2%、碘化钾浓度为 0.1mol/L 时,甲基异丁基甲酮(MIBK)对铅、镉的萃取率分别达 99.4% 和 99.3% 以上。在浓缩试样中铅、镉的同时,还达到与大量共存成分铁、铝及碱金属、碱土金属分离的目的。

3. 试剂

所使用的试剂除另有说明外,均使用符合国家标准的分析纯试剂和去离子水或同等纯度的水。

(1)盐酸(HCl),$\rho=1.19g/ml$,优级纯。

(2)盐酸溶液,1+1,用(1)中规定的盐酸配制。

(3)盐酸溶液,体积分数为 0.2%,用(1)中规定的盐酸配制。

(4)硝酸(HNO_3),$\rho=1.42g/ml$,优级纯。

(5)硝酸溶液,1+1,用(4)中规定的硝酸配制。

(6)氢氟酸(HF),$\rho=1.49g/ml$。

(7)高氯酸($HClO_4$),$\rho=1.68g/ml$,优级纯。

(8)抗坏血酸($C_6H_8O_6$)水溶液,质量分数为 10%。

(9)碘化钾(KI),浓度为 2mol/L。称取 33.2g KI 溶于 100ml 水中。

(10)甲基异丁基甲酮(MIBK),水饱和溶液。在分液漏斗中放入 MIBK 及与 MIBK 等体积的水,振摇 1min,静置分层(约 3min)后弃去水相,取上层 MIBK 相使用。

(11)铅标准贮备液,1.000mg/ml。称取 1.000 0g(精确至 0.000 2g)光谱纯金属铅于50ml 烧杯中,加入 20ml 1+1 硝酸溶液,温热溶解,全量转移至 1 000ml 容量瓶中,冷却后,用水定容至标线,摇匀。

(12)镉标准贮备液,1.000mg/ml。称取 1.000 0g(精确至 0.000 2g)光谱纯金属镉于

50ml烧杯中,加入20ml 1+1硝酸溶液,温热溶解,全量转移至1 000ml容量瓶中,冷却后,用水定容至标线,摇匀。

(13)铅、镉标准使用液,铅5mg/L、镉0.25mg/L。用盐酸溶液逐级稀释铅、镉标准贮备液配制。

4.仪器与仪器参数

(1)一般实验室仪器;

(2)原子吸收分光光度计(带有背景校正装置);

(3)铅空心阴极灯;

(4)镉空心阴极灯;

(5)乙炔钢瓶;

(6)空气压缩机,应备有除水、除油和除尘装置;

(7)仪器参数。不同型号仪器的最佳测量条件不同,可根据仪器使用说明书自行选择。通常国家标准采用的测量条件见表7-3。

表7-3   仪器测量条件

元素	铅	镉
测定波长(nm)	217.0	228.8
通带宽度(nm)	1.3	1.3
灯电流(mA)	7.5	7.5
火焰性质	氧化性	氧化性

5.样品

将采集的土壤样品(一般不少于500g)混匀后用四分法缩分至约100g,缩分后的土样经风干(自然风干或冷冻干燥),除去土样中石子和动植物残体等异物,用木棒(或玛瑙棒)研压,通过2mm尼龙筛(除去2mm以上的砂砾),混匀。用玛瑙研钵将通过2mm尼龙筛的土样研磨至全部通过100目(孔径0.149mm)尼龙筛,混匀后备用。

6.分析步骤

(1)试液的制备。

1)消解。准确称取0.2～0.5g(精确至0.000 2g)试样于50ml聚四氟乙烯坩埚中,用水润湿后加入10ml盐酸,于通风橱内的电热板上低温加热,使样品初步分解,待蒸发至约剩3ml时,取下稍冷,然后加入5ml硝酸,5ml氢氟酸,3ml高氯酸,加盖后于电热板上中温加热1h左右,然后开盖,继续加热除硅。为了达到良好的飞硅效果,应经常摇动坩埚。当加热至冒高氯酸浓厚白烟时,加盖,使黑色有机物充分分解。待坩埚壁上的黑色有机物消失后,开盖,驱赶白烟并继续蒸至内容物呈黏稠状。视消解情况,可再加入3ml硝酸标准液,3ml氢氟酸,1ml高氯酸标准液,重复上述消解过程。当白烟再次冒尽且内容物呈黏稠状时,取下稍冷,用水冲洗坩埚盖及内壁,并加入1ml 1+1盐酸溶液温热溶解残渣。然后全量转移至100ml分液漏斗中,加水至约50ml处。由于土壤种类多,所含有机质差异较大,在消解时,应注意观察,各种酸的用量可视消解情况酌情增减。土壤消解液应呈白色或淡黄色(含铁较高的土壤),没有明显沉淀物存在。

2)萃取。在分液漏斗中,加入 2.0ml 10％抗坏血酸溶液,2.5ml 2mol/L 碘化钾溶液,摇匀。然后,准确加入 5.00ml 甲基异丁基甲酮,振摇 1～2min,静置分层。取有机相备测。由于 MIBK 的密度比水小,分层后可直接喷入火焰,不一定必须与水相分离。因此,在实际操作中可以用 50ml 比色管替代分液漏斗。

(2)测定。按照仪器使用说明书调节仪器至最佳工作条件,测定有机相试液(MIBK)的吸光度。

(3)空白试验。用去离子水代替试样,采用和消解相同的步骤和试剂,制备全程序空白溶液,并按步骤进行测定。每批样品至少制备 2 个以上的空白溶液。

(4)校准曲线。参考表 7-4 在 100ml 分液漏斗中加入铅、镉混合标准使用液,其浓度范围应包括试样中铅、镉的浓度。然后加入 1ml 1＋1 盐酸溶液,加水至 50ml 左右,以下操作同萃取。按测定中的条件由低浓度到高浓度顺次测定标准溶液的吸光度。用减去空白的吸光度与相对应的元素含量(mg/L)绘制校准曲线。

表 7-4 **校准曲线溶液浓度**

混合标准溶液体积(ml)	0	0.500	1.00	2.00	3.00	5.00
MIBK 中 Pb 的浓度(mg/L)	0	0.500	1.00	2.00	3.00	5.00
MIBK 中 Cb 的浓度(mg/L)	0	0.025	0.05	0.10	0.15	0.25

7. 结果的表示

土壤样品中铅、镉的含量 $W(Pb(Cd), mg/kg)$ 按下式计算:

$$W = \frac{c \cdot V}{m(1 - f)}$$

式中:c——试液的吸光度减去空白试验的吸光度,然后在校准曲线上查得铅、镉的含量,mg/L;

V——试液(有机相)的体积,ml;

m——称取试样的重量,g;

f——试样中的水分含量,％。

8. 精密度和准确度

多个实验室用本方法分析 ESS 系列土壤标样中铅、镉的精密度和准确度,见表 7-5。

表 7-5 **方法的精密度和准确度**

元素	实验室数	土壤标样	保证值 (mg/kg)	总均值 (mg/kg)	室内相对标准偏差(％)	室间相对标准偏差(％)	相对误差 (％)
Pb	14	ESS-1	23.6±1.2	23.800	3.1	5.0	0.85
	17	ESS-3	33.3±1.3	32.700	2.2	3.7	−1.80
Cd	18	ESS-1	0.083±0.011	0.080	1.4	3.2	−3.60
	21	ESS-3	0.044±0.014	0.045	3.1	4.3	2.30

(二)土壤中镍的测定——火焰原子吸收分光光度法

1.主题内容与适用范围

(1)根据国家标准,测定土壤中镍的方法为火焰原子吸收分光光度法。

(2)国家标准的检出限(按称取 0.5g 试样消解定容至 50ml 计算)为 5mg/kg。

(3)干扰。内容包括:

1)使用 232.0nm 线作为吸收线,存在波长距离很近的镍三线,应选用较窄的光谱通带予以克服。

2)232.0nm 线处于紫外区,盐类颗粒物、分子化合物产生的光散射和分子吸收比较严重,会影响测定。使用背景校正可以克服这类干扰。如浓度允许亦可用将试液均衡稀释的方法来减少背景干扰。

2.原理

采用盐酸－硝酸－氢氟酸－高氯酸全分解的方法,彻底破坏土壤的矿物晶格,使试样中的待测元素全部进入试液。然后,将土壤消解液喷入空气－乙炔火焰中。在火焰的高温下,镍化合物离解为基态原子,基态原子蒸气对镍空心阴极灯发射的特征谱线 232.0nm 产生选择性吸收。在选择的最佳测定条件下,测定镍的吸光度。

3.试剂

所使用的试剂除另有说明外,均使用符合国家标准的分析纯试剂和去离子水或同等纯度的水。

(1)盐酸(HCl),$\rho = 1.19$g/ml,优级纯。

(2)硝酸(HNO_3),$\rho = 1.42$g/ml,优级纯。

(3)硝酸溶液,1＋1。用(2)中的硝酸配制。

(4)硝酸溶液,体积分数为 0.2%:用(2)中的硝酸配制。

(5)氢氟酸(HF),$\rho = 1.49$g/ml。

(6)高氯酸($HClO_4$),$\rho = 1.68$g/ml,优级纯。

(7)镍标准贮备液,1.000mg/ml。称取光谱纯镍粉 1.000 0g(精确至 0.000 2g)于 50ml 烧杯中,加入 20ml 1＋1 硝酸溶液,温热溶解,全量转移至 1 000ml 容量瓶中,冷却后,用水定容至标线,摇匀。

(8)镍标准使用液,50mg/mL。移取镍标准贮备液 10.0ml 于 200ml 容量瓶中,用 0.2%硝酸溶液稀释至标线,摇匀。

4.仪器与仪器参数

(1)一般实验室仪器;

(2)原子吸收分光光度计(带有背景校正装置);

(3)镍空心阴极灯;

(4)乙炔钢瓶;

(5)空气压缩机,应备有除水、除油和除尘装置;

(6)仪器参数。不同型号仪器的最佳测量条件不同,可根据仪器使用说明书自行选择。表 7-6 列出国家标准通常采用的测量条件。

表 7-6 仪器测量条件

元素	镍
测定波长(nm)	232.2
通带宽度(nm)	0.2
灯电流(mA)	12.5
火焰性质	中性

5. 样品

将采集的土壤样品(一般不少于 500g)混匀后用四分法缩分至约 100g。缩分后的土样经风干(自然风干或冷冻干燥)后,除去土样中石子和动植物残体等异物,用木棒(或玛瑙棒)研压,通过 2mm 尼龙筛(除去 2mm 以上的砂砾),混匀。用玛瑙研钵将通过 2mm 尼龙筛的土样研磨至全部通过 100 目(孔径 0.149mm)尼龙筛,混匀后备用。

6. 分析步骤

(1)试液的制备。准确称取 0.2～0.5g(精确至 0.000 2g)试样置于 50ml 聚四氟乙烯坩埚中,用水润湿后加入 10ml 盐酸,于通风橱内的电热板上低温加热,使样品初步分解,待蒸发至约剩 3ml 时,取下稍冷,然后加入 5ml 硝酸,5ml 氢氟酸,3ml 高氯酸,加盖后于电热板上中温加热 1h 左右,然后开盖,继续加热除硅。为了达到良好的飞硅效果,应经常摇动坩埚。当加热至冒浓厚高氯酸白烟时,加盖,使黑色有机碳化物分解。待坩埚壁上的黑色有机物消失后,开盖,驱赶白烟并蒸至内容物呈黏稠状。视消解情况,可再加入 3ml 硝酸,3ml 氢氟酸,1ml 高氯酸,重复上述消解过程。当白烟再次冒尽且内容物呈黏稠状时,取下稍冷,用水冲洗内壁及坩埚盖,并加入 1ml 1+1 硝酸溶液温热溶解残渣。然后全量转移至 50ml 容量瓶中,冷却后定容至标线,摇匀,备测。

由于土壤种类多,所含有机质差异较大,在消解时,应注意观察,各种酸的用量可视消解情况酌情增减。土壤消解液应呈白色或淡黄色(含铁较高的土壤),没有明显沉淀物存在。

注意:电热板温度不宜太高,否则会使聚四氟乙烯坩埚变形。

(2)测定。按照仪器使用说明书调节仪器至最佳工作条件,测定试液的吸光度。

(3)空白试验。用去离子水代替试样,采用和试剂制备相同的步骤和试剂,制备全程序空白溶液,并按测定步骤进行测定。每批样品至少制备 2 个以上的空白溶液。

(4)校准曲线。准确移取镍标准使用液 0.00、0.20ml、0.50ml、1.00ml、2.00ml 和 3.00ml 于 50ml 容量瓶中,用 0.2% 硝酸溶液定容至标线,摇匀,其浓度为 0、0.2mg/L、0.5mg/L、1.0mg/L、2.0mg/L 和 3.0mg/L。此浓度范围应包括试液中镍的浓度。按测定步骤中的条件由低浓度到高浓度顺次测定标准溶液的吸光度。

用减去空白的吸光度与相对应的元素含量(mg/L)绘制校准曲线。

7. 结果的表示

土壤样品中镍的含量 W(mg/kg)按下式计算:

$$W = \frac{c \cdot V}{m(1-f)}$$

式中：c——试液的吸光度减去空白试验的吸光度，然后在校准曲线上查得镍的含量，mg/L；

V——试液(有机相)的体积，ml；

m——称取试样的重量，g；

f——试样中的水分含量，%。

8.精密度和准确度

多个实验室用本方法分析 ESS 系列土壤标样中镍的精密度和准确度，见表7-7。

表 7-7 方法的精密度和准确度

土壤标样	实验室数	保证值(mg/kg)	总均值(mg/kg)	室内相对标准偏差(%)	室间相对标准偏差(%)	相对误差(%)
ESS-1	29	29.6±1.8	29.1	2.5	8.4	−1.7
ESS-3	32	33.7±2.1	34.0	2.6	6.0	0.9
ESS-4	33	32.8±1.7	34.1	2.9	9.1	4.0

(三)土壤中总铬的测定——火焰原子吸收分光光度法

1.主题内容与适用范围

(1)根据国家标准，测定土壤中总铬的方法为火焰原子吸收分光光度法。

(2)国家标准的检出限(按称取 0.5g 试样消解定容至 50ml 计算)为 5mg/kg。

(3)干扰。内容包括：

1)铬是易形成耐高温氧化物的元素，其原子化效率受火焰状态和燃烧器高度的影响较大，需使用富燃烧性(还原性)火焰，观测高度以 10mm 处最佳。

2)加入氯化铵可以抑制铁、钴、镍、钒、铝、镁、铅等共存离子的干扰。

2.原理

采用盐酸-硝酸-氢氟酸-高氯酸全分解的方法，彻底破坏土壤的矿物晶格，使试样中的待测元素全部进入试液。在消解过程中，所有铬都被氧化成 $Cr_2O_7^{2+}$。然后，将消解液喷入富燃性空气-乙炔火焰中。在火焰的高温下，形成铬基态原子，并对铬空心阴极灯发射的特征谱线 357.9mm 产生选择性吸收。在选择的最佳测定条件下，测定铬的吸光度。

3.试剂

所使用的试剂除另有说明外，均使用符合国家标准的分析纯试剂和去离子水或同等纯度的水。

(1)盐酸(HCl)，$\rho=1.19g/ml$，优级纯。

(2)盐酸溶液，1+1：用(1)中的盐酸配制。

(3)硝酸(HNO_3)，$\rho=1.42g/ml$，优级纯。

(4)氢氟酸(HF)，$\rho=1.49g/ml$。

(5)硫酸(H_2SO_4)，$\rho=1.84g/ml$，优级纯。

(6)硫酸溶液，1+1。用(5)中的硫酸配制。

（7）氯化铵水溶液，质量分数为 10%。

（8）铬标准贮备液，1.000mg/ml。准确称取 0.282 9g 基准重铬酸钾（$K_2Cr_2O_7$），用少量水溶解后全部转移至 100ml 容量瓶中，用水定容至标线，摇匀。

（9）铬标准使用液，50mg/mL。移取铬标准贮备液 5.00ml 于 100ml 容量瓶中，加水定容至标线，摇匀。

4．仪器与仪器参数

（1）一般实验室仪器；

（2）原子吸收分光光度计（带有背景校正装置）；

（3）铬空心阴极灯；

（4）乙炔钢瓶；

（5）空气压缩机，应备有除水、除油和除尘装置；

（6）仪器参数。不同型号仪器的最佳测量条件不同，可根据仪器使用说明书自行选择。通常本标准采用表 7-8 中的测量条件。

表 7-8 仪器测量条件

元素	Cr
测定波长（nm）	357.9
通带宽度（nm）	0.7
火焰性质	还原性
次灵敏线（nm）	359.0,360.5,425.4
燃烧器高度	10mm（使空心阴极灯光斑通过火焰亮蓝色部分）

5．样品

将采集的土壤样品（一般不少于 500g）混匀后用四分法缩分至约 100g。缩分后的土样经风干（自然风干或冷冻干燥）后，除去土样中石子和动植物残体等异物，用木棒（或玛瑙棒）研压，通过 2mm 尼龙筛（除去 2mm 以上的砂砾），混匀。用玛瑙研钵将通过 2mm 尼龙筛的土样研磨至全部通过 100 目（孔径 0.149mm）尼龙筛，混匀后备用。

6．分析步骤

（1）试液的制备。准确称取 0.2～0.5g（精至 0.000 2g）试样于 50ml 聚四氟乙烯坩埚中，用少量水润湿，加入 5ml 1＋1 硫酸溶液，10ml 浓硝酸，静置。待剧烈反应停止后，加盖，移至电热板上加热分解 1h 左右。开盖，待土壤分解物呈黏稠状时，加入 5ml 氢氟酸并中温加热除硅，为了达到良好的飞硅效果，应经常摇动坩埚。当加热至冒 SO_3 白烟时，加盖，使黑色有机碳化物充分分解，然后，取下坩埚，稍冷，用少量水冲洗坩埚盖和坩埚内壁，再加热将 SO_3 白烟赶尽并蒸至内容物呈不流动状态。取下坩埚稍冷，加入 3ml 1＋1 盐酸溶液，温热溶解可溶性残渣。全量转移至 50ml 容量瓶中，加入 5ml 10% NH_4Cl 溶液，冷却后定容至标线，摇匀。

由于土壤种类多，所含有机质差异较大，在消解时，应注意观察，各种酸的用量可视消解情况酌情增减。

注意：电热板温度不宜太高，否则会使聚四氟乙烯坩埚变形。

(2)测定。按照仪器使用说明书调节仪器至最佳工作条件,测定试液的吸光度。

(3)空白试验。用去离子水代替试样,采用和试液制备相同的步骤和试剂,制备全程序空白溶液,并按测定步骤进行测定。每批样品至少制备 2 个以上的空白溶液。

(4)校准曲线。准确移取铬标准使用液 0.00、0.50ml、1.00ml、2.00ml、3.00ml 和 4.00ml 于 50ml 容量瓶中,然后,分别加入 5ml 10%NH$_4$Cl 溶液,3ml 1+1 盐酸溶液,用水定容至标线,摇匀,其铬的含量为 0.05mg/L、1.0mg/L、2.0mg/L、3.0mg/L 和 4.0mg/L。此浓度范围应包括试液中铬的浓度。按测定中的条件由低浓度到高浓度顺次测定标准溶液的吸光度。

用减去空白的吸光度与相对应的元素含量(mg/L)绘制校准曲线。

7. 结果的表示

土壤样品中镍的含量 W(mg/kg)按下式计算:

$$W = \frac{c \cdot V}{m(1-f)}$$

式中:c——试液的吸光度减去空白试验的吸光度,然后在校准曲线上查得铬的含量,mg/L;

V——试液(有机相)的体积,ml;

m——称取试样的重量,g;

f——试样中的水分含量,%。

8. 精密度和准确度

多个实验室用本方法分析 ESS 系列土壤标样中铬的精密度和准确度,见表7-9。

表 7-9　方法的精密度和准确度

土壤标样	实验室数	保证值(mg/kg)	总均值(mg/kg)	室内相对标准偏差(%)	室间相对标准偏差(%)	相对误差(%)
ESS-1	16	57.2±4.2	56.1	2.0	9.8	−1.9
ESS-3	18	98.0±7.1	93.2	2.3	8.3	−4.9

(四)土壤中总汞的测定——冷原子吸收分光光度法

1. 主题内容与适用范围

(1)根据国家标准,测定土壤中总汞的方法为冷原子吸收分光光度法。

(2)国家标准的检出限视仪器型号的不同而异,本方法的最低检出限为 0.005mg/kg(按称取 2g 试样计算)。

(3)易挥发的有机物和水蒸气在 253.7nm 处有吸收而产生干扰。易挥发有机物在样品消解时可除去,水蒸气用无水氯化钙、过氯酸镁除去。

2. 原理

汞原子蒸气对波长为 253.7nm 的紫外光具有强烈的吸收作用,汞蒸气浓度与吸光度成正比。通过氧化分解试样中以各种形式存在的汞,使之转化为可溶态汞离子进入溶液,用盐酸羟胺还原过剩的氧化剂,用氯化亚锡将汞离子还原成汞原子,用净化空气做载气将汞原子载入冷原子吸收测汞仪的吸收池进行测定。

3. 试剂

除另有说明外,分析中均使用符合国家标准或专业标准的优级纯试剂。

(1)无汞蒸馏水。二次蒸馏水或电渗析去离子水通常可达到此纯度,也可将蒸馏水加盐酸酸化至 pH＝3,然后通过巯基棉纤维管除汞(见盐酸羟胺溶液的提纯)。

(2)硫酸(H_2SO_4),$\rho＝1.84g/ml$,优级纯。

(3)盐酸(HCl),$\rho＝1.19ml$。

(4)硝酸(HNO_3),$\rho＝1.42g/ml$。

(5)氢氟酸(HF),$\rho＝1.49g/ml$。

(6)硫酸－硝酸混合液,1＋1。

(7)重铬酸钾($K_2Cr_2O_7$)。

(8)高锰酸钾溶液。将 20g 高锰酸钾($KMnO_4$,必要时重结晶精制)用无汞蒸馏水溶解稀释至 1 000ml。

(9)盐酸羟胺溶液。将 20g 盐酸羟胺($NH_2OH \cdot HCl$)用无汞蒸馏水溶解,稀释至 100ml。

(10)五氧化二钒(V_2O_5)。

(11)氯化亚锡溶液。将 20g 氯化亚锡($SnCl_2 \cdot 2H_2O$)置于烧杯中,加入 20ml 浓盐酸,微微加热。待完全溶解后,冷却,再用无汞蒸馏水稀释至 100ml。若有汞,可通入氮气鼓泡除汞。临用前现配。

(12)汞标准固定液。将 0.5g 重铬酸钾溶于 950ml 无汞蒸馏水中,再加 50ml 硝酸。

(13)稀释液。将 0.2g 重铬酸钾溶于 972.2ml 无汞蒸馏水中,再加 27.8ml 硫酸。

(14)汞标准贮备液,100mg/L。称取放置在变色硅胶干燥器中充分干燥过的 0.1354 g 氯化汞($HgCl_2$),用汞标准固定液溶解后,转移到 1 000ml 容量瓶中,再用汞标准固定液稀释至标线,摇匀。

(15)汞标准中间溶液,10.0mg/L。吸取汞标准贮备液 10.00ml,移入 100ml 容量瓶,加汞标准固定液稀释至标线,摇匀。

(16)汞标准使用溶液,0.100mg/L。吸取汞标准中间溶液 1.00ml,移入 100ml 容量瓶,加汞标准固定液稀释至标线,摇匀。

(17)变色硅胶。$\phi3\sim4mm$,干燥用。

(18)经碘处理的活性炭。按重量取 1 份碘,2 份碘化钾和 20 份蒸馏水,在玻璃烧杯中配制成溶液,然后向溶液中加入约 10 份柱状活性炭(工业用 $\phi3mm$ 长 $3\sim7mm$)。用力搅拌至溶液脱色后,从烧杯中取出活性炭,用玻璃纤维把溶液滤出,然后在 100℃ 左右干燥 $1\sim2h$ 即可。

(19)仪器洗液。将 1.0g 重铬酸钾溶于 900ml 无汞蒸馏水中,加入 100ml 硝酸。

4. 仪器

(1)一般实验室仪器和载气净化系统。其中,载气净化系统可根据不同测汞仪特点及具体条件,参考图 7-1 进行连接。所有玻璃仪器及盛样瓶,均用仪器洗液浸泡过夜,用无汞蒸馏水冲洗干净。

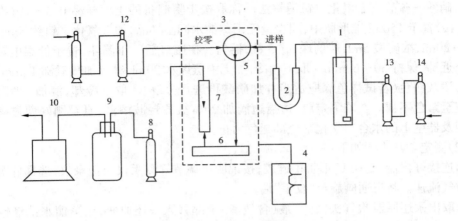

图 7-1　测汞装置气路连接

1—汞还原器；2—U 形管；3—测汞仪；4—记录仪；

5—三通阀；6—吸收池；7—流量控制器；8、12、13—汞吸收塔；

9—气体缓冲瓶，10L；10—机械真空泵；11、14—空气干燥塔(内盛变色硅胶)

(2)测汞仪。

(3)记录仪。量程与测汞仪匹配。

(4)汞还原器。总容积分别为 50ml、75ml、100ml、250ml 和 500ml,具有磨口,带莲蓬形多孔吹气头的玻璃翻泡瓶。

(5)U 形管(ϕ5×110mm)。内装变色硅胶 60～80mm 长。

(6)三通阀。

(7)汞吸收塔。250ml 玻璃干燥塔,内装经碘处理的活性炭。

5.样品

将采集的土壤样品(一般不少于 500g)混匀后用四分法缩分至约 100g。缩分后的土样经风干(自然风干或冷冻干燥)后,除去土样中石子和动植物等异物,用木棒(或玛瑙棒)研压,通过 2mm 尼龙筛(除去 2mm 以上的砂砾),混匀。用玛瑙研钵将通过 2mm 尼龙筛的土样研磨至全部通过 100 目(孔径 0.149mm)尼龙筛,混匀后备用。

6.分析步骤

(1)试液的制备。包括以下内容:

1)硫酸-硝酸-高锰酸钾消解法。称取按步骤制备的土壤样品 0.5～2g(准确至 0.000 2g)置于 150ml 锥形瓶中,用少量无汞蒸馏水润湿样品,加 1+1 硫酸-硝酸混合液 5～10ml,待剧烈反应停止后,加 10ml 无汞蒸馏水,10ml 2%高锰酸钾溶液,在瓶口插一小漏斗,置于低温电热板上加热至近沸,保持 30～60min。分解过程中若紫色褪去,应随时补加 2%高锰酸钾溶液,以保持有过量的高锰酸钾存在。取下冷却,在临测定前,边摇边滴加 20%盐酸羟胺溶液,直至刚好使过剩的高锰酸钾及器壁上的水合二氧化锰全部褪色为止。

对有机质含量较多的样品,可预先用硝酸加热回流消解,然后再加硫酸和高锰酸钾继续消解。

2)硝酸－硫酸－五氧化二钒消解法。称取按步骤制备的土壤样品 0.5~2g(准确至 0.000 1g)置于 150ml 锥形瓶中,用少量无汞蒸馏水润湿样品,加五氧化二钒约 5mg,浓硝酸 10~20ml,浓硫酸 5ml,玻璃珠 3~5 粒,摇匀。在瓶口插一小漏斗,置于低温电热板上加热至近沸,保持 30~60min。取下稍冷,加无汞蒸馏水 20ml,继续加热煮沸 15min,此时试样为浅灰白色(若试样色深应适当补加硝酸再进行分解)。取下冷却,滴加 2% 高锰酸钾溶液至紫色不褪。在临测定前,边摇边滴加 20% 盐酸羟胺溶液,直至刚好使过剩的高锰酸钾及器壁上的水合二氧化锰全部褪色为止。

(2)测定。其步骤如下:

1)连接好仪器,更换 U 形管中硅胶,按说明书调节好测汞仪及记录仪,选择好灵敏度挡及载气流速。将三通阀旋至"校零"端。

2)取出汞还原器吹气头,将试液(含残渣)全部移入汞还原瓶,用蒸馏水洗涤锥形瓶 3~5 次,洗涤液并入还原瓶,加蒸馏水至 100ml。加入 1ml 氯化亚锡溶液,迅速插入吹气头,然后将三通阀旋至"进样"端,使载气通入汞还原器。此时试液中汞被还原并汽化成汞蒸气,随载气流入测汞仪的吸收池,表头指针和记录仪笔迅速上升,记下最高读数或峰高。待指针和记录笔重新回零后,将三通阀旋至"校零"端,取出吹气头,弃去废液,用无汞蒸馏水清洗汞还原器 2 次,再用稀释液洗 1 次,以氧化可能残留的二价锡,然后进行另一试样的测定。

(3)空白试样。每分析一批试样,按试液制备步骤制备至少两份空白试样,并按测定步骤进行测定。

(4)校准曲线。准确移取汞标准使用液 0.00、0.50ml、1.00ml、2.00ml、3.00ml 和 4.00ml 于 150ml 锥形瓶中,加 1+1 硫酸－硝酸混合液 4ml,加 2% 高锰酸钾溶液 5 滴,加无汞蒸馏水 20ml,摇匀。测定前滴加盐酸羟胺溶液还原,以下按测定所述步骤进行测定。

以测得的吸光度为纵坐标,对应的汞含量(μg)为横坐标,绘制校准曲线。

7. 结果的表示

土壤样品中总汞的含量 c(mg/kg)按下式计算:

$$c = \frac{m}{W(1 - f)}$$

式中:m——测得试液中的汞量,μg;

W——称取土样的重量,g;

f——土样水分的含量,%。

8. 精密度和准确度

多个实验室用本方法分析 ESS 系列土壤标样中总汞的精密度和准确度,见表 7-10。

表 7-10   方法的精密度和准确度

实验室数	土壤标样	保证值 (mg/kg)	总均值 (mg/kg)	室内相对标准偏差(%)	室间相对标准偏差(%)	相对误差 (%)
25	ESS-1	0.016±0.003	0.016	6.2	32.5	0.0
26	ESS-3	0.112±0.012	0.100	3.4	20.0	-10.7
24	ESS-4	0.021±0.004	0.019	8.4	20.5	-9.5

9. 盐酸羟胺溶液的提纯

盐酸羟胺试剂中常含有汞,必须提纯。当汞含量较低时,可采用巯基棉纤维管除汞法;当汞含量高时,先用萃取法除掉大量汞后再用巯基棉纤维管除汞。

(1)巯基棉纤维管除汞法。在内径6~8mm、长100mm左右、一端拉细的玻璃管,或500ml分液漏斗放液管中,填充0.1~0.2g巯基棉纤维,将待净化试剂以10ml/min速度流过一至两次即可除尽汞。

巯基棉纤维(sulfhydryl cotton fiber,缩写S·C·F)的制备。于棕色磨口广口瓶中,依次加入100ml硫代乙醇酸($CH_2SHCOOH$,分析纯)、60ml乙酸酐($(CH_3CO)_2O$)、40ml 36%乙酸(CH_3COOH)、0.3ml浓硫酸,充分混均,冷却至室温后,加入30g长纤维脱脂棉,使之浸泡完全,用水冷却,待反应热散去后,放入40±2℃烘箱中2~4天后取出。用耐酸过滤漏斗抽滤,用无汞蒸馏水充分洗涤至中性后,摊开,于30~35℃下烘干。成品放于棕色磨口广口瓶中,避光,较低温度下保存。

(2)萃取法。取250ml 20%盐酸羟胺溶液注入500ml分液漏斗中,每次加入15ml含二苯基硫巴腙(双硫腙$C_{13}H_{12}N_4S$)0.1g/L的四氯化碳(CCl_4)溶液,反复萃取,直至含双硫腙的四氯化碳溶液保持绿色不变为止。然后用四氯化碳萃取,以除去多余的双硫腙。

(五)土壤中总砷的测定——硼氢化钾-硝酸银分光光度法

1. 主题内容与适用范围

(1)根据国家标准,测定土壤中总砷的方法为硼氢化钾-硝酸银分光光度法。

(2)本方法的检出限为0.2mg/kg(按称取0.5g试样计算)。

(3)当能形成共价氢化物的锑、铋、锡、硒和碲的含量为砷的20倍时,可用二甲基甲酰胺-乙醇胺浸渍的脱脂棉除去,否则不能使用本方法。硫化物对测定有正干扰,在试样氧化分解时,硫化物已被硝酸氧化分解,不再有影响。试剂中可能存在的少量硫化物,可用乙酸铅脱脂棉吸收除去。

2. 原理

通过化学氧化分解,使试样中以各种形式存在的砷转化为可溶态砷离子进入溶液。硼氢化钾(或硼氢化钠)在酸性溶液中产生新生态的氢,在一定酸度下,可使五价砷还原为三价砷,三价砷还原成气态砷化氢(胂)。硝酸-硝酸银-聚乙烯醇-乙醇溶液为吸收液,银离子被砷化氢还原成单质银,使溶液呈黄色,在波长400nm处测量吸光度。

3. 试剂

除另有说明外,分析中均使用符合国家标准或专业标准的分析纯试剂和蒸馏水或同等纯度的水。

(1)硝酸(HNO_3),$\rho=1.42g/ml$。

(2)盐酸(HCl),$\rho=1.19g/ml$。

(3)高氯酸($HClO_4$),$\rho=1.67g/ml$。

(4)盐酸溶液,0.5mol/L。

(5)二甲基甲酰胺($HCON(CH_3)_2$)。

(6)乙醇胺(C_2H_7NO)。

(7)无水硫酸钠(Na_2SO_4)。

(8)硫酸氢钾($KHSO_4$)。

(9)硫酸钠－硫酸氢钾混合粉。取无水硫酸钠和硫酸氢钾,按9∶1比例混合,并用研钵研细后使用。

(10)抗坏血酸($C_6H_8O_6$)。

(11)氨水溶液($NH_3 \cdot H_2O$)。

(12)氢氧化钠溶液,2mol/L。

(13)聚乙烯醇($C_2H_4O_x$)溶液。称取0.2g聚乙烯醇(平均聚合度为175 050)于150ml烧杯中,加100ml蒸馏水,在不断搅拌下加热至全溶,盖上表面皿微沸10min,冷却后,贮存于玻璃瓶中,此溶液可稳定一周。

(14)酒石酸($C_4H_6O_6$)溶液,200g/L。

(15)硝酸银($AgNO_3$)溶液。称取2.04g硝酸银于100ml烧杯中,用50ml硝酸溶解,加入5ml浓硝酸,用蒸馏水稀释至250ml,摇匀。于棕色玻璃瓶中保存。

(16)砷化氢吸收液。取硝酸银溶液、聚乙烯醇溶液、乙醇(无水或95%)按1+1+2比例混合,充分摇匀后使用,用时现配。如果出现浑浊,将此溶液放入70℃左右的水中,待透明后取出,冷却后使用。

(17)二甲基甲酰胺混合液(简称DMF混合液)。取二甲基甲酰胺、乙醇胺,按9+1比例混合,贮存于棕色玻璃瓶中,在2～5℃冰箱中可保存30天左右。

(18)乙酸铅溶液。将8g乙酸铅($Pb(CH_3COO)_2 \cdot 5H_2O$)溶入水中并稀释至100ml。

(19)乙酸铅脱脂棉。将10g脱脂棉浸于100ml乙酸铅溶液中,浸透后取出风干。

(20)硼氢化钾片的制备。硼氢化钾与氯化钠按1∶5重量比混合,充分混均后,在压片机上以2～5t/cm² 的压强,压成直径约为1.2cm,重约为1.5g的片剂。

(21)硫酸(H_2SO_4),$\rho = 1.84g/ml$。

(22)硫酸溶液,1+1。

(23)砷标准贮备液,1.00mg/ml。称取放置在硅胶干燥器中充分干燥过的0.132 0g三氧化二砷(As_2O_3),溶入2ml氢氧化钠溶液中,溶解后加入10ml 1+1硫酸溶液,转移到100ml容量瓶中,用蒸馏水稀释至标线,摇匀。

注意:三氧化二砷有剧毒,小心使用。

(24)砷标准中间溶液,100mg/L。取10.00ml砷标准贮备液于100ml容量瓶中,用蒸馏水稀释至标线,摇匀。

(25)砷标准使用溶液,1.00mg/L。取1.00ml砷标准中间溶液于100ml容量瓶中,用蒸馏水稀释至标线,摇匀。

4.仪器

(1)一般实验室仪器;

(2)分光光度计、10mm比色皿。

(3)砷化氢吸收与发生装置,见图7-2。

5.样品

将采集的土壤样品(一般不少于500g)混匀后用四分法缩分至约100g。缩分后的土

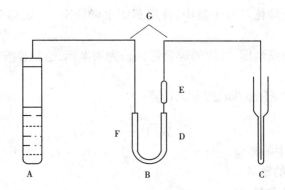

图 7-2 砷化氢吸收与发生装置

A—砷化氢发生器,管径以 30mm,液面为管高的 2/3 为宜;

B—U 形管(消除干扰用),管径为 10mm。C—吸收管,液面以 90mm 高为宜;

D—装有 1.5ml DMF 混合液、脱脂棉 0.3g;

E—内装吸附有硫酸钠－硫酸氢钾混合粉、脱脂棉的聚乙烯管;

F—乙酸铅脱脂棉 0.3g; G—导气管,内径为 2mm

样经风干(自然风干或冷冻干燥)后,除去土样中石子和动植物残体等异物,用木棒(或玛瑙棒)研压,通过 2mm 尼筛(除去 2mm 以上的砂砾),混匀。用玛瑙研钵将通过 2mm 尼龙筛的土样研磨至全部通过 100 目(孔径 0.149mm)尼龙筛,混匀后备用。

6. 分析步骤

(1)试液的制备。称取按步骤制备的土壤样品 0.1~0.5g(准确至 0.000 2g)于 100ml 锥形瓶中,用少量蒸馏水润湿后,加 6ml 盐酸,2ml 硝酸,2ml 高氯酸。在瓶口插一小三角漏斗。在电热板上加热分解,待剧烈反应停止后,用少量蒸馏水冲洗小漏斗,然后取下小漏斗,小心蒸至近干。冷却后,加入 20ml 0.5mol/L 盐酸溶液,加热 3~5min,冷却后,加 0.2g 抗坏血酸,使 Fe^{3+} 还原为 Fe^{2+}。将试液移至 100ml 砷化氢发生器中,加入 0.1% 甲基橙指示液 2 滴,用氨水溶液调至溶液转黄,加蒸馏水至 50ml,供测试。

(2)测定。包括以下步骤:

1)于盛有试液的砷化氢发生器中,加 5ml 酒石酸溶液,摇匀。

2)取 4ml 砷化氢吸收液至吸收管中,插入导气管。

3)按图连接好装置,加一片硼氢化钾于盛有试液的砷化氢发生瓶中,立即盖好橡皮塞,保证反应器密闭。

注意:砷化氢有剧毒,整个反应应在通风橱内或通风良好的室内进行。

4)待反应完毕后(3~5min),用 10mm 比色皿,以砷化氢吸收液为参比溶液,在 400mm 波长处测量样品吸收液的吸光度,减去空白试验所测得的吸光度,从校准曲线上查出试液中的含砷量。

(3)空白试样。每分析一批试样,按试液制备的步骤制备至少两份空白试样,并按测定步骤进行测定。

(4)校准曲线。分别加入 0.00、0.50ml、1.00ml、1.50ml、2.00ml、2.50ml 和 3.00ml

砷标准使用溶液于 7 支砷化氢发生器中,并用蒸馏水稀释至 50ml,以下按测定所述步骤进行测定。

以测得的吸光度为纵坐标,对应的砷含量(μg)为横坐标,绘制校准曲线。

7.结果的表示

土样中总砷的含量 c(mg/kg)按下式计算:

$$c = \frac{m}{W(1 - f)}$$

式中:m——测得试液中的砷量,μg;

W——称取土样的重量,g;

f——土样水分的含量,%。

8.精密度和准确度

多个实验室用本方法分析 ESS 系列土壤标样中总砷的精密度和准确度,见表 7-11。

表 7-11　　　　　　　　方法的精密度和准确度

实验室数	土壤标样	保证值 (mg/kg)	总均值 (mg/kg)	室内相对 标准偏差(%)	室间相对 标准偏差(%)	相对误差 (%)
12	ESS-1	10.7±0.8	11.1	3.0	9.9	3.7
11	ESS-3	15.9±1.3	17.7	2.4	5.4	11.3
15	ESS-4	11.4±0.7	11.7	4.4	9.4	2.6

(六)土壤中总砷的测定——二乙基二硫代氨基甲酸银分光光度法

1.主题内容与适用范围

(1)根据国家标准,测定土壤中总砷的方法为二乙基二硫代氨基甲酸银分光光度法。

(2)国家标准的检出限为 0.5mg/kg(按称取 1g 试样计算)。

(3)锑和硫化物对测定有正干扰。当锑在 300μg 以下时,可用 KI - SnCl₂ 掩蔽。在试样氧化分解时,硫已被硝酸氧化分解,不再有影响。试剂中可能存在的少量硫化物,可用乙酸铅脱脂棉吸收除去。

2.原理

通过化学氧化分解,试样中以各种形式存在的砷转化为可溶态砷离子进入溶液。锌与酸作用,产生新生态氢。在碘化钾和氯化亚锡存在下,使五价砷还原为三价砷,三价砷被新生态氢还原成气态砷化氢(胂)。用二乙基二硫代氨基甲酸银——三乙醇胺的三氯甲烷溶液吸收砷化氢,生成红色胶体银,在波长 510mm 处,测定吸收液的吸光度。

3.试剂

除另有说明外,分析中均使用符合国家标准或专业标准的分析纯试剂和蒸馏水或同等纯度的水。

(1)硫酸(H_2SO_4),$\rho = 1.84$g/ml。

(2)硫酸溶液,1+1。

(3)硝酸(HNO_3),$\rho = 1.42$g/ml。

(4)高氯酸($HClO_4$),$\rho = 1.67$g/ml。

(5)盐酸(HCl)，$\rho = 1.19g/ml$。

(6)碘化钾(KI)溶液。将 15g 碘化钾(KI)溶于蒸馏水中并稀释至 100ml。

(7)氯化亚锡溶液。将 40g 氯化亚锡置于烧杯中，加入 40ml 盐酸，微微加热。待完全溶解后，冷却，再用蒸馏水稀释至 100ml。加数粒金属锡保存。

(8)硫酸铜溶液。将 15g 硫酸铜($CuSO_4 \cdot 5H_2O$)溶于蒸馏水中并稀释至 100ml。

(9)乙酸铅溶液。将 8g 乙酸铅($Pb(CH_3COO)_2 \cdot 5H_2O$)溶于蒸馏水中并稀释至 100ml。

(10)乙酸铅棉花。将 10g 脱脂棉浸于 100ml 乙酸铅溶液中，浸透后取出风干。

(11)无砷锌粒(10～20 目)。

(12)二乙基二硫代氨基甲酸银($C_5H_{10}NS_2Ag$)。

(13)三乙醇胺(($HOCH_2CH_3)_3N$)。

(14)三氯甲烷($CHCl_3$)。

(15)吸收液。将 0.25g 二乙基二硫代氨基甲酸银用少量三氯甲烷溶成糊状，加入 2ml 三乙醇胺，再用氯仿稀释至 100ml。用力振荡使其尽量溶解。静置暗处 24h 后，倾出上清液或用定性滤纸过滤，贮于棕色玻璃瓶中。贮存在 2～5℃ 冰箱中。

(16)氢氧化钠溶液，2mol/L。贮存在聚乙烯瓶中。

(17)砷标准贮备液，1.00mg/ml。称取放置在硅胶干燥器中充分干燥过的三氧化二砷(As_2O_3)0.132 0g，溶于 2ml 2mol/L 氢氧化钠溶液中，溶解后加入 10ml 1＋1 硫酸溶液，转移到 100ml 容量瓶中，用蒸馏水稀释至标线，摇匀。

注意：三氧化二砷有剧毒，小心使用。

(18)砷标准中间溶液，100mg/L。取 10.0ml 砷标准贮备液于 100ml 容量瓶中，用蒸馏水稀释至标线，摇匀。

(19)砷标准使用溶液，1.00mg/L。取 1.00ml 砷标准中间液于 100ml 容量瓶中，用蒸馏水稀释至标线，摇匀。

4.仪器

(1)一般实验室仪器。

(2)分光光度计、10mm 比色皿。

(3)砷化氢发生装置，此仪器由下述部件组成：①砷化氢发生瓶。容量为 150ml，带有磨口玻璃接头的锥形瓶。②导气管。一端带有磨口接头，并有一球形泡(内装乙酸铅棉花)；一端被拉成毛细管，管口直径不大于 1mm。③吸收管。内径为 8mm 的试管，带有 5.0ml 刻度，见图 7-3。

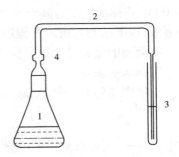

图 7-3　砷化氢发生与吸收装置
1—砷化氢发生瓶；2—导气管；
3—吸收管；4—乙酸铅棉花

注意：吸收液柱高保持 8～10cm。

5.样品

将采集的土壤样品(一般不少于 500g)混匀后用四分法缩分至约 100g。缩分后的土样经风干(自然风干或冷冻干燥)后,除去土样中石子和动植物残体等异物,用木棒(或玛瑙棒)研压,通过 2mm 尼龙筛(除去 2mm 以上的砂砾),混匀。用玛瑙研钵将通过 2mm 尼龙筛的土样研磨至全部通过 100 目(孔径 0.149mm)尼龙筛,混匀后备用。

6.分析步骤

(1)试液的制备。称取按步骤制备的土壤样品 0.5～2g(准确至 0.000 2g)置于 150ml 锥形瓶中,加 7ml 1+1 硫酸溶液,10ml 硝酸,2ml 高氯酸,置电热板上加热分解,破坏有机物(若试液颜色变深,应及时补加硝酸),蒸至冒白色高氯酸浓烟。取下放冷,用水冲洗瓶壁,再加热至冒浓白烟,以驱尽硝酸。取下锥形瓶,瓶底仅剩下少量白色残渣(若有黑色颗粒物应补加硝酸继续分解),加蒸馏水至约 50ml。

(2)测定。包括以下步骤:

1)于盛有试液的砷化氢发生瓶中,加 4ml 碘化钾溶液,摇匀,再加 2ml 氯化亚锡溶液,混匀,放置 15min。

2)取 5.00ml 吸收液至吸收管中,插入导气管。

3)加 1ml 硫酸铜溶液和 4g 无砷锌粒于砷化氢发生瓶中,并立即将导气管与砷化氢发生瓶连接,保证反应器密闭。

4)在室温下,维持反应 1h 使砷化氢完全释出。加三氯甲烷将吸收液体补充至 5.0ml。

注意:砷化氢有剧毒,整个反应应在通风橱内进行;在完全释放砷化氢后,红色生成物在 2.5h 内是稳定的,应在此期间内进行分光光度测定。

5)用 10mm 比色皿,以吸收液为参比液,在 510nm 波长下测量吸收液的吸光度,减去空白试验所测得的吸光度,从校准曲线上查出试样中的含砷量。

(3)空白试样。每分析一批试样,按试液制备的步骤制备至少两份空白试样,并按测定步骤进行测定。

(4)校准曲线。分别加入 0.00、1.00ml、5.00ml、10.00ml、15.00ml、20.00ml 和 25.00ml 砷标准使用溶液于 8 个砷化氢发生瓶中,并用蒸馏水稀释至 50ml。加入 7ml 硫酸溶液,以下按测定所述步骤进行测定。

将测得的吸光度为纵坐标,对应的砷含量(μg)为横坐标,绘制校准曲线。

7.结果的表示

土样中总砷的含量 c(mg/kg)按下式计算:

$$c = \frac{m}{W(1-f)}$$

式中:m——测得试液中的砷量,μg;

W——称取土样的重量,g;

f——土样水分的含量,%。

8.精密度和准确度

多个实验室用本方法分析 ESS 系列土壤标样中砷的精密度和准确度,见表 7-12。

(七)土壤中铜、锌的测定——火焰原子吸收分光光度法

1.主题内容与适用范围

(1)根据国家标准,测定土壤中铜、锌的方法为火焰原子吸收分光光度法。

实验室数	土壤标样	保证值 (mg/kg)	总均值 (mg/kg)	室内相对 标准偏差(%)	室间相对 标准偏差(%)	相对误差 (%)
14	ESS-1	10.7 ± 0.8	10.7	2.0	5.6	0.0
15	ESS-3	15.9 ± 1.3	17.1	1.3	4.3	7.5
12	ESS-4	11.4 ± 0.7	11.4	3.8	4.8	0.0

表 7-12　　　　　　　　　　方法的精密度和准确度

(2)国家标准的检出限(按称取 0.5g 试样消解定容至 50ml 计算)为:铜 1mg/kg、锌 0.5mg/kg。

(3)当土壤消解液中铁含量大于 100mg/L 时,抑制锌的吸收,加入硝酸镧可消除共存成分的干扰。当含盐类高时,往往出现非特征吸收,此时可用背景校正加以克服。

2.原理

采用盐酸-硝酸-氢氟酸-高氯酸全分解的方法,彻底破坏土壤的矿物晶格,使试样中的待测元素全部进入试液中。然后,将土壤消解液喷入空气-乙炔火焰中。在火焰的高温下,铜、锌化合物离解为基态原子,该基态原子蒸气对相应的空心阴极灯发射的特征谱线产生选择性吸收。在选择的最佳测定条件下,测定铜、锌的吸光度。

3.试剂

除另有说明外,分析中均使用符合国家标准的分析纯试剂和去离子水或同等纯度的水。

(1)盐酸(HCl),$\rho=1.19g/ml$,优级纯。

(2)硝酸(HNO$_3$),$\rho=1.42g/ml$,优级纯。

(3)硝酸溶液,1+1。用(2)中的硝酸配制。

(4)硝酸溶液,体积分数为 0.2%。用(2)中的硝酸配制。

(5)氢氟酸(HF),$\rho=1.49g/ml$。

(6)高氯酸(HClO$_4$),$\rho=1.68g/ml$,优级纯。

(7)硝酸镧(La(NO$_3$)$_3$·6H$_2$O)水溶液,质量分数为 5%。

(8)铜标准贮备液,1.000mg/ml。称取 1.000 0g(精确至 0.000 2g)光谱纯金属铜粒于 50ml 烧杯中,加入 20ml 1+1 硝酸溶液,温热,待完全溶解后,转至 1 000ml 容量瓶中,用水定容至标线,摇匀。

(9)锌标准贮备液,1.000mg/ml。称取 1.000 0g(精确 0.000 2g)光谱纯金属锌粒于 50ml 烧杯中,用 20ml 1+1 硝酸溶液溶解后,转移至 1 000ml 容量瓶中,用水定容至标线,摇匀。

(10)铜、锌混合标准使用液,铜的浓度为 20.0mg/L,锌的浓度为 10.0mg/L。用 0.2%硝酸溶液逐级稀释铜、锌标准贮备液配制。

4.仪器与仪器参数

(1)一般实验室仪器。

(2)原子吸收分光光度计(带有背景校正器)。

(3)铜空心阴极灯。

(4)锌空心阴极灯。

(5)乙炔钢瓶。

(6)空气压缩机,应备有除水、除油和除尘装置。

(7)仪器参数。不同型号仪器的最佳测试条件不同,可根据仪器使用说明自行选择。通常国家标准采用表 7-13 中的测量条件。

表 7-13 仪器测量条件

元素	铜	锌
测定波长(nm)	324.8	213.8
通带宽度(nm)	1.3	1.3
灯电流(mA)	7.5	7.5
火焰性质	氧化性	氧化性
其他可测定波长(nm)	327.4、225.8	307.6

5. 样品

将采集的土壤样品(一般不少于 500g)混合后用四分法缩分至约 100g。缩分后的土样经风干(自然风干或冷冻干燥)后,除去土样中石子和动植物残体等异物,用木棒(或玛瑙棒)研压,通过 2mm 尼龙筛(除去 2mm 以上的砂砾),混匀。用玛瑙研钵将通过 2mm 尼龙筛的土样研磨至全部通过 100 目(孔径 0.149mm)尼龙筛,混匀后备用。

6. 分析步骤

(1)试液的制备。准确称取 0.2~0.5g(精确至 0.000 2g)试样于 50ml 聚四氟乙烯坩埚中,用水润湿后加入 10ml 盐酸,于通风橱内的电热板上低温加热,使样品初步分解,待蒸发至剩 3ml 左右时,取下稍冷,然后加入 5ml 硝酸,5ml 氢氟酸,加盖后于电热板上中温加热。1h 后开盖,继续加热除硅,为了达到良好的飞硅效果,应经常摇动坩埚。当加热至冒浓厚白烟时,加盖使黑色有机碳化物分解。待坩埚壁上的黑色有机物消失后,开盖驱赶高氯酸白烟并蒸至内容物呈黏稠状。视消解情况可再加入 3ml 硝酸,3ml 氢氟酸和 1ml 高氯酸,重复上述消解过程。当白烟再次基本冒尽且坩埚内容物呈黏稠状时,取下稍冷,用水冲洗坩埚盖和内壁,并加入 1ml 1+1 硝酸溶液温热溶解残渣。然后将溶液转移至 50ml 容量瓶中,加入 5ml 质量分数为 5% 的硝酸镧溶液,冷却后定容至标线,摇匀,备测。

由于土壤种类较多,所含有机质差异较大,在消解时,要注意观察,各种酸的用量可视消解情况酌情增减。土壤消解液应呈白色或淡黄色(含铁量高的土壤),没有明显沉淀物存在。

注意:电热板温度不宜太高,否则会使聚四氟乙烯坩埚变形。

(2)测定。按照仪器使用说明书调节仪器至最佳工作条件,测定试液的吸光度。

(3)空白试验。用去离子水代替试样,采用和试液制备相同的步骤和试剂,制备全程序空白溶液,并按测定步骤进行测定。每批样品至少制备两个以上空白溶液。

(4)校准曲线。参考表 7-14,在 50ml 容量瓶中,各加入 5ml 5% 硝酸镧溶液,用体积分数为 0.2% 的硝酸溶液稀释铜、锌混合标准使用液,配制至少 5 个标准工作溶液,其浓度范围应包括试液中铜、锌的浓度。按测定步骤中的条件由低浓度到高浓度测定其吸光度。

用减去空白的吸光度与相对应的元素含量(mg/L)绘制校准曲线。

表 7-14   校准曲线溶液浓度

混合标准使用液加入体积(ml)	0.00	0.50	1.00	2.00	3.00	5.00
校准曲线溶液浓度 Cu(mg/L)	0.00	0.20	0.40	0.80	1.20	2.00
校准曲线溶液浓度 Zn(mg/L)	0.00	0.10	0.20	0.40	0.60	1.00

7.结果的表示

土壤样品中铜、锌的含量 $W(mg/kg)$ 按下式计算:

$$W = \frac{c \cdot V}{m(1-f)}$$

式中:c——试液的吸光度减去空白试验的吸光度,然后在校准曲线上查得铜、锌的含量,
        mg/L;

     V——试液定容的体积,ml;

     m——称取试样的重量,g;

     f——试样水分的含量,%。

8.精密度和准确度

多个实验室用本方法分析 ESS 系列土壤标样中铜、锌的精密度和准确度,见表 7-15。

表 7-15   方法的精密度和准确度

元素	实验室数	土壤标样	保证值 (mg/kg)	总均值 (mg/kg)	室内相对 标准偏差(%)	室间相对 标准偏差(%)	相对误差 (%)
	35	ESS-1	20.9±0.8	20.7	2.3	6.8	−0.96
Cu	34	ESS-3	29.4±1.6	29.2	2.0	4.8	−0.68
	30	ESS-4	26.3±1.7	25.6	2.3	3.9	−2.7
	32	ESS-1	55.2±3.4	56.2	2.8	7.3	1.8
Zn	31	ESS-3	89.3±4.0	88.4	1.6	5.0	−1.0
	31	ESS-4	69.1±3.5	68.1	3.2	4.1	−1.4

(八)水和土壤中有机磷农药的测定——气相色谱法

1.适用范围

(1)适用于地面水、地下水、土壤中速灭磷(Mevinphos)、二嗪磷(Diazinon)、异稻瘟净(IBP)、甲基对硫磷(Parathion-methyl)、杀螟硫磷(Fenitrothion)、溴硫磷(Bromophos)、水胺硫磷(Isocarbophos)、稻丰散(Phenthoate)、杀扑磷(Methidathion)多组分残留量的测定。

(2)采用丙酮加水提取、二氯甲烷萃取、凝结法净化、气相色谱氮磷检测器测定。

(3)最低检测浓度为 0.000 1~0.002 9mg/kg。

2.试剂和材料

(1)载气和辅助气体。内容包括:

1)载气。氮气,纯度 99.9%,经去氧管过滤,氧的含量小于 6mg/m³。

2)燃烧气。氢气。

3)助燃气。空气。

(2)配制标准样品、试样预处理的试剂和材料。使用的试剂一般系分析纯,有机溶剂经重蒸,浓缩 20 倍后用气相色谱仪测定无干扰峰。

1)农药标准样品。速灭磷、甲拌磷、二嗪磷、异稻瘟净、甲基对硫磷、杀螟硫磷、溴硫磷、水胺硫磷、稻丰散、杀扑磷,含量为 95%～99%。

2)二氯甲烷。

3)三氯甲烷。

4)丙酮。

5)石油醚。60～90℃ 沸程。

6)乙酸乙酯。

7)磷酸(H_3PO_4),85%。

8)氯化铵(NH_4Cl)。

9)氯化钠($NaCl$)。

10)无水硫酸钠。300℃烘 4h 后备用。

11)助滤剂 Celite 545。

12)凝结液。20g 氯化铵和 85% 磷酸 40ml,溶于 400ml 蒸馏水,用蒸馏水定容至 2 000ml,备用。

(3)制备色谱柱时使用的试剂和材料包括:

1)色谱柱和填充物。

2)涂渍固定液所用溶剂三氯甲烷。

3.仪器

(1)主要仪器。带氮磷检测器的气相色谱仪。

(2)控制氮气、氢气和空气的压力表及流量计。

(3)进样器。全玻璃系统进样器。

(4)记录器。与仪器相匹配的记录仪。

(5)检测器。

1)类型。氮磷检测器。

2)器件的特性。氮磷检测器的铷珠对氮和磷具有很好的选择性和灵敏度。

(6)色谱柱。主要包括:

1)色谱柱数量。1～2 支。

2)色谱柱的特征:①材料。硬质玻璃。②尺寸。长 1～1.5m,内径 2～3mm。

3)色谱柱的类型。螺旋状填充柱。

4)色谱柱的预处理。经水冲洗后,在玻璃柱管内注满热洗液(60～70℃),浸泡 4h,然后用水冲洗至中性,再用蒸馏水冲洗,烘干后进行硅烷化处理:将 6%～10% 的二氯二甲基硅烷甲醇液注满玻璃柱管,浸泡 2h,然后用甲醇清洗至中性,烘干备用。

5)填充物。包括以下内容:①载体。chrom Q,80～100 目。②固定液。OV-17(苯基甲基硅酮),最高使用温度 300～350℃。液相载荷量为 5% 或 3%。涂渍固定液的方法:根据担体的重量称取一定量的固定液,溶在三氯甲烷中,待完全溶解后倒入盛有担体的烧杯中,再向其中加入三氯甲烷至液面高出 1～2cm,摇匀后浸 2h,然后在红外灯下将溶剂挥发干或在旋转蒸发器上慢速蒸发干,再置于 120℃烘箱中,放置 4h 备用。③色谱柱的充填方法。将色谱柱的一端用硅烷化玻璃棉塞住,接真空泵,另一端接一漏斗,开动真空泵后,将固定相徐徐倾入色谱柱内,并轻轻拍打色谱柱,使固定相在色谱柱内填充紧密,至固定相不再抽入柱内为止。装柱完毕后,用硅烷化玻璃棉塞住谱柱另一端。④色谱柱老化。将填充好的色谱柱进口按正常接在汽化室上,出口空着不接检测器,先用较低载气流速和略高于实际使用温度而不超过固定液的使用温度下处理几小时(4～6h),然后逐渐提高载气流速,老化 24～48h,再降低至使用温度,接上检测器后,如基线稳定即可使用。

6)柱效能和分离度。在给定条件下,色谱柱总分离效能要求大于 0.8。

(7)试样预处理时使用的仪器。主要包括:

1)样品瓶。适宜的玻璃磨口瓶。

2)蒸发浓缩器。

3)振荡器。

4)真空泵。

5)玻璃器皿。500ml 分液漏斗,300ml 具塞锥形瓶,500ml 抽滤瓶,直径 9cm 布氏漏斗,250ml 平底烧瓶。

6)水浴锅。

7)微量注射器。容积分别为 5μl 和 10μl。

8)玻璃棉。

4.样品

(1)样品性质。内容包括:

1)样品名称。水、土。

2)样品状态。液体、固体。

3)样品的稳定性。在各种样品中的有机磷农药不稳定,易分解。

(2)样品的采集及贮存方法。内容包括:

1)样品的采集。①水样。取具代表性的地表水及地下水,用玻璃磨口瓶采集。装水样之前,用水样冲洗样品瓶 2～3 次。②土样。在田间采集土样,充分混匀,取 500g 备用,装入样品瓶,另取 20g 测定含水量。

2)样品的保存。①水样。采集后应尽快分析;如不能及时分析,可在 4℃冷藏箱中保存 1～3 天。②土样。采集后能在 -18℃冷冻箱中保存 3～7 天。

(3)试样的预处理。内容包括:

1)水样的提取及净化。取 100ml 水样于分液漏斗中,加入 50ml 丙酮振摇 30 次,取出 100ml,相当于样品量的 2/3,移入另一 500ml 分液漏斗中,加入 10～15ml(用 $c = 0.5$mol/L 的 KOH 溶液调至 pH 值为 4.5～5.0)的凝结液和 1g 助滤剂,振摇 20 次,静置 3min,过滤入另一 500ml 分液漏斗中,加 3g 氯化钠,用 50ml、50ml、30ml 二氯甲烷萃取 3 次,合并有机相,过一装有 1g 无水硫酸钠和 1g 助滤剂的筒形漏斗干燥,收集于 250ml 平底烧瓶中,加0.5ml乙酸乙酯,先用旋转蒸发器浓缩至10ml,移入K-D浓缩器浓缩到1ml,在室温下用氮气或空气吹至近干,用丙酮定容5ml,供色谱测定。

2)土样的提取及净化。准确称取土样20g,置于300ml具塞锥形瓶中,加水,使加入的水量与20g样品中水分含量之和为20ml,摇匀后静置10min,加100ml含20%水分的丙酮浸泡6~8h后,振荡1h,将提取液倒入铺有二层滤纸及一薄层助滤剂的布氏漏斗减压抽滤,取80ml滤液(相当于2/3样品),以下步骤除凝结2~3次外,其余同水样的提取与净化。

5.色谱测定操作步骤

(1)仪器的调整。包括以下内容:

1)汽化室温度。230℃。

2)柱温度。200℃。

3)检测器温度。250℃。

4)载气流速。36~40ml/min。

5)氢气流速。4.5~6.0ml/min。

6)空气流速。60~80ml/min。

7)记录仪纸速。5mm/min。

8)衰减。根据样品中被测组分含量调节记录仪衰减。

(2)校准。包括以下内容:

1)定量方法。外标法。

2)标准样品。①使用次数。使用标准样品需周期性的重复校准。视仪器的稳定性决定周期长短,若仪器稳定,可测定3~4个试样校准一次。②标准样品的制备。准确称取一定量的农药标准样品,用丙酮为溶剂,分别配制浓度为0.5mg/ml的速灭磷、甲拌磷、二嗪磷、水胺硫磷、甲基对硫磷、稻丰散;浓度为0.7mg/ml杀螟硫磷、异稻瘟净、溴硫磷、杀扑磷贮备液,在4℃下可存放6~12个月。用移液管准确量取一定量的上述10种贮备液于50ml容量瓶中,用丙酮定容至刻度,则配制成浓度为50.0μg/ml的速灭磷、甲拌磷、二嗪磷、水胺硫磷、甲基对硫磷、稻丰散和100μg/ml的杀螟硫磷、异稻瘟净、溴硫磷、杀扑磷中间溶液。分别用移液管吸取上述中间溶液10ml于100ml容量瓶中,用丙酮定容至刻度,得混合标准工作溶液。标准工作溶液在4℃下可存放3~6个月。③气相色谱中使用标准溶液的条件。标准样品进样体积与试样进样体积相同,标准样品的响应值接近试样的响应值。调节仪器重复性条件:一个样连续注射进样两次,其峰高相对偏差不大于7%,即认为仪器处于稳定状态。标准样品与试样尽可能同时进样分析。

3)校准数据的表示。试样中组分按下式校准:

$$X_i = \frac{A_i}{A_E} \cdot E_i$$

式中:X_i——试样中组分i的含量,mg/L(或mg/kg);

A_i——试样中组分i的峰高,cm(或峰面积,cm^2);

E_i——标样中组分i的含量,mg/L(或mg/kg);

A_E——标样中组分i的峰高,cm(或峰面积,cm^2)。

(3)进样实验。内容包括：

1)进样方式为注射器进样；

2)进样量为一次进样量 $3\sim6\mu l$；

3)操作时用清洁注射器在待测样品中抽吸几次后,抽取所需进样体积,迅速注射入色谱仪中,并立即拔出注射器。

(4)色谱图考察。内容包括：

1)标准色谱图(见图7-4)。①柱填充剂,5%OV-17/Gas-chromQ,80～100目；②载气流速,36～40ml/min；③氢气流速,4.5～6.0ml/min；④空气流速,60～80ml/min。

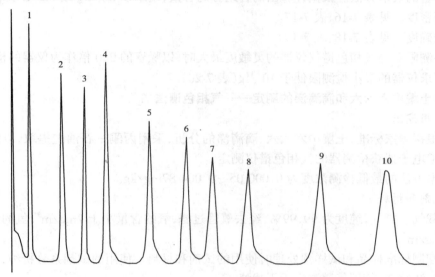

图 7-4 10 种有机磷气相色谱图

1—速灭磷；2—甲拌磷；3—二嗪磷；4—异稻瘟净；5—甲基对硫磷；
6—杀螟硫磷；7—溴硫磷；8—水胺硫磷；9—稻丰散；10—杀扑磷

2)定性分析。①组分的出峰次序为:速灭磷、甲拌磷、二嗪磷、异稻瘟净、甲基对硫磷、杀螟硫磷、溴硫磷、水胺硫磷、稻丰散、杀扑磷。②检验可能存在的干扰。用 5%OV-17/Gas-chromQ,80～100 目色谱柱测定后,再用 5%OV-101/Chromsorb WHP,100～120 目色谱柱在相同条件下进行确证检验色谱分析,可确定各组分及有无干扰。

3)定量分析。①色谱峰的测量,以峰的起点和终点的连线作为峰底,从峰高极大值对时间轴作垂线,对应的时间即为保留时间。此线中峰顶至峰底间的线段即为峰高。②计算公式为

$$R_i = \frac{h_i \cdot W_{is} \cdot V}{h_{is} \cdot V_i \cdot G}$$

式中：R_i——样品中 i 组分农药的含量,mg/kg；

h_i——注入色谱仪 i 组分农药的峰高,cm(或峰面积,cm^2)；

W_{is}——注入色谱仪标样中 i 组分农药的绝对量,ng；

V——$G(g)$样品的定容体积,ml；

h_{is}——注入色谱仪标样中 i 组分农药的峰高,cm(或峰面积,cm^2);

V_i——样品的进样量,μl;

G——样品的重量,g(水样 ml 相当于 g),这里只用提取液的 2/3,应乘 2/3。

6.结果的表示

(1)定性结果。根据标准色谱图各组分的保留时间来确定被测试样中出现的组分数目和组分名称。

(2)定量结果。内容包括:

1)含量的表示方法。根据计算出的各组分的含量,结果以 mg/kg 或 mg/L 表示。

2)精密度。见表 7-16、表 7-17。

3)准确度。见表 7-18、表 7-19。

4)检测限。当气相色谱仪仪器的灵敏度最大时,以噪音的 2.0 倍作为仪器的检测限。本方法要求仪器的最小检测限低于 10^{-11}g(表 7-20)。

(九)土壤中六六六和滴滴涕的测定——气相色谱法

1.适用范围

(1)根据国家标准,土壤中六六六、滴滴涕的分析,采用丙酮-石油醚提取,以浓硫酸净化,用带电子捕获检测器的气相色谱仪测定。

(2)本方法的最低检测浓度为 0.000 05~0.004 87mg/kg。

2.试剂和材料

(1)载气。氮气,纯度为 99.99%,经去氧管过滤,氧的含量小于 7mg/m^3,氢的含量小于 0.09mg/m^3。

(2)配制标准样品和试样预处理时使用的试剂和材料。使用的试剂系分析纯,有机溶剂经重蒸,浓缩 20 倍用气谱测定无干扰峰。

1)色谱标准样品。α-六六六、β-六六六、γ-六六六、δ-六六六、p,p$'$-DDE、o,p$'$-DDT、p,p$'$-DDD、p,p$'$-DDT,含量 98%~99%,色谱纯。

2)石油醚,沸程 60~90℃。

3)丙酮(CH_3COCH_3)。

4)异辛烷(C_8H_{18})。

5)苯(C_6H_6)。优级纯。

6)浓硫酸(H_2SO_4)。密度为 1.84g/ml。

7)无水硫酸钠(Na_2SO_4)。在 300℃烘箱中烘烤 4h,备用。

8)硫酸钠溶液。20g/L。

9)硅藻土。试剂级。

10)三氯甲烷($CHCl_3$)。

11)脱脂棉(或玻璃棉)。用丙酮回流 16h,取出晾干后备用。

(3)制备色谱柱时使用的试剂和材料。主要包括:

1)色谱柱和填充物。

2)涂渍固定液所用溶剂三氯甲烷。

表 7-16　精密度（水样重复性和再现性）

mg/L

试样		速灭磷	甲拌磷	二嗪磷	异稻瘟净	甲基对硫磷	杀螟硫磷	溴硫磷	水胺硫磷	稻丰散	杀扑磷
加入量	$H=$	0.056 0	0.092 0	0.092 0	0.126 0	0.142 0	0.166 0	0.200 0	0.286 0	0.286 0	0.572 0
	$M=$	0.005 6	0.009 2	0.009 2	0.012 6	0.014 2	0.016 6	0.020 0	0.028 6	0.028 6	0.057 2
	$L=$	0.001 1	0.001 8	0.001 8	0.002 6	0.002 8	0.003 4	0.004 0	0.005 8	0.005 8	0.011 4
重复性	H 重复性	0.002 6	0.004 3	0.003 9	0.006 3	0.006 8	0.007 5	0.010 0	0.013 0	0.013 5	0.025 8
	M 重复性	0.000 2	0.000 4	0.000 4	0.000 7	0.000 7	0.001 0	0.001 4	0.001 4	0.001 4	0.003 0
	L 重复性	0.000 1	0.000 1	0.000 1	0.000 1	0.000 1	0.000 2	0.000 2	0.000 2	0.000 2	0.000 5
再现性	H 再现性	0.004 0	0.005 6	0.004 1	0.006 1	0.006 9	0.007 6	0.010 5	0.012 6	0.013 3	0.027 5
	M 再现性	0.000 2	0.000 5	0.000 4	0.000 9	0.000 9	0.001 0	0.001 4	0.002 0	0.001 9	0.003 5
	L 再现性	0.000 1	0.000 1	0.000 1	0.000 1	0.000 1	0.000 2	0.000 2	0.000 2	0.000 3	0.000 6
协作实验室数量		5	5	5	5	5	5	5	5	5	5

注：H 为高浓度；M 为中浓度；L 为低浓度，下同。

表 7-17

精密度（土壤样重复性和再现性）

单位：mg/kg

试样		速灭磷	甲拌磷	二嗪磷	异稻瘟净	甲基对硫磷	杀螟硫磷	溴硫磷	水胺硫磷	稻丰散	杀扑磷
加入量		$H=0.2800$ $M=0.0280$ $L=0.0058$	$H=0.4600$ $M=0.0460$ $L=0.0092$	$H=0.4600$ $M=0.0460$ $L=0.0092$	$H=0.6250$ $M=0.0625$ $L=0.0125$	$H=0.7100$ $M=0.0710$ $L=0.0142$	$H=0.8300$ $M=0.0830$ $L=0.0166$	$H=1.0000$ $M=0.1000$ $L=0.0200$	$H=1.4300$ $M=0.1430$ $L=0.0286$	$H=1.4300$ $M=0.1430$ $L=0.0286$	$H=2.8600$ $M=0.2860$ $L=0.0572$
重复性	重复性 H	0.014 0	0.018 0	0.012 0	0.018 0	0.032 0	0.036 0	0.038 0	0.054 0	0.060 0	0.078 0
	重复性 M	0.001 5	0.017 0	0.000 2	0.004 2	0.002 8	0.004 3	0.000 4	0.000 4	0.000 6	0.011 0
	重复性 L	0.000 2	0.000 3	0.000 4	0.000 5	0.000 6	0.000 8	0.000 1	0.000 1	0.000 1	0.002 7
再现性	再现性 H	0.022 0	0.031 0	0.031 0	0.028 0	0.040 0	0.041 0	0.071 0	0.092 0	0.067 0	0.109 0
	再现性 M	0.001 7	0.001 3	0.003 0	0.006 8	0.003 7	0.005 1	0.006 4	0.000 7	0.008 0	0.013 0
	再现性 L	0.000 4	0.000 4	0.000 5	0.000 8	0.000 9	0.001 4	0.001 4	0.002 0	0.002 2	0.003 8
协作实验室数量		5	5	5	5	5	5	5	5	5	5

· 214 ·

表 7-18

准确度（水样加标回收率，%）

mg / L

试样	速灭磷	甲拌磷	二嗪磷	异稻瘟净	甲基对硫磷	杀螟硫磷	溴硫磷	水胺硫磷	稻丰散	杀扑磷
加入量	$H=0.056\ 0$ $M=0.005\ 6$ $L=0.001\ 1$	$H=0.092\ 0$ $M=0.009\ 2$ $L=0.001\ 8$	$H=0.092\ 0$ $M=0.009\ 2$ $L=0.001\ 8$	$H=0.126\ 0$ $M=0.012\ 6$ $L=0.002\ 6$	$H=0.142\ 0$ $M=0.014\ 2$ $L=0.002\ 8$	$H=0.166\ 0$ $M=0.016\ 6$ $L=0.003\ 4$	$H=0.200\ 0$ $M=0.020\ 0$ $L=0.004\ 0$	$H=0.286\ 0$ $M=0.286\ 0$ $L=0.005\ 8$	$H=0.286\ 0$ $M=0.028\ 6$ $L=0.005\ 8$	$H=0.572\ 0$ $M=0.057\ 2$ $L=0.011\ 4$
H 回收率(%)	92.3	92.4	95.0	96.2	96.3	95.8	94.6	93.0	96.1	96.7
M 回收率(%)	94.6	90.2	95.7	98.4	96.5	95.2	94.5	92.3	92.7	93.4
L 回收率(%)	9.1	88.9	94.4	92.3	92.9	91.2	92.5	91.4	93.1	93.9
协作实验室数量	5	5	5	5	5	5	5	5	5	5

表7-19　准确度(土壤样加标回收率,%)　　　　　　　　　　　　　　　　　mg/kg

试样		速灭磷	甲拌磷	二嗪磷	异稻瘟净	甲基对硫磷	杀螟硫磷	溴硫磷	水胺硫磷	稻丰散	杀扑磷
加入量		H=0.280 0	H=0.460 0	H=0.460 0	H=0.625 0	H=0.710 0	H=0.830 0	H=1.000 0	H=1.430 0	H=1.430 0	H=2.860 0
		M=0.028 0	M=0.046 0	M=0.046 0	M=0.062 5	M=0.071 0	M=0.083 0	M=0.100 0	M=0.143 0	M=0.143 0	M=0.286 0
		L=0.005 6	L=0.009 2	L=0.009 2	L=0.012 5	L=0.014 2 5	L=0.016 6	L=0.020 0	L=0.028 6	L=0.028 6	L=0.057 2
H	回收率(%)	90.9	90.6	93.1	97.6	95.7	96.4	92.3	92.9	95.2	96.8
M	回收率(%)	92.5	89.8	92.8	96.3	92.4	92.2	93.5	88.5	89.1	95.5
L	回收率(%)	88.9	86.5	90.6	92.9	90.8	91.6	90.5	89.9	92.3	94.2
协作实验室数量		5	5	5	5	5	5	5	5	5	5

表 7-20　　　　　　　　　　　　　　检 测 限

农药种类	最小检测限(g)
速灭磷	$3.446\ 1\times10^{-12}$
甲拌磷	$3.873\ 6\times10^{-12}$
二嗪磷	$5.661\ 5\times10^{-12}$
异稻瘟净	$1.008\ 0\times10^{-12}$
甲基对硫磷	$7.573\ 3\times10^{-12}$
杀螟硫磷	$9.485\ 7\times10^{-12}$
溴硫磷	$1.142\ 8\times10^{-12}$
水胺硫磷	$2.288\ 0\times10^{-12}$
稻丰散	$1.760\ 0\times10^{-12}$
杀扑磷	$1.694\ 8\times10^{-12}$

3.仪器

(1)主要仪器。带电子捕获检测器的气相色谱仪。

(2)控制载气的压力表及流量计。

(3)进样器。全玻璃系统进样器。

(4)记录仪。与仪器相匹配的记录仪。

(5)检测器。主要包括:

1)类型。电子捕获检测器。

2)器件的物征。可采用^{63}Ni放射源或高温^{3}H放射源。

3)检测器极化电压。可采用直流电源或脉冲电源。

(6)色谱柱。主要包括:

1)色谱柱数量。2~3支。

2)色谱柱特征。①材料。硬质玻璃。②尺寸。长1.8~2.0m,内径2~3mm。

3)色谱柱类型。螺旋状填充柱。

4)色谱柱预处理。经水冲洗后,在玻璃柱管内注满热洗液(60~70℃)。浸泡4h,然后用水冲洗至中性,再用蒸馏水冲洗,烘干后进行硅烷化处理。将6%~10%的二氯二甲基硅烷甲醇溶液注满玻璃柱管,浸泡2h,然后用甲醇清洗至中性,烘干备用。

5)填充物。①载体。chromosorb W AW-DMCS 或者 chromosorb W AW-DMCS-HP,80~100目。②固定液。OV-17(甲基硅酮),最高使用温度350℃;QF-1或OV-210(三氯基甲硅酮),最高使用温度250℃或275℃。液相载荷,OV-17为1.5%;OV-210或QF-1为1.95%。涂渍固定液的方法:根据担体的重量称取一定量的固定液,溶在三氯甲烷中,待完全溶解后,倒入盛有担体的烧杯中,再向其中加入三氯甲烷至液面高出1~2cm,摇匀后浸泡2h。然后在红外灯下将溶剂挥发干或在旋转蒸发器上慢速蒸干,再置于120℃烘箱中,放置4h后备用。③色谱柱的填充方法。将色谱柱的一端(接检测器)用硅烷化玻璃棉塞住,接真空泵,另一端接一漏斗,开动真空泵后将固定相徐徐倾入色谱柱内,并轻轻拍打色谱柱,使固定相在色谱柱内填充紧密,至固定相不再抽入柱内为止,装填完毕后,用硅烷化玻璃棉塞住色谱柱另一端。④色谱柱的老化。将填充好的色谱柱进口按正常接在汽化室上,出口空着不接检测器,先用较低载气流速,在略高于实际使用温度而不超过固定液的使用温度下处理4~6h。然后逐渐提高温度,载气流速老化24~48h,再降低至使用温度。接上检测器后,如基线稳定即可使用。

6)柱效能。在给定条件下,色谱柱总分离效能即分离度要求不小于90%。

(7)试样预处理时使用的仪器。主要包括:

1)样品瓶。适宜的玻璃磨口瓶。

2)蒸发浓缩器。

3)脂肪提取器。

4)水浴锅。

5)振荡器。

6)玻璃器皿。300ml分液漏斗,300ml具塞锥形瓶,100ml量筒,250ml平底烧瓶,25ml、50ml、100ml容量瓶。

7)微量注射器。5μl、10μl。

8)离心机。

4. 样品

(1)样品性质。包括:

1)样品名称。土壤样品。

2)样品状态。固体。

3)样品的稳定性。在土壤样品中六六六、滴滴涕化学性质稳定。

(2)样品的采集及贮存方法。其步骤为:

1)样品的采集。根据不同的分析目的,在田间多点采集土壤样品,风干去杂物,研碎过60目筛,充分混匀,取500g装入样品瓶备用。

2)样品的保存。土壤样品采集后应尽快分析,如暂不分析应保存在-18℃的冷冻箱中。

(3)试样的预处理。内容包括:

1)提取。准确称20g土壤样品置于小烧杯中,加蒸馏水2ml,硅藻土4g,充分混匀,无损地移入滤纸筒内,上部盖一片滤纸,将滤纸筒装入索氏提取器中,加100ml石油醚-丙酮(1:1),用30ml浸泡土样12h后在75~95℃恒温水浴上加热提取4h,待冷却后,将提取液移入300ml的分液漏斗中,用10ml石油醚分3次冲洗提取器及烧瓶,将洗液并入分液漏斗中,加入100ml硫酸钠溶液,振摇1min,静止分层后,弃去下层丙酮水溶液,留下石油醚提取液待净化。

2)净化。浓硫酸净化法。适用于土、生物样品。在分液漏斗中加入石油醚提取液体积的1/10的浓硫酸,振摇1min,静置分层后,弃去硫酸层(注意:用硫酸净化过程中,要防止发热爆炸,加硫酸后,开始要慢慢振摇,不断放气,然后再剧烈振摇),按上述步骤重复数次,直至加入的石油醚提取液二相界清晰均呈无色透明时止。然后,向弃去硫酸层的石油醚提取液中加入其体积量一半左右的 2% 硫酸钠溶液。振摇十余次。待其静置分层后弃去水层。如此重复至提取液呈中性时止(一般 2～4 次),石油醚提取液再经装有少量无水硫酸钠的筒型漏斗脱水,滤入适当规格的容量瓶中,定容供气相色谱测定。

5. 色谱测定操作步骤

(1)仪器的调整。包括以下内容:

1)汽化室温度。220℃。

2)柱温度。195℃。

3)检测器温度。245℃。

4)载气流速。40～70ml/min,根据仪器的情况选用。

5)记录仪纸速。5mm/min。

6)衰减。根据样品中被测组分含量适当调节记录器衰减。

(2)校准。内容包括:

1)定量方法。外标法。

2)标准样品。①使用次数。使用标准样品周期性的重复校准,视仪器的稳定性决定周期长短,若仪器稳定,可测定 4～5 个试样校准一次。②标准样品的制备。准确称取一定量的色谱纯标准样品每种 100mg,溶于异辛烷(β-六六六先用少量苯溶解),在容量瓶中定容 100ml,在 4℃下贮存。③中间溶液。用移管量取 8 种贮备液,移至 100ml 容量瓶中,用辛烷稀释至刻度。8 种贮备液取的体积比为:$V_{α-六六六}$:$V_{β-六六六}$:$V_{γ-六六六}$:$V_{δ-六六六}$:$V_{p,p'-DDE}$:$V_{o,p'-DDT}$:$V_{p,p'-DDD}$:$V_{p,p'-DDT}$ = 1:3.5:1:1:3.5:5:3:8。④标准工作液的配制。根据检测器的灵敏度及线性要求,用石油醚稀释中间溶液,配制成几种浓度的标准工作液,在 4℃下贮存。⑤气相色谱中使用标准溶液的条件。标准样品的进样体积与试样进样体积相同,标准样品的响应值接近试样的响应值;调节仪器重复性条件,一个样品连续注射进样两次,其峰高相对偏差不大于 7%,即认为仪器处于稳定状态;标准样品与试样尽可能同时进样分析。

3)校准数据的表示。校样中组分按下式校准:

$$X_i = \frac{A_i}{A_E} \cdot E_i$$

式中:X_i——试样中组分 i 的含量,mg/kg;

A_i——试样中组分 i 的峰高,cm(或峰面积,cm^2);

E_i——标准溶液中组分 i 的含量,mg/kg;

A_E——标准溶液中组分 i 的峰高,cm(或峰面积,cm^2)。

(3)进样试验。内容包括:

1)进样。①进样方式为注射进样。②进样量为一次进样 3～6μl。③操作时用清洁注射器在待测样品中抽吸几次,排除所有气泡后,抽取所需进样体积,迅速注射入色谱仪中,并立即拔出注射器。

(4)色谱图考察。内容包括:

1)标准色谱图,见图 7-5。①柱填充剂。1.5% OV-17 + 1.95% QF-1/chromosorb W AW-DMCS,80～100 目;或 1.5% OV-17 + 1.95% OV-210/chromosorb W AW-DMCS-HP,

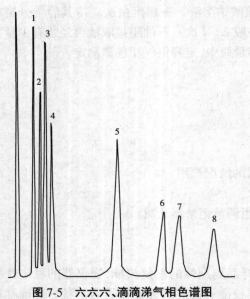

图 7-5　六六六、滴滴涕气相色谱图

1—α-六六六；2—γ-六六六；3—β-六六六、4—δ-六六六、
5—p,p′-DDE；6—o,p′-DDT；7—p,p′-DDD；8—p,p′-DDT

80～100 目。② 载气。氮气，40～70ml/min。柱温 185～195℃。

2)定性分析。①组分的出峰次序为：α-六六六、γ-六六六、β-六六六、δ-六六六、p,p′-DDE、o,p′-DDT、p,p′-DDD、p,p′-DDT。②检验可能存在的干扰，采用双柱定性。用另一根色谱柱（1.5% OV-17 + 1.95% QF-1/chromosorb W AW-DMCS，80～100 目）进行准确检验色谱分析，可确定各组分及有无干扰。

3)定量分析。①色谱峰的测量。以峰的起点和终点的连线作为峰底，以峰高极大值对时间轴作垂线，对应的时间即为保留时间，此线从峰顶至峰底间的线段即为峰高。②样品中某一组分农药的含量可由下式计算：

$$R_i = \frac{h_i \cdot W_{is} \cdot V}{h_{is} \cdot V_i \cdot G}$$

式中：R_i——样品中 i 组分农药的含量，mg/kg；

h_i——注入色谱仪 i 组分农药的峰高，cm(或峰面积，cm^2)；

W_{is}——注入色谱仪标样中 i 组分农药的绝对量，ng；

V——G(g)样品的定容体积，ml；

h_{is}——标样中 i 组分农药的峰高，cm(或峰面积，cm^2)；

V_i——样品的进样量，μl；

G——样品的重量，g。

6.结果的表示

(1)定性结果。根据标准色谱图各组分的保留时间来确定被测试样中出现的组分数目和组分名称。

(2)定量结果。内容包括：

1)含量的表示方法。计算出的各组分农药的含量，以 mg/kg 表示。

2)精密度。见表 7-21。

3)准确度。见表 7-22。

4)检测限。当气相色谱仪仪器的灵敏度最大时，以噪音的 2.0 倍作为仪器的检测限，本方法要求仪器的最小检测量低于 10^{-12}g，见表 7-23。

(十)土壤中铅、镉的测定——石墨炉原子吸收分光光度法

1.主题内容与适用范围

(1)根据国家标准，测定土壤中铅、镉的方法为石墨炉原子吸收分光光度法。

表 7-21

精密度(土壤样重复性和再现性)

试样		六六六	六六六	六六六	六六六	p,p-DDE	o,p-DDT	p,p-DDD	p,p-DDT
加入量 (mg/kg)	$H=$	0.200	1.000	0.200	0.500	0.500	1.000	0.500	1.000
	$M=$	0.040	0.200	0.040	0.100	0.100	0.200	0.100	0.200
	$L=$	0.004	0.020	0.040	0.010	0.010	0.020	0.010	0.20
重复性	重复性 H	8.0×10^{-3}	6.9×10^{-3}	6.9×10^{-3}	4.0×10^{-2}	2.4×10^{-2}	5.2×10^{-2}	2.9×10^{-2}	3.3×10^{-2}
	重复性 M	0.8×10^{-3}	6.4×10^{-3}	1.2×10^{-3}	3.4×10^{-3}	3.2×10^{-3}	9.1×10^{-3}	3.9×10^{-3}	5.7×10^{-3}
	重复性 L	2.0×10^{-4}	1.3×10^{-3}	1.0×10^{-4}	3.0×10^{-4}	5.0×10^{-4}	6.0×10^{-4}	4.0×10^{-4}	4.0×10^{-4}
再现性	再现性 H	1.0×10^{-2}	8.3×10^{-4}	6.9×10^{-2}	4.6×10^{-2}	2.8×10^{-2}	8.1×10^{-2}	3.4×10^{-2}	5.9×10^{-2}
	再现性 M	1.8×10^{-3}	9.3×10^{-4}	1.9×10^{-3}	6.6×10^{-3}	5.6×10^{-3}	11.3×10^{-3}	5.0×10^{-3}	8.6×10^{-3}
	再现性 L	1.3×10^{-3}	9.0×10^{-4}	2.00×10^{-4}	3.0×10^{-4}	6.0×10^{-4}	9.0×10^{-4}	5.0×10^{-4}	1.2×10^{-4}
协作实验室数量		5	5	5	5	5	5	5	5

表 7-22

准确度（土壤样加标回收率，%）

试样	六六六	六六六	六六六	六六六	p,p-DDE	o,p-DDT	p,p-DDD	p,p-DDT
加入量 (mg/kg)	H=0.200 M=0.040 L=0.004	H=1.000 M=0.200 L=0.020	H=0.200 M=0.040 L=0.04	H=0.500 M=0.100 L=0.010	H=0.500 M=0.100 L=0.010	H=1.000 M=0.200 L=0.020	H=0.500 M=0.100 L=0.010	H=1.000 M=0.200 L=0.20
H 回收率(%)	94.8	93.8	93.8	94.3	97.0	99.2	97.1	91.8
M 回收率(%)	95.0	90.0	91.0	93.6	93.8	95.7	93.9	97.5
L 回收率(%)	95.0	94.0	92.5	91.0	95.0	94.0	92.0	96.0
协作实验室数量	5	5	5	5	5	5	5	5

· 222 ·

(2)本方法的检出限(按称取 0.5g 试样消解定容至 50ml 计算)为:铅 0.1mg/kg、镉 0.01mg/kg。

表 7-23   检测限

农药种类	最小检测量(g)
α-六六六	3.577×10^{-13}
β-六六六	2.523×10^{-12}
γ-六六六	1.190×10^{-12}
δ-六六六	9.770×10^{-13}
p,p′-DDE	$1.755\ 6 \times 10^{-12}$
o,p′-DDT	6.960×10^{-12}
p,p′-DDD	5.572×10^{-12}
p,p′-DDT	1.460×10^{-12}

(3)使用塞曼法、自吸收法和氘灯法扣除背景,并在磷酸氢二铵或氯化铵等基体改进剂存在下,直接测定试液中的痕量铅、镉且未见干扰。

2. 原理

采用盐酸-硝酸-氢氟酸-高氯酸全消解的方法,彻底破坏土壤的矿物晶格,使试样中的待测元素全部进入试液。然后,将试液注入石墨炉中,经过预先设定的干燥、灰化、原子化等升温程序使共存基体成分蒸发除去,同时在原子化阶段的高温下铅、镉化合物离解为基态原子蒸气,并对空心阴极灯发射的特征谱线产生选择性吸收。在选择的最佳测定条件下,通过背景扣除,测定试液中铅、镉的吸光度。

3. 试剂

除另有说明外,分析中均使用符合国家标准的分析纯试剂和去离子水或同等纯度的水。

(1)盐酸(HCl),$\rho = 1.19\text{g/ml}$,优级纯。

(2)硝酸(HNO$_3$),$\rho = 1.42\text{g/ml}$,优级纯。

(3)硝酸溶液,1+5。用(2)中的硝酸配制。

(4)硝酸溶液,体积分数为 0.2%,用(2)中的硝酸配制。

(5)氢氟酸(HF),$\rho = 1.49\text{g/ml}$。

(6)高氯酸(HClO$_4$),$\rho = 1.68\text{g/ml}$,优级纯。

(7)磷酸氢二铵((NH$_4$)$_2$HPO$_4$)(优级纯)水溶液,重量分数为 5%。

(8)铅标准贮备液,0.500mg/ml。准确称取 0.500 0g(精确至 0.000 2g)光谱纯金属铅粒于 50ml 烧杯中,加入 20ml 1+5 硝酸溶液,微热溶解。冷却后转移至 1 000ml 容量瓶中,用水定容至标线,摇匀。

(9)镉标准贮备液,0.500mg/ml。准确称取 0.500 0g(精确至 0.000 2g)光谱纯金属镉粒于 50ml 烧杯中,加入 20ml 1+5 硝酸溶液,微热溶解。冷却后转移至 1 000ml 容量瓶中,用水定容至标线,摇匀。

(10)铅、镉混合标准使用液,铅 250μg/L、镉 50μg/L。临用前将铅、镉标准贮备液,用体积分数为 0.2% 的硝酸溶液经逐级稀释配制。

4. 仪器及仪器参数

(1)一般实验室仪器。

(2)石墨炉原子吸收分光光度计(带有背景扣除装置)。

(3)铅空心阴极灯。

(4)镉空心阴极灯。

(5)氩气钢瓶。

(6)10ml 手动进样器。

(7)仪器参数

不同型号仪器的最佳测试条件不同,可根据仪器使用说明书自行选择。通常本标准采用的测量条件见表 7-24。

表 7-24 仪器测量条件

元素	铅	镉
测定波长(nm)	283.3	228.8
通带宽度(nm)	1.3	1.3
灯电流(mA)	7.5	7.5
干燥(℃/s)	80~100/20	80~100/20
灰化(℃/s)	700/20	500/20
原子化(℃/s)	2 000/5	1 500/5
清除(℃/s)	2 700/3	2 600/3
氩气流量(ml/min)	200	200
原子化阶段是否停气	是	是
进样量(μl)	10	10

5. 样品

将采集的土壤样品(一般不少于 500g)混匀后用四分法缩分至约 100g。缩分后的土样经风干(自然风干或冷冻干燥)后,除去土样中石子和动植物残体等异物,用木棒(或玛瑙棒)研压,通过 2mm 尼龙筛(除去 2mm 以上的砂砾),混匀。用玛瑙研钵将通过 2mm 尼龙筛的土样研磨至全部通过 100 目(孔径 0.149mm)尼龙筛,混匀后备用。

6. 分析步骤

(1)试液的制备。准确称取 0.1~0.3g(精确至 0.000 2g)试样于 50ml 聚四氟乙烯坩埚中,用水润湿后加入 5ml 盐酸,于通风橱内的电热板上低温加热,使样品初步分解,当蒸发至 2~3ml 时,取下稍冷,然后加入 5ml 硝酸,4ml 氢氟酸,2ml 高氯酸,加盖后于电热板上中温加热 1h 左右,然后开盖,继续加热除硅,为了达到良好的飞硅效果,应经常摇动坩埚。当加热至冒浓厚高氯酸白烟时,加盖,使黑色有机碳化物充分分解。待坩埚上黑色有机物消失后,开盖驱赶白烟并蒸至内容物呈黏稠状。视消解情况,可再加入 2ml 硝酸,2ml 氢氟酸,1ml 高氯酸,重复上述消解过程。当白烟再次基本冒尽且内容物呈黏稠状时,取下稍冷,用水冲洗坩埚盖和内壁,并加入 1ml 1+5 硝酸溶液温热溶解残渣。然后将溶液转移至 25ml 容量瓶中,加入 3ml 重量分数为 5% 的磷酸氢二铵溶液冷却后定容,摇匀备测。

由于土壤种类多,所含有机物差异较大,在消解时,应注意观察,各种酸的用量可视消解情况酌情增减。土壤消解液应呈白色或淡黄色(含铁较高的土壤),没有明显沉淀物存在。

注意:电热板的温度不宜太高,否则会使聚四氟乙烯坩埚变形。

(2)测定。按照仪器使用说明书调节仪器至最佳工作条件,测定试液的吸光度。

(3)空白试验。用水代替试样,采用和试液的制备相同的步骤和试剂,制备全程序空白溶液,并按测定步骤进行测定。每批样品至少制备2个以上的空白溶液。

(4)校准曲线。准确移取铅、镉混合标准使用液 0.00、0.50ml、1.00ml、2.00ml、3.00ml 和 5.00ml 于 25ml 容量瓶中,加入 3.0ml 5%磷酸氢二铵溶液,用 0.2%硝酸溶液定容。该标准溶液含铅 0、5.0μg/L、10.0μg/L、20.0μg/L、30.0μg/L 和 50.0μg/L,含镉 0、1.0μg/L、2.0μg/L、4.0μg/L、6.0μg/L 和 10.0μg/L。按测定中的条件由低浓度到高浓度顺次测定标准溶液的吸光度。用减去空白的吸光度与相对应的元素含量(μg/L)分别绘制铅、镉的样准曲线。

7.结果的表示

土壤样品中铅、镉的含量 W(mg/kg)按下式计算:

$$W = \frac{c \cdot V}{m(1-f)}$$

式中:c——试液的吸光度减去空白试验的吸光度,然后在校准曲线上查得铅、镉的含量,μg/L;

V——试液定容的体积,ml;

m——称取试样的重量,g;

f——试样中水分的含量,%。

8.精密度和准确度

多个实验室用本方法分析 ESS 系列土壤标样中铅、镉的精密度和准确度,见表7-25。

表 7-25　　　　　　　　　　　　方法的精密度和准确度

元素	实验室数	土壤标样	保证值(mg/kg)	总均值(mg/kg)	室内相对标准偏差(%)	室间相对标准偏差(%)	相对误差(%)
Pb	19	ESS-1	23.6±1.2	23.7	4.2	7.3	0.4
	21	ESS-3	33.3±1.3	33.7	3.9	8.6	1.2
Cd	25	ESS-1	0.083±0.011	0.080	3.6	6.2	−3.6
	28	ESS-3	0.044±0.014	0.045	4.1	8.4	2.3

第八章 水生生态调查

第一节 水生生态调查概述

一、水生生态的概念、调查目的和意义

(一)水生生态的概念和水生生物组成

水生生态学是研究内陆、海洋水体中生物与环境之间相互关系的学科。从生物学的观点,研究内容包括种级、种群及组建水平。从生态学的观点,研究核心应是水生态级的组建水平。

众所周知,水生态系统中的生物(水生生物)组成非常丰富。按生物学分类,水生生物分为水生植物和水生动物。前者包括水生低等植物和水生高等植物,水生低等植物包括藻类和苔藓,仅藻类就划分为蓝藻门、红藻门、隐藻门、甲藻门、金藻门、黄藻门、硅藻门、褐藻门、裸藻门、绿藻门、轮藻门;水生动物分为脊椎动物和无脊椎动物,其中无脊椎动物又包括原生动物、海绵动物、腔肠动物、扁行动物、纽形动物、线形动物、棘头动物、环节动物、软体动物、节肢动物、苔藓、腕足、帚虫动物、毛颚动物、棘皮动物、须腕动物等。在水生生态系统中,各类生物单元已经打破了分类学的界限,根据其形态学特点,人们常将水生生物分为浮游生物、周丛生物、底栖生物、游泳生物、微型生物、自养生物、异养生物。它们分布在水体的各个空间,占据着各自的生态位置,彼此之间有着复杂的相互构成,组成不同的生物群落。其中,微型生物是指借助显微镜才能观察到的微小生物,主要是细菌、真菌、藻类和原生动物,有时也包括后生动物轮虫等。因此,微型生物既包括自养性的植物,也包括异养性的动物。国外学者 Sieburth(1978)把浮游生物按大小分为 7 类;Porter(1985)则根据其划分将微型生物群落归为 3 类,即超微型浮游生物,大小为 $0.2\sim2.0\mu m$;微型浮游生物,大小为 $2\sim20\mu m$;小型浮游生物,大小为 $20\sim200\mu m$。并按自养者和异养者列出了所包含的生物,见表 8-1。

微型生物个体虽小,但数量大、生殖周期短、生长快,是水生生态系统中食物链的基础,并承担着水体初级生产力的大部分。微型生物的生产力在湖泊或海洋中占总初级生产力的 $50\%\sim60\%$,大江大河中的比例会低一些,特别是多泥沙河流,由于河流泥沙的影响水体透光率,微型生物初级生产力比其他河流和湖泊会更低。

(二)水生态调查目的和意义

环境中的各种理化因素的改变,会直接影响到生活在该水体中的生物,影响到生物体的内部功能和种间结构和关系,以致破坏生态平衡。因此,水生生态调查,是多泥沙河流水污染调查中的一个主要内容。浮游植物、浮游动物、固着生生物、底栖动物、水生维管束植物、细菌及鱼类,是水体食物链及生物生产中的重要环节。各级水生生物的种群组成、

数量变动、生物量及群落结构与功能的变化,是反映水生生态正常与否的重要指标。各项生物指标,尤其是各种指示生物及生物指数、水生物体内残留污染物的测定,以及叶绿素量、初级生产力,都是评价、预测水体生态环境质量的关键指标。

表 8-1　　　　　　　微型生物群落的划分和组成(根据 Porter 等(1985)修改补充)

划分	自养者	异养者
超微型浮游生物, 0.2～2.0μm	自养菌 蓝细菌 真核藻类	异养菌 小型鞭毛虫
微型浮游生物, 2～20μm	植物性鞭毛虫 无鞭毛藻类	动物性鞭毛虫 肉足类(无壳)
小型浮游生物, 20～200μm	植物性鞭毛虫 无鞭毛藻类	动物性鞭毛虫 肉足类(包括无壳和有壳) 纤毛虫(包括无壳和有壳) 轮　虫 桡足类的无节幼体 其他后生动物

对生物指标与水质及底质各项指标进行综合分析,能够更全面、准确地以生态学观点评价水环境的质量水平及其发展趋势。为了全面调查掌握河流环境状况和发展趋势,提出防治措施,规定统一的生物调查项目、方法、频率及数据处理等,是确保生物调查数据的准确性、完整性、代表性和可比性的重要技术措施,是保证水资源保护管理、决策正确性的重要技术保障。

二、微型生物在水生生态系统物质循环中的作用

微型生物个体虽小,但数量大、生殖周期短、生长快,是水生生态系统中食物链的基础,并承担着水体初级生产力的大部分。对水生生态系统中碳、氢、氧、硫的物质循环起重要作用。

(一)超微型浮游生物(0.2～2.0μm)

超微型浮游生物包括了水体中大部分的自养型生物。能进行光合作用的生物有光合菌、蓝细菌(蓝藻)和细菌般大小的真核藻类。超微型生物个体虽小,但数量大、繁殖快,是水生生态系统中的初级生产者,承担着水体初级生产力的 50%～60%。因此,无论在保护水环境或者在渔业生产中,超微型浮游生物均受到了充分的重视。

1. 自养菌

自养菌都是利用 CO_2 作为碳源构成细胞本身。根据能量的三个不同来源(无机化能、无机光能、有机化能)可分为 3 类:

(1)无机化能自养菌。是利用无机物如 NH_3、NO_2、H_2、H_2S 或其他还原物质的氧化能,即在氧化作用中产生的能量,为合成自身有机物提供能量。无机化能自养菌都是白色的细菌,在氮和硫的循环以及厌氧环境中起着促进甲烷生成的重要作用。水体中的硝化作用就是靠这类细菌进行的,亚硝化单细胞菌可氧化氨,使之转化为亚硝酸盐,然后硝化

杆菌属又氧化亚硝酸盐为硝酸盐。硫的循环主要与H_2S的氧化有密切关系。在富营养的水体中,沉降物或底层水中会产生H_2S。H_2S非常易氧化,其半衰期约为1h。一般H_2S氧化途径有3条,即光合自养化作用、化学自养化作用和化学氧化作用。有两类细菌分别通过细胞内和细胞外硫的沉淀,养化H_2S,将H_2S氧化成硫酸盐和原素硫。在沉淀物中的H_2S不会全部氧化,有一部分与铁离子起作用,形成FeS,使沉淀物呈黑色。FeS很可能与原素硫S起反应而转化为FeS,使沉淀物呈灰色,沉积在黑色沉淀物的下面。在沉淀物中有一类广泛分布的自养型的铁—氧化菌,能将二硫化铁氧化成硫酸。动植物的尸体在细菌的作用下会腐败分解,在水体透光层中的低分子量有机物可以降解,不能降解的形成颗粒碎屑。颗粒碎屑进入非透光层和沉积物后,都是难以降解的碳水化合物和大分子的蛋白质如纤维素、几丁脂以及脂肪等。蛋白质在厌氧环境下经细菌的水解变成氨基酸、乳酸、丁酸、乙醇、H和CO_2,在发酵过程中产生甲烷。产甲烷的细菌都是非常专性的细菌,大多属于无机化能自养菌。

(2)无机光能自养菌。无机光能自养菌可通过光合色素的作用,利用太阳光能同化空气中的CO_2,进行光和自养作用。细菌的光合作用和植物的光合作用有所不同,以绿色硫细菌为例,它是以H_2S作为H_2的供体,反应结果产生硫。植物是以H_2O作为H_2的供体,反应结果产生硫。因此,细菌的光合作用一定要在含H_2S的条件下才能够成长,参与水生态系统的硫循环。通常情况下,有机物质在水体的底层和沉积物中进行厌氧分解产生H_2S。游离的H_2S从厌氧环境中到达水体透光层中,在这些地区光合硫细菌得到发展。

(3)有机化能自养菌。它们是利用甲烷、草酸盐及其他有机物质的氧化能进行自养同化的一类细菌。在厌氧的底层水和沉积物中,有时甲烷会达到饱和并释放成气泡缓慢升出水面,遇到含氧水时就可被甲烷氧化菌养化成CO_2,并释放出游离能。

2.异养菌

异养菌都是利用有机物作为碳源构成细胞体。根据能量的3个不同来源(无机化能、无机光能、有机化能)也分为3类:

(1)无机化能异养菌。此类细菌在氧化H_2和$S_2O_3^{2-}$时,伴有还原SO_4^{2-}和O_2的作用,在此过程中获得能量。在硫酸盐还原作用的同时,硫酸盐还原菌把从硫酸盐中取得的O_2用来氧化有机物或是分子氢。

(2)无机光能异养菌。它们是兼氧性的,既可进行光合自氧作用,又可以依有机物进行好氧的或厌氧的异养作用。

(3)有机化能异养菌。它们大多是好气细菌、厌氧的反硝化菌等,靠氧化各种有机物之后获得能量,是水体好气碎屑食物链中各种有机物质异养化的主要分解者。细菌的反硝化作用是水环境中氮循环的一个重要部分,它要求几乎缺氧并有合适的有机物质的环境,在硝酸盐和亚硝酸盐还原作用的同时,氧化有机物获得能量。

(二)微型浮游生物(2～20μm)

该类生物包括自养型的藻类和植物性鞭毛虫、异养型的动物性鞭毛虫、肉足虫和纤毛虫。自养型的藻类和植物性鞭毛虫,是水生食物链的初级生产者。归属在本范围内的纤毛虫,则主要是以细菌和藻类为食。因此,微型浮游生物在物质循环的营养层中,除初级生产者之外,已出现了捕食细菌和藻类的初级消费者。

(三)小型浮游生物(20~200μm)

小型浮游生物中的自养型生物包括个体较大的藻类如硅藻、大部分的绿藻,有鞭毛的隐藻、甲藻、金藻、裸藻和部分绿藻,这些藻类是重要的初级生产者。异养型生物包括大量的原生动物和后生动物,如轮虫、小型甲壳虫(枝角类、桡足类)。原生动物除以藻类、细菌和碎屑为食外,还出现了肉食类的种类。藻类和原生动物又可作为轮虫、小型甲壳动物的饵料,故在小型浮游生物中出现肉食型的次级消费者。

综上所述,微型生物在水生生态系统中的物质循环当中起着非常重要的作用。微型生物自身为水中浮游动物提供饵料基础,又为水体中初级生产力的主体。在自然的水生生态环境中,超微型生物具有与环境相协调的种群结构,当环境质量发生变化时,其种群结构也会发生改变。因此,微型生物的种群组成和数量变动,是环境质量发生变化的指示。

第二节 藻类的生态和监测方法

一、藻类的基本特征、分布和主要生态类群

藻类是一类具有光合色素,能进行光合作用且种类繁多、形态各异、大小悬殊的低等植物。藻类没有真正的根、茎、叶的分化,为单细胞生殖或孢子生殖。

藻类能生活于各种环境,适应性强,所以藻类的分布非常广泛,各种水体是其主要生活地区,它是水环境中的主要自养型生物,是水体有机物的主要生产者。水体中的其他自养型生物体,如被子植物、苔藓植物和蕨类植物,在水中是较少见的。在水中,藻类主要是悬浮生长,但也有漂浮于水面的或生长于水底的。在水中的各种物体,都可以生长藻类。藻类在陆生的环境中分布也很广,在树皮、叶茎、苔藓丛中,在几乎所有的陆地表面,即使高等植物很难生长的干土、沙漠、岩石上,也可以发现微小的藻类生存。藻类还可以生活于许多特殊的环境,如冰雪、温泉和岩洞中。因此,藻类和细菌常常是新的地表、新的水体或新的基质的最初出现的先锋生物。它们合成的有机物为其他生物的生存创造了条件。

从生态学角度,可把藻类分为不同的生态类群。根据藻类所生存的环境,可分为水生藻类、陆生藻类和气生藻类。水生藻类可根据水的盐度高低,分为淡水藻类和海水藻类。藻类中绝大多数是水生藻类,种类多,数量高,在水生生态中作用大,所以研究得最多。根据生活方式的不同,藻类分为两大生态类群,即浮游藻类和底生藻类;还可以根据藻类体形大小、生活周期等划分为不同的生态类群。

二、藻类的生长与环境因子

(一)限制因子和忍受限

水环境因子很多,有生物因子,也有水文、泥沙、水温、水深、水质等物理、化学等非生物因子。几乎所有的环境因子,对藻类都有或多或少的影响,而且它们是相互联系、综合起作用的。但是,其中必然有一些是主要因子,即那些对藻类的生长是必不可少的、直接起作用的。而且即使是主要因子,也不是起相同的作用的。

藻类对不同环境有不同的要求范围。在众多的因子中,当某一主要因子的值是最接近藻类所需要的临界值时,这个因子就称为限制因子。当限制因子的水平提高时,藻类种群的生长就加快,直到某个另外的因子又成为限制因子。限制因子的过高或过低同样可以限制藻类生长。最高和最低之间的可忍受值即是"忍受限"。

某种限制因子对藻类的现存量和生产量可以有不同的作用。现存量是某一时刻存在的藻类数量或生物量,而生产量则是藻类数量或生物量在一定时间内增加的速率。吞噬藻类的浮游动物可以减少藻类的现存量,但可能因加快了营养物质的循环而又增加了存活藻类的生长率。不同的藻类有不同的限制因子。同种限制因子对不同种藻类的限制作用可以表现出不同的水平。例如,镉可以限制栅藻生长率,使其生长完全停止;镉还可以限制小球藻的生理活动,甚至使其死亡。环境因子是相互联系的,某一因子的忍受限可以因其他因子的变化而发生变化。例如光和温度,某种藻类对光强的忍受限可因温度的改变而变动。藻类对环境因子也有适应性,通过适应和驯化,其对环境因子的忍受限也会发生变化。

忍受限概念是环境生物调查的基础。指示生物和其他许多生物监测方法都是根据各种生物的忍受限的实验或调查确定的。因此,在调查研究藻类的环境因子影响,确定什么是限制因子以及忍受限时,必须注意上述限制因子和忍受限与环境因子的关系。

(二)光照

光的主要来源是太阳。没有光,地球上的生命就无法生存。对于藻类来说,光因子更是特别的重要。光因子包括光和周期、光质(波长)和光强。光是藻类进行光合作用的能源,而光有着明显的时(日、季节)空(深度、纬度)变化。因此,光经常是藻类生长的限制因素。

在水中,光强随着深度的增加而成指数下降,光谱组成也发生变化。最先被吸收的是红外线、紫外线和波长较长的红光,最后被吸收的是波长较短的青光和蓝色光线。所以藻类的许多辅助色素在吸收光能上起很大作用。在多沙河流中,水中大量的泥沙颗粒会阻挡水体透光率,据张曙光等(1998)研究,当水中含沙量在 $5kg/m^3$ 以下时,不会对藻类光合作用产生影响;当含沙量在 $5\sim10kg/m^3$ 时,水体透光降低造成藻类光合作用率下降;当含沙量大于 $10kg/m^3$ 时,水体透光率不足 1%,藻类因得不到足够的光能而停止生长。

光合作用也受光强的影响。在一定光强范围内,光合作用率随光强增加而增加。在达到饱和光强后,光合作用率保持平稳而不再随光强的增加而增加。如果光强再提高,则反而产生抑制作用,光合作用率下降。

藻类的最适合光强范围一般在 2 000～10 000Lx 之间。水体表面光强可达几万勒可斯,故可产生光抑制现象,使水表层的光合作用值常偏低。

(三)温度

藻类对温度也有一定的忍受限。某些蓝藻有较大的忍受限,在93℃的温泉中还能正常生长;某些单细胞绿藻可以生长于冰雪中。但对于大多数藻类来说,最适生长温度为18~25℃。

不同的藻类有不同的最适温度。一般说来,蓝、绿藻的温度适应范围偏高,故多出现于夏、秋季;金藻、硅藻等则喜好较低温度,故多出现于早春、晚秋和冬季。

温度除影响藻类的季节变化和地域分布外,对藻类生长、分布的最重要间接影响是对水团运动的影响,也就是因水表层和底层温度的差别,形成水的运动,这对藻类生长和分布的均匀性影响较大。

电厂的冷却废水或其他废水排入水体后产生水体增温现象,被称为热污染。增温后一些丝状蓝藻大量生长,光合作用加快;但温度过高,超过30℃后,又会产生抑制作用,这是温度因子直接引起的环境问题。

(四)营养

藻类生长除需要碳、氮、磷等必须元素外,还需要13～15种元素。通常河流中的大部分营养元素可以满足藻类的生长,不会成为限制因子,但当氮和磷过低而成为限制因子时,则会影响藻类生长,特别在夏季藻类生长旺盛期,这种影响更明显。

目前,我国主要大江大河普遍受到污染,其干流和支流水系中的大中型水库、湖泊水质也均受到不同程度的污染,特别是水交换率较低的湖泊和多年调节的水库富营养化问题严重。造成水体富营养化的直接原因是水体中输入了过多的营养成分,主要是氮、磷。因此,在水环境保护研究中,研究的重点不是主要营养元素或微量元素的缺乏而造成的对藻类的影响,而是营养元素过剩、藻类过量生长而造成的危害。但是,少数的微量元素,由于许多藻类不需要或自然界原来不存在的物质大量进入自然界,对藻类也可产生毒性限制作用,造成生态系统的平衡失调。在这种情况下,研究这些物质对藻类的毒性限制作用,比研究其营养限制作用显得更为重要。

(五)吞食

吞食是影响藻类生长的一个主要的生物环境因子。在水中,许多动物是以藻类作为食物的,吞食影响到藻类的种群数量的变化和种类的演替。但是,它们之间不是简单的静态关系,而是具有反馈机制的,在自然界,往往表现为彼此数量上的相互消长。

复杂的吞食关系形成了生态系统中的食物链(网),起着传递物质和能量的作用。许多污染物(重金属、有机氯农药、放射性元素)通过食物链而发生生物积累和生物浓缩。

在富营养化治理方面,为了抑制藻类的数量和改变藻类的种类组成,已经提出和实验了利用浮游动物和鱼类对藻类的吞食作用作为生物治理的一种方法。尽管在看法上和实验结果上还有争议,但这应该是一条值得探索的途径。

(六)拮抗和竞争

竞争和拮抗可表现于藻类本身也可表现于藻类和其他生物之间。竞争包括对光、营养的竞争,也有生物之间的竞争,藻类的不同种之间也存在竞争,其结果是造成某些种类在群落中占优势。水环境质量的生物评价方法之一 —— 群落生态法,就是依据水体中优势群落来鉴别评价水体质量的。

拮抗是一种生物的代谢产物抑制其他种生物生长的现象,例如微囊藻的分泌物可以抑制星杆藻、空球藻、小球藻的生长等。

三、藻类在水质监测中的作用

生物与其生活的环境是一个相互依存、相互影响的统一整体。环境中的各种物理化学因素的变化都直接影响到生活在该环境中的生物,以及生物体的内部结构和种间关系。

生物对环境因素的变化，必然通过生物体本身或种间的调节和整合，以适应环境的变化，由此引起环境中生物结构和种群数量的变化。通过观察和研究发现环境中生物结构和数量的改变，可以评价、判断环境因素的变化及其质量，这就是生物监测的基本依据和原理。

各类水生生物具有不同的生物学特征，它们在水生生态系统中具有不同的结构和功能，它们对环境的反应也各有不同，因而不同生物种群在用于监测时有不同的特点和意义。

前已叙述，藻类是能够进行光合作用的绿色植物，在整个水生生态系统中起着独特的作用——为水生生态系统提供物质和能量。就水生态而言，藻类的作用要比高等的初级生产者——水生高等植物常常要大得多。藻类种类繁多、分布广泛，生态习性和生活方式多种多样，可以生活在不同的地理区域、不同类型的水体，以及水体的不同生境中，这是藻类作为监测生物的一个重要条件。

藻类与水污染有着密切的关系。过量的营养盐进入水体会导致水体的富营养化，其最明显的表现就是引起某些藻类的过量增长，形成所谓的"水华"。而藻类生长周期短，繁殖和死亡有必然的联系，藻类死亡和腐败又是水质变坏、危害水体资源利用的主要原因。因而在富营养化的监测方面，藻类具有特别重要的作用。水体受到一般有机污染时，在水体自净或人工净化过程中，藻类具有光合作用，可吸收二氧化碳，放出氧气，与细菌等起着相互配合的重要作用。所以，藻类也是监测水质和净化水体的重要指示。

水体受到各种有毒物质污染时，一些毒物对藻类有毒害作用，由于不同的藻类忍受限不同，因此会引起藻类种群和数量方面的变化。这些有毒物质对藻类形态、生化、生理等方面也会产生作用，通过食物键，这些有毒物质还会不断地被转移和积累，这些知识在监测水质方面都具有重要意义。

（一）藻类监测的各种指标和标准

污染物对藻类的影响可以发生在各个生物组建水平，如亚细胞、细胞、个体、种群、群落和生态系统等，因而可利用的监测指标很多，如细胞结构、形态、生化和生理，种群结构和功能等，根据野外调查和实验所取得的指标，来确定标准，划分污染程度。

1."指示种类"

"指示种类"是以某种种类的存在或消失作为监测指标的"指示生物"。"指示种类"最早是由 Kolkwitz 和 Masson 在 1908 年提出的水生态系统中论述的，以后通过不断的完善和补充，已基本得到公认。根据 Palmer 对 165 名作者的 95 篇报告中受有机污染的藻类所作的分析，曾经提到的藻类有 240 属、725 种和 125 个变种。我们通过对黄河的调查研究，也发现有有机污染指示作用的 105 种指示种类。经过两种结果进行分析比较，有许多相似之处。在含有较高有机物的水体中出现率最高的有 60 个属（表 8-2），列于前 8 位的为裸藻属（Euglena）、颤藻（Oscillatoria）、衣藻（Chlamydomonas）、栅藻（Scenedesmus）、小球藻（Chlorella）、菱形藻（Nitzschia）、舟形藻（Navicula）和毛枝藻（Stigcoclonium）。

即使在同一属内的不同种，藻类的耐污性也有较大差别。以裸藻为例，一般认为裸藻是耐有机污染种类，如绿裸藻 E.viridis，但变异裸藻 E.mutabilis 确是不耐污染的。因此，仅仅靠鉴定属来指示有机污染可能会导致不正确的结论，同时也说明，在生物监测中正确鉴定种类的必要性。

表 8-2   耐有机污染的藻类的属

序号	属　　名	门　类
1	Euglena 裸藻属	鞭毛类
2	Oscillatoria 颤藻属	蓝藻
3	Chlamydomonas 衣藻属	鞭毛类
4	Scenedesmus 栅藻属	绿藻
5	Chlorella 小球藻属	绿藻
6	Nitzschia 菱形藻属	硅藻
7	Navicula 舟形藻	硅藻
8	Stigcoclonium 毛枝藻属	绿藻
9	Synedra 针干藻属	硅藻
10	Ankistrodesmus 纤维藻属	绿藻
11	Phacus 扁裸藻	鞭毛类
12	Phormidium 席藻属	蓝藻
13	Melosira 直链藻属	硅藻
14	Gomphonema 异极藻属	硅藻
15	Cyclotella 小环藻属	硅藻
16	Closterium 新月藻属	绿藻
17	Micractinium 微芒藻属	硅藻
18	Pandorina 实球藻属	硅藻
19	Anacystis 组囊藻属	蓝藻
20	Lepocinclis 麟孔藻属	鞭毛类
21	Spriogyra 水绵藻属	绿藻
22	Anabaena 鱼腥藻属	蓝藻
23	Cryptomonas 隐藻属	鞭毛类
24	Pediastrum 盘星藻属	蓝藻
25	Arthrospira 节旋藻属	鞭毛类
26	Trachelomonas 囊裸藻属	鞭毛类
27	Carteria 四鞭藻属	硅藻
28	Chlorogonium 绿梭藻属	绿藻
29	Fragilaria 脆杆藻属	绿藻
30	Surirella 双菱藻属	绿藻
31	Ulothrix 丝藻属	绿藻
32	Stephamodiscus 冠盘藻	硅藻
33	Eudorina 空球藻	绿藻
34	Lyngbya 鞘丝藻属	蓝藻
35	Oocystis 卵囊藻属	绿藻
36	Agmenellum	蓝藻
37	Spirulina 螺旋藻属	蓝藻
38	Pyrobotrys 桑椹藻属	绿藻
39	Gymbella 桥穹藻属	硅藻

续表 8-2

序号	属　名	门　类
40	Actinastrum 集星藻属	绿藻
41	Coelastrum 空星藻属	绿藻
42	Cladophora 苍白刚毛属	绿藻
43	Hantzschia 菱板藻属	绿藻
44	Diatoma 等片藻属	硅藻
45	Spondylomorum 椎楗藻属	绿藻
46	Golenkinia 多芒藻属	绿藻
47	Achnanthes 曲壳藻属	硅藻
48	Synura 黄群藻属	鞭毛类
49	Pinnularia 羽纹藻属	硅藻
50	Chlorococcum 绿球藻属	绿藻
51	Asterionella 星杆藻属	绿藻
52	Cocconeis 卵形杆属	硅藻
53	Cosmarium 鼓藻属	绿藻
54	Gonium 盘星藻属	鞭毛类
55	Tribonema 黄丝藻属	绿藻
56	Stauroneis 辐节藻属	硅藻
57	Selenastrum 月牙藻属	绿藻
58	Dictyosphaerium 胶网藻属	绿藻
59	Cymatopleura 中华波藻属	硅藻
60	Crucigenia 十字藻属	绿藻

当水体受到有毒有机物污染时,水生生物的反应随污染种类的不同而不同,尤以藻类更为复杂。本章中列出了对有毒物质有指示作用的一些藻类,见表 8-3。

表 8-3　　　　　　　　　　　　　　　对污染有指示作用的藻类

一、耐酸性污染种类	pH 值
衣藻（Chlomydomonas）	<3
喜酸衣藻(Chl. acidophila)	2
衣藻变种(Chl. applanata var. acidophila)	1.3
易变裸藻(Euglena mutabilis)	1.3
卵形鳞孔藻(Lepoinclis ovum)	低 pH
小型曲壳(Achnanthes microcephala)	低 pH
短小短链藻(Enuolia exigua)	3.5~5
间断羽纹藻(Pinnutaria interrupta f.)	
双头变型(biceps)	2~3
菱形肋缝藻（Frustulia rhomboides var)	
岩生变种(Saxonica)	2.3
啮蚀隐藻(Cryptomonas erosa)	<3
卵形隐藻(Cr. ovata)	<3

二、重金属	忍耐金属名称
丝 藻（Utothrix）	Cu、Zn、Pb
微胞藻（Microspora）	Cu、Zn、Pb
转板藻（Mougeotia）	Zn、Fe
小毛枝藻（Stigcoclonium tenue）	Cu、Zn、Pb、Cr 等
四胞藻（Tetraspora）	Cr
锐新月牙（Closterium acerosum）	Cr
绿球藻（Chlorococcum）	Cu
近生曲壳藻（Achnanthes affinis）	Cu
肿节曲壳藻（A.nodusa）	Cu
小头曲壳藻（A.microcephala）	Cu
肘状针杆藻（Synedra ulua）	Zn
偏肿桥穹（Cymbella ventricosa）	Cu 、Zn
短小短链藻（Eunotia exigua）	Cu 、Zn、Fe
谷皮菱形藻（Nitzschia palea）	Cr、Cu 、Zn、
微绿舟形藻（Navicula viridula）	Cu
梭形性裸藻（Euglena acus）	Cr
隐多甲藻（Peridinium inconspicuum）	Cu、Ni
三、其他	相应名称
脆弱刚毛藻（Cladophora fracta）	DDT
团集刚毛藻（C.glomerata）	DDT 等
小毛竹枝藻（Stigcoclonium tenue）	酚
谷皮菱形藻（Nitzchia palea）	酚、硫化氢
草履波纹（Cymatopleura solea）	酚、
菱形肋纹藻岩生变种（F.rhomboides var. saxonica）	硫化物
普通等片藻（Diatama vulgale）	含油废水、造纸废水
微小异板藻（Gomphonema parvulum）	酚

　　"指示生物"的应用已有较长的历史,在指示一般有机污染方面取得了较好的效果,国内外都有较广泛的应用。

　　但狭义的"指示生物"方法,即根据种类的存在与否来判断污染,受到不少限制,存在较大缺陷。若以种类作为"指示生物",必须对这一种类与某种污染的关系及其忍受范围有明确的了解,由于这方面的资料还很不充足,而且生物对某种污染物的忍受限不能截然划定,并常受其他环境条件的影响而变化,加上生物本身的分布还有地区性,所以,有时同一种生物种类对环境变化的反应并不是简单的"是"或"否",要对注意事项考虑充分后方可下结论。

　　2.优势种群

　　随着对污水生态系统的深入研究和发展,在"指示生物"方法的基础上提出了用整个藻类群落变化来评价污染的方法,即优势群落法。其理论基础是:当河流受到有机污染以后,在发生净化的过程,生物种类发生变化,根据一个河流生态特征确定受污染的程度,依次划分 4 个(或更细的划分为 9 个)污水带,每一个污水带,有相应的优势种群。优势种群包括了原生动物、细菌和藻类等。在本章仅列出藻类优势种群进行介绍。

(1)粪生带(Caprozoic zone)。这一带是无藻类优势种群,有机污染极为严重的污染区域,多发生在排污口附近,水极为污浊,含有大量的有机物,蛋白质分解程度相当低,溶解氧几乎消失。由于严重缺氧,所有化学反应均为还原反应。此带的生物特征是细菌大量滋生,每毫升可达数百万个。

(2)甲型多污带(α-polysaprobic zone)。这一带有机污染非常严重,水质灰暗程度较粪生带稍好,蛋白质等已部分氧化,有一定的溶解氧,但一般低于 3mg/L,嫌气过程缓慢。裸藻为优势种群,优势种为绿裸藻 E. viridis,亚优势种为华丽裸藻 E. phacoides。

(3)乙型多污带(β-polysaprobic zone)。有机污染较甲型多污带稍好。优势种群仍为裸藻种群,优势种为绿裸藻和静裸藻。

(4)丙型多污带(γ-polysaprobic zone)。嫌气过程减慢,出现蓝藻,优势种群为绿色颤藻 Oscillatoria chlorina 群落。

(5)甲型中污带(α-mesosaprobic zone)。有机质开始氧化,以极强的氧化过程为标志。这一带的生物学特征是生物种群仍有限,环丝藻 Ulothrix zonata 群落或底生颤藻 Oscillatoria benthonnicum 群落或小毛枝藻 Stigcoclonium tenue 群落为优势种群。

(6)乙型中污带(β-mesosaprobic zone)。这一带的主要特点是浮游植物已经大量出现,水体的氧化作用明显超过还原作用。脆弱刚毛藻 Cladophora 或 fracta 席藻群落是优势种群。

(7)丙型中污带(γ-mesosaprobic zone)。此带有机物已显著减少,氮化物呈铵盐、亚硝态盐,溶解氧很高,有时达到饱和。生物学特征为红藻群落,优势种群为串珠藻 Batrachospermum moniliforme 或绿藻群落,有时种群为团刚毛藻 c. glomerala。

(8)寡污带(Oligosaprobic zone)。寡污带是以氧化过程的终结为特征,水体的自净已经完成,有分解能力的物质大部分被矿化,蛋白质达到矿化最后阶段,形成了硝酸盐类。寡污带的生物组成特点是种类的多样化,植物中除有绿藻、硅藻、甲藻、金藻、黄藻类外,还有许多水生动物,鱼类大量出现,种类较多。藻类优势中为绿藻的簇生竹枝藻 Draparnaldia glomerata、环状扇形藻 Meridion circulare 群落或红藻群落,包括环绕鱼子菜 Lemance annulata、漫游串珠藻 Batrachospermum 群落。

3.现存量

现存量是某一时刻存在的藻类的定量表示,表示的单位有数量(个体数和细胞数)、湿重、干重、去灰分重、叶绿素、ATP、DNA 碳等。

(1)数量、湿重和干重。在显微镜下计数,求得在一定水样体积(ml 或 L)中或基质面积(cm^2)上的浮游或着生藻类的个体或细胞数,可以直接用于划分水体污染程度,多用于水体富营养型的划分。

数量这一指标单独应用较少,更多的是用于计算各种指示生物指数,详细内容见本节"藻类污染指数"部分。

浮游植物的密度接近于 1,其湿重相当于其体积,由此划分的标准为:中营养型,3~5mg/L;富营养型,5~10mg/L;超富营养型,>10mg/L。

如用干重表示,其划分标准为:贫营养型,20～200mg/m³;中营养型,200～600mg/m³;富营养型,600～10 000mg/m³。

(2)叶绿素。与一切植物一样,藻类都含有色素(除极少数种类之外),可进行光合作用。因此,测定水体中的藻类含有的色素量,是表示藻类现存量的一个参数。叶绿素测定方法快速简捷,一般多用叶绿素 a 作为监测评价水质的指标。

表8-4是根据叶绿素 a 划分营养类型的标准。应当注意的是,在多泥沙河流中,由于泥沙的存在对叶绿素研磨萃取过程中有损研磨器,并使叶绿素研磨不彻底,使得测定结果偏低,所以,叶绿素测定通常适用于支流和湖泊水库营养类型评价。

表 8-4 根据叶绿素量划分营养类型的标准

营养类型	Richard－Thompson		Wetzel	美国环保局	OECD
	mg/m³	mg/m³	（mg/m³）	（mg/m³）	（mg/m³）
贫营养型	0.3～2.5	10～50	0.3～3.0	＜4	0.3～4.5
中营养型	1～15	10～90	2～15	4～10	3.0～11
富营养型	5～140	20～140	10～500	＞10	2.7～78

4.藻类污染指数

为了使生物监测、评价定量化,便于应用,根据不同藻类的种数、出现频率、数量等计算各种污染指数。

(1)藻类种类商。Thunmark 和 Nygaard 以藻类种数作为指标,根据不同藻类类群与有机污染和营养物质的大致关系,求出商值,划分水质类型:

$$蓝藻商 = \frac{蓝藻种数}{鼓藻种数}$$

$$绿藻商 = \frac{绿藻种数}{鼓藻种数}(不包括鼓藻)$$

$$硅藻商 = \frac{中心壳目硅藻种数}{羽壳目硅藻种数}$$

$$裸藻商 = \frac{裸藻种数}{蓝藻种数 + 绿藻种数}$$

$$复合藻商 = \frac{蓝藻种数 + 绿藻种数 + 中心壳目硅藻种数 + 裸藻种数}{鼓藻种数}$$

如:绿藻商为0～1时为贫营养型,1～5时为富营养型,5～15时为重富营养型;复合藻商小于1时为贫营养型,1～2.5时为弱富营养型,3～5为中度富营养型,5～20为重度富营养型,20～43为重富营养型。

(2)硅藻指数。渡边仁治根据河流中硅藻系数计算硅藻指数(I)时的公式为

$$I = \frac{2A + B - 2C}{A + B - C} \times 100$$

式中:A——不耐有机污染种类数;

B——对有机污染物无特殊反应种类数;

C——有机污染地区独有生存的种类数。

（3）多样性指数。Patrick 在研究河流中人工基质上着生的硅藻群落后认为,不同的藻类种类在群落中的数量分布曲线是表现群落结构的一个重要指标,可用于指示污染情况。

一般在未被污染的河流中,种群多而种类数量大都偏低;而在污染水体中,由于不同种类对污染反应不一样,少数种类的种群数量增加;在严重污染时,种类数和种群数量都降低。据此产生的生物多样性指数,可用于评价水体有机污染。下面介绍几种生物多样性指数的计算公式:

1）Gleason 和 Margalef 多样性指数:

$$d = \frac{S - 1}{\ln N}$$

式中：S——种类数;

N——个体数。

2）Simpson 多样性指数:

$$d = 1 - \sum (n_i / N)^2$$

式中：n_i——i 种的个体数(或其他现存量参数);

N——总个体数(或其他现存量参数)。

3）Shannon - Weaver 多样性指数:

$$\overline{H} = - \sum (n_i / N) \cdot \log_2 (n_i / N)$$

式中：n_i 和 N 的含义同前。

（二）藻类生态监测方法

用于水质评价的藻类生态学调查研究,有大量的资料文献。由于工作目的不同,采用的方法有所不同,但基本方法是可以通用的,对于多泥沙河流也基本是适用的。

1. 浮游藻类

（1）群落生态监测法。浮游植物的调查包括定性(种类组成)和定量(数量、生物量、叶绿素、生产力的测定)的调查。

1）现场采样。内容包括:

采样器具。采集浮游植物的工具,有浮游植物采集网和采水器。用于采集浮游植物的采集网由 25 号筛绢网制作,网孔直径为 0.064mm,呈圆锥形,锥形网的下端有一出水开关活塞。

采样水层。对于常规的河流生物监测,应在水面下 0.5m 左右采样,可不分层采样。在湖泊、水库采样,若水深不超过 2m,一般可在表层取样,如透明度很小,可在下层加取一样,并于表层样混合成一样;对于透明度大、水又较深的地方,可按表层、透明度的 0.5 倍处、1 倍处、1.5 倍处、2.5 倍处、3 倍处各取一样,再将各层样品混合均匀后作为定性样品。

定性样品采集。采集浮游植物定性样品时,应在选定的采样点以每秒 20～30cm 的速度,横"8"字形循回缓慢拖动采集网(网内不得有气泡)3～5min(视生物多寡而定)。提出采集网后,将采集的浮游植物通过出水开关放于样品瓶中,反复采集 3～5 次,收集于一个采样瓶中,为一个点的样品。浮游植物网采取的浮游植物多半是较大型的藻类,水量也不能精确定量,因此只能用于一般定性镜检,不能做定量计数。

定量样品采集。浮游植物的定量样品采集可使用有机玻璃采水器。一般采水 1～2L,如浮游植物密度过低,应酌情增加采水水量。

采集频次。采样频率最好每月 1 次,或至少每季度 1 次,或根据水文和污染情况而确定。

标本的固定。对采集到的浮游植物样品,除用于活体观察外,其定性和定量样品都应加防腐剂固定。通常使用的防腐剂为鲁哥氏液,定量样品每1 000ml 水样加 15ml 鲁哥氏液,定性样品用量为水样量的 1.5%。为防止样品褪色,样品应保存于暗处,或1 000ml 水样中加 1ml 饱和硫酸铜溶液。用于活体观察的样品不应太浓,且不要充满容器,并在 3h 之内镜检。

采样记录。所有样品都应编号,就采样时间、地点、深度、采样量等进行记录。每个瓶样品必须贴上标签,标明地点、日期、采样点号。

2)样品浓缩。用作长期保存的样品,水样带回实验室后,摇匀后倒入1 000ml 梨形分液漏斗中并固定在架子上,放在稳定的实验台上静置沉淀24～36h,用细小虹吸管小心吸去上清液,直至浮游植物沉淀物体积约为 20ml 时,旋开分液漏斗活塞将沉淀后的样品放入标有刻度的 30ml 标本瓶,再用少许上清液冲洗沉淀分液漏斗 1～3 次后一并放入瓶中,定容到 30ml。如定量样品水量超过 30ml,可静置到次日,再小心吸去多余水。如无分液漏斗,可在试剂瓶中,以同样方法逐次沉淀浓缩至 30ml。

如标本要长期保存,可加上福尔马林防腐,用量为水样量的 4%,并用石蜡封口,至少保存到整个课题工作全部结束。

3)种类鉴定。藻类的种类鉴定需要专门的知识和训练,根据水污染调查、研究的需要,主要种类最好能鉴定到种(特别是那些对污染类型划分有指示意义的种类),或至少能鉴定到属,而对有些种类和形成“水花”的种类则必须鉴定到种。

主要或优势种类鉴定后,应有关于它们形态的简单描述和草图,以便查对。种类鉴定一般用定性标本进行观察,如果用定量标本先作定性观察,则应在作镜检后将样品洗回样品瓶中,且防止样品的重复污染。

4)计数。浮游植物定量计数方法很多。为了使调查数据有较好的可比性,采用视野法进行计数,用 0.1ml 计数框,面积为 20mm×20mm,框上纵横划分 10 行,共有 100 个小格,每小格面积是 2mm×2mm。

计数时将样品充分摇匀,立即打开瓶塞,用 0.1ml 吸管在中央部位吸出 0.1ml 样品,注入计数框内,小心盖上盖玻片(22mm×22mm),使标本均匀分布,计数框内应无气泡。必要时在盖玻片边缘小心涂上少许液体石蜡,防止在鉴定过程中因样品蒸发而出现气泡。然后,在显微镜下,以一定放大倍数(200～400 倍)的视野面积计数浮游植物的个数或细胞数。计数时,应先计算出视野面积,即用台微尺测量视野直径,按圆面积计算。计数视野的数目应根据样品中浮游植物数量多少来确定,一般每片计数 100～500 个视野,所计数的视野应在计数框内均匀分配。

每一样品计数两次(两片),取其平均值,每次计数的结果与其平均值之差应不大于15%。

在计数时,如遇到一个浮游植物个体或细胞的一部分在视野内,可规定在视野上半圈的个体或细胞不计数,而在下半圈计数。

计数单位可用个体数或用细胞数,以细胞数计数比用个体数精确。

5)计算数量。把计数所得的结果按下列公式换算成每升水中浮游植物数量:

$$N = \frac{A}{A_c} \cdot \frac{V_w}{V} n$$

式中:N——每升水中浮游植物的数量;

A——计数框面积,mm^2;

A_c——计数面积,即视野面积×视野数;

V_w——1L 水样经沉淀浓缩后的样品体积,ml;

V——计数框的体积,ml;

n——计数所得的浮游植物的个体或细胞数。

按上述方法进行采样、浓缩、计数。一般 A 为 $400mm^2$,V_w 为 30ml,V 为 0.1ml,故 $V_w/V = 300$。因此,只要计数方法确定,就可求出一常数 K,每次计数只要把 n 值乘以 K,就可以得到 N。

6)计算生物量。浮游植物的现存量,指的是某一时间内,单位体积水中所存在的浮游植物量。用数目单位表示称为数量,用重量单位表示称为生物量。因不同种类的浮游植物个体大小相差悬殊,故不论用个体数或细胞数,都还不够精确,因而常用单位体积水中浮游植物的重量作为定量单位,即生物量(湿重)。

由于藻类大小无法直接称重,而藻类细胞形态较为规则,且细胞比重接近于 1,故可用形态相近似的几何体积直接换算为生物量(湿重)。

如果要求不高,仅做粗略计算,可根据现成资料查得相应浮游植物的体积,即求得生物量(可参考相关材料)。

但是,浮游植物体积因地区、季节等都可有较大变化,而且现成资料也不可能包括所有种类。因此,在条件许可的情况下,最好对浮游植物的体积进行直接测量,对于那些数量多或体积大的种类,特别是那些优势种,更应做实际测量。测量时应根据藻类体形,按最近似的几何图形测量它的长度、高度、直径等,分别求得它们的平均值,然后按求积公式计算出体积。例如球形种类,测量其直径,按球形体积公式($\frac{4}{3}\pi r^3$)求得体积;圆柱形细胞,测量其半径及其高度,按圆柱形体积公式($\pi r^2 h$)求得体积。有的种类形状较特殊,可分解为几部分,分别按相似几何图形计算后相加求得。

为精确计算生物量,每个种类应尽可能测量足够数量的个体,由之计算出平均体积。细胞体积的毫升数相当于细胞重量的克数,如以 μm^3 作为量算细胞体积的单位,$10^9 \mu m^3 \approx$ 1mg 鲜藻重,这样就可根据计数结果,把藻类细胞体积换算为生物量(mg/L,湿重)。

7)主要用具和试剂。

a)主要用具:

浮游植物采集网(25 号筛绢网制成)1 个。

采水器(采水量 3L)1 个。

水样瓶。1 000ml 聚乙烯瓶或玻璃试剂瓶若干个。

样品瓶。30ml 玻璃试剂瓶(事先定容做好刻度)若干个。

沉淀器。1 000ml 筒形定量分液漏斗若干个。

虹吸管。内径一般为 2～3mm 玻璃管,浓缩水样时使用(自制)。

吸耳球(虹吸用)。1 个。

计数框(0.1ml)。1 片。

0.1ml 刻度吸管或 100 微量吸液器。1 支。

显微镜(具移动台、目微尺和台微尺)。1 台。

盖玻片。规格为 22mm×22mm,0.17mm 厚。

载玻片。规格为 25.4mm×76.2mm,0.8mm 厚。

镊子。封片用。

其他。

b)试剂:

鲁哥试液(固定剂)。配制方法如下:称取碘化钾 20g,加入 200ml 含 20ml 冰醋酸的蒸馏水,待完全溶解后再加入碘 10g,贮存于密闭的棕色试剂瓶中。

福尔马林(含 36% 甲醛)固定剂。

液体石蜡,封片用。

(2)叶绿素测定。叶绿素测定是水中绿色植物和具有光合作用生物的生物量的一种方法。在天然水体中高等绿色植物、浮游植物和光合细菌都具有光合色素。水中不仅存在具有光合活性的叶绿素,而且存在着没有光合活性的脱镁叶绿素。因此,必须将叶绿素和脱镁叶绿素区分开采,分别测定。由于测定水体中叶绿素含量方法简便、快速和准确,因此浮游植物叶绿素的测定可作为水体生产量的指标。

测定叶绿素的方法可分为分光光度法和荧光光度法。本书介绍的是分光光度法。

1)水样的采集。根据工作需要确定是分层采样还是表、底层混合采样。采样体积可根据水中叶绿素含量的高低来确定,一般可采取 1.5～2L 水样。贫营养型湖泊或水库要增加采集水样量。

2)水样的保存。采样后,样品应放在阴凉处,避免日光直射。最好立即对水样进一步处理,如需经过一段时间(4～48h)才进一步处理水样,则应保存在低温(0～4℃)避光处。而且每升水样需加 1% 碳酸镁悬浊液 1ml 以防止酸化引起色素溶解,水样在冰冻情况下(-20℃)最长可保存 30d。

3)水样的浓缩。用离心或过滤的方式浓缩水样,在离心前或在过滤滤膜上加少量碳酸镁悬浊液。抽滤水样时负压不能过大(约为 $5×10^4$Pa),水样抽完后,继续抽 1～2min,减少滤膜上的水分。如不能立即提取,需短期保存(1～2d)时,可放入普通冰箱的冰室内;需长期保存(30d)时,则要放入低温冰箱中保存(-20℃)。

4)提取。将载有浮游植物样品的滤膜剪碎,放入研钵或匀浆器中,加入 6～8ml 90% 丙酮;在 500～1 000r/min 转速下研磨 1～3min。滤膜被完全磨成糊状后,将匀浆器中的样品倒入离心管中,再用少许 90% 的丙酮冲洗匀浆器 2～3 次,倒入上述离心管中使总体积略小于最终体积(10ml),盖上管塞,摇动后置于黑暗低温处(冰箱)静置。提取时间不少于 8h 和不多于 20h。

5)离心。将上述装有样品的离心管放入离心机上，在 3 500~4 000r/min 转速下离心 10~15min。然后，将上清液移入具刻度的离心管或其他仪器中，再加少量 90% 丙酮于原抽提时用的离心管中再次悬浮沉淀物并离心，再将上清液并入已有上清液的具刻度离心管中(或其他容器)，此操作应重复 1~2 次直至沉淀物不含色素为止。最后将提取后的上清液定容到 10ml。

6)光密度测定。将抽提后的上清液倒入 1cm 或 3cm 光程的比色皿中，放入分光光度计中测定 665nm 和 750nm 处光密度。测定的光密度值应在 0.1~0.8 之间。

提取剂(丙酮)空白在 750nm 处的光密度值应不大于 0.05。加 1 滴 1N 盐酸到比色皿中，在 1~15min 内再次测定 665nm 和 750nm 波长处的吸光度。

首先计算出提取液在酸化前、后的光密度 E_{5b} 与 E_{5a}：

$$E_{5b} = D_{665b} - D_{750b}$$
$$E_{5a} = D_{5a} - D_{50a}$$

$$叶绿素\ a = (E_b - E_a) \cdot (R/R - 1) \cdot K \cdot \frac{v}{Vl} \qquad (mg/m^3)$$

$$脱美叶绿素 = [R(E_a) - E_b] \cdot (R/R - 1) \cdot K \cdot \frac{v}{Vl} \quad (mg/m^3)$$

式中：R——最大配比，$R = E_b/E_a$，纯叶绿素 a 的 R 为 1.7，故 $(R/R - 1) = 2.429$；

K——叶绿素 a 在 665nm 处的比吸光系数的倒数乘以 1 000，在丙酮提取液中的比吸光系数为 89，故 $K = 1/89 \times 1 000 = 11.24$；

v——提取液的总体积，ml；

V——抽滤水样的体积，L；

l——分光光度计的比色皿的光程，cm。

因此，如提取液体积为 10ml，比色皿光程为 1cm，则上两式可简化为

$$叶绿素\ a = 273(E_b - E_a)/V \quad (mg/m^3)$$
$$脱镁叶绿素 = 273(E_b - E_a)/V \quad (mg/m^3)$$

7)设备和试剂。内容包括：

采水器。水生—81 型有机玻璃采水器。

采样瓶。1 000ml 聚乙烯瓶。

过滤装置。M-50 型，上海医药玻璃总厂生产。

滤膜。玻璃纤维滤膜(Whatman GF/C) 47mm 微孔滤膜，直径 50mm，孔径 0.45μm。在没有该种滤膜时，推荐使用上海红光造纸厂的国产"7·9"浊膜。

抽滤瓶。1 000~2 500ml。

真空泵。

镊子。

剪子。

研体或匀浆器。

冰箱。

具塞刻度离心管。10ml。

721 型分光光度计。

台式离心机。最大转速为 4 000r/min。

量筒。100ml 和 500ml 各 1 个。

试管架。2 个。

吸管。

90％丙酮溶液。

1％碳酸镁（$MgCO_3$）悬浊波。

1mol 盐酸（HCl）。

（3）初级生产力测定。绿色植物的光合作用积累的太阳能是进入生态系统的初级能量，这种能量的积累过程，也就是无机碳转变为有机碳的过程，就是初级生产。初级生产积累能量的速率，就称为初级生产力。水域的初级生产者是由浮游植物、着生藻类、水生大型植物和自养细菌构成。

光合作用使二氧化碳和水结合形成碳水化合物和氧，在此过程中所转变的能量为每克分子 468.92kJ，能量的固定和光合作用方程为

$$6CO_2 + 12H_2O \xrightarrow[\text{叶绿素}]{2\,817.72\text{kJ}} C_6H_{12}O_6 + 6O_2 + 6H_2O$$

初级生产力的测定方法较多，由于湖泊和水库的初级生产力较高，一般都可以用较简便的黑白瓶测氧法加以测定，因此本书推荐以黑白瓶法为统一方法。

1）采样。一般采样应在晴天的上午进行。采水样前先用水下照度计测定有光层的深度（接受表面照度 1％），按照表面照度 100％、50％、25％、10％、1％的深度分层，一般浅水湖泊（水深≤3m）可按 0、0.5m、1m、2m、3m 分层。

每组瓶要用同次采的水样注满瓶，将采水器导管插到样品瓶底部，灌满瓶并溢流出 2～3 倍水。初始氧瓶应立即固定溶解氧然后进行测定。

2）曝光和测定。将白瓶和黑瓶悬挂于取样深度进行培养，一般培养时间为 24h。曝光结束后，取出黑、白瓶，立即固定溶解氧，然后进行测定。

如光合作用很强，形成过饱和，氧气在瓶中产生大的气泡，应将瓶略微倾斜，小心打开瓶塞加入固定液，再盖上瓶盖充分摇动，使氧气固定下来。为防止产生氧气泡，也可将培养时间缩短为 2～4h，这样就需要使用太阳辐射分布图，把培养期间光合作用速度的数据调整到代表整个光照期的初级生产力。

3）计算。水层日生产量[$mg(O_2)/L$]的计算方法：

净生产量＝白瓶溶解氧量－初始瓶

呼吸作用量＝初始瓶溶解氧量－黑瓶溶解氧量

毛生产量＝白瓶溶解氧量－黑瓶溶解氧量

水柱日生产量[$g(O_2)/m^2$]。水柱日生产量指的是面积为 $1m^2$，从水表面到水底的整个柱形水体的日生产量，可用算术平均值累计计算。假定某水体某日的 0、0.5m、1.0m、2.0m、3.0m、4.0m 处毛生产量分别是 $2mg(O_2)/L$、$4mg(O_2)/L$、$2mg(O_2)/L$、$1mg(O_2)/L$、$0.5mg(O_2)/L$、0，则某水柱毛生产量的计算过程见表 8-5。

表 8-5　　　　　　　　　　　　　　　水柱毛生产量的计算

水层 (m)	各水层的 体积(L)	每升平均日生产量 [mg(O_2)/L]	每平方米水面下各水层 日生产量[g(O_2)/m^2]
0.0~0.5	500	$\dfrac{2+4}{2}=3$	$\dfrac{3\times500}{1\,000}=1.5$
0.5~1.0	500	$\dfrac{4+2}{2}=3$	$\dfrac{3\times500}{1\,000}=1.5$
1.0~2.0	1\,000	$\dfrac{2+1}{2}=1.5$	$\dfrac{1.5\times1\,000}{1\,000}=1.5$
2.0~3.0	1\,000	$\dfrac{1+0.5}{2}=0.75$	$\dfrac{0.75\times1\,000}{1\,000}=0.75$
3.0~4.0	1\,000	$\dfrac{0.5+0}{2}=0.25$	$\dfrac{0.25\times1\,000}{1\,000}=0.25$
0.0~4.0 (水柱产量)			$\Sigma=5.50g$

若把氧量换算为固定的碳,则可乘以系数 0.35。

进行初级生产力测定时,因采样、布设曝光,第二天才能取样分析。这样的现场实验法,受船只、风浪、气候等因素的影响,使得曝光 24h 后取回样品分析,保证率较低,且耗资、耗力都太大。为此,可考察采用模拟现场法。该法采样、布设曝光方法同现场法,只是布设曝光地点可选在离湖岸较近的水域进行。选择模拟地点,主要为了保证交通、安全、实施方便,但要尽可能考虑模拟点要和采样点在水深、光照、温度等因素一致。

初级生产力采样瓶一定要用细口试剂瓶,以保证取样时把气泡置于试剂瓶肩膀上,不可跑漏。

2.着生藻类

着生藻类是指在各种天然河流中的天然及人工基质,如石块、水生高等植物、砾泥、沉于水中的水泥块和木桩、树、船体以及专门为了搜集着生藻类而放置的各种玻片、塑料板等上面着生的藻类。由于着生藻类固定于一定的位置,因此在流速较大的河流、水库中,着生藻类的群落结构能较好地反应水质的变化情况。

(1)天然基质。天然基质可分为无机基质(岩石、砂砾、长期置于水中的各种人工基体)和有机基质(水生高等植物及其他水生生物)。

如作常规性的种群调查,可用刀、镊子等工具将着生藻类从基质上刮下来;如需做定量分析,则应将基质从水中取出,确定一定的基质表面积(1cm^2 或 4cm^2),将面积上的藻类全部刮下,也可用水或刷子冲刷。对水生高等植物上的着生藻类,可先剪取植物上的一定面积,放入标本瓶中加水震荡,为易于着生藻类脱落,可加少量的酸。

计数时应混和均匀,按浮游植物计数法计数,结果以 cm^2 上的数量表示,也可以测定上述提到过的其他指标,如叶绿素、干重等。

(2)人工基质。为了消除基质上的差异,减少采样的困难和增加资料的可比性,现多采用人工基质搜集着生藻类。

Buther(1947)最早通过玻片使藻类着生,来观察河水自净过程中藻类群落的变化。

Patrick 从 20 世纪 60 年代开始利用着生藻类进行河流污染评价,在美国的许多河流上作了工作,积累了大量的资料。Patrick 认为,玻片基质比在天然基质上采样、定量好,并设计了一种专门的采样器,称为硅藻计(Diatometer)。该采样器包括挂放玻片架、漂浮装置、挡板等,目前已被广泛使用。

1)基质。人工基质除玻片之外,还有有机玻璃、各种塑料板和膜、木板块等。由于人工基质有一定的选择性,采样条件也各不相同,因此着生藻类的群落组成和数量与天然基质是不可能完全相同的。同样,不同材料的人工基质上的着生藻类也是有区别的。但是,如果在一条河流上或一个水系中,采用同样的人工基质和同样的采样条件,将取得的数据进行比较以评价不同范围的水质状况,则人工基质方法易于规范化,取得的数据资料比自然基质的可比性要强,所以在规范的条件下,人工基质仍不失为一个可行的方法。

2)挂片装置。除 Patrick 的硅藻计之外,挂片可以有各种不同的方法。集中挂片装置和挂片方法,参见图 8-1。

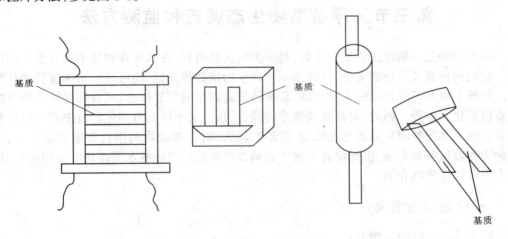

图 8-1 各种人工基质装置和悬挂方法

3)挂片时间。人工基质在水中应悬挂的时间,曾有过比较实验。时间的长短对着生藻类的种类多少和数量大小有影响,而且与季节、水体状况有关。美国环保局建议为 2～4 周,认为在此时间内着生藻类的群落演替达到平衡;国内学者通过实验观察,认为 2 周比较合适,此时藻类群落已基本稳定,时间过长,反而会使藻类种类和数量减少,其他异氧性生物大量增长,而且对实验、采样工作也不便。

4)位置。玻片等在水下不易放置过深,特别在泥沙含量大、浑浊度高的河流中,否则光照可能成为限制因素。玻片在水中可呈水平状或垂直状态放置,水平状态放置时,玻片上的着生藻类上面多、下面少,总量比垂直状态放置时的着生藻类多,但在浑浊度大的河流中,悬浮物容易沉积,影响收集和观察。因此,在多沙河流中多为垂直状态放置。

5)收集藻类和观察。玻片等上着生的藻类可用刀片、刷笔等收集并冲刷,然后摇匀散开,按浮游植物方法鉴定、计数,也可测量其他指标,如干重、叶绿素等。有的直接在玻片上观察硅藻种类,或者消解制片后专门观察硅藻种类和数量。

6)计数方法。依据公式,可对定量计数的各种类的个体数进行计算,并换算为 1cm^2

基质上着生藻类个体数量：

$$N_i = \frac{C_1 \cdot L \cdot hn_i}{C_2 \cdot R \cdot S}$$

式中：N_i——单位面积 i 种藻类的个体数，个 $/\text{cm}^2$；

C_1——标本定容水量，ml；

C_2——实际计数的标本水量，ml；

L——藻类计数框每边的长度，μm；

h——视野中平行线间的距离，μm；

R——计数的行数；

n_i——实际计数所得 i 种藻类个体数；

S——刮取基质的总面积，cm^2。

第三节　浮游动物生态调查和监测方法

浮游动物是小型漂游生活的生物，是鱼类的天然饵料，在水生食物链中具有重要的位置。它们的种群及数量的变化，优势指示种和生物指数等指标，均可反映水体富营养化程度。如纤毛虫和臂尾轮虫的大量出现，是水体富营养化的明显标志；草食性浮游动物可净化富营养化水体等。因此，对浮游动物进行调查研究，是水体富营养化评价中的一项重要内容。由于多泥沙河流的透光度较低，泥沙搬动大，对浮游动物的生长繁殖非常不利，生物种类和数量都非常低，因此浮游动物生态调查在多泥沙河流的水质评价中应用较少，故在本书中仅作简略介绍。

一、浮游动物组成

属于浮游动物的生物有：

(1)原生动物。包括孢子虫纲以外的各纲生物，即属于鞭毛、肉足纲和织毛纲中的一些种类，主要是属于后两纲的动物种类居多。

(2)腔肠动物。只有水螅和淡水水母。前者有时可游在水中，后者的发生则有季节性，并且不是常见种类。

(3)扁虫动物。包括涡虫纲的一些小型种类和螅虫纲的一些种类的各类幼虫。种类不多，亦不常见。

(4)轮虫类。属真性的浮游种类，数量居多。

(5)腹毛虫类。种类不多，也不常见。

(6)苔藓虫类。属于这类动物的浮游个体，只有它们的休眠芽和幼虫，并且是在特殊情况下和一定的时期才可遇见。

(7)节肢动物。包括甲壳纲、昆虫纲和蜘蛛纲中的一些种类。在甲壳纲中以角质类、桡足类为主，种类不多，但数量很大；此外，介形类也偶尔遇见。在昆虫纲中，以小型的壳翅目和半翅目的成虫以及双翅目的幼虫为主，但种类不多，也不常见。在蜘蛛纲中为水蜘蛛的一些种类，种类不多，也不常见。

从水生态评价和水质评价的角度来讲，原生动物、轮虫、枝角类和桡足类是浮游生物的 4 大类，在评价应用中具有重要作用。

二、浮游动物生态

(一)浮游动物的地理分布

浮游动物的种类很多，在地球上的分布面积也很广，只要有潮湿的地方，就可能有它们的足迹。它们可以分布在淡水、海水、淡盐水、温泉、咸的水塘、含盐分高的沼泽、酸性的泥潭、废水处理厂内的活性污泥、农田、森林土壤、腐殖质、泥、沙、植物和树皮等地方。其世界性分布的特点，显然是该类生物个体较小的原因。浮游动物包括自养生物和异养生物。在作为初级生产者的鞭毛虫中，体形较大的种类和体形较小的种类均分布很广。在异养生物中，有腐生营养和吞噬营养。很多小的动物性鞭毛虫能通过细胞膜渗透作用吸收溶于水中的营养物质，但更多的是吞噬营养。

(二)水平分布

由于水环境条件的差异，浮游动物的分布在一定区域内是有差异的。浮游动物的水平分布，是其分布特点之一，即在表层的群居习性。在天气晴朗的情况下，如枝角类和桡足类生物常聚集在岸边和水中的一些区域。这种分布现象有时是不稳定的，随时有变化。一般来说，浅水水域和比较老化的湖泊、水库，浮游动物的种类和数量在靠近岸边的区域比水体中心部分要多，水浅部分比水深部分要多。影响浮游动物水平分布的因素，经常不是单纯的一种，而常常是几种因素同时存在。在实际工作中，必须从多个方面去考虑可能影响到浮游动物水平分布的不同原因。而在多种情况下，代表水中大多数浮游动物的种类在中央水域，近岸水域只能代表一小部分或局部的情况。在进行水体质量评价时，由于应当着重在代表性大的部分取样，因而一般都不在岸边采取浮游动物的标本。

(三)垂直分布

在一年中，浮游动物的垂直分布只有在水体没有发生循环流动时最为明显，因而，在河流中，浮游动物的垂直分布是不显著的。在水库和湖泊中的非循环时期，常表现出浮游动物的垂直分布。浮游动物(尤其是大型的)的运动能力，远较浮游植物为强，由于它们的生活习性、移动性很大，因而它们的垂直分布现象也较浮游植物不稳定，分布情况也较复杂。大体上讲，原生动物中的肉质纲的种类，多栖息在水的下层，而织毛纲则无一定部位；轮虫、桡足类和角枝类的分布深度，变化很大，一般成虫的居住部位较幼虫为深，枝角类密集的处所常较桡足类为浅。

影响浮游动物垂直分布的原因，主要有日照、温度、食物、溶解性气体和其他溶解性物质。

三、浮游动物的调查

(一)采样点的选择

根据水库、湖泊、河流形态的不同以及生态环境特点，选出具有代表性的各类生物的栖息场所，所设置的采样点，应使采到的标本能代表各区内生长的生物种类和产量的一般状况，采样点的多少可根据工作需要和具体条件而定。

（二）层次和频率

采样层次水深一般不超过 3m，可于水表面下 0.5m 处采样。当水深为 3～10m 时，可在距水表面和湖底 0.5m 处各采水样 1 个；当水深超过 10m 时，可根据具体情况增加采样水层，再将各层样品混合均匀，取出定量样品。

（三）样品的采集和固定

采集原生动物和轮虫定性样品，用 25 号（网孔 0.064mm，200 孔/in）浮游生物网，采集枝角类和桡足类样品，用 13 号网捞取（网孔 0.112mm，130 孔/in），滤水较快。采样时，以网口上端刚在水面或水深一尺处作"∞"形的循回拖动，3～5min 后，将网慢慢提起，使浮游动物集中在网头内，打开活塞，使样品流入瓶内，立即固定。采集原生动物和轮虫时用 1.5％鲁哥（Lugol）氏液或波恩氏液固定；采集甲壳类时加 5％甲醛固定。另采半瓶样品不固定，供原生动物活体观察用。所用样品都应加贴标签，写明时间、地点等内容。

（四）样品鉴定

原生动物应进行活体观察，在中倍显微镜下分类鉴定。镜检时，可在盖片沿边加一滴 1％硫酸镉，多余部分要用滤纸吸掉。原生动物一般鉴定到属即可，优势指示种一定要鉴定到种。轮虫、枝角类、桡足类用低倍显微镜和实体解剖镜进行镜检，尽量鉴定到种，优势指示一定要鉴定到种。

1．定量样品的采集和固定

原生动物、轮虫和无节幼虫定量样品，可用浮游植物的定量样品（见本章第二节）。枝角类和桡足类样品，用采水器（同浮游植物，见本章第二节）采样。枝角类和桡足类样品，用采水器（同浮游植物）采 5～10L 水，用 25 号网过滤浓缩，然后加入 4％福尔马林液固定，带回室内静止 24h 后定容至 30ml。

2．计数和计算

浮游动物的计数，用计数框进行；原生动物计数时，先将浓缩水样充分摇匀后，用吸管吸出 0.1ml 样品，置于 0.1ml 计数框内，盖上盖玻片，在 100～400 倍显微镜下进行全片计数；轮虫和无节幼虫计数时，取摇匀的浓缩样品 1ml，放入 1ml 计数框内，全片计数。每个样品计数 2 片，求出平均值，再依公式换算成每升水中的数量。

枝角类和桡足类计数时，可将浓缩样品摇匀，用粗吸管吸取 5ml 样品，置于 5ml 计数框内，在低倍显微镜下进行全片计数。如果水样中甲壳类标本很少，则可将全部样品浓缩为 5ml，用 5ml 计数框全部计数。

每类某种群浮游动物个体数 N_i 可按下列公式计算：

$$N_i = \frac{C \cdot V_1}{V_2 \cdot V_3}$$

式中：C——计数所得个体数；

V_1——浓缩样品毫升数；

V_2——计算体积毫升数；

V_3——采样量升数。

每升内浮游动物总数等于各类群个体数之和。

3.生物量计算

用实验测动物体积,再求得其生物量。这种方法是准确而科学的,但浮游动物因季节不同和地域的差别,则体积也不尽相同。在条件不具备时,可依据资料求得,即将每种浮游动物定量计数的个体数量与该种的平均湿重相乘求得其生物量,再将各类动物的生物量相加,得出浮游动物种生物量。

(五)主要用具和固定剂

1.主要用具

(1)13号、25号浮游生物网,各2个。

(2)采水器。1 000ml的1个,5 000ml的1个。

(3)水样瓶。1 000ml若干个。

(4)样品瓶。60ml若干个。

(5)沉淀器。1 000ml分液漏斗若干个。

(6)虹吸管。数米。

(7)吸耳球。2个。

(8)计数框。0.1ml、1ml、5ml各2个。

(9)刻度吸管。0.1ml、1ml、5ml各2支。

(10)显微镜(具移尺、目微尺)。1台。

(11)载玻片。若干盒。

(12)盖玻片。若干盒。

(13)弯头、直头镊子。各2把。

(14)实体解剖镜。1台。

(15)广口试剂瓶。200ml若干个,1 000ml若干个。

(16)其他。

2.固定剂

(1)鲁哥(Lugol)氏液。取60g碘化钾溶于1 000ml蒸馏水中,待溶后加入40g碘。一般1 000ml水样中加15ml鲁哥氏液,最好滴2滴福尔马林防止腐败。

(2)波恩(Boin)氏液。在1 000ml蒸馏水中加入苦味酸晶体制成饱和液,取其上清液750ml注入试剂瓶中,再加福尔马林25ml和冰醋酸3ml即成波恩氏固定液。此固定液用于浮游动物最佳,使物体基本不变性,对观察鉴定较为有利,用量以超过浓标本液一半以上为宜。

(3)福尔马林液。用5%福尔马林液(含1.6%甲醛)固定甲壳类样品为宜。

第四节　底栖生物的生态及其调查方法

底栖动物是指生活在水体底部且肉眼可见的动物群落。主要包括水生寡毛类(水蚯蚓等)、软体动物(螺蚌等)和水生昆虫幼虫(蚊幼虫等),它们是底层鱼类的重要饵料。又因底栖动物长期生活在水体底部,故能确切反映该水体质量状况,是监测污染、评价水质的理想天然监测者。

一、底栖生物的生态

底栖生物不是分类学上的名词,而是生态学上的名词。由于栖息地点所表明的是一个综合性的动物群,因此底栖生物的种类很多,包括动物界内的很多门类,如软体动物、节肢动物中的甲壳类、昆虫及水蜘蛛、环节动物、苔藓虫、圆形动物、扁形动物、水螅类以及淡水海绵等。就底栖动物的种类而言,以昆虫的种类最多,其次是圆虫,再其次是软体动物和环节动物,甲壳动物与扁形动物次之,淡水海绵与苔藓虫更少。以上只是就一般情形而言,不同的水体有较大差别。就个体数目而言,以昆虫与圆虫为最多,但因昆虫个体极小,至于圆虫则更小,没有显微镜则难以识别,所以,它们虽然个体多,却不显著。软体动物因个体大,容易识别,所以个体虽少,却是底栖动物中最显著的一类。

在河流中水浅的沿岸带以及有维管束植物生长的地方,有利于底栖动物生长,种类和数量都相对较多。而在流速较高的河流中部,底栖动物种类相对较少。所以,水体浅水带是底栖动物集中的地方,尤其以昆虫幼虫和软体动物为最显著,最高可达区域总数的70％,蚌、螺蛳、蜻蜓、蜉蝣毛翅目的幼虫都积极旺盛。但是,昆虫幼虫有显著的季节变化,春夏季节昆虫幼虫特别繁多,一到秋末,多数已羽化成成虫飞离水体,数量也就大大减少。同时,由于浅水带水文变化较大,动物的分布也受到一定影响。春、秋两季天气晴和的日子,在日中温度较高的浅水带,许多昆虫幼虫集中于此,这样就形成了数量和种类的高峰期。一到寒冷季节,浅水带首先结冰,而深水带反而温度稍高,而且相对稳定,动物则到水深处避寒,浅水带动物种类会急剧下降。在多泥沙河流,特别是像黄河下游游荡形河流,河床不稳定,滚动性较大,底质暴露与淹没常在昼夜之间,只有行动迅速或耐旱力强的动物才能适应,如蜻蜓的幼虫、轮虫以及圆虫等都是耐旱力强的种类。至于淡水海绵、苔藓虫及蚌既不能耐旱,又不能迅速移入水较深的地方,都不能适应这种环境。

二、底栖生物的调查与监测

(一)采样点及采样频率

底栖动物采样点的设置,要尽可能与水质理化分析采样点一致,以便于数据的分析比较。同时,要考虑底栖动物的分布特点,使所采样品具有代表性。一般在湖泊、水库、河流的入口区、中心区、出口区、最深水区、沿岸带、污染区及相对清洁区设置采样点或断面。采样可每季进行一次,至少须在每年的枯水期和丰水期各进行一次采样。

(二)样品的采集和处理

1.定量采集

采泥器种类及使用方法包括:

(1)改良式彼得生采泥器。改良式彼得生采泥器的开口面积为 $1/16m^2$,适合于采集淤泥及较软的底泥,主要用于采集水生昆虫、水生寡毛类及小型软体动物。使用时打开采样器,挂好提钩后缓慢放至水底,然后继续放绳,抖脱提钩,再轻轻向上提绳拉紧,估计采泥器两页闭合后,将其拉出水面置于桶或盆内,打开采泥器把取底泥倒于桶或盆内,经40目分样筛,去除泥沙,将筛上全部肉眼所看得见的动物用镊子挑出固定,注意勿将标本损坏。

(2)带网夹泥器。带网夹泥器的开口面积为 $1/6m^2$,可采集螺、蚌等较大的底栖动物。

采得样品后,将网口紧闭并在水中涤荡,除去网中泥沙,然后提出水面,检出其中全部螺、蚌等固定。

如采样时来不及检出底栖动物,可将筛洗后所余杂物连同动物全部倒在备用塑料袋内,将其置于阴凉处,带回实验室后立即挑出动物固定。

为减小误差,每点要采集两个平行样(包括用改良式彼得生采泥器和带网夹泥器),即要在一个点位上同时采集两次,以减少因底栖动物在底质中分布不均匀造成的误差。

(3)人工基质采样器。当河流、湖泊、水库底质为卵石、砾石时,上述采泥器无法进行采样,可采用人工基质采样器采集标本。该采样器为高 20cm、直径 18cm 的圆形铁笼,用 8 号和 14 号铁丝编织而成,网孔面积为 4~6cm²。使用时笼底铺一层 40 目尼龙筛绢,内放长约 8cm 的卵石。每个采样点底部放置两个铁笼,用尼龙绳固定在岸边,或系上浮游球作标记,铁笼置水底两周后取出(注意各点放置时间要保持一致),将卵石及筛绢上的底栖动物全部挑出固定。

2. 定性采样

除可用上述方法采取定量样品外,还可用三角拖网在水底拖拉一段距离,然后取出水面,将网内所得底质用 40 目分筛去泥污,将标本挑出固定。在岸边及浅水处,可捞取石块、砾石或用手抄网将底泥捞起,挑出标本固定。

3. 底栖动物固定和保存

挑出的底栖动物应立即放入 5% 的甲醛溶液或 75% 的酒精溶液中固定。考虑到某些底栖动物在上述浓度中常自行解体脱鳃,可先放入较低浓度的溶液中(如 2% 的甲醛或 50% 的酒精),数小时后,再转入 5% 的甲醛溶液或 75% 的酒精溶液中固定保存。为便于分类鉴定,环节动物如水蚯蚓、蛭等应先放入玻璃皿中,加少量水,缓缓滴加数滴 75% 酒精,将虫体麻醉,待其完全舒展伸直后,再以 5% 甲醛或 75% 酒精溶液固定保存。固定液须为动物体积的 10 倍以上,否则应在 2~3d 后更换一次。

用以上方法固定的标本,虽然保存时间很长,但极易褪色,因而固定前应先记录标本的颜色,以备鉴定标本使用。

(三)鉴定和计数

1. 鉴定

软体动物和水栖动物寡毛类可参考有关文献、资料鉴定到种,摇蚊科幼虫鉴定到属,水生昆虫等鉴定到科。

对水栖寡毛类和摇蚊科幼虫等进行鉴定时,需制片在解剖镜或显微镜下观察,一般用甘油作透明剂。如需保留制片,可用加拿大树胶或普氏(Puris)胶封片。封片时先滴一两滴加拿大树胶或普氏胶在载玻片上(胶的用量要适当),然后将标本放置其上,倾斜放置盖玻片,避免产生气泡。

2. 计数

把每个采样点所采到的底栖动物按不同种类准确地统计个体数,根据采样器的开口面积推算出 1m² 内的数量,包括每种的数量和总数量(单位:个/m²)。人工基质采得的结果可按两笼的平均数直接计数(单位:个/笼)。

在现场固定前,将采得的底栖动物放在滤纸上,吸去多余的水分,用扭力天平或普通药物天平称出各种类的湿重,并标出 $1m^2$ 的生物量。

(四)主要用具和试剂

1. 主要用具

(1)改良式彼得生采泥器 1 只。

(2)带网夹泥器 1 只。

(3)三角拖网 1 只。

(4)人工基质采样器(铁笼)若干个(高 20cm,直径 18cm)。

(5)40 目分样筛 1~2 个。

(6)解剖针,尖嘴镊。

(7)塑料桶或盆若干个。

(8)塑料袋若干个。

(9)扭力天平或普通药物天平 1 台。

(10)样品瓶若干个。

(11)解剖镜 1 台。

(12)显微镜 1 台。

(13)载玻片,盖玻片。

(14)其他。

2. 试剂

(1)5% 甲醛溶液。

(2)75% 酒精溶液。

(3)甘油。

(4)加拿大树胶。

(5)普氏胶。用阿拉伯胶 8g,蒸馏水 10ml,水合氯醛 30g,甘油 7ml,冰醋酸 3ml 配制而成。配制时先在烧杯中用蒸馏水溶解阿拉伯胶,置 80℃ 水中恒温水浴,用玻璃棒搅动,胶溶后,依次加入其他各物,用玻璃棒搅动均匀,然后以薄棉过滤即成。

第五节　大型水生维管束植物

大型水生植物主要是指水生维管束植物,即指水生的藻类植物和水生的种子植物。一些大型藻类植物,如轮藻门植物,它们不具维管束,但由于植物体较大,所以也属大型水生植物,确切地说,它们属大型水生非维管束植物。它们和其他浮游藻类一样,也是初级生产者,能反映其生活环境的水质。因此,正确统计大型水生植物的生物量对于评价湖泊、水库的营养状况也具有重要意义。但是,在一般河流中,由于流速较大,岸边带适于大型水生维管束植物生长的条件较差,因此以大型水生维管束植物的生态类型评价水体质量的应用较少,故在此仅对大型水生维管束植物调查方法作一简单介绍。

一、采样工具

1.水草定量夹

采集大型水生维管束植物的定量工具,一般用水草定量夹。其完全开口时网的各边长均为 50cm,面积共计为 0.25m²;尼龙网长 90cm 左右,网孔大小为 3.3cm×3.3cm。

2.采样框

用以测定植丛的密度、植物在样方上的分布和计算植丛的生物量。

方框有 1m² 样方(边长 1m)和 0.25m² 样方(边长 0.5m)两种,用宽 2cm、厚 0.5cm 的木板条制成。为了便于携带,各片板条两端均装有一铜片,其上钻一孔,穿入金属轴。方框各边每隔 5cm 或 10cm 做一记号。此框用来统计浮游植物叶片在水面上盖度及近底植物丛及其适用。

3.采集袋

用纱布或塑料膜制成,袋长 30～40cm,宽 20～25cm,用以分别盛装定量夹在各点新采的大型水生植物标本。

4.耙子

耙子是采集水生维管束植物定性工具。

二、采样断面和点的选择

采样断面应根据水体形态、水文情况、植物的分布等进行设置,最好是平行排列,或为"之"字形。断面与断面间的距离一般为 50～100m,断面上的定点距离一般为 100～200m (可根据实际情况而定)。断面上定点数目最好为奇数,即断面中间应设一个点,没有大型水生植物的地区可不必设点。在计算生物量时可分区计算。

三、定性样品的采集

主要采集水深在 3m 以内的种类,用以带回实验室进行分类鉴定,准确地定出新采得的大型水生植物的种、属名称。生长在岸边的禾本科、莎草科等挺水植物可直接用于采集;浮游植物可用耙子连根拔起,选择 1～3 片带叶柄的浮叶、花、果实;漂浮植物可用带柄手网(10 目)采集;沉水植物可用耙子或拖钩采集。将新采到的样品按种类区分,分别作成蜡叶标本或浸制标本,每号标本至少制成两份,经鉴定后保存。每采集一种植物,必须立即做好采集记录,贴上采集标签。

四、定量样品采集和生物量的统计

挺水植物的生物量,可采用将 1m² 面积上的全部植物从基部割断,然后分种类称重的方法求得。沉水植物、浮叶植物及漂浮植物的生物量,用水草定量夹采集,将采集的 0.25m² 样方内的全部植物连根拔起,每点采样两次,将网内植物洗净,装入已编号的样品袋内,然后在室内取出袋内植物,去除根、枯枝、败叶及其他杂质以及植物体表多余的水分,分种类称重(湿重),最后换算成每平方米面积内各种大型水生植物的重量(鲜重或干重)。

干重是取部分鲜样品(不得少于 10%)即为子样品鲜重,将子样品在 105℃ 的鼓风干燥箱内烘干,直到恒重时的重量即为子样品干重。其计算公式为

$$G = G_1 \frac{G_2}{G_3}$$

式中:G——样品干重;

    G_1——样品鲜重;

    G_2——子样品干重;

    G_3——子样品鲜重。

根据每平方米各类植物的生物量和它们的分布面积,可求出该水体大型水生植物的总生物量和各类植物所占的比例。

五、主要用具

主要用具有:

(1)水草定量夹 1 个;

(2)采集带若干个,视采集点数而定;

(3)带柄手网 1 个;

(4)水草采集夹或拖钩 1 个;

(5)标本夹;

(6)吸水纸;

(7)台纸;

(8)纱布;

(9)秤或粗天平;

(10)标本瓶;

(11)其他。

第六节　鱼类调查和鱼体残留毒物分析

一、鱼类调查

(一)种群的组成

鱼类的种群组成及其特点与水体质量和生态环境有着密切关系。调查鱼类组成的内容,主要是指年龄、长度、重量、性别等结构变化以及鱼体残留毒物的分析,并找出环境对鱼类种群组成的影响。此项工作一般应收集该水体污染之前的鱼类种群组成的历史资料,并组织不同网具进行随机取样,每个种群每次取 50~100 尾样品进行生物学测定,鉴定年龄,然后按年龄组、长度组、重量组统计尾数,计算百分比:

(1)年龄组成。种群中各龄鱼的数量占整体的百分比。

(2)长度组成。种群中各长度组鱼的数量占整体的百分比。

(3)重量组成。种群中各种量组鱼的数量占整体的百分比。

分析种群组成的样品所取的次数愈多,每次样品的容量愈大,计算得出的平均数就愈能代表该种群组成的真实情况,如能从同一湖泊的不同样点、不同渔船、无选择性的渔具中收集样品,其种群组成的代表性更强。

(二)鱼类食性调查

1.胃含物的处理

对体长 20cm 以下的小鱼,可以整条固定,固定之前,在鱼的腹下剪一小口,每个样品放置一个标签,注明采集时间、地点和渔具;用纱布裹紧,固定于 5% 的福尔马林液中。大型个体在测量记录后,尽快取出完整的胃肠,在取肠管时应小心剥离结缔组织,勿带出生殖腺。取出肠管,两端用线扎紧,拴上与样品同号码的标签,用纱布包好后固定于 5% 的福尔马林溶液中。

在胃肠取样的同时,应轻轻拉直并测量其长度,判定胃肠管的充塞度,共分六级。

0 级:胃肠内无食物。

1 级:胃肠内有少量食物,食物占胃肠的 1/4。

2 级:食物占胃肠的 1/2。

3 级:食物占胃肠的 3/4。

4 级:整个胃肠都有食物,但胃壁不膨大。

5 级:胃内充满食物,胃壁膨大。

2.胃含物检查

割开胃肠,取出内容物进行称重,取其全部或抽取一部分进行定性分析和定量计算。

(1)定性分析。指鉴定饵料生物的种类。取样最好在近口腔的部位,无法鉴定的种类可按大类区分。有些饵料生物要根据其在生物体中难以消化,因而保存比较完整状态的部分进行定性分析。

(2)定量计算。在定性分析的基础上,计算出每一条鱼胃含物含有各种不同动植物的个体数。以浮游生物或小型生物为食物的鱼类,取胃含物的一部分,在显微镜下逐个计数。一般应计数多次,取其平均值,再乘以胃含物总量,求得该鱼所吞食的总量。

(三)鱼类的生长调查

鱼类的生长与饵料生物的种类、数量有直接关系,而水体的营养状况决定了饵料生物的多与寡,也影响了鱼类的生长速度。对于鱼类的生长情况,主要通过下面两个指标来研究。

1.生长速度

鱼体长度、重量随时间变化而变化的过程称为鱼体的生长速度,也就是鱼体长度、重量的年增长量。鱼类种群的生长速度,可以通过在较短时间内收集种群样品、测定长度、重量、年龄资料,然后根据各龄鱼的平均长度、平均重量进行计算。

2.丰满度系数

丰满度或称肥满度,是反映鱼在一定体长时的重量。湖泊、水库水体中营养条件良好,鱼长得比较丰满;在营养不足的水体中,鱼就变得瘦弱。所以,丰满度这个指标可以作为比较湖泊、水库中营养水平的尺度,常用丰满度系数作为丰满度数量的指标。丰满度系数根据两个数值求得,一是鱼的体重(g),二是鱼的长度(cm)。把这两个数代入下列公

式,即得丰满度系数为

$$丰满度系数 = \frac{体重}{(体长)^3} \times 100$$

(四)渔获量调查

渔获量的调查,是研究各水体营养状况以及氮、磷平衡不可缺少的一部分。

1.以捕获量或产量为根据统计

以某一作业渔场、一个湖泊、一个水库为单位,通过渔业公司和捕捞队统计该年度总产量,同时要按不同捕捞期深入到基层,进行抽样统计该水体优势种分类产量。

2.单位渔具渔获量

单位渔具渔获量系指拖网1h,刺网为每片网,拉网为每一次等的渔获量,这种统计常用于了解不同水体间的差异性,了解鱼类活动和数量的变化规律。

(五)鱼类死亡的调查

鱼类死亡原因是多方面的,除了调查鱼类死亡的地区、规模、个体数量、种类、死亡症状以及环境条件外,还应结合污染源调查、水化学分析、残毒分析、生物调查和鱼病检查等进行分析确定。特别注意下列死亡原因。

1.溶解氧

在多泥沙河流中,某些时期含沙量特别大,会影响水体的复氧条件,此时水中溶解氧含量特别低,会造成鱼类的窒息死亡;另外,当水体富营养化时,水体中由于藻类过量增殖,在强烈阳光照射的中午,水温高,藻类进行光合作用旺盛,可引起水中溶解氧过饱和,当氧过饱和达15%以上时,就引起鱼因气泡病而死亡;在晚上,大量的藻类要进行呼吸作用,消耗大量的氧气,当氧含量低于最低限度时,也会引起鱼类窒息死亡。

2.藻类毒素

有些藻类可分泌毒素,严重者可使鱼中毒死亡,特别是水体富营养化以后,蓝藻的微囊藻大量繁殖,有时在水面形成"水花",这种微囊藻死后其蛋白质分解产生羟胺、硫化氢等有毒物质,也可使鱼类毒死。

3.氨氮

氨氮对水生生物有较强的毒性,其对鱼类的危害,主要取决于未离解的氨。据欧洲内陆渔业咨询委员会研究,鱼类能长期忍受的最大限度的 NH_3 浓度为 0.25mg/L。苏联渔业部门规定,渔业水域未离解氨的浓度不得超过 0.05mg/L。目前,我国尚未制定标准,但已有实验成果表明,未离解氨浓度达 0.9mg/L 时,可使鱼类致死。

4.化学污染物

随着工农业生产的发展,大量的工业有毒废水及农田化肥、农药流入水体,都引起鱼类中毒、畸变,甚至大批死亡。在农药方面,要特别注意有机磷、有机氯和DDT的危害。在工业方面,要注意废水中的汞、铅、铜、锌、镉等金属对鱼的危害,以及石油、酚类等物质引起的鱼死亡现象。

二、鱼体残留毒物分析

鱼类对重金属、有机农药和放射性物质有很强的富集能力,其体内含量往往超过周围环境中相应含量的几千倍以至上万倍。运用先进的化学分析技术测定某类动物体内的含量,用于研究环境污染的程度、污染来源以及污染发展的过程,是环境科学界比较感兴趣的一个研究领域。我国从保证食品安全的角度出台了农产品、食品残留毒物的标准分析方法。为此,本书附录了国家的相关标准和分析方法。在污染调查工作中,应按照国家标准方法进行鱼体残留毒物的分析,以评价河流污染的程度。在此,仅对分析样品材料、前处理方法作一补充。

(一)鱼体残留毒物分析样品材料

(1)鲢鱼(Hypophthalmichths molifrux)。俗称"白鲢",淡水鱼类,生长广泛,也是主要养殖鱼类。幼鱼以浮游动物为食,成鱼以摄食浮游动物为主。

(2)鳙鱼(Aristichths nobilis)。俗称"花鲢",淡水鱼类。喜生活于水体中上层,以浮游动物为主,辅以浮游植物。

(3)鲤鱼(Cyprius carpio linnaens)。生活在水体底层,其生活于缓流、静水或稍浑浊的水体中,适应性强,为杂食性鱼类。

(4)鲹条(Hemiculter leuciculus)。喜群栖于水上层,食性杂,常在浅水岸边索食。

(5)鲫鱼(Carssius auratus (linn.))。杂食性鱼类,生长于水中下层。

(6)赤眼鳟(Squaliobarbus curriculus(Rich.))。淡水杂食性鱼类,喜生活于水的中下层。

(7)铜锈环棱螺(Bellamya aeruginosa)。生活于湖泊、河流、沟渠及池塘内,喜居于含腐殖质高的浅水水域,以小型藻类或大型植物表皮及其他有机质为食料。

(8)圆背角无齿蚌(Anodonta woodiama pacipica)。多栖息于淤泥底,或水流略缓或静水水域中,以微小浮游植物和有机碎屑为食料。

(二)实验方法

1.生物材料的前处理

(1)取样。对鱼样体重在1kg以下的样品,剔除皮、骨,取其全部背部肌肉;对较大型鱼类,可从鱼鳃盖外缘,去皮、骨,取鱼体长的1/10背部肌肉。若是取混和鱼样品,则以其中最小鱼取其全部背部肌肉为基准,其他的鱼样均取相等重量的背部肌肉,混合均匀备用。

其他水生生物弃去外壳,取其全部可食部分为待测样品。

(2)样品鉴定。包括鉴定鱼类的种类、年龄和测量体重、体长等。

(3)样品的处理和保存。鱼类样品用自来水洗净后(弃除内脏),用蒸馏水淋洗后晾至不滴水,用不锈钢刀除去鱼鳞、鱼皮。用竹片刮刀刮下背部肌肉。其他生物样品以同样方法淋洗干净,取其可食部分,切碎,用高速组织捣碎机捣碎后,装于洗净的塑料食品袋或玻璃培养皿中,置于冰箱保存,备用。

(4)采样记录列于表8-6。

2.分析项目

鱼残留毒物分析的项目多为重金属类,如铜、铅、锌、镉、铬、汞、砷等,以及氰化物、酚、氟,有毒有机物,如六六六、DDT等。

表 8-6   生物残留毒物测定的采样记录

序号	采样地点	样品名称	年龄	体重(kg)	体长(cm)	生态特点	说明

采样人————;记录人————

注:表中体重指未取出内脏的生物总重量;体长指自吻端至尾骨末端的总长度;鱼龄一般用鱼鳞法鉴定。

(1)生物体中铜、铅、锌、镉、铬、砷测定的前处理方法。用生物体中铜、铅、锌、镉、铬、砷测定的前处理可用统一的方法,称取捣碎的生物样品 20.0g 于 250ml 硬质三角瓶内,加入 20ml 优级纯硝酸,再加入 1ml 优级纯硫酸(分析铅的样品除外)和 20ml 优级高氯酸,轻轻摇匀,放置 24h 后,在三角瓶中加入数粒玻璃珠,瓶口上盖上表面皿,于低温电热板上加热(温度一般为 70~80℃),至样品完全熔化,时间为 0.5~1h 时,完全溶解的组织液体呈淡黄色浑浊液。此时,将样品继续加热分解,温度可升高至 200℃ 左右。分解开始时,瓶内容物的表面发生激烈的小泡,瓶上的玻璃皿不断蹦跳。随着样品的分解,逐渐产生浓厚的棕红色烟雾并充满样瓶,其后样品的分解速度加快,氮氧化合物气体逐渐从样瓶中溢出。此时,再把温度提高至 300℃ 左右(不宜过高),随即样品瓶内产生浓厚的高氯酸白烟,此时指示硝酸已基本除尽,而溶液由淡黄色逐渐转变成无色透明液体,并有少量白色沉淀。

若在浓厚的白烟发生之前样品溶液成棕褐色时,表示氧化分解不完全,则取下样瓶冷却后,再补加 10ml 硝酸,继续加热硝解,直至溶液呈无色。

将分解完全的样品取下冷却,加入 50ml 去离子水稀释,将稀释液用慢速定量滤纸过滤于 100ml 容量瓶中,然后再用去离子水洗涤三角瓶数次,并入容量瓶中,定容至刻度。此溶液可直接用原子吸收分光光度法测定铜、铅、锌、镉、铬,由工作曲线查得金属含量或由线性方程解得金属含量。其步骤包括仪器准备、试剂选择、工作曲线的绘制等,详细分析操作见标准分析方法。

砷可用二乙基二硫代胺基甲酸银法测定,可参见相关的标准分析方法。其计算公式为

$$金属含量(mg/kg) = \frac{A \times 100 \times 1\,000}{1 \times 20 \times 100} = A \times 50$$

式中:A——从工作曲线查得的微克数,μg;

    100——样品消解液体积,ml;

    20——样品重量,g;

    1 000——千克换算系数。

(2)生物体有机农药六六六、DDT 的分析。其内容包括:

1)使用的仪器、量具为:①气相色谱仪,带电子捕获监测器;②50ml具塞量筒;③提取瓶;④60ml锥形分液漏斗。

2)所用试剂包括:①石油醚。60~90℃沸程:试剂加氢氧化钾回流1h,用全玻璃重蒸馏,收集沸程60~80℃的石油醚。②无水硫酸钠。在300℃恒温下烘烤3h。③消化液。用60%高氯酸与冰醋酸等体积混合(现用现配)。④六六六异构体、DDT及其代谢物标准溶液。用石油醚分别配制成200mg/L的标准贮备液,以石油醚(或异辛烷)稀释贮备液,配成中间标准液,并根据样品浓度配成浓度相近的混合标准工作液。⑤2%硫酸钠溶液。

3)测定步骤。①样品处理。称取200g生物样品于150ml提取瓶中,加入消化液40ml,盖上瓶塞,置于98℃水浴中,消解2h。待样品消解成褐色液体时,取出提取液,打开瓶塞,用重蒸馏石油醚提取过的蒸馏水,将消解液稀释至提取瓶颈部。加入石油醚10ml,塞紧瓶塞,振摇萃取2min,静止分层后,用滴管将上层石油醚移至60ml锥形分液漏斗中。重复萃取两到三次,并将萃取液合并于同一分液漏斗中,再向此漏斗中加入浓硫酸4ml,轻轻振摇(注意放气)洗涤2min,静止,弃去酸层。用浓硫酸4ml重复洗涤1次,再用2%硫酸钠溶液10ml震荡洗涤石油醚层1次,弃去水层。由漏斗上口将石油醚层倒入颈部添有少量脱脂棉和5g无水硫酸钠的玻璃小漏斗中脱水,滤出液收集于50ml具塞量筒中,用石油醚定容至40ml,供色谱测定用。②气相色谱测定。选择气相色谱法测定六六六、DDT的最佳条件,并确定电子捕获检测器的线性范围。分别测定样品色谱峰高和相近浓度标准溶液色谱峰高,按下式计算样品浓度:

$$C_{样} = \frac{C_{标} \cdot h_{样} \cdot Q_{标}}{h_{标} \cdot Q_{样} \cdot K}$$

式中:$C_{样}$——样品中农药浓度,mg/kg;

$C_{标}$——标准液中农药浓度,μg/ml;

$h_{标}$、$h_{样}$——标准液和样品液峰高,mm;

$Q_{标}$、$Q_{样}$——标准液和样品液的进样量,μl;

K——单位样品提取液相当于样品重量的系数,g/ml,本方法中 $K = 20g/40ml = 0.5g/ml$。

(3)方法回收率和检测限。以仪器噪音值3倍对应的各组分的浓度值定义为最低检出浓度(mg/kg),其中 α-666 为 0.001;γ-666 为 0.001;β-666 为 0.008;δ-666 为 0.002;p,p'-DDE 为 0.007;o,p'-DDT 为 0.017;p,p'-DDD 为 0.012;p,b'-DDT 为 0.023;六六六的回收率为80%~99%,DDT的回收率为60%~92%。

(4)注意事项:①注入标准样品所得的工作曲线,仅用于确定电子捕获检测器的线性范围,不用作定量计算。②采用样品液和标准溶液交换注入法进行定量计算。样品进样量和标准溶液进样量应相同。③样品中含量过高时,需进行适当稀释后进行测定;含量过低时,可将石油醚适当浓缩后进行测定,避免使用改变衰减的办法改变峰高。④测定六六六和DDT的含量为各自异构体的总和。

第九章 数据处理与资料整、汇编

第一节 数据处理要求

水污染调查面广、量大,调查数据受很多因素影响。同时,由于多泥沙河流的复杂情况,也会使调查结果出现一定的误差。因此,必须采用科学的数据处理方法,通过对数据的反复核查、科学处理、分析判断,使调查结果更客观地反映污染状况、来源和发展趋势,揭示其内在联系和规律。

一、数据记录要求

准确、清晰、完整、如实地记录调查数据,是通过数据加工处理得到正确结果的基础,各种调查数据必须按照调查设计的要求收集填写。测定数据时应准确无误地记录原始数据,同时应详尽地记录测定条件,按分析方法或测定仪器的有效位数如实记录原始数据。填写原始记录应符合以下要求:

(1)测定数据用钢笔或档案圆珠笔及时填写在原始记录表中,不得记在纸片或其他本子上后再誊写。

(2)填写记录要字迹端正,内容真实、准确、完整,不得任意涂改;必须改正时,应在原数据上划一横线,再将正确数据填写在其上方,加盖记录者印章,不得涂擦、贴补。

(3)对带数据自动记录和处理功能的仪器,将测试数据转抄在记录表上,并同时附上仪器记录纸。若记录纸不能长期保存,可采用复印件,并作必要注解。

(4)原始记录要有记录填写人,校核、复核等人员签名,签名不能用印章代替。发现原始记录有错误时,要由记录填写人修改,校核、复核等人员不能代为修改。

(5)测试过程中出现的问题、异常现象及处理方法等,应在记录的备注栏中说明。

二、数据记录中的有效数位及运算规则

有效数字指测试中实际能测得的数字,即表示数字的有效意义。记录和报告的数据只应包含有效数字,有效数字的位数根据计量器具的精度或分析方法最低检出限确定,其末尾只保留一位不确定数字,不能任意增删。有效数字的取舍遵循以下规则:

(1)试验测定和计算得出的各种数值,需要修约时应按《数值修约规则》(GB8170—87)进行。

(2)方法测定中按其仪器精度确定了有效数字的位数后,先进行运算,运算后的数值再修约,有效数字的位数与方法中测量仪器精度最低的有效数的位数相同。

(3)运算规则。其内容包括:

1)数据相加减时,结果有效数字位数决定于绝对误差最大的数值,即与各数中小数点

后位数最少者相同。

2)数据相乘除时,结果有效数字位数决定于相对误差最大的数值,即与各数中有效数字位数最少者相同。

3)数据乘方或开方时,结果有效数字位数与原数值有效数字位数相同;在数据对数运算时,所取对数的小数点后的位数应与真数的有效数字位数相同。

4)在数值计算中,某些倍数、分数、不连续物理量以及不经测量而完全根据理论计算或定义得到的数值,其有效数字的位数可视为无限。

5)计算来自同一正态分布的 4 个或 4 个以上数据的平均值时,其有效数字可比原位数增加 1 位。

6)极差、平均偏差、标准偏差按方法最低检出限确定有效数字位数;相对平均偏差、相对标准偏差、检出率、超标率等以百分数表示,一般记至小数点后 1 位;超标倍数一般记至小数点后 1 位,小于 0.1 时可记至小数点后 2 位,大于 100 时,取 3 位有效数字。

三、数据检查与整理

着手分析数据以前,要对原始数据进行必要的整理。应先逐一检查原始记录是否按规定的要求填写完全、正确。查明有无过失错误的数据、计算或记录错误的数据以及可疑数据。错误的数据应及时舍去或订正,而对于可疑数据要慎重处理。任何污染物质的监测过程,都可能存在方法、仪器、人员、环境对测定结果的影响,出现明显偏离大多数数据,而又找不到确切原因的可疑数据,如果不经检验、处理直接应用,会歪曲实验结果。对一定实验条件下获得的数据,可通过合理的数据检验、处理得到最接近实际的结果。

(一)可疑数据的取舍

可疑数据是指明显歪曲实验结果,但尚未经过检验断定其与正常数据不属于同一分布总体的离群数据的测量数据。对检测中出现的可疑数值,应及时查找原因,一旦发现了明显的系统误差和过失误差,应随时剔除由此产生的数据,经检查,若为非系统误差和由操作失误引起,可采用数理统计的方法加以处理,再结合具体情况分析,决定可疑数据的取舍。

1. 可疑数据统计检验的判别准则

(1)若计算的统计量小于等于显著性水平 $\alpha = 0.05$ 时的临界值,则可疑数据为正常数据。

(2)若计算的统计量大于显著性水平 $\alpha = 0.05$ 时的临界值且同时小于等于 $\alpha = 0.01$ 时的临界值,则可疑数据为偏离数据。

(3)若计算的统计量大于显著性水平 $\alpha = 0.01$ 时的临界值,则可疑数据为离群数据,应予以剔除。对剔除后剩余的数据继续检验,直至其中不再有离群数据,方可认为实验数据具有一致性。

2. 可疑数据检验方法

判断离群值有多种检验方法,常用的有 Dixon 检验法、Grubbs 检验法和 Cochran 检验法等。根据国家标准 GB4883—85 推荐,如检验一个可疑值,以 Grubbs 方法为准;如检验一个以上可疑值,以 Dixon 方法为准;如检验不同方法(或不同实验室)多组观测值中精密度较差的一组数据,以 Cochran 方法为准。

(1)Dixon 检验法。用于一组测量值的一致性检验和剔除离群值,方法如下:

1)将 n 个测量值按从小到大的顺序排列为 $x_1, x_2, \cdots, x_{n-1}, x_n$。

2)按照表 9-1 计算统计量 Q。

表 9-1　　　　　　　　　　　Dixon 检验统计量 Q 计算公式

N 值范围	可疑数值为最小值 x_1 时	可疑数值为最大值 x_n 时
3~7	$Q = (x_2 - x_1)/(x_n - x_1)$	$Q = (x_n - x_{n-1})/(x_n - x_1)$
8~10	$Q = (x_2 - x_1)/(x_{n-1} - x_1)$	$Q = (x_n - x_{n-1})/(x_n - x_2)$
11~13	$Q = (x_3 - x_1)/(x_{n-1} - x_1)$	$Q = (x_n - x_{n-2})/(x_n - x_2)$
14~25	$Q = (x_3 - x_1)/(x_{n-2} - x_1)$	$Q = (x_n - x_{n-2})/(x_n - x_3)$

3)根据给定的显著性水平 α 和测量次数 n,由 Dixon 检验临界值表查得临界值 Q_α。

4)若 $Q > Q_{0.01}$,则可疑值为离群值;若 $Q_{0.05} < Q \leqslant Q_{0.01}$,则可疑值为偏离值;若 $Q \leqslant Q_{0.05}$,则可疑值为正常值。

(2)Grubbs 检验法。用于多组测量值均值的一致性检验和剔除离群均值,亦可用于一组测量值的一致性检验和剔除离群值,方法如下:

1)将 l 组测定值每组均值按大小顺序排列,其中最大的均值记为 $\overline{x}_{\max}$,最小的均值记为 $\overline{x}_{\min}$。

2)由 l 个均值计算总均值 $\overline{\overline{x}}$ 和标准偏差 $s_{\overline{x}}$:

$$\overline{\overline{x}} = \frac{1}{l} \sum_{i=1}^{l} \overline{x}_i$$

$$s_{\overline{x}} = \sqrt{\frac{1}{l-1} \sum_{i=1}^{l} (\overline{x}_i - \overline{\overline{x}})^2}$$

3)可疑均值为最大值 $\overline{x}_{\max}$ 时,按下式计算统计量 T:

$$T = \frac{\overline{x}_{\max} - \overline{\overline{x}}}{s_{\overline{x}}}$$

可疑均值为最小值 $\overline{x}_{\min}$ 时,按下式计算统计量 T:

$$T = \frac{\overline{\overline{x}} - \overline{x}_{\min}}{s_{\overline{x}}}$$

4)根据给定的显著性水平 α 和测定值的组数 l,由 Grubbs 检验临界值表查得临界值 T_α。

5)若 $T > T_{0.01}$,则可疑均值为离群均值,应剔除含有该均值的一组数据;若 $T_{0.05} < T \leqslant T_{0.01}$,则可疑均值为偏离均值;若 $T \leqslant T_{0.05}$,则可疑均值为正常均值。

6)对一组测量值的检验,计算包括可疑值在内的均值和标准方差,其余规则同 3)~5)。

(3)Cochran 检验法。用于多组测量值方差的一致性检验和剔除离群方差,其方式如下：

1)将 l 组测定值每组标准偏差按大小顺序排列,其中最大者记为 s_{max}。

2)计算统计量 C：

$$C = \frac{s_{max}^2}{\sum\limits_{i=1}^{l} s_i^2}$$

若每组测定次数 $n=2$,可用极差计算统计量 C：

$$C = \frac{R_{max}^2}{\sum\limits_{i=1}^{l} R_i^2}$$

3)根据给定的显著性水平 α、测定值的组数 l 以及每组测定次数 n,由 Cochran 检验临界值表查得临界值 C_α。

4)若 $C > C_{0.01}$,则可疑方差为离群方差,即该组数据精密度过低,应予剔除;若 $C_{0.05} < C \leqslant C_{0.01}$,则可疑方差为偏离方差;若 $C \leqslant C_{0.05}$,则可疑方差为正常方差。

3.可疑数据处理原则

剔除离群数据,可得到精密度高的测量结果,然而正常数据总具有一定的分散性,剔除数据不当,会使结果不符合客观实际。因此,可疑数据的取舍应遵循一定的原则。

(1)对检测数据的可疑数值,首先进行操作检查,如属测量仪器不正常或由操作明显缺陷造成,予以舍去,并补做测定。

(2)对统计检验判断为偏离数据的处理应慎重,只有能找到原因的偏离数据才可作为离群数据处理,否则应按正常数据对待。

(3)对统计检验判断的离群数据,应结合调查具体情况并经分析后进行取舍。

(4)对舍去的任何数据,在报告中应将该数据写上,同时说明舍去原因。

(二)数据的合理性检验

数据的合理性检验包括单项检验和综合性检验。单项检验主要是检验其相关项目之间比例关系的合理性;综合性检验则是将数据进行初步处理后,作比较性检验,如将某些指标统计结果与历史数据或统计部门的数据进行比较等,看其是否合理,有较大差距时,需找出原因。

(三)数据的整理

由观测、实验或调查所得数据的归纳整理,随调查目的、用途不同可采用百分数、平均值、统计图表等不同形式。整理后的数据必须保持原始数据应有的信息,而且要便于数据的统计检验与处理。

1.频数分布

当观测指标数据较少时,可直接进行计算和分析。若数据的数量众多,通常先将数据按其数值大小分组,数出归入各组的数据数目,编制成频数分布,计算时以各组段的组中值(即该组段下限和上限的算术均值)代表归入该组段的数据。编制频数分布的具体步骤如下：

(1)找出数据中的最大值和最小值,计算极差。

(2)确定分组的组数,一般分为 10~15 组,如果数据较少,组数可适当减少。

(3)将极差除以拟分组数,估计所用组距,将组距适当调整为较方便的数值,等距分组,写出各组段。第一组下限的末一位数字最好取惯用的 0、5 等数值,便于以后归组。要使第一组段包括最小值在内,末一组段包括最大值在内,且要防止数据正好落在各组组界上。使组界的数值比原数据的精度高一级,可防止数据恰好落在组界上。

(4)将数据按所分组段归组并计数,最后得到归入各组段的数据数目,即频数。

2.污染调查观测值的最佳估计常用数据整理方法

为描述数据具有的某些重要特征,常常要计算一些数值综合地反映这些特征,表明分布位置的特征值就是其中的一类。常用的整理方法有以下几种:

(1)未分组数据的计算。其内容包括:

1)观测值取算术平均值。这是常用的整理方法,用于表明观测值的平均水平或集中趋势,适用于呈正态分布的数据。计算公式为

$$x = \frac{x_1 + x_2 + \cdots + x_n}{n} = \frac{1}{n} \sum_i^n x_i$$

式中:$x_1, x_2, \cdots, x_n$——某参数测定值;

n——测定值个数。

2)观测值取几何平均值。当某监测参数一组数据之间相差悬殊,甚至为倍数关系时,则用几何平均进行整理。计算公式为

$$\overline{x} = \sqrt[n]{x_1 x \cdots x_n}$$

几何均值适用于呈对数正态分布的数据。

3)观测值取加权平均值。当观测值为在不同实验室或用不同方法进行分析测定时,若统计检验已证明不同方法或实验室间数据不存在明显的系统误差,则可由各组数据的测定次数或方差的倒数作为权来计算加权平均值。计算公式为

$$\overline{x} = \frac{\sum_{i=1}^{n} w_i x_i}{\sum_{i=1}^{n} w_i}$$

式中:w_i——第 i 个测定值的权。

4)观测值取中位值。当得到的数据比较分散,其中有个别数据难以取舍时,可用中位值代替平均值,方法是把 n 个测定值依大小顺序排列,当 n 为偶数时,取中间两数的算术平均值;当 n 为奇数时,取中间位置的数。用中位数表示平均水平,不受个别特大或特小观测值的影响,适用于偏态分布的数据。

(2)已分组数据的计算。其内容包括:

1)算术平均值。计算公式为

$$\overline{x} = \frac{\sum fx}{\sum f}$$

式中:x——各组段的组中值;

f——各组段的频率。

为计算简便，一般将组中值 x 变换成 $x' = \dfrac{x - x_0}{i}$ 再计算，公式为

$$\overline{x} = x_0 + \frac{\sum fx'}{\sum f}i$$

式中：x_0——任一指定组段的组中值；

    i——等距分组的组距。

2）几何均值。首先用观测值的对数值编制频数分布，步骤如下：①查出数据中最大值与最小值的对数，求得两个对数之差；②按一般编制频数分布的方法写出观测值对数的分组；③查反对数表写出各组段下限的真值，真值位数比原观测值的位数多取一位，便于将原观测值数据按真数的分组归组；④将原数据按真数的分组归组计数，得到的各组频数就是按对数分组的频数。对此频数分布，按公式 $\overline{x} = x_0 + \dfrac{\sum fx'}{\sum f}i$ 计算得到的均值是原数据对数的平均数，查反对数表就得所求的几何均值。

3）中位数。计算公式为

$$M_e = L_{Me} + \left(\frac{n + 1}{2} - n' \right) \frac{i_{Me}}{f_{Me}}$$

式中：L_{Me}——中位数所在组段的下限；

    n'——中位数所在组段以前的累计频数；

    i_{Me}、f_{Me}——中位数所在组段的组距和频数。

四、分析结果的表示要求

（一）分析结果的不确定度

1.不确定度的估计

由于误差的存在，使测量结果带有不确定性，为了更清晰、正确地表达测量结果的可靠性，在测量结果中引进了不确定度的概念。不确定度是表达测量结果的一个组成部分，它表明被测样品性质真值存在的范围。总不确定度包括随机不确定度和系统不确定度，是系统不确定度和随机不确定度的综合，一般是将系统不确定度的极限值和随机不确定度的99％置信限按平方和根法合并，即总不确定度

$$U = \sqrt{\delta^2 + \left(t_a \frac{s}{\sqrt{n}} \right)^2}$$

随机不确定度可以用统计方法估计；系统不确定度的估计根据误差传递公式一般以估计的极限值表达。分析测试大都不是一种简单的直接测定，而是测定几个独立量，再通过一定的关系式计算出测定结果，显然样品测量结果的系统不确定度是由各个独立量的不确定度决定的。分析化学中常见的一些函数关系的误差传递公式如下：

（1）线性关系。其表达式为

$$y = k + a_1 x_1 + a_2 x_2 + \cdots + a_n x_n$$

或

$$y = k + a_1 x_1 - a_2 x_2 - \cdots - a_n x_n$$

当 k 是常数时，y 的系统不确定度为

$$\delta_y = \sqrt{a_1^2 \delta_{x_1}^2 + a_2^2 \delta_{x_2}^2 + \cdots + a_n^2 \delta_{x_n}^2}$$

(2)指数关系。其表达式为

$$y = k x_1^{a_1} x_2^{a_2} x_3^{a_3}$$

或

$$y = k \frac{x_1^{a_1} x_2^{a_2}}{x_3^{a_3}}$$

则 y 的系统不确定度为

$$\frac{\delta_y}{y} = \sqrt{a_1^2 \left(\frac{\delta_{x_1}}{x_1} \right)^2 + a_2^2 \left(\frac{\delta_{x_2}}{x_2} \right)^2 + a_3^2 \left(\frac{\delta_{x_3}}{x_3} \right)^2}$$

(3)对数关系。若 $y = k \ln x$，则 y 的系统不确定度为

$$\delta_y = k \frac{\delta_x}{x}$$

若 $y = k \lg x$，则 y 的系统不确定度为

$$\delta_y = \frac{k}{2.303} \frac{\delta_x}{x}$$

测量结果的不确定度，按其估计的方法可分为 A 类不确定度和 B 类不确定度。用统计方法计算出的那些分量归为 A 类，可用方差（或标准偏差）和自由度表达；用其他方法计算出的那些分量归为 B 类，因为 B 类中也有随机性，故它是假设存在的相应方差的近似估计，可像处理方差那样处理，因而可用方差合成的方法估计总的不确定度，现举例说明。

【例 9-1】 用分光光度法测定某考核样品，取样 10ml 稀释成 250ml，每次测定用移液管吸取试样 25 ml 重复测定 6 次，测得结果为 0.109、0.101、0.102、0.102、0.107、0.112。求测量结果的总不确定度。

解：用 Grubbs 检验法检验无离群值：

计算均值　　　　　$\overline{x} = \frac{1}{n} \sum_{i=1}^{n} x_i = 0.105\ 5$

标准偏差　　　　　$s = \sqrt{\frac{1}{n-1} \sum_{i=1}^{n} (x_i - \overline{x})^2} = 0.004\ 5$

取显著性水平 $\alpha = 0.05$，$n = 6$，查相应检验表得 $t_a(n-1) = 2.57$，则随机不确定度 $= t_a \frac{s}{\sqrt{n}} = 0.004\ 7$。

系统不确定度的估计：250ml 容量瓶允许差为 ± 0.15ml，25ml 移液管允许差为 ± 0.03ml，标准溶液允许差为 $\pm 0.1\%$，分光光度计允许差按 0.5% 计，其他误差估计为 0.1%，则 $\delta = \sqrt{\left(\frac{0.15}{250} \right)^2 + \left(\frac{0.03}{25} \right)^2 + (0.5\%)^2 + (0.1\%)^2 + (0.1\%)^2} \times 0.105\ 5 = 0.000\ 633$，故总不确定度为

$$U = \sqrt{\delta^2 + \left(t_a \frac{s}{\sqrt{n}} \right)^2} = 0.004\ 7$$

【例9-2】 对某分析方法进行验证,将统一样品分发给6个实验室,要求每个实验室重复测定6次(测定结果见表9-2),求样品均值和总不确定度。

表 9-2　　　　　　　　　　　　　　　　　**统一样品测定数据**

实验室编号	重复测定结果						统计结果		
	x_1	x_2	x_3	x_4	x_5	x_6	$\overline{x_i}$	s_i	s_i^2 ($\times 10^{-8}$)
1	0.003 8	0.004 0	0.003 7	0.003 8	0.003 5	0.003 4	0.003 7	0.000 22	4.84
2	0.004 0	0.003 9	0.004 9	0.003 7	0.003 8	0.004 4	0.004 1	0.000 45	20.25
3	0.004 9	0.005 4	0.005 2	0.000 54	0.000 52	0.005 4	0.005 2	0.000 20	4.00
4	0.004 5	0.004 6	0.004 4	0.004 4	0.004 3	0.004 6	0.004 5	0.000 12	1.44
5	0.004 8	0.005 0	0.005 0	0.004 9	0.005 1	0.005 0	0.005 0	0.000 10	1.00
6	0.007 0	0.006 8	0.007 0	0.006 8	0.007 5	0.006 8	0.007 1	0.000 27	7.29

解:经 Grubbs 检验法、Cochran 检验法检验无离群值,计算 $\overline{x_i}$、s_i、s_i^2 填入表中,再求总平均值:

$$\overline{\overline{x}} = \frac{1}{n} \sum_{i=1}^{m} \sum_{j=1}^{n} x_{ij} = 0.004\ 9$$

室间均值的标准差:

$$s_{\overline{x}} = \sqrt{\frac{1}{m-1} \sum (\overline{x_i} - \overline{\overline{x}})^2} = 0.001\ 2$$

A 类不确定度为室内重复测定标准差 s_w:

$$s_w = \sqrt{\frac{1}{m} \sum_{i=1}^{m} s_i^2} = 2.54 \times 10^{-4}$$

B 类不确定度按室间标准偏差 s_b 计:

$$s_b = \sqrt{s_{\overline{x}}^2 - \frac{s_w^2}{n}} = 1.2 \times 10^{-3}$$

总不确定度:

$$U = \sqrt{s_w^2 + s_b^2} = 1.23 \times 10^{-3}$$

2.分析结果总不确定度的表达

任何一个分析结果的表达,应包括被测性质的最佳估计值和一定概率下的不确定度。分析结果总不确定度的常用表达形式如下:

(1)当系统不确定度相对随机不确定度可以忽略不计时,用随机不确定度表达,表达形式采用测量结果的区间估计。

(2)当系统不确定度不能忽略不计时,则用总不确定度表示。

(二)分析结果的正确表达

分析结果的正确表示,可以增加应用的方便性和结果的可比性,更好地了解结果的可靠性。分析结果的表示应符合以下要求：

（1）分析结果表示应使用有效数字以及法定计量单位和符号。

（2）水质项目除水温、电导率、氧化还原电位、细菌、透明度外，单位均采用 mg/L，底质、悬移质及生物体中的含量均用 mg/kg 表示。

（3）平行样测定结果用平均值表示。

（4）当测定结果低于分析方法的最低检出限时用"＜DL"表示，并按 1/2 最低检出限值参加统计处理。

（5）测定精密度、准确度用偏（误）差值表示。

（6）分析测试结果表达应包括被测性质的最佳估计值和一定概率下的不确定度。

（7）在报出分析结果时应说明测定次数和剔除的离群值个数。如果采用加权平均值，应详细说明权的给定原则，总不确定度的含义及置信水平。

常用水环境监测分析方法有效数字取舍见表 9-3。

第二节　资料整、汇编

进行资料整、汇编的目的，是将监测原始资料按科学方法和统一的格式进行系统、规范化整理、统计、分析，形成整、汇编成果资料，以纸质文字和磁盘、光盘等载体长期保存和使用。

一、整、汇编一般规定

调查与监测资料按分级管理要求进行整、汇编，按检测流程与质量管理体系对原始成果进行核查，发现问题要及时处理，以确保监测成果质量。资料整、汇编的一般规定如下：

（1）资料整、汇编每年进行 1 次。

（2）资料整、汇编按下列步骤进行：

1）收集有关资料；

2）审核原始监测资料；

3）编制成果图表；

4）编写资料整编说明；

5）整编成果的审查验收、存贮与归档。

（3）原始资料审核内容，包括样品采集、保存、运送过程、分析方法的选用及检测过程、质控结果和各种原始记录。

（4）整编成果表审查要与原始分析记录核对，并对资料合理性进行检查，包括项目之间合理性检查、上下游资料合理性及与历史、统计等资料比较的合理性检查。

（5）送交汇编的整编成果图表，应经过校（初校、复校）、审工作，达到字迹清晰、项目齐全、资料可靠、图表完整、规格统一、方法正确、说明完备。

（6）要充分利用计算机进行调查资料整、汇编，建立计算机数据库，制定相应的技术规定，从不同角度快速准确地提供信息，迅速发挥调查工作为水资源保护管理服务的作用。

表 9-3

资料整编有关项目有效数字取用位数一览表

序号	项目	单位	相应标准及分析方法	检测范围	最低检出限	取用位数	示例
01	水温	℃	GB13195—91 温度计 颠倒温度计测定法	表层 $-6\sim+40℃$ 深水 $-2\sim+40℃$ 深水 $-2\sim+32℃$	-6	记至 0.1	13.4
02	pH 值	无量纲	GB6920—86 玻璃电极法 GB/T8538—1995 电位计法 GB5750—85 pH 电位法	$0\sim14$		记至 0.1	7.5
03	电导率	$\mu S/cm$	SL78—94 电导仪法	$0\sim10^5\ \mu S/cm$	$1\mu S/cm$	记至整数	790
04	氧化还原电位	mV	SL94—94 电位测定法	$0\pm1\,400mV$	2 mV	记至整数	1 230
05	色度	度	GB11903—89 铂钴比色法、稀释倍数法 GB/T8538—1995 铂钴标准比色法			记至整数	
06	浊度	度	GB/T8538—1995 散射法 GB13200—91 分光光度法 GB13200—91 目视比浊法		3 度 1 度	记至整数	56
07	矿化度	mg/L	SL79—94 重量法	$0\sim200mg/L$	0.05mg	记至整数	650
08	悬浮物	mg/L (g/L)	GB11901—89 重量法	$0\sim200g/L$	0.05mg/L	以 mg/L 表示记至 0.1; 以 g/L 表示≥1 时取有效数字 3 位，<1 时取有效数字 2 位，但小数不过 3 位	21.4 126 3.26 0.074
09	透明度		SL87—94 透明度计法、圆盘法				
10	游离 CO_2	mg/L	SL80—94 碱滴定法			取有效数字 3 位，小数不过 2 位	1.02 0.23
11	侵蚀 CO_2	mg/L	GB81—94 酸滴定法			取有效数字 3 位，小数不过 2 位	1.04 0.24

续表 9-3

序号	项目	单位	相应标准及分析方法	检测范围	最低检出限	取用位数	示例
12	总硬度	mg/L	GB/T8538—1995 EDTA 滴定法 GB5750—85 EDTA 滴定法	0~50mg/L	0.05mg/L	取有效数字 3 位，小数不过 2 位	111 9.86
13	溶解性总固体	mg/L	GB5750—85 重量法 GB/T8538—1995 重量法	20~2 000mg/L			
14	化学需氧量	mg/L	GB11914—89 重铬酸盐法	30~700mg/L	30mg/L	100 以下记至 0.1，>100 记至整数	51.2 113
15	高锰酸盐指数	mg/L	GB11892—89 酸性高锰酸钾氧化法	0.5~4.5 mg/L	0.5mg/L	100 以下记至 0.1，>100 记至整数	3.1 126
16	五日生化需氧量	mg/L	GB7488—87 稀释与接种法	2~6 000mg/L	2mg/L	100 以下记至 0.1，>100 记至整数	2.1 156
17	溶解氧	mg/L	GB7489—87 碘量法	0.2~20mg/L	0.2mg/L	记至小数后 1 位	8.7 11.2
18	氨氮	mg/L	GB/T8538—1995 纳氏试剂比色法 GB7479—87 纳氏试剂比色法 GB5750—85 纳氏试剂比色法	0.001mg/L 以上 0.05~2.0mg/L	0.001mg/L 0.05mg/L	取有效数据 3 位，小数不超过 2 位	0.51 1.03
19	硝酸盐氮	mg/L	GB7480—87 酚二磺酸分光光度法 GB/T8538—1995 百里酚分光光度法 GB/T8538—1995 紫外分光光度法 GB5750—85 二磺酸酚分光光度法 SL84—94 紫外分光光度法	0.02~2.0mg/L 2.5mg/L 以上 0.01mg/L 以上 0.04mg/L 以上 0.08~4.0mg/L	0.02mg/L 0.08mg/L	取有效数据 3 位，小数不超过 2 位	0.05 1.06
20	亚硝酸盐氮	mg/L	GB/T8538—1995 重氮耦合比色法 GB7493—87 分光光度法	3.3μg/L 以上 0.003~0.2mg/L	3.3μg/L 0.001mg/L	取有效数据 3 位，小数 3 位	0.021 0.106
21	总氮	mg/L	GB11894—89 碱性过硫酸钾消解紫外分光光度法	0.05~4.0mg/L	0.05mg/L	取有效数据 3 位，小数不超过 2 位	0.05 1.06

续表 9-3

序号	项目	单位	相应标准及分析方法	检测范围	最低检出限	取用位数	示例
22	总磷	mg/L	GB11893—89 钼酸铵分光光度法	0.01~0.6mg/L	0.01mg/L	取有效数据 3 位,小数不超过 3 位	0.015 12.3
23	酸度(以CaCO₃记)	mg/L	GB/T8538—1995 碱滴定法 SL82—94 碱滴定法	10~1 000mg/L		取有效数据 3 位,小数不超过 2 位	7.86 12.8 216
24	总碱度	mg/L	SL83—94 酸滴定法			取有效数据 3 位,小数不超过 2 位	168 11.7 9.86
25	重碳酸盐	mg/L	GB/T8538—1995 酸滴定法 SL83—94 酸滴定法			取有效数据 3 位,小数不超过 2 位	
26	碳酸盐	mg/L	GB/T8538—1995 酸滴定法 SL83—94 酸滴定法	0~25ml		取有效数据 3 位,小数不超过 2 位	
27	余氯	mg/L	GB5750—85 邻联甲苯胺比色法	0.01mg/L 以上	0.01mg/L	取有效数据 3 位,小数不超过 2 位	0.04 1.01
28	硫酸盐	mg/L	GB/T8538—1995 乙二胺四乙酸二钠滴定法 GB13196—91 火焰原子吸收分光光度法 GB5750—85 硫酸钡重量法 GB5750—85 铬酸钡分光光度法 SL85—94 EDTA滴定法	10~150mg/L 0.4~300mg/L(取样量1ml) 10mg/L以上 5~200mg/L以上	10mg/L 0.4mg/L	取有效数据 3 位,小数不超过 2 位	7.85 11.9 139
29	硫化物	mg/L	GB/T16489—1996 亚甲基蓝分光光度法 GB/T8538—1995 对二乙氨基苯胺分光光度法	0.005~0.7mg/L 0.01~1mg/L	0.01mg/L	取有效数据 3 位,小数不超过 2 位	0.04 1.21

续表 9-3

序号	项目	单位	相应标准及分析方法	检测范围	最低检出限	取用位数	示例
30	氟化物	mg/L	GB/T8538—1995 离子选择电极法			取有效数据3位,小数不超过2位	0.05
			GB7484—87 离子选择剂电极法	0.05~1 900 mg/L	0.05 mg/L		1.25
			GB7483—87 氟试剂分光光度法	0.05~1.8 mg/L	0.05 mg/L	取有效数据3位,小数不超过1位	1.1
			GB7482—87 茜素磺酸锆目视比色法	0.05~2.5 mg/L	0.05 mg/L		11.3
31	氰化物	mg/L	GB/T8538—1995 异烟酸-吡唑酮分光光度法	0.002~1.0mg/L	0.000 1 mg/L	取有效数据3位,小数不超过3位	0.004
			GB7487—87 异烟酸-吡唑酮分光光度法	0.004~0.25 mg/L	0.004 mg/L		1.32
			GB5750—85 异烟酸-吡唑酮分光光度法	0.002~1.0mg/L	0.002 mg/L		
32	总氰化物	mg/L	GB7486—87 异烟酸-吡唑啉酮比色法	0.004~0.25mg/L	0.004mg/L	取有效数据3位,小数不超过3位	0.004 1.32
33	砷	mg/L	GB/T8538—1995 二乙氨基二硫代甲酸银分光光度法		0.01mg/L		
			GB11900—89 硼氢化钾-硝酸银分光光度法	0.4~12 µg/L	0.4 µg/L	取有效数据3位,小数不超过3位	0.009
			GB7485—87 二乙基二硫代氨基甲酸银分光光度法	0.007~0.5 mg/L	0.007 mg/L		1.15
			GB5750—85 二乙氨基二硫代甲酸银分光光度法	0.01 mg/L以上	0.000 5 ug/L		
34	氯化物	mg/L	GB/T8538—1995 硝酸银滴定法	2~100 mg/L		取有效数据3位,小数不超过2位	7.85
			GB11896—89 硝酸银滴定法	10~500 mg/L			11.9
			GB5750—85 硝酸银滴定法	1.0 mg/L以上			139
			GB5750—85 硝酸汞容量法	1.0 mg/L以上			
35	硒	mg/L	GB/T8538—1995 二氨基萘荧光法	0.25µg/L	5ng/L	取有效数据3位,小数不超过2位	0.121
			GB5750—85 二氨基萘荧光法		0.005µg/L		1.21

续表 9-3

序号	项目	单位	相应标准及分析方法	检测范围	最低检出限	取用位数	示例
36	大肠菌群	个/L	GB/T8538—1995 多管发酵法 GB5750—85 多管发酵法			年平均值取有效数字 3 位，测定值按分析方法报	
37	细菌总数	个/mL	GB/T8538—1995 平板法 GB5750—85 平板法			年平均值取有效数字 3 位，测定值按分析方法报	
38	钙和镁总量	mg/L	GB7477—87EDTA滴定法	0.05mmol/L 以上	0.05mmol/L	取有效数据 3 位，小数不超过 2 位	
39	钙	mg/L	GB/T8538—1995 乙二胺四乙酸二钠滴定法 GB7476—87 EDTA 滴定法 * GB11905—89 原子吸收分光光度法	200 以内，大于200 稀释测定 2～100mg/L 0.1～6.0mg/L	0.02mg/L	取有效数据 3 位，小数不超过 2 位	
40	镁	mg/L	GB/T8538—1995 乙二胺四乙酸二钠滴定法 * GB11905—89 原子吸收分光光度法	0.01～0.6mg/L	0.002mg/L	取有效数据 3 位，小数不超过 2 位	
41	铁	mg/L	GB/T8538—1995 二氮杂菲分光光度法 * GB11911—89 火焰原子吸收分光光度法 GB5750—85 二氮杂菲分光光度法	0.05mg/L 以上 0.03～5mg/L 检出下限 0.05mg/L	2.5μg/L 0.03mg/L 2.5μg/L	取有效数据 3 位，小数不超过 2 位	0.05 1.12
42	锰	mg/L	* GB/T8538—1995 无火焰原子吸收分光光度法 GB5750—85 过硫酸铵分光光度法 * GB11911—89 火焰原子吸收分光光度法 《固体废弃物试验分析评价手册》	检出下限 0.05μg/L 检出下限 0.05μg/L 0.01～3mg/L	2.5μg/L 0.01mg/L	取有效数据 3 位，小数不超过 2 位	

序号	项目	单位	相应标准及分析方法	检测范围	最低检出限	取用位数	示例
43	钾	mg/L	* GB/T8538—1995 火焰原子吸收分光光度法 * GB11904—89 火焰原子吸收分光光度法	0.05~4.0mg/L	0.05mg/L	取有效数据 3 位,小数不超过 3 位	
44	钠	mg/L	* GB/T8538—1995 火焰原子吸收分光光度法 * GB11904—89 火焰原子吸收分光光度法	0.01~2.0mg/L 0.01~2.0mg/L	0.01mg/L	取有效数据 3 位,小数不超过 3 位	
45	镍	mg/L	* GB/T8538—1995 火焰原子吸收分光光度法 * GB11912—89《固体废弃物试验分析手册》	0.2~5.0mg/L	0.3mg/L 0.05mg/L		
46	铜	mg/L	* GB7475—87 原子吸收分光光度法 * GB7475—87 直接法 * GB7475—87 螯合法	0.05~5.0mg/L 1~50μg/L		取有效数据 3 位,小数不超过 2 位	
47	铅	mg/L	* GB7475—87 原子吸收分光光度法 * GB7475—87 直接法 * GB7475—87 螯合法	0.2~10mg/L 10~200μg/L		取有效数据 3 位,小数不超过 2 位	
48	锌	mg/L	GB7472—87 双硫腙分光光度法 * GB7475—87 原子吸收分光光度法	0.005~0.05mg/L 0.05~1.0mg/L		取有效数据 3 位,小数不超过 2 位	
49	镉	mg/L	* GB7475—87 原子吸收分光光度法 * GB7475—87 直接法 * GB7475—87 螯合法	0.05~1.0mg/L 1~50μg/L		取有效数据 3 位,小数不超过 2 位	

续表 9-3

序号	项目	单位	相应标准及分析方法	检测范围	最低检出限	取用位数	示例
50	钴	mg/L	GB/T8538—1995 火焰原子吸收分光光度法《固体废弃物试验分析评价手册》		0.5mg/L	取有效数据 3 位，小数不超过 2 位	
51	银	mg/L	GB5750—87 原子吸收分光光度法 GB11907—89 无火焰原子吸收分光光度法	0.03~5.0mg/L	0.14μg/L 0.14μg/L	取有效数据 3 位，小数不超过 2 位	
52	六价铬	mg/L	GB7467—85 二苯碳酰二肼分光光度法 GB5750—85 二苯碳酰二肼分光光度法	0.004~1.0mg/L	0.2μg/L 0.2μg/L 0.2μg/L	取有效数据 3 位，小数不超过 3 位	
53	总铬	mg/L	GB7466—87 二苯碳酰二肼分光光度法 GB5009—85《环境监测分析方法》	0.004~1.0mg/L	0.2μg/L	取有效数据 3 位，小数不超过 3 位	
54	汞	mg/L	GB/T8538—1995 冷原子吸收分光光度法 GB7469—87 高锰酸钾—过硫酸钾消解法、双硫腙分光光度法 GB7468—87 冷原子吸收法 GB5750—85 冷原子吸收法《环境监测分析方法》	2~40μg/L	0.01μg/L 0.05μg/L 0.01μg/L	取有效数据 5 位，小数不超过 5 位	0.137 0.000 06
55	挥发酚	mg/L	GB/T8538—1995 4-氨基安替比啉分光光度法 GB7490—87 4-氨基安替比啉分光光度法 GB5750—85 4-氨基安替比啉分光光度法	0.002~6mg/L	0.5μg/L 0.5μg/L	取有效数据 3 位，小数不超过 3 位	0.003 11.3

续表 9-3

序号	项目	单位	相应标准及分析方法	检测范围	最低检出限	取用位数	示例
56	六六六	ng/L	GB/T14550—93 气相色谱法(土壤) GB7492—87 气相色谱法 GB5750—85 气相色谱法 《环境监测分析方法》	0.000 05～ 0.004 87mg/kg 4ng/L			
57	滴滴涕	ng/L	GB/T14550—93 气相色谱法(土壤) GB7492—87 气相色谱法 GB5750—85 气相色谱法 《环境监测分析方法》	0.000 05～ 0.004 87mg/kg 200ng/L			
58	有机磷农药	mg/L	GB/T14552—93 气相色谱法 GB13192—91 气相色谱法 《固体废弃物试验分析评价手册》	0.000 1～ 0.002 3mg/kg 10⁻⁹～10⁻¹⁰g/L	$5 \times 10^{-4} \sim 5 \times 10^{-5}$ mg/L		
59	挥发性卤代烃	mg/L	GB/T 17130—1997 顶空气相色谱法		三氯甲烷 0.3μg/L, 四氯化碳 0.05μg/L, 三氯乙烯 0.50μg/L, 四氯乙烯 0.2μg/L, 三溴甲烷 1.0μg/L		
60	苯系物	mg/L	GB11980—89 气相色谱法 液上气相色谱法 二硫化碳萃取气相色谱法	0.005～0.1mg/L 0.05～12mg/L	0.005mg/L 0.05mg/L		

续表 9-3

序号	项目	单位	相应标准及分析方法	检测范围	最低检出限	取用位数	示例
61	硝基苯类	μg/L	GB13194—91 气相色谱法 硝基苯类 DNT类		0.2μg/L 0.3μg/L		
62	氯苯类化合物	mg/L	GB/T 17131—1997 气相色谱法		1,2-二氯苯 2.0μg/L, 1,4-二氯苯 5.0μg/L, 1,2,4-三氯苯 1.0μg/L		
63	阴离子洗涤剂	mg/L	GB7494—87 亚甲蓝分光光度法 GB5750—85 亚甲蓝分光光度法	0.05~2.0mg/L	10μg/L		
64	油	mg/L	GB/T16488—1996 红外光度法 SL93.2—94 紫外分光光度法 《环境监测分析方法》		500ml水样 4cm比色皿 0.1mg/L; 5L水样富集后 0.01mg/L		
65	六种特定多环芳烃	ng/L	GB13198—91 高效液相色谱法 《固体废弃物试验分析评价手册》				
66	肉眼可见物	NTU	GB/T8538—1995 直接观察法 GB5750—85 直接观察法		0.5		
67	锂	mg/L	GB/T8538—1995 火焰原子吸收分光光度法		0.05mg/L		
68	锶	mg/L	GB/T8538—1995 无火焰原子吸收分光光度法	10.0~250μg/L	5.0μg/L		

续表 9-3

序号	项目	单位	相应标准及分析方法	检测范围	最低检出限	取用位数	示例
69	钼	mg/L	GB/T8538—1995 催化极谱法		0.001μg/L		
70	钡	mg/L	GB/T8538—1995 原子吸收分光光度法		0.13μg/L		
71	钒	mg/L	GB/T8538—1995 无火焰原子吸收分光光度法		1μg/L		
72	铝	mg/L	GB/T8538—1995 铝试剂分光光度法		0.5μg/L		
73	偏硅酸	mg/L	GB/T8538—1995 硅钼黄分光光度法		0.05mg/L		
74	硼酸	mg/L	GB/T8538—1995 甲亚胺－H分光光度法		6μg/L		
75	锅炉烟尘	mg/Nm³	GB5468—91《空气和废气监测分析方法》				
76	林格曼黑度		GB5468—91《空气和废气监测分析方法》	0~7级			
77	噪声	dB	GB3222—94				
78	总悬浮颗粒	mg/m³	GB9802—88				
79	飘尘	mg/Nm³	GB6921—86				
80	二氧化硫	μg/m³	GB8970—88	0.01~20mg/m³	0.05μg/5ml		
81	氮氧化物	mgNO₂/m³	GB8969—88	0.01~20mg/m³	0.05μg/5ml		
82	水位	m	GBL138—90 水位观测标准			记至 0.01	75.32
83	流量	m³/s	GB50179—93 河流流量测验规范	0.04~2.5m³/s		≥1时取有效数字3位，<1时取有效数字2位，小数不超过3位	125 0.21 0.015

续表 9-3

序号	项目	单位	相应标准及分析方法	检测范围	最低检出限	取用位数	示例
84	含沙量	mg/L (g/L)	GB50159—92 河流悬移质泥沙测验规范	0～200g/L	0.01mg/L	mg/L记至0.1,≥1时取有效数字3位，<1时取有效数字2位,但小数不超过3位	22.1 126 2.21 0.054
85	烷基汞	µg/L	GB/T14204—93				
86	甲基汞	µg/L	GB/T17132—1997		0.01ng/L		
87	总α放射性	Bq/L	GB5750—85 直接测量法、比较测量法	本底:α≤0.3cpm			
88	总β放射性	Bq/L	GB5750—85 薄样法	本底:β≤0.2cpm			
89	至河口距离	km				≥10时记至1,<10时记至0.1	21 4.4
90	集水面积	km²				≥100时记至1,<100时记至0.1	2 176 71.3
91	基面高程(水准点高程)	m				记至0.001	18.005
92	河底高程、水头、水位差、闸门开启高度、闸底或堰顶顶高度	m				记至0.01	56.41

续表 9-3

序号	项目	单位	相应标准及分析方法	检测范围	最低检出限	取用位数	示例
93	径流量	万 m³				取有效数字 3 位	1 240 78.9
		亿 m³				取有效数字 3 位	0.786
94	断面面积	m²				取有效数字 3 位，小数不超过 2 位	2 130 0.33
95	流速	m/s				≥1 时取有效数字 3 位，<1 时取有效数字 2 位，小数不超过 3 位	3.84 0.36 0.032
96	水面宽	m				取有效数字 3 位，≥5 时小数不超过 1 位，<5 时小数不超过 2 位	578 5.9 4.12
97	水深	m				≥5 时记至 0.1m，<5 时记至 0.01m	10.2 5.1 0.48
98	水面比降	万分率				取有效数字 3 位	17.8
99	蓄水量	万 m³				≥1 000 万 m³ 时取有效数字 4 位，<1 000 万 m³ 时取有效数字 3 位	1 658 264
		亿 m³				记至 0.01	

续表 9-3

序号	项目	单位	相应标准及分析方法	检出范围	最低检出限	取用位数	示例
100	降水量	mm				记至 0.1	0.3
101	蒸发量	mm				记至 0.1	0.4
102	气温	℃				记至 0.1	0.2
103	检出率	%				等于 100 记 100,小于 100 记至小数后 1 位,为 0 时记至 0,不记 0.0	
104	超标率	%				等于 100 记 100,小于 100 记至小数后 1 位,为 0 时记至 0,不记 0.0	
105	超标倍数					取有效数字 3 位,小数不超过 1 位,小于 0.1 时可取小数后 2 位	154 75.4 0.05

注:带 * 项如用仪器分析,则根据所用仪器的灵敏度经实验确定最低检出浓度,小数点后位数应与最低检出浓度的位数相同。当其值大于最低检出浓度,且超过 3 位有效数字时,取 3 位有效数字。

二、资料整编要求

原始资料的初步整编,在监测单位进行。资料整编的方式及要求如下。

(一)收集基本资料和监测资料

基本资料包括监测点位置及附近环境的变化、项目、频次、监测方法的变动情况、监测河段及附近河道地形图、水系图、水位、流量、主要污染源及排放情况、污染事故等。

监测资料包括采样送检单、实验室各种原始记录(试剂配制表、标定记录表、分析记录表、标准曲线等)。

(二)审核整理原始资料

必须对从调查或监测任务书、样品的采集至最终检测报告所涉及的各种原始资料进行全面认真的审核,发现可疑处,应查明原因,如实说明情况,数据不得任意修改或舍弃。原始资料经检查审核后,应装订成册,以便于保管备查。资料审查的内容包括以下几方面。

1.表面审查

资料表面整洁,项目齐全,采用的监测方法、计算公式的表达、签名、改错、有效数字位数、单位等都符合技术规定。

2.质控结果的审查

(1)平行样测定。空白平行双样测定的相对偏差<50%。当样品浓度值低于标准分析方法的质控样品浓度值时,其平行双样的相对偏差不得大于方法规定的允许差或相对标准偏差的2倍;对使用方法中没有允许差和相对标准偏差的,可按分析结果所在数量级的允许相对偏差控制:

数量级	10^{-4}	10^{-5}	10^{-6}	10^{-7}	10^{-8}	10^{-9}	10^{-10}
相对偏差最大允许值(%)	1	2.5	5	10	20	30	50

现场采样的平行误差,可按上述室内相对偏差值放宽20%执行。

(2)加标回收率测定。样品平行作加标回收测定,加标回收率应达到90%~110%;精密度偏性实验的回收率应达到95%~105%。

(3)标样测定。标样多次测定平均值应在定值范围内(保证值±不确定度)。

3.分析结果的审查

(1)分析结果的表示方法。测试结果,原则上按标准测试方法给出的最低检出限确定报告结果的有效数字位数,当测试(计算)结果经过"四舍六入五单双"等数字修约处理后,大于或等于该方法的最低检出浓度时,按有关要求报告具体数字。

一般项目的测试数据只进行最后一次修约,需作为另一项目计算数据的中间结果时,可先进行修约,以此修约数参加余下计算。

(2)分析结果的合理性审查。分析结果的合理性审查,包括异常值审查和相关项目之间的合理性审查,以及项目之间合理性检查,上下游资料合理性及与历史、统计等资料比较的合理性检查。

(三)编制监测成果表

对审核合格的原始监测资料,按整编统一的格式和要求编制监测《成果表和监测成果特征值年统计表》。

(四)填绘整编图表、编制有关说明材料

根据收集的基本资料,按整编图表填制要求填整汇编图表,编制有关说明材料。整编说明材料包括以下内容:

(1)资料整编情况。整编组织、时间、方法、内容及工作量概况。

(2)监测情况。监测站网布设、调整情况、测次、样品取送方法、分析方法、精度、资料来源等。

(3)监测资料的质量评价。

(4)整编中发现的主要问题、处理情况、改进意见以及未解决的遗留问题。

(5)水污染概况。水环境状况,主要污染事故。

(五)整编成果资料的审查、验收

1.送交审查的整编成果资料

(1)监测站点及断面一览表。

(2)监测站点及断面分布图。

(3)监测站点情况说明表及位置图。

(4)监测成果表。

(5)监测成果特征值年统计表。

(6)资料整编说明书。

(7)计算机整编成果磁盘、光盘。

2.验收的内容

对整编成果资料应进行全面审查,整编成果要符合下列质量要求,否则不予验收:

(1)项目完整,图表齐全,规格同一,字迹清晰。

(2)监测站点基本资料清楚。

(3)监测及资料整编方法正确。

(4)整编成果数据错误率,大错不超过$1/20\ 000$,一般错不超过$1/2\ 000$。大错指对资料使用有重大影响的错误,如关键文字错、含量单位错、计算错、系统错误、不严格执行监测技术规范对测定结果造成影响等错误。

(5)整编说明内容完整、准确、客观。

三、资料汇编方式与要求

资料汇编由负责汇编单位组织对资料进行复审,复审方式可采用集中式或分寄式。汇编内容及要求如下。

(一)汇编内容

资料汇编主要包括以下几方面内容:

(1)复审汇编成果。资料汇编一般抽审$10\%\sim15\%$的成果表资料和$30\%\sim40\%$的原始资料,如发现错误,要全面检查。

(2)整编成果的整理与编排。分水系按面向下游、自上而下、先干后支、先右后左的原则编排整编成果,编制汇编图表、资料索引、编制说明等。

(二)质量要求

成果表中数据无大错,一般错误率不得大于 1/10 000。其他质量要求与整编相同。

(三)汇编成果

汇编成果由以下部分组成:

(1)资料索引表。

(2)编制说明。

(3)监测站点及断面一览表。

(4)监测站点及断面分布图。

(5)监测站点情况说明表及位置图。

(6)监测成果表。

(7)监测成果特征值年统计表。

(8)计算机汇编成果磁盘、光盘。

四、资料保存与要求

水污染调查资料主要包括原始资料、技术资料和管理资料几部分。原始资料是指调查过程的各种原始记录;技术资料是指在原始资料基础上经加工、处理、分析、综合形成的整、汇编成果和各种检验报告、技术报告以及与调查有关的技术标准、文件及规定;技术管理资料包括有关环境保护的政策、法规、文件、环境质量标准以及与调查有关的技术管理规定。资料保存应符合以下要求:

(1)资料保存采用纸质文字记载及磁盘、光盘等介质。

(2)资料归档按档案管理规定进行系统保存,注意安全。

(3)磁介质资料存放要有防潮、防磁措施,并按载体保存期限及时转录。

(4)原始资料保存期限为 5 年;整、汇编成果资料要有备份存放于不同地点,长期保存;其他技术资料保存期限为 10 年;技术管理资料及时收集更新。

(5)超过保存期的资料,经主管领导批准,登记造册后方可销毁,销毁时应有监销人,防止失密。

五、整、汇编图表填绘说明

下面仅列出地表水监测资料整、汇编图表填绘说明,地下水、大气降水、水体沉降物、水生生物和排污口等调查与监测资料整、汇编可参照执行。

(一)水质站及断面一览表填写说明

(1)具体格式见表 9-4。

(2)"站次"。按面向下游、自上而下、先干后支、先右后左的原则顺序编排,一个站编一个站次。多断面站,每一个断面编一个派生站次,即用该站站次加断面编号表示,例如 ×××—i,其中 ××× 为站次,i 为从上游至下游的断面编号。

(3)"水系"。按水文年鉴中的水系填写。

(4)"河名"。填写监测断面所在河流的具体名称。

(5)"流入何处"。填写监测断面所在河流直接汇入的河流或湖、库、海的名称。

（6）"站名"：填测站名称，有必要注明上下游的，在站名后的括号内注明，如××水库（坝上），××闸（闸上）等。

表9-4   监测站及断面一览表

站次	水系	河名	流入何处	水质站						断面		开始监测时间（年·月）	监测单位	附注
				站名	类别	坐标		地点	监测河段	名称	至河口距离(km)			
						东经	北纬							

制表：   年   月   日   校核：   年   月   日   审核：   年   月   日

（7）"类别"。按站点分类类别填写。"站名"和"类别"一经确定，不得随意改动，如确需改动时，应在附注栏填明原站名或类别。

（8）"坐标"。与水文（水位）站结合的，填水文（水位）站名称，否则填监测断面中泓坐标。

（9）"地点"。填监测断面所在地点，一般填至省（直辖市、自治区）、县（市）、乡、村级。

（10）"监测河段"。填水质站所代表的河段及其长度。对有多个断面的站，监测河段为从上游第一个断面到下游最后一个断面之间的距离，表示方法为用水质站（代表断面）所在地命名，后跟括号内数字代表河段长度。若1条河流只有1个站，当上游无污染源汇入时，则该站监测河段为河源至该站之间的距离；若下游无支流小河沟汇入，水质较稳定，则该站监测河段为河源至河口的距离，表示方法为用水质站（代表断面）所在地命名，后跟括号内数字代表河段长度。对1条河流有多个水质站，某站监测河段为该站至上游相邻站之间的距离，表示方法为用横线连接上游站（代表断面）和该站（代表断面），横线上方括号内数字代表河段长度。

（11）"断面名称"。与水文（水位）站结合的，填"××水文（水位）站基本断面"，否则填断面附近的地名或具有特征的建筑物名称。

（12）"断面至河口距离"。填从监测断面至该河直接汇入的江、河、湖（库）、海汇合口的河流长度。

（13）"开始监测时间"。填设站后开始监测的年、月。

（14）"监测单位"。填实施监测的机构名称，一般填至省（自治区、直辖市）、地（市）级。

（15）"附注"。填所要注释的内容。

(二)水质站及断面分布图填绘说明

(1)底图内容。含河流、湖泊、水库、灌溉排水渠道、涵闸,以及县以上城市、测站地名、大污染源、经纬度、省界、流域界等。

(2)底图比例尺一般用1:100万~1:200万,全流域底图比例尺一般不超过1:200万。

(3)红色套印内容。包括图名、流域界、水质站、监测机构、水质站符号及站次等。其中,水质站符号为三角形,顶点指向监测断面位置,在三角形底部注明站次,多断面站次后面用括号注明断面数。

(4)水环境监测专用图例,见表9-5。

表9-5 _____河_____站监测情况说明表及位置图

名　称	符　号	名　称	符　号
铁路及车站		断面	
码头		断面 (与测流断面重合)	
水文站		水文断面	
流域界 (用于分布图)		垂线	
排污口 (注明污染源 并指向河岸线)		水质站 (用于形势图)	▼ 基本站 ▽ 专用站
排污河沟		水质站(红色) (用于分布图)	▼ 基本站 ▽ 专用站
抽水排水点			

(三)水质站监测情况说明表及位置图填制说明

(1)表格格式,见表9-6。

表9-6 _____河_____站监测情况说明表及位置图

断面名称	断面地点	垂线 (条)	采样点 (个)
采样器和 采样方法		
监测河段及其 附近河流概况		
监测河段主要污 染源及排放情况		
附　注		

(2)"断面名称"、"断面地点"填法同"水质站及断面一览表";"垂线(条)"、"采样点(个)"根据断面实际情况填写。

(3)"采样器和采样方法"。填采样时使用的采样仪器和方法。

(4)"监测河段及其附近河流概况"。简要描述支流汇入,抽水、引水工程,采样河段是否顺直,高水有无分流,低水是否干涸,河床是否稳定,河床质的组成,上、下游有无固定或临时的水工建筑物,滨海河口处受潮汐影响情况等。

(5)"监测河段主要污染源及排放情况"。扼要说明入河排污口名称、位置、数量、污水量、主要污染物含量、排污口集水范围内的主要污染源、主要工矿企业类型及其污水排放情况,污染源对监测河段水质的影响情况等。

(6)绘制监测河段位置及河段附近河流形势图。可根据实测河道地形图绘制,如无实测图,可用示意图代替,图上注明示意图字样,绘图要求。具体内容包括:

1)图上应包括整个河段中的支流、分流或汇入干流的位置、流向;主要引水、抽水及水工建筑物;城镇、大型企业及排污口位置;附近的主要交通路线;水文站基本断面、采样断面及垂线位置等内容,并绘指北针。

2)在上方空白处(约占图幅的1/9)按水系图绘制河段附近河流形势图,标出监测河段上、下游,支流、分流或汇入干流的位置;大型水工建筑物的地点。此图按上北下南绘制,不画指北针。

(四)水质监测成果表填制说明

(1)表格格式,见表9-7。

(2)"编号"。按断面将全年的测次以时间顺序编号。

水质监测成果表

表 9-7

采样位置		采样时间（月·日）	分析时间（月·日）	水位（m）	流量（m³/s）	气温（℃）	水温（℃）	pH	氧化还原电位（mV）	电导率（μS/cm）	悬浮物	二氧化碳		钙	镁	钾钠	氯化物	硫酸盐	碳酸盐	重碳酸盐	离子总量	矿化度	总碱度	总硬度	溶解氧	氨氮	硝酸盐氮	亚硝酸盐氮	硝酸盐氮	化学需氧量	五日生化需氧量	挥发酚	氰化物	砷	汞	六价铬	铅	镉	铜	铁	铝	总磷	大肠杆菌（个/L）	细菌总数（个/ml）
断面名称	编号											游离	侵蚀性	mg/L																															

_____河_____站

制表：____年____月____日   校核：____年____月____日   审核：____年____月____日

· 288 ·

（3）"断面名称"。同"水质站及断面一览表"，根据上下游编排，每页只填一个断面。

（4）"采样位置编号"。编号由垂线、层次、同一天采样次数组成。第一个编号为垂线位置，按面向下游，自左向右用罗马数字顺序编号；第二个编号为采样层次，用上、中、下表示；第三个编号为同一天连续采样的采样次序，用阿拉伯数字编号，其中第二、三个编号为下标形式。

（5）"采样时间"。月、日相同者省略。

（6）"水位"。填采样时水位。

（7）"流量"。填采样时流量，与水文站结合者，填写水文资料经过整编后的流量值。

（8）"氧化还原电位"。单位用 mV，电导率换算为 25℃ 值填写。

（9）成果表中监测数据重复时，不得采用简略表示。

（10）整编符号如下：

1）"可疑"符号表示为"※"，注于数字右上角；

2）"因故缺测"符号为"—"，填入表中；

3）"未测"时相应数据保持空格；

4）"舍弃"符号为"θ"，填入表中。

（五）水质监测成果特征值年统计表填制说明

（1）表格格式，见表 9-8。

（2）凡表中未列入的项目和测次少于两次的项目，均不进行特征值统计。

（3）"站名"。填写××河××站，每张表填一个断面。

（4）"样品总数"。填该断面全年内分析的水样总数（含未检出的水样）。

（5）"检出率"。计算公式为：检出率=（水样检出个数/分析水样总数）×100%。当检出率为 0 时，只填样品总数、检出率、年平均 3 项，其余栏空白，检出率填 0，不填 0.0。凡分析方法中无检出限，均不统计检出率。水温、pH 值、悬浮物、氯化物、硫酸盐、离子总量、矿化度、总硬度、总碱度、溶解氧、化学需氧量、生化需氧量、粪大肠菌群不统计检出率。

（6）"超标率"。计算公式为：超标率=（超标水样个数/分析水样总数）×100%。以《地面水环境质量标准》（GB3838—2002）Ⅲ类水质标准值统计，未列入标准的项目不统计。当超标率为 0 时，填 0，不填 0.0。

（7）"实测范围"。填全年测得的最小、最大值间的范围。

（8）"最大值超标倍数"。计算公式为：最大值超标倍数=（最大值/地面水环境质量Ⅲ类标准值）-1。未列入地面水环境质量标准的项目不做统计。超标率为 0 时，最大值超标倍数栏不填。

（9）"最大出现日期"。填最大值出现的月日，月日间以"·"隔开，最大值出现两个以上时，填最早出现的日期。溶解氧填最小值出现的日期。pH 值在 6～9 之间时，填离 7 最远值出现日期；pH 值＜6 或＞9 时，填离 6 或 9 最远值的出现日期。

（10）"年平均"。以算术平均法计算，当检测值"＜DL"时，按 1/2 最低检出浓度参加计算。pH 值、氧化还原电位、水温不统计年平均值。

（11）有污染带的江河，按垂线分别统计和填写。

（12）缺测水质资料，不进行插补；经审核定为"可疑"的水质资料，按"缺测"对待。

表 9-8

水质特征值年统计表

统计项目	水温(℃)	pH值	悬浮物	氯化物	硫酸盐	离子总量	矿化度	总硬度	总碱度	溶解氧	氨氮	亚硝酸盐氮	化学需氧量	五日生化需氧量	氰化物	砷化物	挥发酚	六价铬	汞	镉	铅	大肠杆菌(个/L)	细菌总数(个/ml)
										(mg/L)													
样品总数																							
检出率(%)																								
超标率(%)																									
实测范围																								
最大值超标倍数																								
最大值出现日期																								
年平均																								
样品总数																								
检出率(%)																								
超标率(%)																								
实测范围																								
最大值超标倍数																								
最大值出现日期																								
年平均																								

站名／断面编号／断面名称：××河××站

制表：　年　月　日　　校核：　年　月　日　　审核：　年　月　日

· 290 ·

第十章　监测资料数理统计

第一节　数理统计基本概念

一、统计推断

在数理统计学中，一个基本问题就是依据观测或实验所取得的有限信息，对整体如何推断，每个推断必须伴随一定的概率，以表明推断的可靠程度。这种伴随有一定概率的推断，称为统计推断。

二、总体和个体

在数理统计学中，把研究对象的全体所构成的一个集合称为总体，而把组成总体的每一个单元要素称为个体。

三、样本和样本容量

根据数理统计学原理，我们总是通过观测和实验以取得信息。我们可以从客观存在的总体中按机会均等的原则随机抽取一些个体，然后对这些个体进行观测或测试某一指标 ξ 的数值。这种按机会均等的原则选取一些个体进行观测或测试的过程，称为随机抽样。假如我们抽取了 n 个个体，且这 n 个个体的某一指标为 $(\xi_1, \xi_2, \cdots, \xi_n)$，我们称这 n 个个体的指标 $(\xi_1, \xi_2, \cdots, \xi_n)$ 为一个子样或样本，n 称作这个子样的容量。

四、统计量

样本是总体的反映，但样本所含的信息不能直接用于解决我们所要研究的问题，而需要把样本所含的信息进行数学上的加工，这在数理统计学中往往通过构造一个合适的依赖于样本的函数——统计量来达到。一个统计量是样本的一个函数，如果样本容量为 n，它也就是 n 个随机变量的函数，并且要求这个函数是不依赖于任何未知参数的随机变量。数理统计中常用的统计量有样本均值、样本方差、标准偏差和相对标准偏差（也称变异系数）、极值等。

五、显著性水平

统计检验中给定的很小的概率 α 称为显著性水平，它表示要否定一个假设所犯错误的概率有多大。在对假设作出否定判断时，α 取得越小，则否定判断的可信程度越高。但若把 α 取得过小，容易把该否定的不正确假设给肯定了，即犯"取伪"错误；在对假设作出肯定判断时，α 取得越大，则肯定判断的把握程度越高。但若 α 取得过大，则又可能把该肯定的合理假设给否定了,即犯"弃真"错误。在环境监测中,通常 α 取 0.01、0.05、0.10 等。

第二节 测试结果的统计检验

在调查与监测工作中,我们经常需要对测试结果是否来自同一总体、测试值的总体均值是否等于真值、分析方法监测结果的准确度如何,不同测试方法、不同实验室或不同仪器间的测量结果是否一致等作出判断,以期得到更为准确、合理的结果。如果没有客观标准,判断结论就会因人而异,结论的可靠性就会受到怀疑。统计检验为我们检验诸如此类的差别提供了方法。统计检验是指先对总体(研究对象的全体)作出一些假设,然后利用实际得到的观测值,通过一定的统计方法检验所做的假设是否合理,从而决定接受还是否定这些假设。统计检验也称假设检验或显著性检验。

一、统计检验的步骤

(1)根据需要建立假设 H_0。

(2)由 H_0 确定一个统计量 T。

(3)根据观测值计算统计量 T。

(4)选定显著性水平 α,由 α 和自由度 $n-1$,从相应的统计数据表中查出统计量的临界值 T_α。

(5)把统计量的计算值与临界值进行比较,作出统计判断。

二、双侧检验和单侧检验

统计检验有两类,为双侧检验和单侧检验。在环境监测中判断测定结果是否存在系统误差,判断两种不同分析方法、两种不同仪器测量结果以及两个不同实验人员测量结果的一致性时,我们只关心总体均值是否等于已知值或两总体均值是否相等,至于两者哪个大,对所研究的问题并不重要。这种情况的假设为 $\mu = \mu_0$ 或 $\mu_1 = \mu_2$,备择假设为 $\mu \neq \mu_0$ 或 $\mu_1 \neq \mu_2$,采用双侧检验。在环境监测的统计检验中还常遇到另一种情况,超过某一定值或低于某一定值就要拒绝原假设而选择备择假设,如检测结果与标准值的比较,分析测试中试剂空白与零浓度有无显著差异比较,这种情况的假设为 $\mu \leqslant \mu_0 (\mu \geqslant \mu_0)$ 或 $\mu_1 - \mu_2 \leqslant d(\mu_1 - \mu_2 \geqslant d)$,备择假设为 $\mu > \mu_0 (\mu < \mu_0)$ 或 $\mu_1 - \mu_2 > d(\mu_1 - \mu_2 < d)$,采用单侧检验。

双侧检验和单侧检验的步骤相同,只是对显著性水平 α 取不同的临界值。在双侧检验中,取 $t_{\alpha/2}$ 作为判断界限值;在单侧检验中,取 t_α 作为判断界限值。

三、统计检验方法

不同的数据分布规律,不同的检验目的,有不同的统计检验方法。对观测值进行统计检验前,应首先弄清其分布规律,才能正确选择适用于该观测值的统计检验方法。目前,已被广泛采用的统计检验方法,如 Dixon 检验法、Grubbs 检验法、Cochran 检验法、u 检验、t 检验、x^2 检验、F 检验等适用于服从正态分布的观测值的统计检验;而有些分析方法,如痕量分析所分析的常常是复杂基体中的痕量或超痕量组分,观测值可能不服从正态分布。在不知道观测值是否服从正态分布时,选用数理统计学中不依赖于分布的非参数统计方法,例如秩和检验法更可靠、更方便。因此,根据观测值的特点来选择合适的统计检验方法是十分重要的。

Dixon 检验法、Grubbs 检验法、Cochran 检验法在第九章第一节已作了介绍。总体均值的统计检验根据总体方差已知或未知,检验方法分为 u 检验法和 t 检验法。水污染监测在大多数情况下,观测值的总体方差是未知的,以 t 检验法应用最为广泛。因此,现主要对常用的 t 检验、x^2 检验、F 检验以及秩和检验作简单介绍。

(一)t 检验

1.总体均值与一已知值是否相等的统计检验

主要用于比较观测值的总体均值与一已知值之间是否存在差异。当已知值为真值时,可发现测量中是否存在系统误差。

设观测值的总体服从正态分布 $N(\mu, \sigma^2)$,其中 σ^2 未知,$x_1, x_2, \cdots, x_n$ 为来自总体的一组观测值,其样本均值为 $\overline{x}$,样本方差为 s^2,当 μ_0 为一已知值时,总体均值 μ 与 μ_0 相等的检验步骤如下:

(1)建立假设 H_0:

$$\mu = \mu_0$$

(2)计算样本均值 $\overline{x}$、样本标准偏差 s:

$$\overline{x} = \frac{1}{n} \sum_{i=1}^{n} x_i$$

$$s = \sqrt{\frac{1}{n-1} \sum_{i=1}^{n} (x_i - \overline{x})^2}$$

(3)计算统计量 t:

$$t = \frac{\overline{x} - \mu_0}{s / \sqrt{n}}$$

(4)由给定的显著性水平 α 和自由度 $n-1$ 查 t 检验表得临界值 $t_{\alpha/2}(n-1)$;

(5)进行统计推断:若 $|t| > t_{\alpha/2}(n-1)$,则认为 $\mu \neq \mu_0$;若 $|t| \leqslant t_{\alpha/2}(n-1)$,则认为 $\mu = \mu_0$。

【例 10-1】 测定某标准物质中 A 组分,其 10 次测定平均值为 0.942mg/L,标准偏差为 0.063mg/L,已知保证值为 0.902mg/L。检验测定结果与保证值有无显著差异。

解:(1)H_0: $\mu = 0.902$;

(2)$\overline{x} = 0.942, s = 0.063, n = 10$;

(3)$t = \dfrac{\overline{x} - \mu_0}{s / \sqrt{n}} = \dfrac{0.942 - 0.902}{0.063 / \sqrt{10}} = 2.00$;

(4)给定 $\alpha = 0.05$,由 t 表查得 $t_{0.025}(10-1) = 2.26$;

(5)$t < t_{0.025}(10-1)$，故接受 H_0，即测定结果与保证值无显著差异。

2. 两总体均值之差是否等于一已知值和两总体均值是否相等的统计检验

比较不同条件下（不同实验室或不同分析方法等）两组观测值之间是否存在差异，或差异是否等于一已知值。

设两组观测值的总体分别服从正态分布 $N(\mu_1, \sigma_1^2)$ 和 $N(\mu_2, \sigma_2^2)$，其中 σ_1^2、σ_2^2 未知但相等，两组观测值的样本个数为 n_1 和 n_2，样本均值为 $\overline{x}_1$ 和 $\overline{x}_2$，当 d 为一已知常数时，$\mu_1 - \mu_2 = d$ 的检验步骤如下：

(1)检验 $\sigma_1^2 = \sigma_2^2$（参见 F 检验）；

(2)建立假设 H_0：

$$\mu_1 - \mu_2 = d$$

(3)计算样本均值 $\overline{x}_1$、$\overline{x}_2$ 和样本方差 s_1^2、s_2^2；

(4)记算统计量 t：

$$t = \frac{\overline{x}_1 - \overline{x}_2 - d}{\sqrt{(n_1-1)s_1^2 + (n_2-1)s_2^2}} \sqrt{\frac{n_1 n_2 (n_1 + n_2 - 2)}{n_1 + n_2}}$$

(5)由给定的显著性水平 α 和自由度 $n = n_1 + n_2 - 2$，查 t 检验表得临界值 $t_{\alpha/2}(n)$；

(6)进行统计推断：若 $|t| > t_{\alpha/2}(n)$，则认为 $\mu_1 - \mu_2 \neq d$；若 $|t| \leqslant t_{\alpha/2}(n)$，则认为 $\mu_1 - \mu_2 = d$。

【例 10-2】 测定某河流原水和清水的含砷量，各测定 12 次，原水测定结果的平均值为 0.136 9 mg/L，标准偏差为 0.092 3 mg/L；清水测定结果的平均值为 0.006 5 mg/L，标准偏差为 0.001 1 mg/L。试检验原水和清水含砷量有无显著差异。

解：(1)检验 $\sigma_1^2 = \sigma_2^2$（参见 F 检验）；

(2)H_0： $\mu_1 - \mu_2 = 0$；

(3)$\overline{x}_1 = 0.136\ 9$，$\overline{x}_2 = 0.006\ 5$，样本方差 $s_1^2 = 0.092\ 3$，$s_2^2 = 0.001\ 1$，$n_1 = 12$，$n_2 = 12$；

(4)$t = \dfrac{\overline{x}_1 - \overline{x}_2 - d}{\sqrt{(n_1-1)s_1^2 + (n_2-1)s_2^2}} \sqrt{\dfrac{n_1 n_2 (n_1 + n_2 - 2)}{n_1 + n_2}} = 4.90$；

(5)给定 $\alpha = 0.05$，自由度 $n = n_1 + n_2 - 2 = 22$，由 t 检验表查得 $t_{0.025}(22) = 2.074$；

(6)$t > t_{0.025}(22)$，故否定 H_0，即原水中的砷含量高于清水，两水中含砷量有显著差异。

（二）x^2 检验

它是总体方差与一已知值是否相等的统计检验，用于比较观测值的总体方差与一已知值之间是否存在差异。当已知值为某一确定的精密度指标时，可以判断测试是否能达到预定的精密度。

设观测值的总体服从正态分布 $N(\mu, \sigma^2)$，$x_1, x_2, \cdots, x_n$ 为来自总体的一组观测值，其样本方差为 s^2，当 σ_0^2 为一已知值时，总体方差 σ^2 与 σ_0^2 相等的统计检验步骤如下：

(1)建立假设 H_0：

$$\sigma^2 = \sigma_0^2$$

(2)计算差方和 S：

$$S = \sum_{i=1}^{n} (x_i - \overline{x})^2 \text{ 或 } S = (n-1)s^2$$

(3)计算统计量 x^2:

$$x^2 = \frac{S}{\sigma_0^2}$$

(4)由给定的显著性水平 α 和自由度 $n-1$,查 x^2 检验表得临界值 $x_{\frac{\alpha}{2}}^2(n-1)$ 和 $x_{1-\frac{\alpha}{2}}^2(n-1)$

(5)统计推断:若 $x^2 > x_{\frac{\alpha}{2}}^2(n-1)$ 或 $x^2 < x_{1-\frac{\alpha}{2}}^2(n-1)$,则认为 $\sigma^2 \neq \sigma_0^2$;若 $x_{\frac{\alpha}{2}}^2(n-1) \geqslant x^2 \geqslant x_{1-\frac{\alpha}{2}}^2(n-1)$,则认为 $\sigma^2 = \sigma_0^2$。

【例 10-3】 某方法室内标准偏差 $\sigma_0 = 0.42\text{mg/L}$,对样品的 7 次测定值分别为 10.1、10.3、10.6、11.2、11.5、11.8、12.0mg/L,问测定的精密度是否达到要求。

解:(1)H_0: $\sigma^2 = 0.42^2$;

(2)$S = \sum_{i=1}^{n} (x_i - \overline{x})^2 = 3.36, n = 7$;

(3)$x^2 = \frac{S}{\sigma_0^2} = 18.7$;

(4)给定 $\alpha = 0.05$,由 x^2 检验表查得 $x_{\frac{\alpha}{2}}^2(6) = 14.45, x_{1-\frac{\alpha}{2}}^2(6) = 1.237$;

(5)$x^2 > x_{\frac{\alpha}{2}}^2(6)$,故否定 H_0,即测定精密度没有达到要求。

(三)F 检验

它是两总体方差是否相等的统计检验,用于比较不同条件下(不同实验室或不同分析方法等)的两组数据是否具有相同的精密度。

设两组观测值的总体分别服从正态分布 $N(\mu_1, \sigma_1^2)$ 和 $N(\mu_2, \sigma_2^2)$,其中两组观测值的样本个数为 n_1 和 n_2,样本方差为 s_1^2、s_2^2。σ_1^2 与 σ_2^2 相等的检验步骤如下:

(1)建立假设 H_0:

$$\sigma_1^2 = \sigma_2^2$$

(2)计算样本方差 s_1^2、s_2^2,记较大者为 s_{max}^2,较小者为 s_{min}^2;

(3)计算统计量 F:

$$F = \frac{s_{max}^2}{s_{min}^2}$$

(4)由给定的显著性水平 α 以及 s_{max}^2 相应自由度 $n_{max} - 1$、s_{min}^2 相应自由度 $n_{min} - 1$,查 F 检验表得临界值 $F_{\frac{\alpha}{2}}(n_1 - 1, n_2 - 1)$;

(5)统计推断:若 $F > F_{\frac{\alpha}{2}}(n_1 - 1, n_2 - 1)$,则认为 $\sigma_1^2 \neq \sigma_2^2$;若 $F \leqslant F_{\frac{\alpha}{2}}(n_1 - 1, n_2 - 1)$,则认为 $\sigma_1^2 = \sigma_2^2$。

【例 10-4】 用甲、乙两种不同的方法测定水样中某物质含量,甲测定 6 次,测定的标准偏差为 0.065mg/L;乙测定 4 次,测定的标准偏差为 0.099mg/L。问这两种方法是否有相同的精密度。

解:(1)$H_0: \sigma_1^2 = \sigma_2^2$;

(2)$s_{max}^2 = 0.099^2$,$n_{max} = 4$,$s_{min}^2 = 0.065^2$,$n_{min} = 6$;

(3)$F = \dfrac{s_{max}^2}{s_{min}^2} = 2.30$;

(4)给定 $\alpha = 0.1$,查 F 表得临界值 $F_{0.05}(3,5) = 5.41$;

(5)$F < F_{0.05}(3,5)$,故这两种方法具有相同的精密度。

(四)秩和检验

当总体分布规律不清楚,而样本个数较少,检验不同方法或不同实验室数据的一致性时,可采用秩和检验法。

1.不同实验室或不同分析方法对同一样品观测值的统计检验

将两组观测值按由小到大顺序排列,给出每个观测值的秩,最小值的秩为 1,排在第二位的秩为 2,以此类推。若两个观测值相同,则分别给秩 $[N + (N+1)]/2$,下一个观测值的秩为 $N+2$;若 3 个观测值相同,则分别给秩 $[N + (N+1) + (N+2)]/3$,下一个观测值的秩为 $N+3$,以此类推,其中 N 为观测值的序号。计算两组观测值中数目较少一组观测值的秩和 T,给定显著性水平 α,从秩和检验临界值表中查得秩和下限 T_1、秩和上限 T_2。若 $T \leqslant T_1$ 或 $T \geqslant T_2$,表明两组观测值有显著差异,存在明显系统误差;若 $T_1 < T < T_2$,则两组观测值是一致的,不存在明显的系统误差。

【例 10-5】 用 A、B 两种方法测定同一样品,方法 A 测得结果分别为 0.004 0mg/L、0.003 9mg/L、0.004 9mg/L、0.003 7mg/L、0.003 8mg/L 和 0.004 4mg/L;方法 B 测得结果分别为 0.004 9mg/L、0.005 4mg/L、0.005 2mg/L、0.004 6mg/L 和 0.005 0mg/L。问两种方法间有无系统误差。

解:将两组测定值按序排列,并按序号给出各测定值的秩,计算方法 B 的秩和如下:

方法 A 测定值	秩	方法 B 测定值	秩
0.003 7	1	0.004 6	6
0.003 8	2	0.004 9	7.5
0.003 9	3	0.005 0	9
0.004 0	4	0.005 2	10
0.004 4	5	0.005 4	11
0.004 9	7.5		
$n_2 = 6$		$n_1 = 5$	43.5

给定显著性水平 $\alpha = 0.05$,查秩和检验表得秩和下限 $T_1 = 20$,秩和上限 $T_2 = 40$,$T \geqslant T_2$,故两种方法的测定结果有明显的系统误差。

2.不同实验室或不同分析方法对不同样品观测值的统计检验

设有 n 个实验室测定 m 个样品,将 n 个实验室对每一个样品的测定值按序排列,并给出秩,然后计算每个实验室对 m 个样品测得值的秩和。秩和大于秩和上限的实验室测定值显著偏高,秩和小于秩和下限的实验室测定值显著偏低。测定结果显著偏高或偏低的实验室存在明显的系统误差,其测定值应作为离群值对待。

例如,有 3 个样品分发给 8 个实验室进行分析测定,各实验室测得的结果和相应的秩见表 10-1,问有无应剔除的实验室结果。

表 10-1 各实验室测得的结果和相应的秩

实验室编号	样品 1		样品 2		样品 3		秩和
	测定值	秩和	测定值	秩和	测定值	秩和	
1	0.797	1	0.776	1	1.040	1.5	3.5
2	0.827	2	0.853	2	1.040	1.5	5.5
3	0.868	3	0.884	3	1.080	3	9
4	1.020	4	0.983	4	1.100	5	13
5	1.100	5	1.060	5.5	1.100	5	15.5
6	1.150	6	1.060	5.5	1.100	5	16.5
7	1.410	7.5	1.520	7.5	1.270	7	22
8	1.410	7.5	1.520	7.5	1.280	8	23

查秩和临界值表,对应于 8 个实验室的 3 个样品的秩和下限为 3,秩和上限为 24,每个实验室的秩和均在范围内,没有要剔除的实验室测得结果。

第三节 测试结果的区间估计

总体特性的数值标志,可以根据样本所提供的信息作出统计推断,例如总体均值、总体方差可以用样本均值和样本方差来估计,但这种估计值只是一种近似值,既没有反映精确度,又不知道误差范围及其相应概率。因此,仅用一个值去估计观测数据的总体参数往往是不够的,需要采用区间估计的方法。

区间估计就是当以一定概率估计总体参数时,这个总体参数将被包含的区间,这一区间称作参数的置信区间,区间包含参数的概率称为置信度 $(1-\alpha)$,置信区间下端,称为置信下限,置信区间上端,称为置信上限。

一、总体均值的区间估计

设观测值的总体服从正态分布 $N(\mu,\sigma^2)$,当总体方差已知或未知时,都可对总体均值作区间估计。实际应用时,总体方差未知的情况较多,因此以下仅介绍总体方差未知时的区间估计。内容包括:

(1)计算样本均值 $\overline{x}$ 和样本标准偏差 s;

(2)给定置信度 $1-\alpha$,由显著性水平 α 和自由度 $n-1$ 查 t 检验表得临界值 $t_{\frac{\alpha}{2}}(n-1)$;

(3)计算 δ:

$$\delta = t_{\frac{\alpha}{2}}(n-1)s/\sqrt{n}$$

(4)在 $1-\alpha$ 的置信度下,总体均值 μ 的置信区间为 $(\overline{x}-\delta,\overline{x}+\delta)$。

【例 10-6】 对某一污染水体含砷量进行监测,取样 12 个,测定结果的平均值为

0.136 9mg/L。标准偏差为 0.092 3mg/L,求测定结果总体均值 95% 的置信区间。

解:(1)$\overline{x}=0.136\ 9,s=0.092\ 3,n=12$;

(2)$1-\alpha=95\%,\alpha=0.05$,查 t 检验表得临界值 $t_{0.025}(11)=2.201$;

(3)$\delta=t_{\frac{\alpha}{2}}(n-1)s/\sqrt{n}=2.201\times0.092\ 3/\sqrt{12}=0.058\ 6$;

(4)在 95% 的置信水平下,测定的总体均值的置信区间为 $(\overline{x}-\delta,\overline{x}+\delta)$,即 $(0.078\ 3,0.195\ 5)$。

二、两总体均值之差的区间估计

设两组观测值的总体分别服从正态分布 $N(\mu_1,\sigma_1^2)$ 和 $N(\mu_2,\sigma_2^2)$,其中两组观测值的样本个数为 n_1 和 n_2,σ_1^2、σ_2^2 未知但相等时,两总体均值之差 $\mu_1-\mu_2$ 的区间估计步骤为:

(1)计算样本均值 $\overline{x}_1$、$\overline{x}_2$ 和样本方差 s_1^2、s_2^2;

(2)给定置信度 $1-\alpha$,由显著性水平 α 和自由度 n_1+n_2-2 查 t 检验表得临界值 $t_{\frac{\alpha}{2}}(n_1+n_2-2)$;

(3)计算 δ:

$$\delta=t_{\frac{\alpha}{2}}(n_1+n_2-2)s\sqrt{\frac{1}{n_1}+\frac{1}{n_2}}$$

其中

$$s=\sqrt{\frac{(n_1-1)s_1^2+(n_2-1)s_2^2}{n_1+n_2-2}}$$

(4)在 $1-\alpha$ 的置信度下,$\mu_1-\mu_2$ 的置信区间为 $(\overline{x}_1-\overline{x}_2-\delta,\overline{x}_1-\overline{x}_2+\delta)$。

【例 10-7】 由甲、乙实验室测定某标准溶液,各测定 5 次,甲测定结果的平均值为 3.23 mg/L,标准偏差为 0.03 mg/L,乙测定结果的平均值为 2.97 mg/L,标准偏差为 0.02 mg/L。试对两测定值之差作区间估计。

解:(1)$\overline{x}_1=3.23,s_1^2=0.03^2,\overline{x}_2=2.97,s_2^2=0.02^2$;

(2)确定置信水平 $1-\alpha=95\%,\alpha=0.05$,查 t 检验表得临界值 $t_{0.025}(8)=2.306$;

(3)$\delta=t_{\frac{\alpha}{2}}(n_1+n_2-2)\sqrt{s_1^2+s_2^2}/\sqrt{n}=0.04$;

(4)在 95% 的置信水平下,两实验室测定值之差的置信区间为 $(\overline{x}_1-\overline{x}_2-\delta,\overline{x}_1-\overline{x}_2+\delta)$,即 $(0.22,0.30)$。

三、总体方差的区间估计

设观测值的总体服从正态分布 $N(\mu,\sigma^2)$,则总体方差 σ^2 的区间估计步骤为:

(1)计算差方和 S:

$$S=\sum_{i=1}^{n}(x_i-\overline{x})^2\ 或\ S(n-1)s^2$$

(2)由给定的置信度 $1-\alpha$ 和自由度 $n-1$,查 x^2 检验表得临界值 $x_{\frac{\alpha}{2}}^2(n-1)$ 和 $x_{1-\frac{\alpha}{2}}^2(n-1)$;

(3)在 $1-\alpha$ 的置信度下, σ^2 的置信区间为 $\left(\dfrac{S}{x_{\frac{\alpha}{2}}^2(n-1)}, \dfrac{S}{x_{1-\frac{\alpha}{2}}^2(n-1)}\right)$。

【例 10-8】 某化工厂附近河流表层水中的汞含量测定值为 0.09mg/L、0.28mg/L、0.32mg/L、0.80mg/L、0.26mg/L、0.10mg/L、0.12mg/L 和 0.16mg/L。试对总体方差作区间估计。

解：(1) $S = \sum\limits_{i=1}^{n}(x_i - \overline{x})^2 = 0.3795, n = 8$；

(2)确定置信水平 $1-\alpha = 0.95, \alpha = 0.05$，查 x^2 检验表得临界值 $x_{0.025}^2(7) = 16.01$，$x_{0.975}^2(7) = 1.690$；

(3)在 95% 的置信水平下，总体方差的置信区间为 $\left(\dfrac{S}{x_{\frac{\alpha}{2}}^2(n-1)}, \dfrac{S}{x_{1-\frac{\alpha}{2}}^2(n-1)}\right)$，即 $(0.024, 0.225)$。

第四节　方差分析

方差分析是检验同方差的若干正态总体均值是否相等的一种统计分析方法。我们常称实验中变化的因素为因子,因子在实验中所取的不同状态称为水平。在实际问题中,影响总体均值的因素可能不止一个,按实验中因子的个数,可以有单因子方差分析、二因子方差分析、多因子方差分析等。方差分析可对不同分析人员、不同仪器或采用不同分析方法等影响测定的各因素加以区分,并定量估算出各种影响的估计量。在实验室的质量控制、协作实验、方法标准化以及标准物质的制备工作中,都经常采用方差分析。

一、方差分析的基本思想

在一项实验中,实验结果往往是波动的,这一波动可以用实验结果与总平均值之间的偏差平方和 S_T 来反映。引起实验结果波动的原因之一是实验过程中各种随机因素的干扰与测试中随机误差的影响,用随机误差的偏差平方和 S_e 表示;引起波动的另一个原因是来自实验过程中不同因素以及因素所处的不同水平的影响,用各因素(包括因素交互作用)的水平间的偏差平方和 S_A、S_B、$S_{A \times B}$ 等表示。方差分析是将总差方和(S_T)分解为随机作用差方和(S_e)和各因素的水平间差方和(S_A、S_B、$S_{A \times B}$ 等),用水平间差方和与随机作用差方和在给定的显著性水平 α 下进行 F 检验,若两者相差不大,表明该因素影响不显著,即该因素各水平无显著差异;若两者相差较大,表明该因素影响显著,即该因素各水平有显著差异。

应用方差分析,要求同一水平的数据服从正态分布,各水平数据的总体方差都相等,可采用 Cochran 检验法检验总体方差的一致性。

二、方差分析的方法步骤

(1)建立假设 H_0。相应的因素以及交互作用对实验结果无显著影响,即各因素不同水平实验数据总体均值相等。

（2）根据测试结果列表计算有关的统计量。

（3）列出方差分析表，计算 F 值。

（4）由给定的显著性水平 α，查 F 检验表得临界值 F_α。

（5）统计推断。若 $F > F_\alpha$，拒绝 H_0，各水平有显著差异；若 $F \leq F_\alpha$，接受 H_0，各水平无显著差异。

三、单因子方差分析

设某实验中，因子 A 有不同水平 $A_1, A_2, \cdots, A_r$，在 A_i 水平下的实验结果 x_i 服从 $N(\mu_i, \sigma^2)$，$i = 1, 2, \cdots, r$，且 $x_1, x_2, \cdots, x_r$ 间相互独立。现在 A_i 水平下做了 t 次实验，获得了 t 个实验结果 x_{ij}，$j = 1, 2, \cdots, t$，方差分析步骤如下：

（1）建立假设 H_0：因子 A 对实验结果无显著影响，即各不同水平实验数据总体均值相等。

（2）根据表 10-2 计算统计量：

表 10-2　　　　　　　　　　　　　　统计量计算

观测次数	$A_1, A_2, \cdots, A_i, \cdots, A_r$	统计量
1 2 $\vdots$ j $\vdots$ t	$x_{11}, x_{21}, \cdots, x_{i1}, \cdots, x_{r1}$ $x_{12}, x_{22}, \cdots, x_{i2}, \cdots, x_{r2}$ $\vdots, \vdots, \cdots, \vdots, \cdots, \vdots$ $x_{1j}, x_{2j}, \cdots, x_{ij}, \cdots, x_{rj}$ $\vdots, \vdots, \cdots, \vdots, \cdots, \vdots$ $x_{1t}, x_{2t}, \cdots, x_{it}, \cdots, x_{rt}$	
$\sum\limits_{j=1}^{t} x_{ij}$		$\sum\limits_{i=1}^{r}\sum\limits_{j=1}^{t} x_{ij}$
$(\sum\limits_{j=1}^{t} x_{ij})^2$		$\sum\limits_{i=1}^{r}(\sum\limits_{j=1}^{t} x_{ij})^2$
$\sum\limits_{j=1}^{t} x_{ij}^2$		$\sum\limits_{i=1}^{r}\sum\limits_{j=1}^{t} x_{ij}^2$

（3）列出方差分析表，见表 10-3。

表 10-3　　　　　　　　　　　　　　方差分析表

来源	平方和	自由度	均方和	F 值
因子 A	$S_A = \sum\limits_{i=1}^{r} \dfrac{(\sum\limits_{j=1}^{t} x_{ij})^2}{t} - \dfrac{1}{n}(\sum\limits_{i=1}^{r}\sum\limits_{j=1}^{t} x_{ij})^2$	$r-1$	$\dfrac{S_A}{r-1}$	$F = \dfrac{S_A/(r-1)}{S_e/(n-r)}$
误差 e	$S_e = S_T - S_A$	$n-r$	$\dfrac{S_e}{n-r}$	
总和	$S_T = \sum\limits_{i=1}^{r}\sum\limits_{j=1}^{t} x_{ij}^2 - \dfrac{1}{n}(\sum\limits_{i=1}^{r}\sum\limits_{j=1}^{t} x_{ij})^2$	$n-1$	$n = rt$	

若在因子的每一水平下所进行的实验次数不等，设在第 i 个水平下重复了 t_i 次，$i = 1, 2, \cdots, r$，则方差分析表中计算公式可修改如下：

$$S_A = \sum_{i=1}^{r} \frac{(\sum_{j=1}^{t_i} x_{ij})^2}{t_i} - \frac{1}{n}(\sum_{i=1}^{r} \sum_{j=1}^{t_i} x_{ij})^2$$

$$S_T = \sum_{i=1}^{r} \sum_{j=1}^{t_i} x_{ij}^2 - \frac{1}{n}(\sum_{i=1}^{r} \sum_{j=1}^{t_i} x_{ij})^2$$

$$S_e = S_T - S_A$$

$$n = \sum_{i=1}^{r} t_i$$

其余部分计算不变。

(4) 由给定的显著性水平 α，查 F 检验表得临界值 $F_\alpha(r-1, n-r)$，进行 F 检验。若 $F > F_\alpha(r-1, n-r)$，拒绝 H_0，各水平有显著差异；若 $F \leqslant F_\alpha(r-1, n-r)$，接受 H_0，各水平无显著差异。

例如，某河流采样点不同季节某污染物含量测定结果见表 10-4。试比较不同季节污染物含量的差别有无显著意义。

表 10-4　　　　　　　　　某河流采样点不同季节某污染物含量

观测次数	春	夏	秋	冬
1	0.54	0.75	0.63	0.85
2	0.70	0.80	0.61	0.87
3	0.68	0.72	0.59	0.72
4	0.71	0.71	0.56	0.78
5	0.52	0.56	0.42	0.63
6	0.75	0.68	0.40	0.90
7	0.78	0.66	0.53	0.54
8	0.61	0.61	0.55	0.63
$\sum_{j=1}^{t} x_{ij}$	5.29	5.49	4.29	5.92
$(\sum_{j=1}^{t} x_{ij})^2$	27.98	30.14	18.40	35.05
$\sum_{j=1}^{t} x_{ij}^2$	3.561 5	3.808 7	2.350 5	4.501 6

注：$r = 4, t = 8$。

计算：

$$\sum_{i=1}^{r} \sum_{j=1}^{t} x_{ij} = 5.29 + 5.49 + 4.29 + 5.92 = 20.99$$

$$\sum_{i=1}^{r} (\sum_{j=1}^{t} x_{ij})^2 = 27.98 + 30.14 + 18.40 + 35.05 = 111.57$$

$$\sum_{i=1}^{r} \sum_{j=1}^{t} x_{ij}^2 = 3.561 5 + 3.808 7 + 2.350 5 + 4.501 6 = 14.222 3$$

$$S_A = \sum_{i=1}^{r} \frac{(\sum\limits_{j=1}^{t} x_{ij})^2}{t} - \frac{1}{n}(\sum_{i=1}^{r}\sum_{j=1}^{t} x_{ij})^2 = \frac{1}{8} \times 111.57 - \frac{20.99^2}{4 \times 8} = 0.178\,7$$

$$S_T = \sum_{i=1}^{r}\sum_{j=1}^{t} x_{ij}^2 - \frac{1}{n}(\sum_{i=1}^{r}\sum_{j=1}^{t} x_{ij})^2 = 14.222\,3 - \frac{20.99^2}{4 \times 8} = 0.454\,2$$

$$S_e = S_T - S_A = 0.454\,2 - 0.178\,7 = 0.275\,5。$$

列表作方差分析,见表 10-5。

表 10-5　　　　　　　　　　　　　方差分析表

方差来源	平方和	自由度	均方和	F 值	临界值	统计推断
因素	0.178 7	3	0.059 6	6.082	$F_{0.01} = 4.568$	$F > F_{0.01}$,
随机作用	0.275 5	28	0.009 8			否定 H_0
总和	0.454 2	31				

方差分析表明,不同季节污染物含量的差别有显著意义。

四、双因子方差分析

设在某实验中,有 2 个因子在变动,因子 A 取 r 个不同水平 $A_1, A_2, \cdots, A_r$,因子 B 取 s 个不同水平 $B_1, B_2, \cdots, B_s$,在 (A_i, B_j) 水平组合下的实验结果独立地服从分布 $N(\mu_{ij}, \sigma^2)$。

(一)无交互作用的方差分析

(1)建立假设 H_0:因子 A 与 B 的不同水平组合对实验结果无显著影响;

(2)根据表 10-6 计算统计量。

表 10-6　　　　　　　　　　　　　统计量计算

因子水平	$A_1, A_2, \cdots, A_i, \cdots, A_r$	$\sum\limits_{i=1}^{r} x_{ij}$	$(\sum\limits_{i=1}^{r} x_{ij})^2$
B_1	$x_{11}, x_{21}, \cdots, x_{i1}, \cdots, x_{r1}$		
B_2	$x_{12}, x_{22}, \cdots, x_{i2}, \cdots, x_{r2}$		
$\vdots$	$\vdots, \vdots, \cdots, \vdots, \cdots, \vdots$		
B_j	$x_{1j}, x_{2j}, \cdots, x_{ij}, \cdots, x_{rj}$		
$\vdots$	$\vdots, \vdots, \cdots, \vdots, \cdots, \vdots$		
B_s	$x_{1s}, x_{2s}, \cdots, x_{is}, \cdots, x_{rs}$		
$\sum\limits_{j=1}^{s} x_{ij}$		$\sum\limits_{i=1}^{r}\sum\limits_{j=1}^{s} x_{ij}$	$\sum\limits_{j=1}^{s}(\sum\limits_{i=1}^{r} x_{ij})^2$
$(\sum\limits_{j=1}^{s} x_{ij})^2$		$\sum\limits_{i=1}^{r}(\sum\limits_{j=1}^{s} x_{ij})^2$	
$\sum\limits_{j=1}^{s} x_{ij}^2$		$\sum\limits_{i=1}^{r}\sum\limits_{j=1}^{s} x_{ij}^2$	

(3)列出方差分析表,见表 10-7。

表 10-7   **方差分析表**

来源	平方和	自由度	均方和	F 值
因子 A	$S_A = \frac{1}{s}\sum\limits_{i=1}^{r}(\sum\limits_{j=1}^{s}x_{ij})^2 - \frac{1}{rs}(\sum\limits_{i=1}^{r}\sum\limits_{j=1}^{s}x_{ij})^2$	$r-1$	$\dfrac{S_A}{r-1}$	$F_A = \dfrac{S_A/(r-1)}{S_e/(r-1)(s-1)}$
因子 B	$S_B = \frac{1}{r}\sum\limits_{j=1}^{s}(\sum\limits_{i=1}^{r}x_{ij})^2 - \frac{1}{rs}(\sum\limits_{i=1}^{r}\sum\limits_{j=1}^{s}x_{ij})^2$	$s-1$	$\dfrac{S_B}{s-1}$	$F_B = \dfrac{S_B/(s-1)}{S_e/(r-1)(s-1)}$
误差 e	$S_e = S_T - S_A - S_B$	$(r-1)(s-1)$	$\dfrac{S_e}{(r-1)(s-1)}$	
总和	$S_T = \sum\limits_{i=1}^{r}\sum\limits_{j=1}^{s}x_{ij}^2 - \frac{1}{rs}(\sum\limits_{i=1}^{r}\sum\limits_{j=1}^{s}x_{ij})^2$	$rs-1$		

(4)由给定的显著性水平 α，查 F 表得临界值 $F_\alpha(r-1, rt-r)$，进行 F 检验。若 $F_A > F_\alpha(r-1,(r-1)(s-1))$，因子 A 各水平有显著差异；若 $F_B > F_\alpha(s-1,(r-1)(s-1))$，因子 B 各水平有显著差异。

例如，为研究某河流不同时间、不同区域某物质含量的变化，在 3 处采样点分 4 个时段采样测定，结果见表 10-8。试分析不同时间、不同地点某物质含量有无显著差异。

表 10-8   **某河流 3 个采样点不同时段测定结果**

采样点	时段 1	时段 2	时段 3	时段 4	$\sum\limits_{i=1}^{r}x_{ij}$	$(\sum\limits_{i=1}^{r}x_{ij})^2$
1	3.5	2.6	2.0	1.4	9.5	90.25
2	2.3	2.0	1.5	0.8	6.6	43.56
3	2.0	1.9	1.2	0.3	5.4	29.16
$\sum\limits_{j=1}^{s}x_{ij}$	7.8	6.5	4.7	2.5	$\sum\limits_{i=1}^{r}\sum\limits_{j=1}^{s}x_{ij} = 21.5$	$\sum\limits_{j=1}^{s}(\sum\limits_{i=1}^{r}x_{ij})^2 = 162.97$
$(\sum\limits_{j=1}^{s}x_{ij})^2$	60.87	30.25	22.09	6.25	$\sum\limits_{i=1}^{r}(\sum\limits_{j=1}^{s}x_{ij})^2 = 131.43$	
$\sum\limits_{j=1}^{s}x_{ij}^2$	21.54	14.37	7.69	2.69	$\sum\limits_{i=1}^{r}\sum\limits_{j=1}^{s}x_{ij}^2 = 46.29$	

注：$r = 4, s = 3, n = rs = 12$。

计算：

$$S_T = \sum_{i=1}^{r}\sum_{j=1}^{s}x_{ij}^2 - \frac{1}{rs}(\sum_{i=1}^{r}\sum_{j=1}^{s}x_{ij})^2 = 46.29 - \frac{21.5^2}{12} = 7.77$$

$$S_A = \frac{1}{s}\sum_{i=1}^{r}(\sum_{j=1}^{s}x_{ij})^2 - \frac{1}{rs}(\sum_{i=1}^{r}\sum_{j=1}^{s}x_{ij})^2 = \frac{1}{3}\times131.43 - \frac{1}{12}\times21.5^2 = 5.29$$

$$S_B = \frac{1}{r}\sum_{j=1}^{s}(\sum_{i=1}^{r}x_{ij})^2 - \frac{1}{rs}(\sum_{i=1}^{r}\sum_{j=1}^{s}x_{ij})^2 = \frac{1}{4}\times162.97 - \frac{1}{12}\times21.5^2 = 2.22$$

$$S_e = S_T - S_A - S_B = 0.26$$

列出方差分析表,见表 10-9。

表 10-9　　　　　　　　　　　　　方差分析表

方差来源	平方和	自由度	均方和	F 值
因子 A	5.29	3	1.76	40.9
因子 B	2.22	2	1.11	25.8
误差 e	0.26	6	0.043	
总和	7.77	11		

由于 $F_A > F_\alpha(3,6) = 4.8$,$F_B > F_\alpha(2,6) = 5.1$,所以认为,在 $\alpha = 0.05$ 显著性水平下,不同地点、不同时间该河流某物质含量的差异非常显著。

(二)有交互作用的方差分析

为了研究交互效应是否对结果有显著影响,在(A_i, B_j)水平组合下至少要做 $t(\geqslant 2)$ 次实验,方差分析步骤为:

(1)建立假设 H_0。因子 A 与 B 的不同水平组合对实验结果无显著影响。

(2)根据表 10-10 计算统计量。

表 10-10　　　　　　　　　　　　　统计量计算

因子水平	$A_1, \cdots, A_i, \cdots, A_r$	$\sum\limits_{i=1}^{r}\sum\limits_{k=1}^{t} x_{ijk}$	$(\sum\limits_{i=1}^{r}\sum\limits_{k=1}^{t} x_{ijk})^2$
B_1	$(x_{111}, \cdots, x_{11t}), \cdots, (x_{i11}, \cdots, x_{i1t}), \cdots$		
B_2	$(x_{121}, \cdots, x_{12t}), \cdots, (x_{i21}, \cdots x_{i2t}), \cdots$		
$\vdots$	$\vdots \qquad , \cdots, \qquad \vdots \quad , \cdots$		
B_j	$(x_{1j1}, x_{1jt}), \cdots, (x_{ij1}, \cdots x_{ijt}), \cdots$		
$\vdots$	$\vdots \qquad , \cdots, \qquad \vdots \quad , \cdots$		
B_s	$(x_{1s1}, \cdots, x_{1st}), \cdots, (x_{is1}, \cdots, x_{ist}), \cdots$		
$\sum\limits_{j=1}^{s}\sum\limits_{k=1}^{t} x_{ijk}$		$\sum\limits_{i=1}^{r}\sum\limits_{j=1}^{s}\sum\limits_{k=1}^{t} x_{ijk}$	$\sum\limits_{j=1}^{s}(\sum\limits_{i=1}^{r}\sum\limits_{k=1}^{t} x_{ijk})^2$
$(\sum\limits_{j=1}^{s}\sum\limits_{k=1}^{t} x_{ijk})^2$		$\sum\limits_{i=1}^{r}(\sum\limits_{j=1}^{s}\sum\limits_{k=1}^{t} x_{ijk})^2$	
$\sum\limits_{j=1}^{s}\sum\limits_{k=1}^{t} x_{ijk}^2$		$\sum\limits_{i=1}^{r}\sum\limits_{j=1}^{s}\sum\limits_{k=1}^{t} x_{ijk}^2$	

(3)列出方差分析表,见表 10-11。

表 10-11 　　　　　　　　　　　　　　方差分析表

来源	平方和	自由度	均方和	F 值
因子 A	$S_A = \dfrac{1}{st}\sum\limits_{i=1}^{r}(\sum\limits_{j=1}^{s}\sum\limits_{k=1}^{t}x_{ijk})^2 - \dfrac{1}{rst}(\sum\limits_{i=1}^{r}\sum\limits_{j=1}^{s}\sum\limits_{k=1}^{t}x_{ijk})^2$	$r-1$	$\dfrac{S_A}{r-1}$	$F_A = \dfrac{S_A/(r-1)}{S_e/(r-1)(s-1)}$
因子 B	$S_B = \dfrac{1}{rt}\sum\limits_{j=1}^{s}(\sum\limits_{i=1}^{r}\sum\limits_{k=1}^{t}x_{ijk})^2 - \dfrac{1}{rst}(\sum\limits_{i=1}^{r}\sum\limits_{j=1}^{s}\sum\limits_{k=1}^{t}x_{ijk})^2$	$s-1$	$\dfrac{S_B}{s-1}$	$F_B = \dfrac{S_B/(s-1)}{S_e/(r-1)(s-1)}$
$A\times B$	$S_{AB} = \dfrac{1}{t}\sum\limits_{i=1}^{r}\sum\limits_{j=1}^{s}(\sum\limits_{k=1}^{t}x_{ijk})^2 - \dfrac{1}{rst}(\sum\limits_{i=1}^{r}\sum\limits_{j=1}^{s}\sum\limits_{k=1}^{t}x_{ijk})^2 - S_A - S_B$	$(r-1)(s-1)$	$\dfrac{S_{A\times B}}{(r-1)(s-1)}$	$F_{A\times B} = \dfrac{S_{AB}/(r-1)(s-1)}{S_e/rs(t-1)}$
误差 e	$S_e = S_T - S_A - S_B - S_{A\times B}$	$rs(t-1)$	$\dfrac{S_e}{rs(t-1)}$	
总和	$S_T = \sum\limits_{i=1}^{r}\sum\limits_{j=1}^{s}\sum\limits_{k=1}^{t}x_{ijk}^2 - \dfrac{1}{rst}(\sum\limits_{i=1}^{r}\sum\limits_{j=1k=1}^{s}\sum\limits_{}^{t}x_{ijk})^2$	$rst-1$		

(4)由给定的显著性水平 α,查 F 表得临界值 $F_\alpha(r-1,rt-r)$,进行 F 检验。若 $F_A > F_\alpha(r-1,(r-1)(s-1))$,因子 A 各水平有显著差异;若 $F_B > F_\alpha(s-1,(r-1)(s-1))$,因子 B 各水平有显著差异。

例如为研究酸度和保存时间对测定结果的影响,选择了 3 种酸度、4 种保存时间做实验,在同一酸度与保存时间组合下各做两次实验,结果见表 10-12。试在 $\alpha=0.05$ 显著性水平下检验不同酸度、不同保存时间以及它们间的交互作用对实验结果有无显著影响。

表 10-12　　　　　　　　　　　　　不同酸度、不同保存时间样品测定结果表

酸度	时间				$\sum\limits_{j=1}^{s}\sum\limits_{k=1}^{t}x_{ijk}$	$(\sum\limits_{j=1}^{s}\sum\limits_{k=1}^{t}x_{ijk})^2$
	T_1	T_2	T_3	T_4		
pH_1	14,10 (24)	11,11 (22)	13,9 (22)	10,12 (22)	90	8 100
pH_2	9,7 (16)	10,8 (18)	7,11 (18)	6,10 (16)	68	4 624
pH_3	5,11 (16)	13,14 (27)	12,13 (25)	14,10 (24)	92	8 464
$\sum\limits_{i=1}^{r}\sum\limits_{k=1}^{t}x_{ijk}$	56	67	65	62	$\sum\limits_{j=1}^{s}\sum\limits_{i=1}^{r}\sum\limits_{k=1}^{t}x_{ijk}=250$	$\sum\limits_{i=1}^{r}(\sum\limits_{j=1}^{s}\sum\limits_{k=1}^{t}x_{ijk})^2=21\ 188$
$(\sum\limits_{i=1}^{r}\sum\limits_{k=1}^{t}x_{ijk})^2$	3 136	4 489	4 225	3 844	$\sum\limits_{j=1}^{s}(\sum\limits_{i=1}^{r}\sum\limits_{k=1}^{t}x_{ijk})^2=15\ 694$	
$\sum\limits_{i=1}^{r}\sum\limits_{k=1}^{t}x_{ijk}^2$	572	771	733	676	$\sum\limits_{j=1}^{s}\sum\limits_{i=1}^{r}\sum\limits_{k=1}^{t}x_{ijk}^2=2\ 752$	

注:$r=3,s=4,t=2,n=rst=24$。

计算:

$$\frac{1}{rst}\left(\sum_{i=1}^{r}\sum_{j=1}^{s}\sum_{k=1}^{t}x_{ijk}\right)^2 = \frac{1}{24} \times 250^2 = 2\ 604.166\ 7$$

$$\sum_{i=1}^{r}\sum_{j=1}^{s}\left(\sum_{k=1}^{t}x_{ijk}\right)^2 = 5\ 374$$

$$S_T = \sum_{i=1}^{r}\sum_{j=1}^{s}\sum_{k=1}^{t}x_{ijk}^2 - \frac{1}{rst}\left(\sum_{i=1}^{r}\sum_{j=1}^{s}\sum_{k=1}^{t}x_{ijk}\right)^2 = 2\ 752 - 2\ 604.166\ 7 = 147.833\ 3$$

$$S_A = \frac{1}{st}\sum_{i=1}^{r}\left(\sum_{j=1}^{s}\sum_{k=1}^{t}x_{ijk}\right)^2 - \frac{1}{rst}\left(\sum_{i=1}^{r}\sum_{j=1}^{s}\sum_{k=1}^{t}x_{ijk}\right)^2 = \frac{1}{8} \times 21\ 188 - 2\ 604.166\ 7 = 44.333\ 3$$

$$S_B = \frac{1}{rt}\sum_{j=1}^{s}\left(\sum_{i=1}^{r}\sum_{k=1}^{t}x_{ijk}\right)^2 - \frac{1}{rst}\left(\sum_{i=1}^{r}\sum_{j=1}^{s}\sum_{k=1}^{t}x_{ijk}\right)^2 = \frac{1}{6} \times 15\ 694 - 2\ 604.166\ 7 = 11.500\ 0$$

$$S_{AB} = \frac{1}{t}\sum_{i=1}^{r}\sum_{j=1}^{s}\left(\sum_{k=1}^{t}x_{ijk}\right)^2 - \frac{1}{rst}\left(\sum_{i=1}^{r}\sum_{j=1}^{s}\sum_{k=1}^{t}x_{ijk}\right)^2 - S_A - S_B$$

$$= \frac{1}{2} \times 5\ 374 - 2\ 604.166\ 7 - 44.333\ 3 - 11.500\ 0 = 27.000\ 0$$

$$S_e = S_T - S_A - S_B - S_{A \times B} = 65.000\ 0$$

列表作方差分析,见表 10-13。

表 10-13   方差分析表

方差来源	平方和	自由度	均方和	F 值
因子 A	44.333 3	2	22.166 7	4.09
因子 B	11.500 0	3	3.833 3	<1
$A \times B$	27.000 0	6	4.500 0	<1
误差 e	65.000 0	12	5.416 7	
总和	147.833 3	23	$F_{0.05}(2,12) = 3.89$	

方差分析结果表明,只有 $F_A > F_{0.05}(2,12)$,即酸度不同对测定结果产生显著影响,而保存时间及交互作用的影响都不显著。

第五节   回归分析

在环境监测中经常遇到相互之间存在一定关系,然而这种关系并不完全确定的变量,例如污染水体中 BOD_5 与 COD 数值之间,水中某种污染物浓度与在水生生物体内含量之间,土壤中污染物质含量和农作物内含量之间等,回归分析就是寻找这类不完全确定的变量间的数学关系式并进行统计推断的一种方法。在水污染调查与监测中,可以通过建立回归方程确定一些变量间的定量关系式,评价和度量变量间关系的密切程度,并可以应用回归方程由一些变量值去估计另一变量值,对回归方程的主要参数还可以作进一步的评价和比较。回归分析中最简单的是线性回归。

一、一元线性回归方程的建立

一元线性回归方程的形式为

$$\hat{y} = a + bx$$

式中:a 为截距;b 为回归系数。

回归方程可以根据实测数据采用最小二乘法的原则建立。当自变量 x 取值 x_i 时,由上述方程计算得到因变量 y 的估计值 $\hat{y}_i$,即 $\hat{y}_i = a + bx_i$,则 y 的估计值与实测值的绝对误差为 $y_i - \hat{y}_i$。最小二乘法就是要求上述各绝对误差的平方和达到最小,即 $\sum\limits_{i=1}^{n} (y_i - \hat{y}_i)^2 = \sum\limits_{i=1}^{n} (y_i - a - bx_i)^2$ 为最小,应用求极值方法可求得:

$$\begin{cases} b = \dfrac{S_{xy}}{S_{xx}} \\ a = \overline{y} - b\overline{x} \end{cases}$$

式中

$$S_{xx} = \sum_{i=1}^{n} (x_i - \overline{x})^2$$

$$S_{xy} = \sum_{i=1}^{n} (x_i - \overline{x})(y_i - \overline{y})$$

$$\overline{x} = \frac{1}{n} \sum_{i=1}^{n} x_i$$

$$\overline{y} = \frac{1}{n} \sum_{i=1}^{n} y_i$$

二、相关系数及其检验

变量 x 和 y 间若呈线性关系,其关系的密切程度可用相关系数 r 度量。相关系数计算公式为

$$r = \frac{S_{xy}}{\sqrt{S_{xx}S_{yy}}}$$

式中

$$S_{yy} = \sum_{i=1}^{n} (y_i - \overline{y})$$

r 值介于 -1 到 $+1$ 之间,即 $-1 \leqslant r \leqslant 1$。$r$ 值的物理意义为:r 为正值,表明两变量呈正相关,即两变量的数据具有同时增加或减小的趋势;r 为负值,表明两个变量呈负相关,即两个变量的数据呈相反的变化趋势;r 等于 -1 或 $+1$,表明两变量完全相关,即有确定性的线性函数关系,全部实验点都落在一条直线上;r 为 0 时,表明两变量间不相关或为非线性关系。

显然,r 值越接近 0,线性相关性越小,r 值越接近于 1,线性相关性就越大。判断两变量是否呈线性关系,可以对相关系数进行检验,由自由度(测量次数 $n-2$)以及给定的显著性水平查相关系数临界值表,得临界值 r_a。若 $|r| \geqslant r_a$,所配回归方程有实际意义,可以用回归方程描述这两个变量的关系;若 $|r| < r_a$,所配回归方程没有意义,两个变量

间不呈线性关系。

在水环境监测中,由于对测定结果的准确度和精密度要求较高,因此变量间的相关系数仅大于临界值往往还不够,临界值仅能说明两变量之间的相关关系是否显著,而对相关系数的要求还要与所研究问题的需要结合起来。

三、回归方程的精密度和置信区间

回归方程建立后,可根据自变量实测值估计因变量值,但不能准确知道因变量的值,测定值与估计值的差别反映了回归直线的精密度。在一元线性回归中,可以用总体标准差的无偏估计描述回归直线的精密度,进而对因变量作近似的区间估计。

总体标准差 a 的无偏估计:

$$\hat{a} = \sqrt{\frac{S_e}{n-2}}$$

$$S_e = \sum_{i=1}^{n} (y_i - \hat{y}_i)^2$$

式中的实测值 y_i 与回归值 $\hat{y}_i$ 的差 $y_i - \hat{y}_i$ 称为残差;S_e 称为剩余平方和(或残差平方和);n 为实测值个数。

根据实测数据计算 $\hat{a}$ 常采用以下公式:

$$\hat{a} = \sqrt{\frac{S_{yy} - bS_{xy}}{n-2}} = \sqrt{\frac{(1-r^2)S_{yy}}{n-2}}$$

在回归分析中,有时要用回归方程的 $\hat{y}$ 值推断 x 取某一数值时相应 y 值总体均值的置信区间,当 x 取不同数值,回归方程的 $\hat{y}$ 值围绕各自的总体均值呈正态分布,对某一 x 值,由 $\hat{y}$ 推断总体均值的置信区间(置信概率为 $(1-\alpha) \times 100\%$)为

$$\hat{y} \pm t_{\frac{\alpha}{2}} S_{\hat{y}}, \text{自由度为} n-2$$

式中

$$S_{\hat{y}} = \hat{\sigma} \sqrt{\frac{1}{n} + \frac{(x-\overline{x})^2}{S_{xx}}}$$

当 x 取某一数值时,我们可以把实验结果 y 看成是两部分叠加而成的,一部分是由 x 的线性函数引起的,为 $a + bx$,另一部分是由随机因素引起的,记为 ε,即

$$y = a + bx + \varepsilon$$

一般来讲,随机误差 ε 服从正态分布 $N(0, \sigma^2)$,y 值围绕相应的总体均值呈正态分布,如果用 $\hat{y}$ 值作为总体均值的估计值预测 y 值所在范围,则 y 值预测概率为 $1-\alpha$ 的预测区间为

$$\hat{y} \pm t_{\frac{\alpha}{2}} S_y, \text{自由度为} n-2$$

式中

$$S_y = \hat{\sigma} \sqrt{1 + \frac{1}{n} + \frac{(x-\overline{x})^2}{S_{xx}}}$$

需要指出的是,用回归方程由自变量估测因变量时,自变量所取的数值一般应在已观测到的数值范围内,除非有充分理由,不能任意外推。

例如,河水中汞浓度与河水中某生物体内汞含量测定结果见表 10-14,问两者之间是

否存在相性关系,如果存在,求直线回归方程,并推断当河水中汞浓度为 $4.0 \times 10^{-2} \mu g/L$ 时,生物体内汞含量总体均数的95%的置信区间和测定值的预测区间。

表 10-14 河水中汞浓度与河水中某生物体内汞含量

编号	河水中汞浓度 x ($\times 10^{-2} \mu g/L$)	生物体内汞含量 y ($\times 10^{-2} mg/L$)	x^2	y^2	xy
1	2.1	20.2	4.41	408.04	42.42
2	2.6	28.0	6.76	784.00	72.80
3	2.6	26.0	6.76	676.00	67.60
4	2.7	33.0	7.29	1 089.00	89.10
5	2.8	33.2	7.84	1 102.24	92.96
6	2.8	42.0	7.84	1 764.00	117.60
7	3.0	53.0	9.00	2 809.00	159.00
8	4.8	50.0	23.04	2 500.00	240.00
9	5.0	58.0	25.00	3 364.00	290.00
10	5.1	62.4	26.01	3 893.76	318.24
11	5.3	87.3	28.09	7 621.29	462.69
12	5.4	90.8	29.16	8 244.64	490.32
13	6.0	90.0	36.00	8 100.00	540.00
Σ	48.2	671.9	217.20	42 355.97	2 982.73

$$\overline{x} = \frac{1}{13} \times 48.2 = 3.71$$

$$\overline{y} = \frac{1}{13} \times 671.9 = 51.68$$

$$S_{xx} = \sum x^2 - \frac{1}{n}\left(\sum x\right)^2 = 38.49$$

$$S_{yy} = \sum y^2 - \frac{1}{n}\left(\sum y\right)^2 = 7 629.08$$

$$S_{xy} = \sum xy - \frac{1}{n}\sum x \sum y = 491.53$$

计算:

(1)计算基本数据。结果见表 10-14。

(2)计算相关系数 r 并进行检验:

$$r = \frac{S_{xy}}{\sqrt{S_{xx}S_{yy}}} = 0.907 1$$

$n = 13$,自由度为 $n - 2 = 11$,若 $\alpha = 0.05$,查表得 $r_{0.05}(11) = 0.552 9$,$r > r_{0.05}(11)$,说明河水中汞浓度与河水中某生物体内汞含量间线性关系显著。

(3)建立回归方程:

$$b = \frac{S_{xy}}{S_{xx}} = 12.77$$

$$a = \overline{y} - b\overline{x} = 4.30$$

河水中汞浓度与河水中某生物体内汞含量的回归方程为

$$\hat{y} = 4.30 + 12.77x$$

(4)推断当河水中汞浓度为 $4.0 \times 10^{-2} \mu g/L$ 时,生物体内汞含量总体均数的95%的置信区间:

当 $x = 4.0$ 时，$\hat{y} = 4.30 + 12.77x = 55.38$。

计算：

$$\hat{a} = \sqrt{\frac{S_{yy} - bS_{xy}}{n-2}} = 11.09$$

$$S_{\hat{y}} = \hat{\sigma}\sqrt{\frac{1}{n} + \frac{(x - \overline{x})^2}{S_{xx}}} = 3.12$$

由于自由度为 11 时，$t_{0.025}(11) = 2.2010$，生物体内汞含量总体均数的 95% 的置信区间为

$$\hat{y} \pm t_{\frac{\alpha}{2}} S_{\hat{y}} = 55.38 \pm 6.87，即 48.51 \sim 62.25$$

当河水中汞浓度为 $4.0 \times 10^{-2} \mu g/L$ 时，生物体内汞含量测定值的 95% 的预测区间为

$$S_y = \hat{\sigma}\sqrt{1 + \frac{1}{n} + \frac{(x - \overline{x})^2}{S_{xx}}} = 11.52$$

当河水中汞浓度为 $4.0 \times 10^{-2} \mu g/L$ 时，预测生物体内汞含量测定值的 95% 的置信区间为

$$\hat{y} \pm t_{\frac{\alpha}{2}} S_{\hat{y}} = 55.38 \pm 25.36，即 30.02 \sim 80.74$$

四、回归方程的统计检验

(一)截距 $a = a_0$ 的统计检验

在实验室，由回归得到的校准曲线常不通过原点，造成这一现象可能是由于存在某种系统原因，或仅仅是由于测量中各种随机作用的影响，回归方程的截距检验可以判断校准曲线是否通过原点，空白的测定值是否确实存在。检验步骤如下：

(1)计算统计量 t：

$$t = \frac{a - a_0}{\hat{\sigma}\sqrt{\frac{1}{n} + \frac{\overline{x^2}}{S_{xx}}}}$$

(2)确定显著性水平 α：

(3)查 t 分布表得临界值 $t_\alpha(n-2)$；

(4)若 $|t| \geqslant t_\alpha(n-2)$，则 a 与 a_0 存在显著差异；若 $|t| < t_\alpha(n-2)$，则 a 与 a_0 差异不显著。

(二)回归系数 $b = b_0$ 的统计检验

回归系数的检验用于判断方法的灵敏度是否等于某已知量，多水平下测定的两组数据之间是否存在系统误差等。检验步骤如下：

(1)计算统计量 t：

$$t = \frac{b - b_0}{\hat{\sigma}\sqrt{\frac{1}{S_{xx}}}}$$

(2)确定显著性水平 α。

(3)查 t 分布表得临界值 $t_\alpha(n-2)$。

(4)若 $|t| \geqslant t_a(n-2)$，则 b 与 b_0 存在显著差异；若 $|t| < t_a(n-2)$，则 b 与 b_0 差异不显著。

(三)线性回归关系显著性检验

1. 变量间线性关系显著性检验

因变量 y 值变化一般由两个原因引起，一是当与自变量 x 确有线性关系时，由于 x 取值的不同引起，另一个是由于除去 y 与 x 线性关系以外的一切因素引起，包括 x 对 y 的非线性影响以及其他一切未加控制的随机因素。通常用数据的总的偏差平方和来衡量数据波动的大小，即 $S_T = \sum\limits_{i=1}^{n}(y_i - \overline{y})^2$。$S_T$ 可分解为 S_e 和 S_R，其中 $S_e = \sum\limits_{i=1}^{n}(y_i - \hat{y}_i)^2$，为剩余平方和，反映了除去 y 与 x 线性关系以外的一切因素引起的数据 y 间的波动，$S_R = \sum\limits_{i=1}^{n}(\hat{y}_i - \overline{y})^2$，为回归平方和，主要反映了由变量 x 的变化引起的 y 值的波动。变量间线性关系显著性检验步骤如下：

(1)计算统计量 F：

$$F = \frac{S_R}{S_e/(n-2)} = \frac{bS_{xy}}{(S_{yy} - bS_{xy})/(n-2)}$$

(2)确定显著性水平 α。

(3)查 F 检验表得临界值 $F_\alpha(1, n-2)$。

(4)若 $F > F_\alpha(1, n-2)$，则回归方程有显著意义；若 $F \leqslant F_\alpha(1, n-2)$，则回归方程无显著意义。

2. 回归方程统计检验

例如对本节回归方程的精密度和置信区间部分的举例中建立的回归方程进行统计检验，可按以下步骤进行：

(1)回归系数的显著性检验。河水中汞浓度与某生物体中汞含量的回归方程 $\hat{y} = 4.30 + 12.77x$ 是抽样取得的一个样本，回归系数 b 是根据样本求得的，故 b 也有抽样误差，计算样本回归系数后，需作显著性检验。

1)建立检验假设。假设河水中汞浓度与某生物体中汞含量依存关系的回归系数 b 是从总体系数 $b_0 = 0$ 而来，即 y 的变化与 x 无关。

2)计算统计量 t：

$$t = \frac{b - b_0}{\hat{\sigma}\sqrt{\dfrac{1}{S_{xx}}}} = \frac{12.77}{11.09 \times \sqrt{\dfrac{1}{38.49}}} = 7.144$$

3)给定显著性水平 $\alpha = 0.05$，$n = 13$，查 t 检验表得临界值 $t_{0.025}(11) = 2.201$。

4)$t > t_{0.025}(11)$，认为样本回归系数 b 与总体回归系数 $b_0 = 0$ 有显著差异，说明 y 与 x 之间的直线回归关系有显著意义。

(2)截距 a 的显著性检验。样本的截距 a，由于抽样的关系也有波动，a 的波动不仅与总体标准差的无偏估计 $\hat{\sigma}$ 和 x 的离均差平方和 S_{xx} 有关，还同观测值的个数 n 有关，因此对 a 也要进行显著性检验。

1)建立检验假设。假设样本 a 是从空白分析的总体 $a_0 = 0$ 中抽样的。

2)计算统计量：

$$t = \frac{a - a_0}{\hat{\sigma}\sqrt{\frac{1}{n} + \frac{\overline{x}^2}{S_{xx}}}} = \frac{4.30}{11.09 \times \sqrt{\frac{1}{13} + \frac{3.71^2}{38.49}}} = 0.588$$

3)给定显著性水平 $\alpha = 0.05$，$n = 13$，查 t 检验表得临界值 $t_{0.025}(11) = 2.201$。

4)$t < t_{0.025}(11)$，认为样本 a 与 $a_0 = 0$ 无显著差别，其差别由抽样误差引起。

(3)y 与 x 线性回归关系显著性检验。内容包括：

1)计算统计量 F：

$$F = \frac{S_R}{S_e/(n-2)} = \frac{bS_{xy}}{(S_{yy} - bS_{xy})/(n-2)}$$

$$= \frac{12.77 \times 491.53}{(7\,629.08 - 12.77 \times 491.53)/(13 - 2)} = 51.06。$$

2)确定显著性水平 $\alpha = 0.05$，$n = 13$，查 F 检验表得临界值 $F_{0.05}(1, 11) = 4.84$。

3)若 $F > F_{0.05}(1, 11)$，认为 y 与 x 线性回归关系有极显著意义。

(四)两条回归直线的比较

用于检验两条回归直线之间是否存在系统差异。在实验室中常遇到将两条标准曲线进行对比的问题，比较不同时间或不同实验室测得的两条标准曲线有无显著差异，可通过检验其相应总体标准差 α 的无偏估计 $\hat{\alpha}$、回归系数 b 及截距 a 进行，步骤如下。

1. 检验 $\hat{\sigma}_1$ 与 $\hat{\sigma}_2$ 有无显著差异

用 F 检验法检验，计算统计量 $F = \frac{(\sigma_{max})^2}{(\sigma_{min})^2}$，若 $F < F_\alpha$，则 $\hat{\sigma}_1$ 与 $\hat{\sigma}_2$ 无显著差异，两条回归直线等精密度，将 $\hat{\sigma}_1$ 与 $\hat{\sigma}_2$ 合并计算 $\hat{\sigma}$，并作下一步检验：

$$\hat{\sigma} = \sqrt{\frac{(n_1 - 2)\hat{\sigma}_1^2 + (n_2 - 2)\hat{\sigma}_2^2}{n_1 + n_2 - 4}}$$

2. 检验 b_1 与 b_2 有无显著差异

计算统计量：

$$t = \frac{b_1 - b_2}{\hat{\sigma}\sqrt{\frac{1}{S_{(xx)_1}} + \frac{1}{S_{(xx)_2}}}}$$

根据显著性水平 α 和自由度 $n_1 + n_2 - 4$，查 t 检验表得临界值 $t_\alpha(n_1 + n_2 - 4)$，若 $|t| < t_\alpha(n_1 + n_2 - 4)$，则 b_1 与 b_2 无显著差异，将 b_1 与 b_2 合并计算 b，并作下一步检验：

$$b = \frac{b_1 S_{(xx)_1} + b_2 S_{(xx)_2}}{S_{(xx)_1} + S_{(xx)_2}}$$

3. 检验 a_1 与 a_2 有无显著差异

计算统计量：

$$t = \frac{a_1 - a_2}{\hat{\sigma}\sqrt{\dfrac{1}{n_1} + \dfrac{1}{n_2} + \dfrac{\overline{x_1^2} + \overline{x_2^2}}{S_{(xx)_1} + S_{(xx)_2}}}}$$

根据显著性水平 α 和自由度 $n_1 + n_2 - 4$，查 t 检验表得临界值 $t_a(n_1 + n_2 - 4)$，若 $|t| < t_a(n_1 + n_2 - 4)$，则 a_1 与 a_2 无显著差异，将 a_1 与 a_2 合并计算 a：

$$a = \frac{1}{n_1 + n_2}[n_1\overline{y_1} + n_2\overline{y_2} - b(n_1\overline{x_1} + n_2\overline{x_2})]$$

两条回归直线比较时，如果两回归方程回归系数的差别有显著意义，即两条回归线不平行时，就不需要再作截距的差别显著性检验；如果两样本回归系数的差别无显著意义，认为两条回归线是近乎平行趋势，则这两条回归线是平行的两条回归线还是近似一条回归线，就取决于截距的差别是否有显著意义，如果两条回归线既平行，截距的差别又无显著意义，则认为这两条回归线可以合并为一条回归线。

若经上述检验均无显著差异，则这两条回归直线无显著差异，可用下列回归直线作这两条直线的共同回归线：

$$\hat{y} = a + bx$$

例如，比较两条回归直线方程 $\hat{y} = 0.532\,4 + 0.674\,1x$ 与 $\hat{y} = 1.154\,0 + 0.674\,1x$ 有无显著差异。两条直线基本参数见表 10-15。

表 10-15   **两条回归直线方程基本参数**

回归方程	$\hat{y} = 0.532\,4 + 0.674\,1x$	$\hat{y} = 1.154\,0 + 0.674\,1x$
样本容量 n	16	20
总体标准差 α 的无偏估计 $\hat{\alpha}$	0.151 1	0.317 0
自由度	14	18
自变量的差方和 S_{xx}	113.155 3	132.294 3
自变量的平均值 $\overline{x}$	4.235 5	4.938 2
因变量的平均值 $\overline{y}$	3.387 5	4.075

步骤如下：

(1)检验两个样本总体标准差 α 的无偏估计 $\hat{\alpha}$ 的差别显著性。其步骤如下：

1)建立假设。两条回归直线是等精密度的。

2)计算：

$$F = \frac{(\hat{\sigma}_{\max})^2}{(\hat{\sigma}_{\min})^2} = \frac{0.317\,0^2}{0.151\,1^2} = 4.404$$

3)给定显著性水平 $\alpha = 0.05$，查 F 检验表得 $F_{0.05}(18, 14) = 2.884$。

4)$F > F_{0.05}(18, 14)$，故两样本总体标准差 α 的无偏估计 $\hat{\alpha}$ 的差别有显著意义。

(2)两样本回归系数的差异显著性检验。其步骤如下：

1)建立假设。两个样本的回归系数来自同一总体。

2)计算：

$$\hat{\sigma} = \sqrt{\frac{(n_1 - 2)\hat{\sigma}_1^2 + (n_2 - 2)\hat{\sigma}_2^2}{n_1 + n_2 - 4}} = \sqrt{\frac{(16 - 2) \times 0.151\,1^2 + (20 - 2) \times 0.317\,0^2}{16 + 20 - 4}}$$

$$= 0.257\,9$$

$$t = \frac{b_1 - b_2}{\hat{\sigma}\sqrt{\dfrac{1}{S_{(xx)_1}} + \dfrac{1}{S_{(xx)_2}}}} = \frac{0.674\,1 - 0.591\,3}{0.257\,9 \times \sqrt{\dfrac{1}{113.155\,3} + \dfrac{1}{132.294\,3}}} = 2.501$$

3)给定显著性水平 $\alpha = 0.05$,自由度 $n_1 + n_2 - 4 = 32$,查 t 表得 $t_{0.05}(32) = 2.036\,9$。

4)$t > t_{0.05}(32)$,两样本回归系数差别有显著意义,即两条回归直线不平行。

(3)两样本截距的差别显著性检验:

1)建立检验假设。两样本截距均来自同一总体。

2)计算:

$$t = \frac{a_1 - a_2}{\hat{\sigma}\sqrt{\dfrac{1}{n_1} + \dfrac{1}{n_2} + \dfrac{\overline{x_1^2} + \overline{x_2^2}}{S_{(xx)_1} + S_{(xx)_2}}}}$$

$$= \frac{1.154\,0 - 0.532\,4}{0.257\,9 \times \sqrt{\dfrac{1}{16} + \dfrac{1}{20} + \dfrac{4.235\,5^2 + 4.938\,2^2}{113.155\,3 + 132.294\,3}}} = 4.516$$

3)给定显著性水平 $\alpha = 0.05$,自由度 $n_1 + n_2 - 4 = 32$,查 t 表得 $t_{0.05}(32) = 2.036\,9$。

4)$t > t_{0.05}(32)$,两样本均值差别有显著意义

经检验两回归直线总体标准差 σ 的无偏估计 $\hat{\sigma}$、回归系数、截距均有显著差异,因此认为两条回归线的差别有显著意义,两条直线不能合并建立统一的回归方程。

以上仅对一元线性回归方法作了简单介绍,在实际问题中,也常遇到一些变量间不呈线性关系或有多个变量影响观测值的情况,有些曲线经过变量的适当变化可使之线性化(如幂函数、指数关系可通过取对数变成线性关系),对于有多个变量影响的可应用多元回归方法分析。建立变量间关系式,首先要依据所研究对象的专业理论知识,如果无据可循,可以将数据绘制成散点图,然后选择合适的关系式。常用几种检验的临界值,见表 10-16~表 10-20。

t 检验的临界值表

表 10-16　　　$P\{t(n) > t_a(n)\} = \alpha$

n	$\alpha = 0.25$	$\alpha = 0.10$	$\alpha = 0.05$	$\alpha = 0.025$	$\alpha = 0.01$	$\alpha = 0.005$
1	1.000 0	3.077 7	6.313 8	12.706 2	31.820 7	63.657 4
2	0.816 5	1.885 6	2.920 0	4.302 7	6.964 6	9.924 8
3	0.764 9	1.637 7	2.353 4	3.182 4	4.540 7	5.840 9
4	0.740 7	1.533 2	2.131 8	2.776 4	3.746 9	4.604 1
5	0.726 7	1.475 9	2.015 0	2.570 6	3.364 9	4.032 2
6	0.717 6	1.439 8	1.943 2	2.446 9	3.142 7	3.707 4
7	0.711 1	1.414 9	1.894 6	2.364 6	2.998 0	3.499 5

n	$\alpha=0.25$	$\alpha=0.10$	$\alpha=0.05$	$\alpha=0.025$	$\alpha=0.01$	$\alpha=0.005$
8	0.706 4	1.396 8	1.859 5	2.306 0	2.896 5	3.355 4
9	0.702 7	1.383 0	1.833 1	2.262 2	2.821 4	3.249 8
10	0.699 8	1.372 2	1.812 5	2.228 1	2.763 8	3.169 3
11	0.697 4	1.363 4	1.795 9	2.201 0	2.718 1	3.105 8
12	0.695 5	1.356 2	1.782 3	2.178 8	2.681 0	3.054 5
13	0.693 8	1.350 2	1.770 9	2.160 4	2.650 3	3.012 3
14	0.692 4	1.345 0	1.761 3	2.144 8	2.624 5	2.976 8
15	0.691 2	1.340 6	1.753 1	2.131 5	2.602 5	2.946 7
16	0.690 1	1.336 8	1.745 9	2.119 9	2.583 5	2.920 3
17	0.689 2	1.333 4	1.739 6	2.109 8	2.566 9	2.898 2
18	0.688 4	1.330 4	1.734 1	2.100 9	2.552 4	2.878 4
19	0.687 6	1.327 7	1.729 1	2.093 0	2.539 5	2.860 9
20	0.687 0	1.325 3	1.724 7	2.086 0	2.528 0	2.845 3
21	0.686 4	1.323 2	1.720 7	2.079 6	2.517 7	2.831 4
22	0.685 8	1.321 2	1.717 1	2.073 9	2.508 3	2.818 8
23	0.685 3	1.319 5	1.713 9	2.068 7	2.499 9	2.807 3
24	0.684 8	1.317 8	1.710 9	2.063 9	2.4922	2.796 9
25	0.684 4	1.316 3	1.708 1	2.059 5	2.485 1	2.787 4
26	0.684 0	1.315 0	1.705 6	2.055 5	2.478 6	2.778 7
27	0.683 7	1.313 7	1.703 3	2.051 8	2.472 7	2.770 7
28	0.683 4	1.312 5	1.701 1	2.048 4	2.467 1	2.763 3
29	0.683 0	1.311 4	1.699 1	2.045 2	2.462 0	2.756 4
30	0.682 8	1.310 4	1.697 3	2.042 3	2.457 3	2.750 0
31	0.682 5	1.309 5	1.695 5	2.039 5	2.452 8	2.744 0
32	0.682 2	1.308 6	1.693 9	2.036 9	2.448 7	2.738 5
33	0.682 0	1.307 7	1.692 4	2.034 5	2.444 8	2.733 3
34	0.681 8	1.307 0	1.690 9	2.032 2	2.441 1	2.728 4
35	0.681 6	1.306 2	1.689 6	2.030 1	2.437 7	2.723 8
36	0.681 4	1.305 5	1.688 3	2.028 1	2.434 5	2.719 5
37	0.681 2	1.304 9	1.687 1	2.026 2	2.431 4	2.715 4
38	0.681 0	1.304 2	1.686 0	2.024 4	2.428 6	2.711 6
39	0.680 8	1.303 6	1.684 9	2.022 7	2.425 8	2.707 9
40	0.680 7	1.303 1	1.683 9	2.021 1	2.423 3	2.704 5
41	0.680 5	1.302 5	1.682 9	2.019 5	2.420 8	2.701 2
42	0.680 4	1.302 0	1.682 0	2.018 1	2.418 5	2.698 1
43	0.680 2	1.301 6	1.681 1	2.016 7	2.416 3	2.695 1
44	0.680 1	1.301 1	1.680 2	2.015 4	2.414 1	2.692 3
45	0.680 0	1.300 6	1.679 4	2.014 1	2.412 1	2.689 6

表10-17

F 检验的临界值表

$$P = (F > F_{1-\alpha}) = \alpha$$

$\alpha = 0.25$

f_2 \ f_1	1	2	3	4	5	6	7	8	9	10	12	15	20	24	30	40	60	120	∞
1	5.83	7.50	8.20	8.58	8.82	8.98	9.10	9.19	9.26	9.32	9.41	9.49	9.58	9.63	9.67	9.71	9.76	9.80	9.85
2	2.57	3.00	3.15	3.23	3.28	3.31	3.34	3.35	3.37	3.38	3.39	3.41	3.43	3.43	3.44	3.45	3.46	3.47	3.48
3	2.02	2.28	2.36	2.39	2.41	2.42	2.43	2.44	2.44	2.44	2.45	2.46	2.46	2.46	2.47	2.47	2.47	2.47	2.47
4	1.81	2.00	2.05	2.06	2.07	2.08	2.08	2.08	2.08	2.08	2.08	2.08	2.08	2.08	2.08	2.08	2.08	2.08	2.08
5	1.69	1.85	1.88	1.89	1.89	1.89	1.89	1.89	1.89	1.89	1.89	1.89	1.88	1.88	1.88	1.88	1.87	1.87	1.87
6	1.62	1.76	1.78	1.79	1.79	1.78	1.78	1.78	1.77	1.77	1.77	1.76	1.76	1.75	1.75	1.75	1.74	1.74	1.74
7	1.57	1.70	1.72	1.72	1.71	1.71	1.70	1.70	1.69	1.69	1.68	1.68	1.67	1.67	1.66	1.66	1.65	1.65	1.65
8	1.54	1.66	1.67	1.66	1.66	1.65	1.64	1.64	1.63	1.63	1.62	1.62	1.61	1.60	1.60	1.59	1.59	1.58	1.58
9	1.51	1.62	1.63	1.63	1.62	1.61	1.60	1.60	1.59	1.59	1.58	1.57	1.56	1.56	1.55	1.54	1.54	1.53	1.53
10	1.49	1.60	1.60	1.59	1.59	1.58	1.57	1.56	1.56	1.55	1.54	1.53	1.52	1.52	1.51	1.51	1.50	1.49	1.48
11	1.47	1.58	1.58	1.57	1.56	1.55	1.54	1.53	1.53	1.52	1.51	1.50	1.49	1.49	1.48	1.47	1.47	1.46	1.45
12	1.46	1.56	1.56	1.55	1.54	1.53	1.52	1.51	1.51	1.50	1.49	1.48	1.47	1.46	1.45	1.45	1.44	1.43	1.42
13	1.45	1.55	1.55	1.53	1.52	1.51	1.50	1.49	1.49	1.48	1.47	1.46	1.45	1.44	1.42	1.42	1.42	1.41	1.40
14	1.44	1.53	1.53	1.52	1.51	1.50	1.49	1.48	1.47	1.46	1.45	1.44	1.43	1.42	1.41	1.41	1.40	1.39	1.38

续表 10-17

$\alpha = 0.25$

f_2 \ f_1	1	2	3	4	5	6	7	8	9	10	12	15	20	24	30	40	60	120	∞
15	1.43	1.52	1.52	1.51	1.49	1.48	1.47	1.46	1.46	1.45	1.44	1.43	1.41	1.41	1.40	1.39	1.38	1.37	1.36
16	1.42	1.51	1.51	1.50	1.48	1.47	1.46	1.45	1.44	1.44	1.43	1.41	1.40	1.39	1.38	1.37	1.36	1.35	1.34
17	1.42	1.51	1.50	1.49	1.47	1.46	1.45	1.44	1.43	1.43	1.41	1.40	1.39	1.38	1.37	1.36	1.35	1.34	1.33
18	1.41	1.50	1.49	1.48	1.46	1.45	1.44	1.43	1.42	1.42	1.40	1.39	1.38	1.37	1.36	1.35	1.34	1.33	1.32
19	1.41	1.49	1.49	1.47	1.46	1.44	1.43	1.42	1.41	1.41	1.40	1.38	1.37	1.36	1.35	1.34	1.33	1.32	1.30
20	1.40	1.49	1.48	1.47	1.45	1.44	1.43	1.42	1.41	1.40	1.39	1.37	1.36	1.35	1.34	1.33	1.32	1.31	1.29
21	1.40	1.48	1.48	1.46	1.44	1.43	1.42	1.41	1.40	1.39	1.38	1.37	1.35	1.34	1.33	1.32	1.31	1.30	1.28
22	1.40	1.48	1.47	1.45	1.44	1.42	1.41	1.40	1.39	1.39	1.37	1.36	1.34	1.33	1.32	1.31	1.30	1.29	1.28
23	1.39	1.47	1.47	1.45	1.43	1.42	1.41	1.40	1.39	1.38	1.37	1.35	1.34	1.33	1.32	1.31	1.30	1.28	1.27
24	1.39	1.47	1.46	1.44	1.43	1.41	1.40	1.39	1.38	1.38	1.36	1.35	1.33	1.32	1.31	1.30	1.29	1.28	1.26
25	1.39	1.47	1.46	1.44	1.42	1.41	1.40	1.39	1.38	1.37	1.36	1.34	1.33	1.32	1.31	1.29	1.28	1.27	1.25
26	1.38	1.46	1.45	1.44	1.42	1.41	1.39	1.38	1.37	1.37	1.35	1.34	1.32	1.31	1.30	1.29	1.28	1.26	1.25
27	1.38	1.46	1.45	1.43	1.42	1.40	1.39	1.38	1.37	1.36	1.35	1.33	1.32	1.31	1.30	1.28	1.27	1.26	1.24
28	1.38	1.46	1.45	1.43	1.41	1.40	1.39	1.38	1.37	1.36	1.34	1.33	1.31	1.30	1.29	1.28	1.27	1.25	1.24
29	1.38	1.45	1.45	1.43	1.41	1.40	1.38	1.37	1.36	1.35	1.34	1.32	1.31	1.30	1.29	1.27	1.26	1.25	1.23
30	1.38	1.45	1.44	1.42	1.41	1.39	1.38	1.37	1.36	1.35	1.34	1.32	1.30	1.29	1.28	1.27	1.26	1.24	1.23
40	1.36	1.44	1.42	1.40	1.39	1.37	1.36	1.35	1.34	1.33	1.31	1.30	1.28	1.26	1.25	1.24	1.22	1.21	1.19
60	1.35	1.42	1.41	1.38	1.37	1.35	1.33	1.32	1.31	1.30	1.29	1.27	1.25	1.24	1.22	1.21	1.19	1.17	1.15
120	1.34	1.40	1.39	1.37	1.35	1.33	1.31	1.30	1.29	1.28	1.26	1.24	1.22	1.21	1.19	1.18	1.16	1.13	1.10
∞	1.32	1.39	1.37	1.35	1.33	1.31	1.29	1.28	1.27	1.25	1.24	1.22	1.19	1.18	1.16	1.14	1.12	1.08	1.00

续表 10-17

$\alpha = 0.10$

f_2 \ f_1	1	2	3	4	5	6	7	8	9	10	15	20	30	50	100	200	500	∞
1	39.9	49.5	53.6	55.8	57.2	58.2	58.9	59.4	59.9	60.2	61.2	61.7	62.3	62.7	63.0	63.2	63.3	63.3
2	8.53	9.00	9.16	9.24	9.29	9.33	9.35	9.37	9.38	9.39	9.42	9.44	9.46	9.47	9.48	9.49	9.49	9.49
3	5.54	5.46	5.39	5.34	5.31	5.28	5.27	5.25	5.24	5.23	5.20	5.18	5.17	5.15	5.14	5.14	5.14	5.13
4	4.54	4.32	4.19	4.11	4.05	4.01	3.98	3.95	3.94	3.92	3.87	3.84	3.82	3.80	3.78	3.77	3.76	3.76
5	4.06	3.78	3.62	3.52	3.45	3.40	3.37	3.34	3.32	3.30	3.24	3.21	3.17	3.15	3.13	3.12	3.11	3.10
6	3.78	3.46	3.29	3.18	3.11	3.05	3.01	2.98	2.96	2.94	2.87	2.84	2.80	2.77	2.75	2.73	2.73	2.72
7	3.59	3.26	3.07	2.96	2.88	2.83	2.78	2.75	2.72	2.70	2.63	2.59	2.56	2.52	2.50	2.48	2.48	2.47
8	3.46	3.11	2.92	2.81	2.73	2.67	2.62	2.59	2.56	2.54	2.46	2.42	2.38	2.35	2.32	2.31	2.30	2.29
9	3.36	3.01	2.81	2.69	2.61	2.55	2.51	2.47	2.44	2.42	2.34	2.30	2.25	2.22	2.19	2.17	2.17	2.16
10	3.28	2.92	2.73	2.61	2.52	2.46	2.41	2.38	2.35	2.32	2.24	2.20	2.16	2.12	2.09	2.07	2.06	2.06
11	3.23	2.86	2.66	2.54	2.45	2.39	2.34	2.30	2.27	2.25	2.17	2.12	2.08	2.04	2.00	1.99	1.98	1.97
12	3.18	2.81	2.61	2.48	2.39	2.33	2.28	2.24	2.21	2.19	2.10	2.06	2.01	1.97	1.94	1.92	1.91	1.90
13	3.14	2.76	2.56	2.43	2.35	2.28	2.23	2.20	2.16	2.14	2.05	2.01	1.96	1.92	1.88	1.86	1.85	1.85
14	3.10	2.73	2.52	2.39	2.31	2.24	2.19	2.15	2.12	2.10	2.01	1.96	1.91	1.87	1.83	1.82	1.80	1.80
15	3.07	2.70	2.49	2.36	2.27	2.21	2.16	2.12	2.09	2.06	1.97	1.92	1.87	1.83	1.79	1.77	1.76	1.76
16	3.05	2.67	2.46	2.33	2.24	2.18	2.13	2.09	2.06	2.03	1.94	1.89	1.84	1.79	1.76	1.74	1.73	1.72
17	3.03	2.64	2.44	2.31	2.22	2.15	2.10	2.06	2.03	2.00	1.91	1.86	1.81	1.76	1.73	1.71	1.69	1.69

续表 10-17

$\alpha = 0.10$

f_2 \ f_1	1	2	3	4	5	6	7	8	9	10	15	20	30	50	100	200	500	∞
18	3.01	2.62	2.42	2.29	2.20	2.13	2.08	2.04	2.00	1.98	1.89	1.84	1.78	1.74	1.70	1.68	1.67	1.66
19	2.99	2.61	2.40	2.27	2.18	2.11	2.06	2.02	1.98	1.96	1.86	1.81	1.76	1.71	1.67	1.65	1.64	1.63
20	2.97	2.59	2.38	2.25	2.16	2.09	2.04	2.00	1.96	1.94	1.84	1.79	1.74	1.69	1.65	1.63	1.62	1.61
22	2.95	2.56	2.35	2.22	2.13	2.06	2.01	1.97	1.93	1.90	1.81	1.76	1.70	1.65	1.61	1.59	1.58	1.57
24	2.93	2.54	2.33	2.19	2.10	2.04	1.98	1.94	1.91	1.88	1.78	1.73	1.67	1.62	1.58	1.56	1.54	1.53
26	2.91	2.52	2.31	2.17	2.08	2.01	1.96	1.92	1.88	1.86	1.76	1.71	1.65	1.59	1.55	1.53	1.51	1.50
28	2.89	2.50	2.29	2.16	2.06	2.00	1.94	1.90	1.87	1.84	1.74	1.69	1.63	1.57	1.53	1.50	1.49	1.48
30	2.88	2.49	2.28	2.14	2.05	1.98	1.93	1.88	1.85	1.82	1.72	1.67	1.61	1.55	1.51	1.48	1.47	1.46
40	2.84	2.44	2.23	2.09	2.00	1.93	1.87	1.83	1.79	1.76	1.66	1.61	1.54	1.48	1.43	1.41	1.39	1.38
50	2.81	2.41	2.20	2.06	1.97	1.90	1.84	1.80	1.76	1.73	1.63	1.57	1.50	1.44	1.39	1.36	1.34	1.33
60	2.79	2.39	2.18	2.04	1.95	1.87	1.82	1.77	1.74	1.71	1.60	1.54	1.48	1.41	1.36	1.33	1.31	1.29
80	2.77	2.37	2.15	2.02	1.92	1.85	1.79	1.75	1.71	1.68	1.57	1.51	1.44	1.38	1.32	1.28	1.26	1.24
100	2.76	2.36	2.14	2.00	1.91	1.83	1.78	1.73	1.70	1.66	1.56	1.49	1.42	1.35	1.29	1.26	1.23	1.21
200	2.73	2.33	2.11	1.97	1.88	1.80	1.75	1.70	1.66	1.63	1.52	1.46	1.38	1.31	1.24	1.20	1.17	1.14
500	2.72	2.31	2.10	1.96	1.86	1.79	1.73	1.68	1.64	1.61	1.50	1.44	1.36	1.28	1.21	1.16	1.12	1.09
∞	2.71	2.30	2.08	1.94	1.85	1.77	1.72	1.67	1.63	1.60	1.49	1.42	1.34	1.26	1.18	1.13	1.08	1.00

$\alpha = 0.05$

f_2 \ f_1	1	2	3	4	5	6	7	8	9	10	12	14	16	18	20
1	161	200	216	225	230	234	237	239	241	242	244	245	246	247	248
2	18.5	19.0	19.2	19.2	19.3	19.3	19.4	19.4	19.4	19.4	19.4	19.4	19.4	19.4	19.4
3	10.1	9.55	9.28	9.12	9.01	8.94	8.89	8.85	8.81	8.79	8.74	8.71	8.69	8.67	8.66
4	7.71	6.94	6.59	6.39	6.26	6.16	6.09	6.04	6.00	5.96	5.91	5.87	5.84	5.82	5.80
5	6.61	5.79	5.41	5.19	5.05	4.95	4.88	4.82	4.77	4.74	4.68	4.64	4.60	4.58	4.56
6	5.99	5.14	4.76	4.53	4.39	4.28	4.21	4.15	4.10	4.06	4.00	3.96	3.92	3.90	3.87
7	5.59	4.74	4.35	4.12	3.97	3.87	3.79	3.73	3.68	3.64	3.57	3.53	3.49	3.47	3.44
8	5.32	4.46	4.07	3.84	3.69	3.58	3.50	3.44	3.39	3.35	3.28	3.24	3.20	3.17	3.15
9	5.12	4.26	3.86	3.63	3.48	3.37	3.29	3.23	3.18	3.14	3.07	3.03	2.99	2.96	2.94
10	4.96	4.10	3.71	3.48	3.33	3.22	3.14	3.07	3.02	2.98	2.91	2.86	2.83	2.80	2.77
11	4.84	3.98	3.59	3.36	3.20	3.09	3.01	2.95	2.90	2.85	2.79	2.74	2.70	2.67	2.65
12	4.75	3.89	3.49	3.26	3.11	3.00	2.91	2.85	2.80	2.75	2.69	2.64	2.60	2.57	2.54
13	4.67	3.81	3.41	3.18	3.03	2.92	2.83	2.77	2.71	2.67	2.60	2.55	2.51	2.48	2.46
14	4.60	3.74	3.34	3.11	2.96	2.85	2.76	2.70	2.65	2.60	2.53	2.48	2.44	2.41	2.39
15	4.54	3.68	3.29	3.06	2.90	2.79	2.71	2.64	2.59	2.54	2.48	2.42	2.38	2.35	2.33
16	4.49	3.63	3.24	3.01	2.85	2.74	2.66	2.59	2.54	2.49	2.42	2.37	2.33	2.30	2.28
17	4.45	3.59	3.20	2.96	2.81	2.70	2.61	2.55	2.49	2.45	2.38	2.33	2.29	2.26	2.23
18	4.41	3.55	3.16	2.93	2.77	2.66	2.58	2.51	2.46	2.41	2.34	2.29	2.25	2.22	2.19
19	4.38	3.52	3.13	2.90	2.74	2.63	2.54	2.48	2.42	2.38	2.31	2.26	2.21	2.18	2.16
20	4.35	3.49	3.10	2.87	2.71	2.60	2.51	2.45	2.39	2.35	2.28	2.22	2.18	2.15	2.12
21	4.32	3.47	3.07	2.84	2.68	2.57	2.49	2.42	2.37	2.32	2.25	2.20	2.16	2.12	2.10
22	4.30	3.44	3.05	2.82	2.66	2.55	2.46	2.40	2.34	2.30	2.23	2.17	2.13	2.10	2.07
23	4.28	3.42	3.03	2.80	2.64	2.53	2.44	2.37	2.32	2.27	2.20	2.15	2.11	2.07	2.05
24	4.26	3.40	3.01	2.78	2.62	2.51	2.42	2.36	2.30	2.25	2.18	2.13	2.09	2.05	2.03
25	4.24	3.39	2.99	2.76	2.60	2.49	2.40	2.34	2.28	2.24	2.16	2.11	2.07	2.04	2.01

$\alpha = 0.05$

f_2 \ f_1	1	2	3	4	5	6	7	8	9	10	12	14	16	18	20
26	4.23	3.37	2.98	2.74	2.59	2.47	2.39	2.32	2.27	2.22	2.15	2.09	2.05	2.02	1.99
27	4.21	3.35	2.96	2.73	2.57	2.46	2.37	2.31	2.25	2.20	2.13	2.08	2.04	2.00	1.97
28	4.20	3.34	2.95	2.71	2.56	2.45	2.36	2.29	2.24	2.19	2.12	2.06	2.02	1.99	1.96
29	4.18	3.33	2.93	2.70	2.55	2.43	2.35	2.28	2.22	2.18	2.10	2.05	2.01	1.97	1.94
30	4.17	3.32	2.92	2.69	2.53	2.42	2.33	2.27	2.21	2.16	2.09	2.04	1.99	1.96	1.93
32	4.15	3.29	2.90	2.67	2.51	2.40	2.31	2.24	2.19	2.14	2.07	2.01	1.97	1.94	1.91
34	4.13	3.28	2.88	2.65	2.49	2.38	2.29	2.23	2.17	2.12	2.05	1.99	1.95	1.92	1.89
36	4.11	3.26	2.87	2.63	2.48	2.36	2.28	2.21	2.15	2.11	2.03	1.98	1.93	1.90	1.87
38	4.10	3.24	2.85	2.62	2.46	2.35	2.26	2.19	2.14	2.09	2.02	1.96	1.92	1.88	1.85
40	4.08	3.23	2.84	2.61	2.45	2.34	2.25	2.18	2.12	2.08	2.00	1.95	1.90	1.87	1.84
42	4.07	3.22	2.83	2.59	2.44	2.32	2.24	2.17	2.11	2.06	1.99	1.93	1.89	1.86	1.83
44	4.06	3.21	2.82	2.58	2.43	2.31	2.23	2.16	2.10	2.05	1.98	1.92	1.88	1.84	1.81
46	4.05	3.20	2.81	2.57	2.42	2.30	2.22	2.15	2.09	2.04	1.97	1.91	1.87	1.83	1.80
48	4.04	3.19	2.80	2.57	2.41	2.29	2.21	2.14	2.08	2.03	1.96	1.90	1.86	1.82	1.79
50	4.03	3.18	2.79	2.56	2.40	2.29	2.20	2.13	2.07	2.03	1.95	1.89	1.85	1.81	1.78
60	4.00	3.15	2.76	2.53	2.37	2.25	2.17	2.10	2.04	1.99	1.92	1.86	1.82	1.78	1.75
80	3.96	3.11	2.72	2.49	2.33	2.21	2.13	2.06	2.00	1.95	1.88	1.82	1.77	1.73	1.70
100	3.94	3.09	2.70	2.46	2.31	2.19	2.10	2.03	1.97	1.93	1.85	1.79	1.75	1.71	1.68
125	3.92	3.07	2.68	2.44	2.29	2.17	2.08	2.01	1.96	1.91	1.83	1.77	1.72	1.69	1.65
150	3.90	3.06	2.66	2.43	2.27	2.16	2.07	2.00	1.94	1.89	1.82	1.76	1.71	1.67	1.64
200	3.89	3.04	2.65	2.42	2.26	2.14	2.06	1.98	1.93	1.88	1.80	1.74	1.69	1.66	1.62
300	3.87	3.03	2.63	2.40	2.24	2.13	2.04	1.97	1.91	1.86	1.78	1.72	1.68	1.64	1.61
500	3.86	3.01	2.62	2.39	2.23	2.12	2.03	1.96	1.90	1.85	1.77	1.71	1.66	1.62	1.59
1 000	3.85	3.00	2.61	2.38	2.22	2.11	2.02	1.95	1.89	1.84	1.76	1.70	1.65	1.61	1.58
∞	3.84	3.00	2.60	2.37	2.21	2.10	2.01	1.94	1.88	1.83	1.75	1.69	1.64	1.60	1.57

续表 10-17

$\alpha = 0.025$

f_2 \ f_1	22	24	26	28	30	35	40	45	50	60	80	100	200	500	∞
1	249	249	249	250	250	251	251	251	252	252	252	253	254	254	254
2	19.5	19.5	19.5	19.5	19.5	19.5	19.5	19.5	19.5	19.5	19.5	19.5	19.5	19.5	19.5
3	8.65	8.64	8.63	8.62	8.62	8.60	8.59	8.59	8.58	8.57	8.56	8.55	8.54	8.53	8.53
4	5.79	5.77	5.76	5.75	5.75	5.73	5.72	5.71	5.70	5.69	5.67	5.66	5.65	5.64	5.63
5	4.54	4.53	4.52	4.50	4.50	4.48	4.46	4.45	4.44	4.43	4.41	4.41	4.39	4.37	4.37
6	3.86	3.84	3.83	3.82	3.81	3.79	3.77	3.76	3.75	3.74	3.72	3.71	3.69	3.68	3.67
7	3.43	3.41	3.40	3.39	3.38	3.36	3.34	3.33	3.32	3.30	3.29	3.27	3.25	3.24	3.23
8	3.13	3.12	3.10	3.09	3.08	3.06	3.04	3.03	3.02	3.01	2.99	2.97	2.95	2.94	2.93
9	2.92	2.90	2.89	2.87	2.86	2.84	2.83	2.81	2.80	2.79	2.77	2.76	2.73	2.72	2.71
10	2.75	2.74	2.72	2.71	2.70	2.68	2.66	2.65	2.64	2.62	2.60	2.59	2.56	2.55	2.54
11	2.63	2.61	2.59	2.58	2.57	2.55	2.53	2.52	2.51	2.49	2.47	2.46	2.43	2.42	2.40
12	2.52	2.51	2.49	2.48	2.47	2.44	2.43	2.41	2.40	2.38	2.36	2.35	2.32	2.31	2.30
13	2.44	2.42	2.41	2.39	2.38	2.36	2.34	2.33	2.31	2.30	2.27	2.26	2.23	2.22	2.21
14	2.37	2.35	2.33	2.32	2.31	2.28	2.27	2.25	2.24	2.22	2.20	2.19	2.16	2.14	2.13
15	2.31	2.29	2.27	2.26	2.25	2.22	2.20	2.19	2.18	2.16	2.14	2.12	2.10	2.08	2.07
16	2.25	2.24	2.22	2.21	2.19	2.17	2.15	2.14	2.12	2.11	2.08	2.07	2.04	2.02	2.01
17	2.21	2.19	2.17	2.16	2.15	2.12	2.10	2.09	2.08	2.06	2.03	2.02	1.99	1.97	1.96
18	2.17	2.15	2.13	2.12	2.11	2.08	2.06	2.05	2.04	2.02	1.99	1.98	1.95	1.93	1.92
19	2.13	2.11	2.10	2.08	2.07	2.05	2.03	2.01	2.00	1.98	1.96	1.94	1.91	1.89	1.88
20	2.10	2.08	2.07	2.05	2.04	2.01	1.99	1.98	1.97	1.95	1.92	1.91	1.88	1.86	1.84
21	2.07	2.05	2.04	2.02	2.01	1.98	1.96	1.95	1.94	1.92	1.89	1.88	1.84	1.82	1.81
22	2.05	2.03	2.01	2.00	1.98	1.96	1.94	1.92	1.91	1.89	1.86	1.85	1.82	1.80	1.78
23	2.02	2.00	1.99	1.97	1.96	1.93	1.91	1.90	1.88	1.86	1.84	1.82	1.79	1.77	1.76
24	2.00	1.98	1.97	1.95	1.94	1.91	1.89	1.88	1.86	1.84	1.82	1.80	1.77	1.75	1.73
25	1.98	1.96	1.95	1.93	1.92	1.89	1.87	1.86	1.84	1.82	1.80	1.78	1.75	1.73	1.71

$\alpha = 0.025$

f_2 \ f_1	22	24	26	28	30	35	40	45	50	60	80	100	200	500	∞
26	1.97	1.95	1.93	1.91	1.90	1.87	1.85	1.84	1.82	1.80	1.78	1.76	1.73	1.71	1.69
27	1.95	1.93	1.91	1.90	1.88	1.86	1.84	1.82	1.80	1.79	1.76	1.74	1.71	1.69	1.67
28	1.93	1.91	1.90	1.88	1.87	1.84	1.82	1.80	1.79	1.77	1.74	1.73	1.69	1.67	1.65
29	1.92	1.90	1.88	1.87	1.85	1.83	1.81	1.79	1.77	1.75	1.73	1.71	1.67	1.65	1.64
30	1.91	1.89	1.87	1.85	1.84	1.81	1.79	1.77	1.76	1.74	1.71	1.70	1.66	1.64	1.62
32	1.88	1.86	1.85	1.83	1.82	1.79	1.77	1.75	1.74	1.71	1.69	1.67	1.63	1.61	1.59
34	1.86	1.84	1.82	1.80	1.80	1.77	1.75	1.73	1.71	1.69	1.66	1.65	1.61	1.59	1.57
36	1.85	1.82	1.81	1.79	1.78	1.75	1.73	1.71	1.69	1.67	1.64	1.62	1.59	1.56	1.55
38	1.83	1.81	1.79	1.77	1.76	1.73	1.71	1.69	1.68	1.65	1.62	1.61	1.57	1.54	1.53
40	1.81	1.79	1.77	1.76	1.74	1.72	1.69	1.67	1.66	1.64	1.61	1.59	1.55	1.53	1.51
42	1.80	1.78	1.76	1.74	1.73	1.70	1.68	1.66	1.65	1.62	1.59	1.57	1.53	1.51	1.49
44	1.79	1.77	1.75	1.73	1.72	1.69	1.67	1.65	1.63	1.61	1.58	1.56	1.52	1.49	1.48
46	1.78	1.76	1.74	1.72	1.71	1.68	1.65	1.64	1.62	1.60	1.57	1.55	1.51	1.48	1.46
48	1.77	1.75	1.73	1.71	1.70	1.67	1.64	1.62	1.61	1.59	1.56	1.54	1.49	1.47	1.45
50	1.76	1.74	1.72	1.70	1.69	1.66	1.63	1.61	1.60	1.58	1.54	1.52	1.48	1.46	1.44
60	1.72	1.70	1.68	1.66	1.65	1.62	1.59	1.57	1.56	1.53	1.50	1.48	1.44	1.41	1.39
80	1.68	1.65	1.63	1.62	1.60	1.57	1.54	1.52	1.51	1.48	1.45	1.43	1.38	1.35	1.32
100	1.65	1.63	1.61	1.59	1.57	1.54	1.52	1.49	1.48	1.45	1.41	1.39	1.34	1.31	1.28
125	1.63	1.60	1.58	1.57	1.55	1.52	1.49	1.47	1.45	1.42	1.39	1.36	1.31	1.27	1.25
150	1.61	1.59	1.57	1.55	1.53	1.50	1.48	1.45	1.44	1.41	1.37	1.34	1.29	1.25	1.22
200	1.60	1.57	1.55	1.53	1.52	1.48	1.46	1.43	1.41	1.39	1.35	1.32	1.26	1.22	1.19
300	1.58	1.55	1.53	1.51	1.50	1.46	1.43	1.41	1.39	1.36	1.32	1.30	1.23	1.19	1.15
500	1.56	1.54	1.52	1.50	1.48	1.45	1.42	1.40	1.38	1.34	1.30	1.28	1.21	1.16	1.11
1 000	1.55	1.53	1.51	1.49	1.47	1.44	1.41	1.38	1.36	1.33	1.29	1.26	1.19	1.13	1.08
∞	1.54	1.52	1.50	1.48	1.46	1.42	1.39	1.37	1.35	1.32	1.27	1.24	1.17	1.11	1.00

续表 10-17 $\alpha = 0.01$

f_2 \ f_1	20	18	16	14	12	10	9	8	7	6	5	4	3	2	1
1	621	619	617	614	611	606	602	598	593	586	576	563	540	500	405
2	99.4	99.4	99.4	99.4	99.4	99.4	99.4	99.4	99.4	99.3	99.3	99.2	99.2	99.0	98.5
3	26.7	26.8	26.8	26.9	27.1	27.2	27.3	27.5	27.7	27.9	28.2	28.7	29.5	30.8	34.1
4	14.0	14.1	14.2	14.2	14.4	14.5	14.7	14.8	15.0	15.2	15.5	16.0	16.7	18.0	21.2
5	9.55	9.61	9.68	9.77	9.89	10.1	10.2	10.3	10.5	10.7	11.0	11.4	12.1	13.3	16.3
6	7.40	7.45	7.52	7.60	7.72	7.87	7.98	8.10	8.26	8.47	8.75	9.15	9.78	10.9	13.7
7	6.16	6.21	6.27	6.36	6.47	6.62	6.72	6.84	6.99	7.19	7.46	7.85	8.45	9.55	12.2
8	5.36	5.41	5.48	5.56	5.67	5.81	5.91	6.03	6.18	6.37	6.63	7.01	7.59	8.65	11.3
9	4.81	4.86	4.92	5.00	5.11	5.26	5.35	5.47	5.61	5.80	6.06	6.42	6.99	8.02	10.6
10	4.41	4.46	4.52	4.60	4.71	4.85	4.94	5.06	5.20	5.39	5.64	5.99	6.55	7.56	10.0
11	4.10	4.15	4.21	4.29	4.40	4.54	4.63	4.74	4.89	5.07	5.32	5.67	6.22	7.21	9.65
12	3.86	3.91	3.97	4.05	4.16	4.30	4.39	4.50	4.64	4.82	5.06	5.41	5.95	6.93	9.33
13	3.66	3.71	3.78	3.86	3.96	4.10	4.19	4.30	4.44	4.62	4.86	5.21	5.74	6.70	9.07
14	3.51	3.56	3.62	3.70	3.80	3.94	4.03	4.14	4.28	4.46	4.70	5.04	5.56	6.51	8.86
15	3.37	3.42	3.49	3.56	3.67	3.80	3.89	4.00	4.14	4.32	4.56	4.89	5.42	6.36	8.68
16	3.26	3.31	3.37	3.45	3.55	3.69	3.78	3.89	4.03	4.20	4.44	4.77	5.29	6.23	8.53
17	3.16	3.21	3.27	3.35	3.46	3.59	3.68	3.79	3.93	4.10	4.34	4.67	5.18	6.11	8.40
18	3.08	3.13	3.19	3.27	3.37	3.51	3.60	3.71	3.84	4.01	4.25	4.58	5.09	6.01	8.29
19	3.00	3.05	3.12	3.19	3.30	3.43	3.52	3.63	3.77	3.94	4.17	4.50	5.01	5.93	8.18
20	2.94	2.99	3.05	3.13	3.23	3.37	3.46	3.56	3.70	3.87	4.10	4.43	4.94	5.85	8.10
21	2.88	2.93	2.99	3.07	3.17	3.31	3.40	3.51	3.64	3.81	4.04	4.37	4.87	5.78	8.02
22	2.83	2.88	2.94	3.02	3.12	3.26	3.35	3.45	3.59	3.76	3.99	4.31	4.82	5.72	7.95
23	2.78	2.83	2.89	2.97	3.07	3.21	3.30	3.41	3.54	3.71	3.94	4.26	4.76	5.66	7.88
24	2.74	2.79	2.85	2.93	3.03	3.17	3.26	3.36	3.50	3.67	3.90	4.22	4.72	5.61	7.82
25	2.70	2.75	2.81	2.89	2.99	3.13	3.22	3.32	3.46	3.63	3.86	4.18	4.68	5.57	7.77

续表 10-17

$\alpha=0.01$

f_2 \ f_1	1	2	3	4	5	6	7	8	9	10	12	14	16	18	20	f_2
26	7.72	5.53	4.64	4.14	3.82	3.59	3.42	3.29	3.18	3.09	2.96	2.86	2.78	2.72	2.66	26
27	7.68	5.49	4.60	4.11	3.78	3.56	3.39	3.26	3.15	3.06	2.93	2.82	2.75	2.68	2.63	27
28	7.64	5.45	4.57	4.07	3.75	3.53	3.36	3.23	3.12	3.03	2.90	2.79	2.72	2.65	2.60	28
29	7.60	5.42	4.54	4.04	3.73	3.50	3.33	3.20	3.09	3.00	2.87	2.77	2.69	2.62	2.57	29
30	7.56	5.39	4.51	4.02	3.70	3.47	3.30	3.17	3.07	2.98	2.84	2.74	2.66	2.60	2.55	30
32	7.50	5.34	4.46	3.97	3.65	3.43	3.26	3.13	3.02	2.93	2.80	2.70	2.62	2.55	2.50	32
34	7.44	5.29	4.42	3.93	3.61	3.39	3.22	3.09	2.98	2.89	2.76	2.66	2.58	2.51	2.46	34
36	7.40	5.25	4.38	3.89	3.57	3.35	3.18	3.05	2.95	2.86	2.72	2.62	2.54	2.48	2.43	36
38	7.35	5.21	4.34	3.86	3.54	3.32	3.15	3.02	2.92	2.83	2.69	2.59	2.51	2.45	2.40	38
40	7.31	5.18	4.31	3.83	3.51	3.29	3.12	2.99	2.89	2.80	2.66	2.56	2.48	2.42	2.37	40
42	7.28	5.15	4.29	3.80	3.49	3.27	3.10	2.97	2.86	2.78	2.64	2.54	2.46	2.40	2.34	42
44	7.25	5.12	4.26	3.78	3.47	3.24	3.08	2.95	2.84	2.75	2.62	2.52	2.44	2.37	2.32	44
46	7.22	5.10	4.24	3.76	3.44	3.22	3.06	2.93	2.82	2.73	2.60	2.50	2.42	2.35	2.30	46
48	7.20	5.08	4.22	3.74	3.43	3.20	3.04	2.91	2.80	2.72	2.58	2.48	2.40	2.33	2.28	48
50	7.17	5.06	4.20	3.72	3.41	3.19	3.02	2.89	2.79	2.70	2.56	2.46	2.38	2.32	2.27	50
60	7.08	4.98	4.13	3.65	3.34	3.12	2.95	2.82	2.72	2.63	2.50	2.39	2.31	2.25	2.20	60
80	6.96	4.88	4.04	3.56	3.26	3.04	2.87	2.74	2.64	2.55	2.42	2.31	2.23	2.17	2.12	80
100	6.90	4.82	3.98	3.51	3.21	2.99	2.82	2.69	2.59	2.50	2.37	2.26	2.19	2.12	2.07	100
125	6.84	4.78	3.94	3.47	3.17	2.95	2.79	2.66	2.55	2.47	2.33	2.23	2.15	2.08	2.03	125
150	6.81	4.75	3.92	3.45	3.14	2.92	2.76	2.63	2.53	2.44	2.31	2.20	2.12	2.06	2.00	150
200	6.76	4.71	3.88	3.41	3.11	2.89	2.73	2.60	2.50	2.41	2.27	2.17	2.09	2.02	1.97	200
300	6.72	4.68	3.85	3.38	3.08	2.86	2.70	2.57	2.47	2.38	2.24	2.14	2.06	1.99	1.94	300
500	6.69	4.65	3.82	3.36	3.05	2.84	2.68	2.55	2.44	2.36	2.22	2.12	2.04	1.97	1.92	500
1 000	6.66	4.63	3.80	3.34	3.04	2.82	2.66	2.53	2.43	2.34	2.20	2.10	2.02	1.95	1.90	1 000
∞	6.63	4.61	3.78	3.32	3.02	2.80	2.64	2.51	2.41	2.32	2.18	2.08	2.00	1.93	1.88	∞

α = 0.005

f_2 \ f_1	22	24	26	28	30	35	40	45	50	60	80	100	200	500	∞
1	622	623	624	625	626	628	629	630	630	631	633	633	635	636	637
2	99.5	99.5	99.5	99.5	99.5	99.5	99.5	99.5	99.5	99.5	99.5	99.5	99.5	99.5	99.5
3	26.6	26.6	26.6	26.5	26.5	26.5	26.4	26.4	26.4	26.3	26.3	26.2	26.2	26.1	26.1
4	14.0	13.9	13.9	13.9	13.8	13.8	13.7	13.7	13.7	13.7	13.6	13.6	13.5	13.5	13.5
5	9.51	9.47	9.43	9.40	9.38	9.33	9.29	9.26	9.24	9.20	9.16	9.13	9.08	9.04	9.02
6	7.35	7.31	7.28	7.25	7.23	7.18	7.14	7.11	7.09	7.06	7.01	6.99	6.93	6.90	6.88
7	6.11	6.07	6.04	6.02	5.99	5.94	5.91	5.88	5.86	5.82	5.78	5.75	5.70	5.67	5.65
8	5.32	5.28	5.25	5.22	5.20	5.15	5.12	5.00	5.07	5.03	4.99	4.96	4.91	4.88	4.86
9	4.77	4.73	4.70	4.67	4.65	4.60	4.57	4.54	4.52	4.48	4.44	4.42	4.36	4.33	4.31
10	4.36	4.33	4.30	4.27	4.25	4.20	4.17	4.14	4.12	4.08	4.04	4.01	3.96	3.93	3.91
11	4.06	4.02	3.99	3.96	3.94	3.89	3.86	3.83	3.81	3.78	3.73	3.71	3.66	3.62	3.60
12	3.82	3.78	3.75	3.72	3.70	3.65	3.62	3.59	3.57	3.54	3.49	3.47	3.41	3.38	3.36
13	3.62	3.59	3.56	3.53	3.51	3.46	3.43	3.40	3.38	3.34	3.30	3.27	3.22	3.19	3.17
14	3.46	3.43	3.40	3.37	3.35	3.30	3.27	3.24	3.22	3.18	3.14	3.11	3.06	3.03	3.00
15	3.33	3.29	3.26	3.24	3.21	3.17	3.13	3.10	3.08	3.05	3.00	2.98	2.92	2.89	2.87
16	3.22	3.18	3.15	3.12	3.10	3.05	3.02	2.99	2.97	2.93	2.89	2.86	2.81	2.78	2.75
17	3.12	3.08	3.05	3.03	3.00	2.96	2.92	2.89	2.87	2.83	2.79	2.76	2.71	2.68	2.65
18	3.03	3.00	2.97	2.94	2.92	2.87	2.84	2.81	2.78	2.75	2.70	2.68	2.62	2.59	2.57
19	2.96	2.92	2.89	2.87	2.84	2.80	2.76	2.73	2.71	2.67	2.63	2.60	2.55	2.51	2.49
20	2.90	2.86	2.83	2.80	2.78	2.73	2.69	2.67	2.64	2.61	2.56	2.54	2.48	2.44	2.42
21	2.84	2.80	2.77	2.74	2.72	2.67	2.64	2.61	2.58	2.55	2.50	2.48	2.42	2.38	2.36
22	2.78	2.75	2.72	2.69	2.67	2.62	2.58	2.55	2.53	2.50	2.45	2.42	2.36	2.33	2.31
23	2.74	2.70	2.67	2.64	2.62	2.57	2.54	2.51	2.48	2.45	2.40	2.37	2.32	2.28	2.26
24	2.70	2.66	2.63	2.60	2.58	2.53	2.49	2.46	2.44	2.40	2.36	2.33	2.27	2.24	2.21
25	2.86	2.62	2.59	2.56	2.54	2.49	2.45	2.42	2.40	2.36	2.32	2.29	2.23	2.19	2.17

续表 10-17

$\alpha = 0.005$

f_2 \ f_1	22	24	26	28	30	35	40	45	50	60	80	100	200	500	∞	f_1 \ f_2
26	2.62	2.58	2.55	2.53	2.50	2.45	2.42	2.39	2.36	2.33	2.28	2.25	2.19	2.16	2.13	26
27	2.59	2.55	2.52	2.49	2.47	2.42	2.38	2.35	2.33	2.29	2.25	2.22	2.16	2.12	2.10	27
28	2.56	2.52	2.49	2.46	2.44	2.39	2.35	2.32	2.30	2.26	2.22	2.19	2.13	2.09	2.06	28
29	2.53	2.46	2.46	2.44	2.41	2.36	2.33	2.30	2.27	2.23	2.19	2.16	2.10	2.06	2.03	29
30	2.51	2.47	2.44	2.41	2.39	2.34	2.30	2.27	2.25	2.21	2.16	2.13	2.07	2.03	2.01	30
32	2.46	2.42	2.39	2.36	2.34	2.29	2.25	2.22	2.20	2.16	2.11	2.08	2.02	1.98	1.96	32
34	2.42	2.38	2.35	2.32	2.30	2.25	2.21	2.18	2.16	2.12	2.07	2.04	1.98	1.94	1.91	34
36	2.38	2.35	2.32	2.29	2.26	2.21	2.17	2.14	2.12	2.08	2.03	2.00	1.94	1.90	1.87	36
38	2.35	2.32	2.28	2.26	2.23	2.18	2.14	2.11	2.09	2.05	2.00	1.97	1.90	1.86	1.84	38
40	2.33	2.29	2.26	2.23	2.20	2.15	2.11	2.08	2.06	2.02	1.97	1.94	1.87	1.83	1.80	40
42	2.30	2.26	2.23	2.20	2.18	2.13	2.09	2.06	2.03	1.99	1.94	1.91	1.85	1.80	1.78	42
44	2.28	2.24	2.21	2.18	2.15	2.10	2.06	2.03	2.01	1.97	1.92	1.89	1.82	1.78	1.75	44
46	2.26	2.22	2.19	2.16	2.13	2.08	2.04	2.01	1.99	1.95	1.90	1.86	1.80	1.75	1.73	46
48	2.24	2.20	2.17	2.14	2.12	2.06	2.02	1.99	1.97	1.93	1.88	1.84	1.78	1.73	1.70	48
50	2.22	2.18	2.15	2.12	2.10	2.05	2.01	1.97	1.95	1.91	1.86	1.82	1.76	1.71	1.68	50
60	2.15	2.12	2.08	2.05	2.03	1.98	1.94	1.90	1.88	1.84	1.78	1.75	1.68	1.63	1.60	60
80	2.07	2.03	2.00	1.97	1.94	1.89	1.85	1.81	1.79	1.75	1.69	1.66	1.58	1.53	1.49	80
100	2.02	1.98	1.94	1.92	1.89	1.84	1.80	1.76	1.73	1.69	1.63	1.60	1.52	1.47	1.43	100
125	1.98	1.94	1.91	1.88	1.85	1.80	1.76	1.72	1.69	1.65	1.59	1.55	1.47	1.41	1.37	125
150	1.96	1.92	1.88	1.85	1.83	1.77	1.73	1.69	1.66	1.62	1.56	1.52	1.43	1.38	1.33	150
200	1.93	1.89	1.85	1.82	1.79	1.74	1.69	1.66	1.63	1.58	1.52	1.48	1.39	1.33	1.28	200
300	1.89	1.85	1.82	1.79	1.76	1.71	1.66	1.62	1.59	1.55	1.48	1.44	1.35	1.28	1.22	300
500	1.87	1.83	1.79	1.76	1.74	1.68	1.63	1.60	1.56	1.52	1.45	1.41	1.31	1.23	1.16	500
1 000	1.85	1.81	1.77	1.74	1.72	1.66	1.61	1.57	1.54	1.50	1.43	1.38	1.28	1.19	1.11	1 000
∞	1.83	1.79	1.76	1.72	1.70	1.64	1.59	1.55	1.52	1.47	1.40	1.36	1.25	1.15	1.00	∞

表 10-18　秩和下限 T_1 与上限 T_2 表

n_1	n_2	$\alpha=0.025$ T_1	T_2	$\alpha=0.05$ T_1	T_2	n_1	n_2	$\alpha=0.025$ T_1	T_2	$\alpha=0.05$ T_1	T_2
3	3	—	—	6	15	6	6	26	52	28	50
	4	6	18	7	17		7	28	56	30	54
	5	6	21	7	20		8	29	61	32	58
	6	7	23	8	22		9	31	65	33	63
	7	8	25	9	24		10	33	69	35	67
	8	8	28	9	27	7	7	37	68	39	66
	9	9	30	10	29		8	39	73	41	71
	10	9	33	11	31		9	41	78	43	76
4	4	11	25	12	24		10	43	83	46	80
	5	12	28	13	27	8	8	49	87	52	84
	6	12	32	14	30		9	51	93	54	90
	7	13	35	15	33		10	54	98	57	95
	8	14	38	16	36	9	9	63	108	66	105
	9	15	41	17	39		10	66	114	69	111
	10	16	44	18	42	10	10	79	131	83	127
5	5	18	37	19	36						
	6	19	41	20	40						
	7	20	45	22	43						
	8	21	49	23	47						
	9	22	53	25	50						
	10	24	56	26	54						

表 10-19　秩和临界值表（显著性水平为5%）

实验室数目（n）	被测样品数（m） 3		4		5		6		7		8	
6	3	18	5	23	7	28	10	32	12	37	15	41
7	3	21	5	27	8	32	11	37	14	42	17	47
8	3	24	6	30	9	36	12	42	15	48	18	54
9	3	27	6	34	9	41	13	47	16	54	20	60
10	4	29	7	37	10	45	14	52	17	60	21	67
11	4	32	7	41	11	49	15	57	19	65	23	73
12	4	35	7	45	11	54	15	63	20	71	24	80
13	4	38	8	48	12	58	16	68	21	77	26	86
14	4	41	8	52	12	63	17	73	22	83	27	93
15	4	44	8	56	13	67	18	78	23	89	29	99
16	4	47	9	59	13	71	19	83				
17	5	49	9	63	14	76	20	88				
18	5	52	9	67	15	80	21	93				
19	5	55	10	70	15	85	21	99				
20	5	58	10	74	16	89	22	104				

实验室数目	被 测 样 品 数（m）					
（n）	3	4	5	6	7	8
21	5　　61	10　　78	16　　94	23　　109		
22	5　　64	10　　82	17　　98	24　　114		
23	5　　67	11　　85	17　　103	25　　119		
24	5　　70	11　　89	18　　107	25　　125		
25	6　　72	11　　93	18　　112	26　　130		
26	6　　75	12　　96	19　　116	27　　135		
27	6　　78	12　　100	19　　121	28　　140		
28	6　　81	12　　104	20　　125	29　　145		
29	6　　84	12　　108	20　　130	29　　151		
30	6　　87	13　　111	21　　134	30　　156		

表 10-20　　　　　　　　　　　相关系数的临界值 r_α 表

f ＼ α	0.10	0.05	0.02	0.01	0.001	α ＼ f
1	0.987 69	0.996 92	0.999 507	0.999 877	0.999 993 8	1
2	0.900 00	0.950 00	0.980 00	0.990 00	0.999 00	2
3	0.805 4	0.878 3	0.934 33	0.958 73	0.991 16	3
4	0.729 3	0.811 4	0.882 2	0.917 20	0.974 06	4
5	0.669 4	0.754 5	0.832 9	0.874 5	0.950 74	5
6	0.621 5	0.706 7	0.788 7	0.834 3	0.924 93	6
7	0.582 2	0.666 4	0.749 8	0.797 7	0.898 2	7
8	0.549 4	0.631 9	0.715 5	0.764 6	0.872 1	8
9	0.521 4	0.602 1	0.685 1	0.734 8	0.847 1	9
10	0.497 3	0.576 0	0.658 1	0.707 9	0.823 3	10
11	0.476 2	0.552 9	0.633 9	0.683 5	0.801 0	11
12	0.457 5	0.532 4	0.612 0	0.661 4	0.780 0	12
13	0.440 9	0.513 9	0.592 3	0.641 1	0.760 3	13
14	0.425 9	0.497 3	0.574 2	0.622 6	0.742 0	14
15	0.412 4	0.482 1	0.557 7	0.605 5	0.724 6	15
16	0.400 0	0.468 3	0.542 5	0.589 7	0.708 4	16
17	0.388 7	0.455 5	0.528 5	0.575 1	0.693 2	17
18	0.378 3	0.443 8	0.515 5	0.561 4	0.678 7	18
19	0.368 7	0.432 9	0.503 4	0.548 7	0.665 2	19
20	0.359 8	0.422 7	0.492 1	0.536 8	0.652 4	20
25	0.323 3	0.380 9	0.445 1	0.486 9	0.597 4	25
30	0.296 0	0.349 4	0.409 3	0.448 7	0.554 1	30
35	0.274 6	0.324 6	0.381 0	0.418 2	0.518 9	35
40	0.257 3	0.304 4	0.357 8	0.393 2	0.489 6	40
45	0.242 8	0.287 5	0.338 4	0.372 1	0.464 8	45
50	0.230 6	0.273 2	0.321 8	0.354 1	0.443 3	50
60	0.210 8	0.250 0	0.294 8	0.324 8	0.407 8	60
70	0.195 4	0.231 9	0.273 7	0.301 7	0.379 9	70
80	0.182 9	0.217 2	0.256 5	0.283 0	0.356 8	80
90	0.172 6	0.205 0	0.242 2	0.267 3	0.337 5	90
100	0.163 8	0.194 6	0.230 1	0.254 0	0.321 1	100